NÃO HÁ SILÊNCIO
QUE NÃO TERMINE

CB000532

INGRID BETANCOURT

Não há silêncio que não termine

Meus anos de cativeiro na selva colombiana

Tradução
Antonio Carlos Viana
Dorothée de Bruchard
José Rubens Siqueira
Rosa Freire d'Aguiar

7ª reimpressão

Copyright © 2010 by Ingrid Betancourt

Grafia atualizada segundo o Acordo Ortográfico da Língua Portuguesa de 1990, que entrou em vigor no Brasil em 2009.

Título original
Même le silence a une fin

Capa
warrakloureiro

Imagem de capa
Ingrid Betancourt

Preparação
Cacilda Guerra

Revisão
Daniela Medeiros
Huendel Viana

Dados Internacionais de Catalogação na Publicação (CIP)
(Câmara Brasileira do Livro, SP, Brasil)

Betancourt, Ingrid
Não há silêncio que não termine : meus anos de cativeiro na selva colombiana / Ingrid Betancourt. — São Paulo : Companhia das Letras, 2010.

Título original : Même le silence a une fin.
Vários tradutores.
ISBN 978-85-359-1738-3

1. Betancourt, Ingrid, 1961 - Cativeiro, 2002-2008 Betancourt, Ingrid, 1961 - Rapto 3. Colômbia - Biografia 4. Colômbia - Política e governo - 1974 - 5. Forças Armadas Revolucionárias da Colômbia 6. Legisladores mulheres - Colômbia - Biografia 7. Mulheres candidatas presidenciais - Colômbia - Biografia 8. Sequestro político - Colômbia 9. Vítimas de sequestro - Colômbia - Biografia I. Título.

10-08385   CDD-986.10634092

Índice para catálogo sistemático:
1. Colômbia : Sequestradores políticos :
Biografia 986.10634092

[2017]
Todos os direitos desta edição reservados à
EDITORA SCHWARCZ S.A.
Rua Bandeira Paulista, 702, cj. 32
04532-002 — São Paulo — SP
Telefone: (11) 3707-3500
www.companhiadasletras.com.br
www.blogdacompanhia.com.br
facebook.com/companhiadasletras
instagram.com/companhiadasletras
twitter.com/cialetras

A todos os meus irmãos ainda mantidos como reféns
Aos meus companheiros de cativeiro
A todos aqueles que lutaram pela nossa liberdade

A Mélanie e Lorenzo

À minha mãe

Sumário

1. A fuga da jaula 13
2. Adeus 37
3. A captura 46
4. El Mocho César 58
5. O acampamento de Sonia 67
6. A morte de meu pai 83
7. O abismo 88
8. Os marimbondos 96
9. As tensões do convívio 109
10. Prova de sobrevivência 117
11. A casinha de madeira 122
12. Ferney 130
13. Aprendiz de tecelã 136
14. Os dezessete anos de Mélanie 140
15. À flor da pele 144
16. O raide 150
17. A jaula 159
18. Os amigos que vêm e vão 163
19. Vozes de fora 169
20. Uma visita de Joaquín Gómez 173

21. Segunda prova de sobrevivência. 181

22. A vidente 186

23. Um encontro inesperado. 190

24. O acampamento de Giovanni 194

25. Nas mãos da sombra 201

26. A serenata de Sombra 207

27. O arame farpado 211

28. A antena parabólica 218

29. Na prisão 222

30. A chegada dos americanos. 227

31. A grande disputa 233

32. A numeração 239

33. A miséria humana 243

34. A doença de Lucho 247

35. Um triste Natal 256

36. As querelas 265

37. O galinheiro. 271

38. Volta à prisão 278

39. O confisco dos rádios. 283

40. A libertação dos filhos de Gloria. 293

41. As pequenas coisas do inferno 296

42. O dicionário. 302

43. Meu amigo Lucho 305

44. A criança 309

45. A greve. 314

46. Os aniversários 319

47. A grande partida 324

48. A crise de fígado 327

49. A pilhagem de Guillermo 333

50. Uma ajuda inesperada 336

51. A rede 341

52. Venda de esperança. 346

53. O grupo dos dez 354

54. A marcha interminável. 362

55. As correntes 370

56. A lua de mel. 374

57. Nas portas do inferno 381

58. A descida aos infernos 387

59. O diabo 392

60. Agora ou nunca 398

61. A fuga 403

62. A liberdade 415

63. A escolha 426

64. O fim do sonho 431

65. Punir 436

66. A retirada 442

67. Os ovos 448

68. Monster 452

69. O coração de Lucho 458

70. A fuga de Pinchao 466

71. A morte de Pinchao 474

72. Meu amigo Marc 480

73. O ultimato 487

74. As cartas 493

75. A separação 500

76. Afagando a morte 504

77. Terceira prova de sobrevivência 513

78. A libertação de Lucho 519

79. A discórdia 528

80. O Sagrado Coração 535

81. O embuste 539

82. O fim do silêncio 548

Agradecimentos 555

1. A fuga da jaula
Dezembro de 2002

Tomei a decisão de fugir. Era minha quarta tentativa, mas depois da última vez as condições de detenção tinham se tornado ainda mais terríveis. Eles haviam nos instalado numa jaula construída com tábuas de madeira e folhas de zinco à guisa de telhado. O verão estava chegando, fazia mais de um mês que não tínhamos tempestades à noite. Ora, uma tempestade era indispensável para nós. Eu localizara uma tábua meio podre num canto de nosso cubículo. Empurrando-a fortemente com o pé, consegui rachá-la o suficiente para criar uma abertura. Fiz isso numa tarde, depois do almoço, enquanto o guarda cochilava em pé, equilibrado sobre seu fuzil. O barulho o assustou. Ele se aproximou, nervoso, e deu a volta na jaula devagar, como um animal selvagem. Eu o acompanhava pelas fendas que separavam as tábuas, prendendo a respiração. Ele não conseguia me ver. Parou duas vezes, chegando a grudar o olho num buraco, e por um instante nossos olhares se cruzaram. Deu um pulo para trás, assustado. Depois, para disfarçar, plantou-se bem na entrada da jaula; estava indo à forra, pois não tirava mais os olhos de mim.

Evitando o olhar dele, eu fazia cálculos. Era possível passar por aquela abertura? Em princípio, se a cabeça passasse, o corpo também deveria passar. Eu pensava em minhas brincadeiras de criança, esgueirando-me entre as barras de uma grade do parque Monceau. Era sempre a cabeça que bloqueava tudo. Mas eu já não tinha tanta certeza. Para o corpo de uma criança a coisa funcionava assim, mas para um adulto as proporções seriam as mesmas? Eu estava mais inquieta ainda porque, embora fôssemos bem magras, Clara e eu, nas últimas semanas eu tinha notado um fenômeno de inchaço dos nossos corpos, provavelmente uma retenção de líquidos decorrente da imobilidade forçada. Em minha companheira isso era muito visível. Em mim era mais difícil avaliar, pois não tínhamos espelho.

Eu havia falado com ela sobre isso, o que a irritara profundamente. Tínhamos feito duas tentativas de fuga antes e isso se tornara um assunto de desentendimento entre nós. Conversávamos pouco uma com a outra. Ela perdia a paciência facilmente e eu andava às voltas com minha obsessão. Só pensava na liberdade, em dar um jeito de escapar das mãos das Farc.

Portanto, fazia cálculos ao longo dos dias. E preparava com detalhes o material para nossa expedição. Dava muita importância a coisas bobas. Pensava, por exemplo, que era inimaginável partir sem meu casaco. Esquecera que ele não era impermeável e que, uma vez molhado, pesaria toneladas. Achava também que deveríamos levar o mosquiteiro.

"Também vou ter de prestar muita atenção na questão das botas. De noite sempre as deixamos no mesmo lugar, na entrada do cubículo. Podemos começar a colocá-las aqui dentro para que eles se acostumem a não vê-las mais quando dormimos... Também teremos de conseguir um facão. Para nos defender dos animais selvagens e para abrir caminho no mato. Vai ser muito difícil. Eles estão de pé atrás. Não esqueceram que conseguimos surrupiar um facão quando estavam construindo o antigo acampamento. Pegar as tesouras que eles nos emprestam de vez em quando. Também tenho de pensar nos mantimentos. Precisamos estocar sem que eles percebam. E tudo deve estar bem embalado dentro de plásticos, porque teremos de nadar. E não deve estar pesado demais, do contrário teremos dificuldade em avançar. Devemos estar o mais leve possível. E levarei meus tesouros: nem pensar em deixar as fotos das crianças e as chaves do meu apartamento."

Assim, eu passava os dias a cogitar, repensando vinte vezes no percurso a seguir quando tivéssemos saído do cubículo. Avaliava parâmetros de todo tipo: onde devia estar o rio, de quantos dias precisaríamos até obter ajuda. Imaginava, horrorizada, o ataque de uma anaconda dentro da água, ou de um enorme jacaré como aqueles que eu tinha visto, de olhos vermelhos e brilhantes, sob a tocha de um guarda quando descíamos o rio. Via-me atracada com um tigre,* pois os

---

* Denominação corrente, na Colômbia, da onça-pintada.

guardas tinham me feito uma descrição feroz desse bicho. Pensava em tudo o que podia me dar medo, para me preparar psicologicamente. E tinha decidido que, dessa vez, nada me deteria.

Só pensava nisso. Não dormia mais desde que compreendera que no sossego da noite meu cérebro funcionava melhor. Observava e tomava nota de tudo: a hora das trocas dos guardas, como se posicionavam, qual deles vigiava, qual dormia, qual fazia um relatório ao seguinte sobre o número de vezes que tínhamos nos levantado para urinar...

E, depois, tentava também manter contato com minha companheira a fim de prepará-la para o esforço que a fuga exigiria, as precauções a tomar, os barulhos a evitar. Ela me escutava, desesperada, em silêncio, e só me respondia para expressar uma recusa ou um desacordo. Alguns detalhes eram importantes. Era preciso preparar um boneco, que colocaríamos sobre nossas camas para dar a impressão de um corpo encolhido no lugar do nosso. Eu não tinha o direito de me afastar da jaula, a não ser para ir aos *chontos** fazer minhas necessidades. Era, então, o momento de dar uma olhada no buraco do lixo, com a esperança de descobrir elementos preciosos.

Certa noite, voltei de lá com uma velha sacola de feira que estava mergulhada nos restos de comida em decomposição e com pedaços de papelão: o material ideal para fabricar nosso boneco. Minha atitude irritara o guarda. Não sabendo se devia me proibir de pegar o que tinha sido jogado fora pelo grupo, ele me intimou a me apressar, reforçando a invectiva com um movimento do cano da arma. Quanto a Clara, ficou com nojo do precioso butim, sem entender que serventia poderia ter para nós.

Eu percebia o quanto estávamos afastadas. Obrigadas a permanecer grudadas uma na outra dia e noite, reduzidas a um regime de irmãs siamesas sem ter nada em comum, vivíamos em mundos opostos: ela procurava se adaptar, eu só pensava em fugir.

Depois de um dia particularmente quente, começou a ventar. A selva ficou silenciosa por alguns minutos. Nem mais um só pio de pássaro nem um sussurro de asas. Todos nós viramos a cabeça para o vento, a fim de escrutar o tempo: a tempestade se aproximava.

O acampamento entrava numa atividade febril. Uns checavam os nós de suas barracas, outros iam correndo recolher a roupa que secava num quadrado ensolarado, alguns, mais previdentes, iam aos *chontos*, para o caso de a tempestade se

---

* Termo usado pelas Farc para designar as latrinas improvisadas, cavadas na terra.

prolongar. Eu olhava para aquela agitação com um nó na barriga de tanta angústia, rezando para que Deus me desse forças para ir até o fim. "Esta noite estarei livre." Repetia essa frase sem parar, para não pensar no medo que retesava meus músculos e os esvaziava de sangue, enquanto fazia a muito custo os gestos mil vezes previstos em minhas horas de insônia: esperar que anoitecesse para construir o boneco, dobrar o grande plástico preto e enfiá-lo dentro da bota, abrir o pequeno plástico cinza que me serviria de poncho impermeável, verificar se minha companheira estava pronta. Esperar que a tempestade caísse.

Eu tinha aprendido com as tentativas de fuga anteriores que o melhor momento para escapar era na hora do lusco-fusco, o que na selva acontecia pontualmente às seis e quinze. Durante alguns minutos, quando os olhos começavam a se adaptar à escuridão, e antes que a noite caísse de vez, todos nós ficávamos cegos.

Eu tinha rezado para que a tempestade caísse exatamente nessa hora. Se saíssemos do acampamento logo antes que a noite tomasse conta da selva, os guardas se sucederiam sem notar nada de especial e o alerta só seria dado na manhã seguinte, bem cedinho. Isso nos dava o tempo necessário para nos afastarmos e nos escondermos durante o dia. As equipes lançadas em nosso encalço iriam avançar muito mais depressa do que nós, porque eram bem mais treinadas e se beneficiariam da luz do dia. Mas, se conseguíssemos sair sem deixar rastro, quanto mais nos afastássemos, mais o perímetro de busca se estenderia. Assim, para cobrir essa área, eles precisariam de um grupo de homens maior do que aquele de que dispunham no acampamento. Pensei que era possível nos deslocarmos de noite porque não nos procurariam no escuro: suas lanternas nos permitiriam localizá-los e nos esconder antes que conseguissem nos encontrar. Ao fim de três dias, andando a noite inteira, estaríamos a uns vinte quilômetros do acampamento e seria impossível que nos achassem. Depois disso, teríamos de caminhar durante o dia, perto do rio, sem propriamente margeá-lo, já que o mais provável era que as buscas prosseguiriam por ali, e enfim chegaríamos a algum lugar onde pedir ajuda. Era factível, sim, eu acreditava. Mas precisávamos sair cedo para andar o máximo possível nessa primeira noite e conseguir uma boa distância do acampamento.

Ora, naquela noite a hora propícia tinha passado e a tempestade não chegava. O vento soprava sem parar, mas o temporal roncava ao longe e uma certa tranquilidade voltara ao campo. O guarda se enrolou num grande plástico preto que lhe dava um ar de guerreiro antigo, desafiando os elementos com a capa ao vento. E cada um se preparava para a chegada da tempestade com a serenidade do velho marinheiro que pensa ter escorado sua carga.

Os minutos se passavam numa lentidão infinita. Ao longe, um rádio fazia chegar até nós os ecos de uma música alegre. O vento continuava a soprar, mas a tempestade se calara. De vez em quando, um raio cruzava a muralha vegetal e minha retina me imprimia no cérebro a imagem em negativo do acampamento. Estava fresco, quase frio. Eu sentia a eletricidade cruzar o espaço e me arrepiar a pele. Pouco a pouco, meus olhos incharam de tanto esquadrinhar a escuridão, e minhas pálpebras estavam ficando pesadas. "Esta noite não vai chover." Minha cabeça tombava. Clara se enrolou em seu canto, vencida pela sonolência. E eu mesma me senti aspirada por um sono profundo.

Uma chuvinha que atravessou as tábuas me acordou. Senti o frio na pele e fiquei arrepiada. O barulho dos primeiros pingos de chuva no zinco acabou por me tirar do torpor. Encostei no braço de Clara: tínhamos de partir. A chuva ia ficando cada vez mais forte, mais grossa, mais apertada. Mas a noite continuava muito clara. A lua não estava do nosso lado. Olhei lá fora, entre as tábuas: era possível enxergar como se fosse dia claro.

Teríamos de sair da jaula e correr bem em frente, esperando que das barracas vizinhas ninguém tivesse a ideia de olhar nesse exato instante para nossa prisão. Eu refletia. Não tinha relógio, contava com o de minha companheira. Ela não gostava que eu lhe perguntasse as horas. Hesitei em fazê-lo, mas fui em frente. "São nove horas", ela respondeu, compreendendo que não era o momento de criar tensões desnecessárias. O acampamento já dormia, o que era um ponto a favor. Mas para nós a noite ia ficando cada vez mais curta.

O guarda lutava para se proteger da tromba-d'água que caía em cima dele, o barulho da chuva no zinco abafava meus pontapés nas tábuas podres. No terceiro chute, a tábua se espatifou. Mas a abertura que se formou não era muito grande.

Passei minha pequena mochila e a coloquei do lado de fora. Minhas mãos ficaram encharcadas. Eu sabia que teríamos de passar dias inteiros molhadas até os ossos e para mim esse pensamento era absolutamente repulsivo. Irritava-me comigo mesma à ideia de que uma noção qualquer de conforto pudesse interferir em minha luta pela liberdade. Parecia-me ridículo perder tanto tempo em me convencer de que não adoeceria, que minha pele ficaria um trapo depois de três dias de intempéries. Então pensava com meus botões que minha vida tinha sido fácil demais e que eu estava condicionada por uma educação em que o medo da mudança se escondia atrás de prescrições de prudência. Observava aquela gente jovem que me mantinha presa e não podia deixar de admirá-la. Não sentiam calor, não sentiam frio, nada os picava, mostravam uma notável habilidade em todas as atividades que exigiam força e flexibilidade e se deslocavam pela selva andando três vezes mais depressa que eu. O medo que eu devia superar era feito de preconceitos de todo tipo. A primeira tentativa de fuga fracassara porque tive medo de morrer de sede, já que me proibira de beber a água marrom das poças que se espalhavam pelo chão. Agora, fazia meses que me exercitava em beber água barrenta do rio, para provar a mim mesma que sobreviveria aos parasitas que já deviam ter colonizado minha barriga.

Aliás, desconfiava que o comandante da frente que me capturara, El Mocho César, tinha dado aos guerrilheiros, na minha frente, a recomendação de "ferver a água das presas" a fim de que eu ficasse mentalmente dependente dessa medida de assepsia e que tivesse medo de sair do acampamento e me aventurar na mata.

Para alimentar nosso medo da selva, ele ordenara que nos levassem à beira do rio para assistir à morte de uma cobra imensa que haviam capturado quando ela estava prestes a atacar uma guerrilheira, na hora do banho. O animal era um verdadeiro monstro. Eu o medi com os pés. Tinha oito metros de comprimento e 55 centímetros de diâmetro — a medida da minha cintura. Foram necessários três homens para tirar a cobra da água. Chamavam-na de *guio*, e no meu entender era uma anaconda. Meses a fio, não consegui tirá-la de meus pesadelos.

Eu via aquela juventude à vontade na selva e me sentia desajeitada, enfraquecida, como que deficiente. Comecei a perceber que era minha autoimagem que estava em crise. Num mundo em que eu não inspirava respeito nem admiração, sem a ternura e o amor dos meus, sentia-me envelhecer sem perdão, ou melhor, condenada a detestar aquilo em que tinha me transformado, tão dependente, tão boba, tão incapaz de resolver os pequenos problemas cotidianos.

Por mais alguns instantes observei a abertura estreita e, lá fora, a muralha de chuva que nos esperava. Clara estava agachada ao meu lado. Virei-me para a porta da jaula. O guarda tinha desaparecido sob o temporal. Tudo estava parado, a não ser a água, que caía sem dó. Minha companheira virou-se para mim. Nossos olhares se cruzaram. Nossas mãos se encontraram, estávamos unidas uma à outra, até na dor.

Tínhamos de ir. Soltei-me, alisei minhas roupas e me deitei ao lado do buraco. Passei a cabeça entre as tábuas com uma facilidade encorajadora, depois os ombros. Com uma contorção, fiz o corpo avançar. Senti-me bloqueada e esperneei nervosamente para forçar a saída de um braço. Quando consegui, impulsionei o corpo. Com a força da mão livre, enfiando as unhas no chão, consegui passar o torso. Rastejei numa contorção dolorosa dos quadris para que o resto do corpo escorregasse enviesado pela abertura. Finalmente saí e pulei sobre as pernas. Dei dois passos de lado, a fim de que minha companheira também pudesse sair.

Mas não havia nenhum movimento ao lado do buraco. O que Clara estava fazendo? Por que ainda são saíra? Agachei-me e olhei para dentro. Nada, só a escuridão uterina do buraco que me intimidava. Arrisquei-me a cochichar seu nome. Nenhuma resposta. Enfiei a mão e procurei, tateando, um contato. Um forte enjoo apertava minha garganta. Permaneci de cócoras, observando cada milímetro de meu campo de visão, pronta para ver os guardas pularem em cima de mim. Tentei calcular o tempo que havia passado desde minha saída. Cinco minutos? Dez? Era incapaz de avaliar. Refleti rapidamente, indecisa, à espreita do menor ruído, de olho na menor luz. Uma última vez, de cócoras diante da abertura, chamei Clara, pressentindo que não haveria resposta.

Levantei-me. Diante de mim, a mata cerrada e aquela chuva torrencial que viera atender a todas as minhas preces dos dias anteriores. Eu estava do lado de fora, não havia recuo possível. Precisava agir depressa. Assegurei-me de que o elástico que prendia meu cabelo estava no lugar. Não queria que a guerrilha encontrasse o menor indício do caminho que eu ia pegar. Devagar, contei: um... dois... No três, parti, em frente, para a selva.

Eu corria, corria, tomada de um pânico incontrolável, esgueirando-me das árvores por reflexo, incapaz de ver, de esperar, de pensar, sempre em frente, até a exaustão.

Enfim, parei e dei uma olhada para trás. Ainda conseguia ver a entrada da selva como uma claridade fosforescente entre as árvores. Quando meu cérebro voltou a funcionar, me dei conta de que estava recuando automaticamente, incapaz de me resignar a partir sem ela. Relembrei, uma a uma, todas as nossas conversas, repassando as recomendações combinadas entre nós. Uma em particular me vinha à memória e a ela eu me agarrava com esperança: se nos perdêssemos na saída, nos encontraríamos nos *chontos*. Tínhamos falado disso uma vez, de passagem.

Felizmente meu senso de orientação parecia funcionar bem. Podia me perder numa grande cidade quadriculada, mas na selva eu encontrava meu norte. Saí exatamente na altura dos *chontos*. O lugar, é claro, estava vazio. Olhei enojada para a nuvem de bichinhos acima das fossas cheias de excrementos, para minhas mãos sujas, minhas unhas pretas de lama e aquela chuva que não parava. Não sabia mais o que fazer, estava prestes a cair no desespero.

Ouvi vozes e depressa me refugiei na densidade da mata. Tentei perceber o que estava acontecendo dos lados do acampamento e o rodeei para me aproximar da jaula, protegendo-me, bem no lugar de onde eu tinha saído. O temporal se transformou numa garoa persistente, que permitia que os sons se propagassem. Chegou-me a voz forte do comandante. Impossível entender o que dizia, mas o tom era ameaçador. Uma lanterna de bolso iluminou o interior da jaula, depois o feixe de luz entrou com violência pelo buraco das tábuas e percorreu a clareira da esquerda para a direita, passando a poucos centímetros de meu esconderijo. Dei um passo atrás, suando em bicas, com vontade de vomitar, o coração em disparada. Foi quando ouvi a voz de Clara. O calor que me sufocava deu lugar, sem transição, a um frio mortal. Todo o meu corpo começou a tremer. Eu não entendia o que poderia ter acontecido: por que ela fora capturada? Outras luzes apareceram, ordens circulavam, um grupo de homens munido de lanternas se dispersou: alguns inspecionavam as paredes da jaula, os cantos, o teto. Pararam perto do buraco, depois iluminaram a entrada da mata. Vi quando falaram entre si.

A chuva parou de vez e a escuridão caiu como uma chapa de chumbo. Vislumbrei a silhueta de minha companheira dentro da jaula, a uns trinta metros de meu esconderijo. Ela acabara de acender uma vela, prerrogativa muito rara: como prisioneiras, não tínhamos direito de ter luz. Falava com alguém, mas não era o comandante. As vozes eram pausadas, como que contidas.

Sozinha, encharcada e trêmula, contemplei aquele mundo que já não me era acessível. Era tão tentador confessar-me vencida e voltar ao seco e ao calor! Contemplei aquele espaço iluminado, pensando que não podia me afligir com minha sorte, e repeti para mim mesma: "Tenho de ir embora, tenho de ir embora, tenho de ir embora!".

Apartei-me dolorosamente da luz e enfiei-me na escuridão. A chuva recomeçou. Estendi as mãos para a frente, a fim de evitar os obstáculos. Não havia conseguido um facão, mas tinha uma lanterna de bolso. O risco de usá-la era tão grande quanto o medo de fazê-lo. Fui andando devagar por aquele espaço ameaçador, pensando que a acenderia quando realmente não aguentasse mais. Minhas mãos batiam em superfícies úmidas, enrugadas e viscosas, e eu esperava a qualquer momento sentir a queimadura de um veneno fulminante.

A chuva despencou de novo. Ouvi seu ruído ao bater nas camadas de vegetação que me protegeriam ainda por alguns minutos. Esperava que a qualquer momento meu frágil telhado de folhas acabasse cedendo e desmoronasse sob o peso da água. Acabrunhava-me a perspectiva do dilúvio que não tardaria a me submergir. Já não sabia se o que escorria em minhas faces eram pingos de água ou lágrimas, e me exasperava por ter de arrastar aqueles resquícios de criança chorona.

Tinha me afastado bastante. Um raio rasgou a mata, aterrissando a poucos metros de mim. Num piscar de olhos o espaço ao redor me foi revelado em todo o seu horror. Cercada de árvores gigantescas, eu estava a dois passos de cair num barranco. Parei de repente, completamente cega. Agachei-me para retomar o fôlego entre as raízes da árvore que havia à minha frente. Estava a ponto de pegar a lanterna quando observei ao longe alguns raios de luz intermitentes vindo na minha direção. Ouvia as vozes deles. Deviam estar pertinho, um deles gritava que tinha me avistado. Escondi-me entre as raízes da velha árvore suplicando a Deus que me tornasse invisível.

Acompanhei a direção dos passos deles pelo balanço dos feixes luminosos. Um deles apontou a lanterna para mim e me ofuscou. Fechei os olhos, imóvel, à espera dos uivos de vitória antes que tivessem pulado em cima de mim. Mas os raios de luz me abandonaram, deambularam mais adiante, retornaram por um momento, e então se afastaram de vez, deixando-me no silêncio e no breu.

Levantei-me sem acreditar demais naquilo, ainda trêmula, e encostei-me na árvore centenária para me refazer do susto. Permaneci ali por longos minutos. Um novo raio iluminou a selva de repente. De memória, segui por um caminho em que tive a impressão de perceber uma passagem entre duas árvores, esperando que um novo raio viesse me tirar de novo das trevas. Os guardas não estavam mais lá.

Minha relação com aquele mundo da noite já mudara. Eu avançava com mais facilidade, minhas mãos se revelavam mais ágeis em reagir e meu corpo aprendia a antecipar os acidentes do terreno. A sensação de horror começava a se diluir. Ao meu redor já não havia um ambiente totalmente hostil. Eu percebia aquelas árvores, aquelas palmeiras, samambaias, aquele mato invasor como um possível refúgio. De repente, o desespero de minha situação, o fato de estar encharcada, de ter as mãos e os dedos sangrando, de estar coberta de lama, sem saber para onde ir, tudo aquilo perdia importância. Eu podia sobreviver. Precisava andar, manter-me em movimento, afastar-me. De manhãzinha eles recomeçariam a perseguição. Mas em meio à energia da ação eu repetia para mim mesma "estou livre" e minha voz me fazia companhia.

De forma imperceptível, a selva se tornou mais familiar, passando do mundo negro e plano dos cegos aos relevos monocromáticos. As formas ficaram mais nítidas e finalmente as cores se apossaram de novo do universo: era o alvorecer. Eu precisava encontrar um bom esconderijo.

Apressei o passo, imaginando os reflexos deles e procurando adivinhar seus pensamentos. Queria encontrar um rebaixamento de terreno que me permitisse enrolar-me no grande plástico preto e me cobrir de folhas. Em poucos minutos a selva passou do cinza-azulado ao verde. Já deviam ser cinco horas da manhã, eu sabia que podiam pular em cima de mim a qualquer momento. No entanto, a mata parecia tão fechada! Nem um ruído, nem um movimento, o tempo parecia suspenso.

Custei a recuperar o estado de alerta, enganada pela quietude que vinha com o clarão do dia. Continuei a avançar, mas cautelosamente. De repente, sem aviso prévio, uma grande claridade perpassou o espaço de um lado a outro. Intrigada, me virei. Atrás de mim, a mata ainda se mantinha opaca. Compreendi então o que o fenômeno anunciava. A poucos passos, as árvores já se afastavam para dar lugar ao céu e à água.

O rio estava ali, avançando aos borbotões, trazendo furiosamente em seu leito árvores inteiras que pareciam pedir ajuda. Aquela água borbulhante me intimidou. No entanto, eu precisava me jogar nela e me deixar levar. Esse era o preço da salvação.

Fiquei imóvel. A ausência de perigo iminente me fornecia boas razões para não mergulhar. A fraqueza tomava forma. A covardia tomava forma. Aqueles troncos de árvores que rolavam na água e desapareciam para reaparecer mais adiante, com seus galhos estendidos para o céu, eram eu. Via minha vida ser engolida por aquela lama líquida. Minha covardia inventava pretextos para postergar a ação. Com minha companheira, provavelmente eu não teria hesitado; teria visto naqueles troncos levados pela corrente perfeitas boias de salvação. Mas estava tomada por um medo feito de uma série de pequenos medos insignificantes. Medo de ficar novamente encharcada, quando eu tinha conseguido me aquecer com a marcha. Medo de perder minha mochila com as magras provisões que ela continha. Medo de ser levada pelas ondas, sem saber para onde. Medo de estar sozinha. Medo de ter medo. Medo de morrer, bobamente.

Então, nessa reflexão que me desnudava vergonhosamente diante de mim mesma, compreendi que ainda era um ser medíocre e banal. Que ainda não havia sofrido a ponto de ter no ventre a fúria necessária para lutar até a morte por minha liberdade. Ainda era um cão que, apesar dos golpes, esperava sua tigela. Olhei ao redor, nervosa, à procura de um buraco onde me esconder. Os guardas iam atingir o rio e me procurariam ali, mais do que em outro lugar. Voltar atrás, para a densidade da mata? Estavam em meu encalço e eu me arriscava a dar de cara com eles.

Perto do rio havia mangues e velhos troncos apodrecendo, vestígios de antigas tempestades. Um em especial era de difícil acesso, mas tinha um rebaixamento importante em todo um flanco. As raízes dos mangues criavam uma barragem em torno dele e, parecia-me, escondiam melhor aquele local. Engatinhando, e depois rastejando e me contorcendo, consegui chegar ao buraco. Abri cuidadosamente o grande plástico que enfiara dentro da bota antes da fuga. Minhas meias estavam encharcadas, o plástico também. Sacudi-o e fiquei apavorada com o barulho. Estaquei, prendendo a respiração para detectar o menor movimento. A selva despertava, o zumbido dos bichinhos ganhava amplidão. Mais calma, recomecei a tarefa para me esconder bem na cavidade do tronco, enrolada no plástico.

Então a vi. Yiseth.

Ela estava de costas. Chegara correndo, sem fuzil mas de revólver em punho. Usava um colete de tecido de camuflagem cuja feminilidade lhe dava um ar inofensivo. Virou-se devagar e de imediato seus olhos encontraram os meus. Fechou-os um segundo como para agradecer aos céus e se aproximou, cautelosa.

Com um sorriso triste, me estendeu a mão, como para me ajudar a sair do esconderijo. Eu não tinha mais escolha. Saí. Foi ela que dobrou cuidadosamente o plástico e me deu, para que eu o recolocasse na bota. Balançou a cabeça e depois, satisfeita, dirigiu-se a mim como a uma criança. Suas palavras eram estranhas. Não usava o discurso dos guardas, sempre preocupados em não ser flagrados em erro por um colega. Olhando para o rio como se falasse bem alto, seu discurso vinha carregado de desculpas e ela acabou me confessando que várias vezes também pensara em fugir. Falei-lhe então de meus filhos, de minha necessidade urgente de estar com eles, de voltar para casa. Ela me contou sobre seu bebezinho, que deixara na casa da mãe quando ele tinha poucos meses. Mordia os lábios e seus olhos pretos se encheram de lágrimas.

— Venha comigo — propus.

Ela pegou minhas mãos e seu olhar ficou frio.

— Eles nos encontrariam e nos matariam.

Supliquei-lhe, apertando suas mãos com mais força, obrigando-a a olhar para mim. Ela se negou, peremptória, pegou novamente a arma e me encarou:

— Se me virem falar com você, vão me matar. Não estão longe. Ande na minha frente e ouça com muita atenção o que vou lhe dizer.

Obedeci, apanhando minhas coisas, recolocando a mochila a tiracolo. Ela se grudou atrás de mim e cochichou, com a boca em meu ouvido:

— A ordem do comandante é maltratá-la. Quando chegarem, vão berrar, insultá-la, empurrá-la. Não responda, de jeito nenhum. Não diga nada. Querem castigá-la. E vão levá-la. Só haverá homens com você. Nós, mulheres, temos ordem de voltar para o acampamento. Entendeu direitinho?

Suas palavras ressoavam entre minhas têmporas. Parecia que eu tinha perdido meu espanhol. Fiz um grande esforço de concentração, tentando ir além dos sons, mas a angústia paralisara meu cérebro. Andava sem saber que andava, olhava para aquele mundo como se estivesse dentro dele, como se estivesse num aquário. A voz da moça me chegava deformada, muito alta, intermitente, apagava-se e depois voltava. Senti a cabeça muito pesada, como que apertada num torno. Minha língua se cobriu de uma pasta seca que a mantinha colada no palato e minha respiração se tornou profunda e pesada, como se eu precisasse bombear o ar de um balão de oxigênio. Andava e o mundo subia e descia ao ritmo de meus passos. Minha cabeça latejava, invadida pelos batimentos amplificados do coração.

Não os vi chegarem. Um deles começou a rodar em volta de mim, o rosto vermelho como um porquinho e os cabelos louros eriçados. Segurava o fuzil com dificuldade, no alto da cabeça, pulava e gesticulava, deixando-se levar por uma ridícula e violenta dança guerreira.

Uma pancada que levei nos flancos me fez compreender que havia um segundo, um homenzinho moreno de ombros robustos e pernas arqueadas. Ele acabara de me enfiar o cano do fuzil acima dos quadris e fingia se controlar para não fazê--lo de novo. Berrava e cuspia, me xingando com palavras grosseiras e absurdas.

Não vi o terceiro, que me empurrava pelas costas. Seu riso perverso parecia excitar os outros dois. Arrancou-me a mochila e a esvaziou no chão, remexendo com a ponta da bota os objetos que sabia serem preciosos para mim. Ria e os enfiava na lama com o pé, para me obrigar a apanhá-los e recolocá-los na mochila. Ajoelhada, vi em suas mãos o brilho de um objeto metálico. Então ouvi o estalo da corrente e me levantei num pulo para ficar em frente a ele. A moça estava ali, perto de mim, segurando meu braço com força e me empurrando para que eu andasse. O cara que ria lhe fez sinal para ir embora. Ela deu de ombros, aceitando a derrota, evitou meu olhar e me abandonou.

Fiquei tensa e ausente, o sangue latejando nas têmporas. Tínhamos avançado alguns metros, com a tempestade as águas haviam subido e transformado o local. Aquilo era um lago salpicado de árvores que se obstinavam em não sair do lugar. Ao longe, mais além das águas paradas, adivinhava-se a violência da corrente pelo estremecimento persistente dos arbustos.

Os homens giravam ao meu redor, berrando. O estalido da corrente era cada vez mais insistente. O rapaz brincava com ela para torná-la viva, como uma serpente. Eu me proibia qualquer contato visual, tentando pairar acima daquela agitação, mas minha visão periférica agarrava gestos e movimentos que me gelavam o sangue.

Era mais alta que eles, mantinha-me de cabeça erguida e rígida e todo o meu corpo estava retesado de raiva. Nada podia contra eles, mas eles não tinham certeza disso. Percebi que sentiam mais medo que eu, mas tinham a seu favor o ódio e a pressão dos outros. Bastava um gesto para que fosse quebrado aquele equilíbrio em que eu ainda levava vantagem.

Ouvi o homem da corrente se dirigir a mim. Repetia meu nome com uma familiaridade insultante. Eu decidira que eles não me fariam mal. O que quer que acontecesse, não teriam acesso à minha essência. Senti que, se pudesse permanecer inacessível, evitaria o pior.

Ouvi de muito longe a voz de meu pai, em minha mente só vinha uma palavra, em letras maiúsculas. Descobri, porém, horrorizada, que essa palavra se esvaziara totalmente de sentido e não me remetia a nenhuma noção concreta além da imagem de meu pai em pé, lábios cerrados, o olhar íntegro. Eu a repetia como uma prece, como um encantamento mágico capaz talvez de desfazer o malefício. DIGNIDADE. Isso não significava mais nada. Mas bastaria repeti-la para imitar a atitude de meu pai, como uma criança que imita as expressões no rosto do adulto diante dele e sorri ou chora, não porque sinta alegria ou dor, mas porque, reproduzindo as expressões, desencadeia em si mesma as emoções que elas devem manifestar.

E por esse jogo de espelhos, sem que minha reflexão tivesse algo a ver com isso, compreendi que estava além de meu medo e murmurei:

— Há coisas mais importantes na vida.

A raiva me abandonou, dando lugar a uma extrema frieza. A alquimia que se operava em mim, imperceptível do exterior, substituíra a rigidez de meus músculos por uma força do corpo que se preparava para enfrentar os choques da adversidade. Não havia resignação, longe disso, e tampouco qualquer especulação. Eu me observava de dentro, media minha força e minha resistência, não pela capacidade de dar golpes, mas pela capacidade de recebê-los, como um navio que, apesar de fustigado pelas ondas, não afunda.

Ele se aproximou e, com um gesto rápido, tentou me passar a corrente em volta do pescoço. Esquivei-me instintivamente e dei um passo para o lado, ficando fora de seu alcance. Os dois outros, sem ousar avançar, lançavam invectivas para encorajá-lo a recomeçar. Ferido em seu orgulho, ele se controlava, calculando o momento exato de atacar de novo. Nossos olhares se cruzaram, ele deve ter lido no meu a determinação para evitar a violência e deve tê-la interpretado como arrogância. Precipitou-se para cima de mim e, com um golpe seco, me bateu na cabeça com a corrente. Caí de joelhos na frente dele. Ao redor o mundo girava. Depois da escuridão inicial, com a cabeça entre as mãos, vi estrelas intermitentes atrás dos olhos, antes que minha visão voltasse enfim ao normal. Senti uma dor intensa, acrescida da grande tristeza que me invadia em pequenas ondas à medida que retomava a consciência do que acabara de acontecer. Como ele se atrevera? Não senti indignação, mas, bem pior, a perda da inocência. Novamente meu olhar topou com o dele. Seus olhos estavam injetados de sangue e no canto da boca um ricto deformava seus lábios. Meu olhar lhe era insuportável: ele tinha se desnudado na minha frente. Flagrei-o me observando com o horror que lhe produziam seus próprios gestos, e a ideia de que eu podia ser um reflexo de sua própria consciência o enlouquecia.

Endireitou-se e, como para apagar qualquer rastro de culpa, começou a me pôr a corrente no pescoço de novo. Resisti com firmeza a seus gestos, evitando sempre, o máximo possível, o contato físico, só o suficiente para tornar evidente minha recusa. Por muito menos do que isso ele reagiria. Então, retomou impulso e desceu mais uma vez a corrente sobre mim, com um ruído rouco que multiplicava a força de seu golpe. Caí inerte, no escuro, perdendo a noção do tempo. Sabia que meu corpo era objeto das violências deles. Escutava as vozes ao redor, cheias do eco típico dos túneis.

Senti-me vítima de uma investida, portanto de convulsões, como levada num trem de grande velocidade. Não creio que tenha perdido os sentidos, mas, embora suponha ter mantido os olhos abertos, os golpes que recebi não me permitiam mais ver. Meu corpo e meu coração ficaram gelados durante o curto espaço de uma eternidade.

Quando consegui afinal me sentar, estava com a corrente em volta do pescoço e o sujeito a puxava aos trancos, para me obrigar a segui-lo. Ele babava quando gritava comigo. A volta para o acampamento me pareceu muito longa sob o peso de minha humilhação e de seus sarcasmos. Um na minha frente, os dois outros atrás, eles falavam em voz alta e trocavam gritos de vitória. Eu não tinha vontade de chorar. Não era orgulho. Era só um desprezo necessário, para comprovar que a crueldade daqueles homens e o prazer que tiravam disso não haviam estragado minha natureza, porque não tinham atingido minha alma.

Durante o tempo em suspenso daquela marcha sem fim, senti-me mais forte a cada passo, pois mais consciente de minha extrema fragilidade. Submetida a todas as humilhações, obrigada a andar de coleira como um bicho, atravessando o acampamento inteiro debaixo dos gritos de vitória do resto da tropa, excitando os mais baixos instintos de abuso e dominação, eu acabara de ser testemunha e vítima do pior.

Mas sobrevivi numa lucidez recém-adquirida. Sabia que, de certa forma, ganhara mais do que perdera. Não tinham conseguido me transformar num monstro sedento de vingança. Esperei que o mal físico se manifestasse no repouso e me preparei para o aparecimento dos tormentos do espírito. Mas já sabia que tinha a capacidade de me libertar do ódio e vi naquele exercício minha mais apreciável conquista.

Cheguei à jaula, vencida, mas certamente mais livre do que antes, tendo tomado a decisão de me isolar, de esconder minhas emoções. Clara estava sentada de costas, o rosto voltado para a parede, diante de uma tábua que fazia as vezes de mesa. Virou-se. Fiquei desconcertada com sua expressão, na qual adivinhei uma manifestação de satisfação que me feriu. Rocei nela ao passar, sentindo a imensa distância que nos separava novamente. Procurei meu canto para me refugiar, debaixo do mosquiteiro, em cima de meu colchão, evitando pensar demais, pois não estava em condições de fazer avaliações corretas. Por ora, estava aliviada por não terem considerado necessário amarrar a outra ponta da corrente na grade com um cadeado. Sabia que mais tarde o fariam. Minha companheira não fez nenhuma pergunta e fiquei-lhe grata por isso. Depois de um longo momento de silêncio, ela me disse simplesmente:

— Não terei uma corrente no pescoço.

Afundei num sono profundo, curvada sobre mim mesma, como um bicho. Os pesadelos voltaram, mas mudaram de natureza. Já não era papai que eu encontrava ao dormir, e sim eu mesma, sozinha, afogando-me em águas paradas e profundas. Via as árvores me olharem, seus galhos se curvando para a superfície trêmula. Sentia a água tremer como se estivesse viva e depois perdia de vista as árvores e os galhos, tragada no líquido salobro que me aspirava, cada vez mais fundo, meu corpo estendido dolorosamente para aquela luz, aquele céu inacessível apesar de meus esforços para soltar os pés e subir à tona para respirar.

Acordei exausta e suando. Abri os olhos e vi minha companheira, que me fitava. Ao me ver sair do sono, ela retomou o trabalho que estava fazendo.

— Por que você não me seguiu? — perguntei.

— A garota iluminou a jaula quando eu ia sair. Deve ter ouvido um barulho... E eu não tinha ajeitado direito o meu boneco. Ela viu logo que eu não estava na cama.

— Quem era?

— Betty.

Eu não quis prosseguir. Em certo sentido, estava zangada por ela não demonstrar interesse pelo que tinha me acontecido. Mas, por outro lado, sentia-me aliviada por não ter de falar de coisas que me faziam muito mal. Sentada no chão, com a corrente no pescoço, relembrei todo o percurso das últimas 24 horas. Por que eu tinha fracassado? Por que estava de novo na jaula, quando tinha ficado livre, totalmente livre, ao longo daquela noite fantástica?

Obriguei-me a pensar nos momentos sofridos que acabara de viver nos pântanos. Fiz então um esforço sobre-humano para encarar a bestialidade daqueles homens. Queria me dar o direito de conferir um nome àquilo, a fim de poder cicatrizar meus ferimentos e me lavar.

Meu corpo se rebelou: comecei a ter espasmos. Recolhi depressa os metros de corrente, pulei para fora da jaula e, em pânico, pedi ao guarda permissão para ir aos *chontos*. Ele não se deu ao trabalho de responder, sabendo que, no meu impulso, eu já tinha ido, encurtando a passos largos a distância que nos separava do que servia de latrina. Meu corpo tinha a memória daquele trajeto e sabia que eu não chegaria lá. O inevitável aconteceu a um metro dali. Agachei-me ao pé de uma pequena árvore e vomitei até as tripas. Meu ventre se esvaziou, sacudido por contrações secas e dolorosas que não deixavam mais nada subir. Enxuguei a boca com as costas da mão e olhei para um céu ausente. Só havia verde. A folhagem cobria o espaço como uma cúpula. Diante da imensa natureza, senti-me ainda menor, os olhos úmidos pelo esforço e a tristeza: "Preciso me lavar".

A hora do banho ainda demoraria muito, demais para quem não tinha mais nada a fazer além de ruminar sua repugnância. Além disso, eu estava com as roupas encharcadas da véspera e cheirava mal. Queria falar com o comandante, mas sabia que ele se negaria a me receber. No entanto, a ideia de incomodar os guardas com o pedido me deu energia para sair da apatia e formulá-lo. Pelo menos o guarda ficaria chateado por ter de me dar uma resposta.

Ele me observou com desconfiança e esperou que eu lhe dirigisse a palavra. Por precaução, ajeitou o fuzil Galil verticalmente sobre a barriga, com a mão no cano, a outra na coronha, em posição de alerta.

— Eu vomitei.

— ...

— Preciso de uma pá para cobrir o vômito.

— ...

— Diga ao comandante que preciso falar com ele.

— Volte para a jaula. Você não tem direito de sair.

Voltei. Ele parecia pensar depressa, desconfiado, notando que eu me afastara o suficiente do posto de guarda. Depois, com ar autoritário, gesto brusco, berrou para o guerrilheiro mais acessível. O outro veio andando, sem pressa. Vi os dois cochicharem enquanto me olhavam. O segundo se afastou e voltou com um objeto escondido na mão.

Quando chegou perto da entrada da jaula, deu um pulo rápido para dentro. Pegou depressa a ponta da corrente, prendeu-a em volta de uma estaca e passou um cadeado grande.

Era óbvio que aquela corrente no pescoço, mais que pelo peso e pelo incômodo constante, era também uma confissão da fraqueza deles: temiam que eu conseguisse fugir definitivamente. Achei-os patéticos com seus fuzis, suas correntes, uma profusão de homens, tudo isso para enfrentar duas mulheres indefesas. Em sua violência, eram covardes, e eram frouxos numa crueldade que se exercia por conta da impunidade e da falta de testemunhas. As palavras da jovem guerrilheira me vieram à mente. Eu não tinha esquecido. Ela quisera me avisar que era realmente uma ordem. E me dissera.

Como era possível dar uma ordem dessas? O que podia passar na cabeça de um homem para exigir tal coisa de seu subordinado? A selva me deixara meio boba. A inteligência era caprichosa e naquele ambiente hostil eu havia perdido grande parte de minhas faculdades. Portanto, tornava-se essencial para mim abrir uma porta que me ajudasse a me situar novamente no mundo, ou melhor, a situar novamente o mundo dentro de mim.

Eu era uma mulher adulta, tinha uma mente estável. Isso me ajudaria a compreender? Provavelmente, não. Há ordens a que devemos obedecer, aconteça o que acontecer. Claro que a pressão do grupo era forte. Não só a dos três homens que tinham recebido a ordem de me levar de volta e me punir, e que haviam incitado uns aos outros a ir mais longe na brutalidade, mas também a pressão do resto da tropa, que os aclamaria se soubessem aplicar seu castigo. O que tinha sido fatal para mim não eram eles, mas a representação que haviam feito de si mesmos.

Alguém pronunciou meu nome e levei um susto. O guarda estava em pé na minha frente. Não o ouvira chegar. Ele abriu o cadeado. Eu continuava sem entender o que estava acontecendo. Ele se ajoelhou e passou a corrente entre meus pés formando um oito, para fechá-la novamente com o mesmo cadeado enorme. Despeitada, fingi que ia me sentar, o que o irritou. Com ar condescendente, me informou que o comandante queria me ver. Com os olhos arregalados, perguntei como pensava que eu conseguiria andar com aquele monte de ferros entre as pernas. O guarda me pegou pelo braço para me pôr de pé e me empurrou para fora da jaula. O acampamento inteiro iria assistir de camarote ao espetáculo.

Olhei para meus pés, atenta em coordenar os passos, e evitei cruzar o olhar com quem quer que fosse. Disposto a bancar o tal na frente dos colegas, o guarda ordenou que eu me apressasse. Não respondi e, como tampouco fiz cara de quem ia obedecer, ele se irritou de vez, disposto a não parecer um idiota diante dos colegas.

Cheguei ao outro extremo do acampamento, onde ficava a barraca do comandante Andrés, tentando adivinhar que tom ele escolheria para essa audiência particular.

Andrés era um homem que acabara de entrar na maturidade, feições finas de espanhol e pele acobreada. Nunca o achara propriamente antipático, embora desde o primeiro dia em que assumira o comando daquela missão ele tivesse feito questão de se manter inacessível. Eu pressentia nele um forte complexo de inferioridade. Ele conseguia escapar à desconfiança doentia quando a conversa desviava para as coisas da vida. Era loucamente apaixonado por uma moça bonitinha, sedenta de poder, que o levava pelo beiço. Era óbvio que a moça se aborrecia com ele, mas o fato de ser a mulher do comandante lhe dava acesso aos luxos da selva: reinava sobre os demais e, como se as coisas fossem concomitantes, engordava a olhos vistos. Talvez ele pensasse que eu pudesse ter alguma serventia para decifrar os segredos daquele coração feminino, que cobiçava mais que tudo. Várias vezes viera falar comigo, dando voltas no assunto, sem coragem de ir até o fim de seus pensamentos. Eu o ajudava a ficar à vontade, a falar de sua vida, a se abrir. De certa forma isso me dava a impressão de ser útil.

Andrés era, antes de mais nada, um camponês. Seu grande orgulho era ter sabido se adaptar às exigências da guerrilha. Baixo mas forte, sabia executar melhor que ninguém aquilo que exigia de sua tropa. Fazia-se respeitar retificando ele mesmo as obras malfeitas dos subordinados. Sua superioridade residia na admiração que conseguia suscitar entre os soldados. Mas tinha duas fraquezas: o álcool e as mulheres.

Encontrei-o esparramado na cama de campanha, entregue a uma brincadeira de cócegas com Jessica, sua companheira, cujos uivos de prazer ressoavam do outro lado do rio. Ele sabia que eu estava ali, mas não tinha a menor intenção de me dar a entender que poderiam interromper a brincadeira por minha causa. Portanto, fiquei à espera. Andrés acabou se virando, dando-me um olhar cuja intenção era aparentar menosprezo, e perguntou o que eu queria.

— Gostaria de falar com você, mas acho que seria melhor que estivéssemos sozinhos.

Ele se sentou, passou a mão nos cabelos e pediu à moça que nos deixasse, o que ela fez com um muxoxo e arrastando os pés. Minutos depois, Andrés pediu ao guarda que me acompanhara que também saísse. Finalmente fixou seu olhar em mim.

A animosidade e a dureza que mostrava queriam indicar que não era nem um pingo sensível ao espetáculo da criatura destruída e acorrentada que tinha diante de si. Avaliamo-nos mutuamente. Ele estava curioso para assistir àquela cena cujo pivô era eu e que evidenciava as engrenagens da mecânica humana. Eu sabia que havia muitas coisas em jogo, como as rodas dentadas de um relógio que dependeriam umas das outras para se movimentar. Em primeiro lugar, eu era mulher. Ele poderia ter sido indulgente com um homem, o que revelaria uma nobreza de coração que aumentaria seu prestígio. Mas ali, sabendo estar cercado por dezenas de olhos que o escrutavam com mais avidez ainda uma vez que não poderiam ouvi-lo, seus gestos precisavam ser impecáveis. Iria me tratar asperamente, para não se arriscar a parecer fraco. Em segundo lugar, o que haviam feito era odioso. Os códigos escritos de que se prevaleciam não lhes deixavam a opção da dúvida. Portanto, precisavam se refugiar nas zonas cinzentas do que chamavam de avatares da guerra: eu era o inimigo, eu tinha tentado fugir.

Eles não podiam encarar os próprios atos como um erro que teriam de justificar, nem mesmo um abuso que tentariam esconder. Queriam considerar o que se passara como o preço a pagar pela afronta que eu lhes fizera. Portanto, não haveria sanção contra seus homens e muito menos consideração comigo.

Eu era uma mulher instruída, portanto perigosa. Poderia ficar tentada a manipulá-lo, enrolá-lo, e ele estaria perdido. Mais que nunca, ele estava de pé atrás, endurecido por todos os seus preconceitos e todas as suas culpas.

Mantive-me na frente dele, invadida pela serenidade que a distância produz. Não tinha nada a provar, estava derrotada, mortificada, não havia mais lugar para o amor-próprio em mim. Poderia viver com minha consciência, mas queria compreender como Andrés viveria com a dele.

O silêncio que se instalou entre nós era o fruto de minha determinação. Ele queria acabar com aquilo, eu queria observá-lo à vontade. Ele me olhava de cima a baixo, eu o examinava. Os minutos iam sendo desfiados como uma punição.

— Então, o que tem a me dizer?

Ele me desafiava, não suportando minha presença, meu silêncio obstinado. Então ouvi-me recomeçar em voz alta, muito devagar, uma conversa que vinha tendo comigo mesma desde que voltara para a jaula.

Ele fora imperceptivelmente transportado para a intimidade de minha dor, e, à medida que lhe revelava a profundidade de minhas feridas, como a um médico a quem mostramos um machucado supurante, eu o via empalidecer, incapaz de me interromper, fascinado e enojado ao mesmo tempo. Eu já não precisava falar para me libertar. Podia, portanto, descrever com exatidão o que tinha vivido.

Ele permitiu que eu terminasse. Mas, assim que ergui os olhos, o que traía minha vontade secreta de escutá-lo, reaprumou-se e assestou o golpe que preparara meticulosamente, bem antes que eu chegasse:

— É o que você diz. Mas meus homens dizem outra coisa...

Estava deitado de lado, apoiado num dos cotovelos, brincando negligente com um raminho que pendia em sua boca. Levantou os olhos e os fixou no horizonte, nas outras barracas armadas em semicírculo em volta da sua, e onde a tropa se instalara para acompanhar nossa conversa. Sem pressa, seus olhos passaram por seus homens, de um a outro, como o fariam durante uma revista militar. Fez uma pausa e prosseguiu:

— E acredito no que meus homens dizem!

Comecei a chorar sem controle, não conseguia acalmar a avalanche de lágrimas — contragolpe tanto mais inesperado pelo fato de eu não identificar o sentimento que o desencadeara. Tentei enfrentar aquela inundação com a ajuda de minhas mangas repugnantes devido ao cheiro de vômito, afastando o cabelo que grudava nas faces banhadas como para aumentar minha confusão, e só consegui acusar a mim mesma. A raiva me deixava digna de pena e a consciência de ser observada só aumentava minha falta de jeito. A ideia de me mexer, de pegar o caminho de volta, acorrentada como estava, obrigou-me a me concentrar na mecânica do deslocamento e ajudou-me a recuperar o controle de minhas emoções. Eu tinha visto e ouvido coisas demais.

Andrés, não mais se sentindo examinado, relaxou, dando vazão à sua malignidade.

— Tenho um coração sensível... Não gosto de ver mulher chorar, menos ainda uma prisioneira! Em nosso regulamento está estipulado que devemos ter consideração pelos presos...

Sorria de orelha a orelha, sabendo que a galeria se deliciava. Com um dedo, fez sinal para aquele que me brutalizara. O sujeito se aproximou, balançando os ombros, com jeito de quem compreende a importância da missão que lhe será confiada.

— Tire-lhe as correntes, vamos mostrar a ela que as Farc sabem ter consideração.

Violentei-me ao máximo para suportar o contato das mãos daquele homem que roçava minha pele ao introduzir a chave no cadeado pendurado em meu pescoço. Ele teve a inteligência de não demorar, depois se ajoelhou sem olhar para mim e tirou a corrente que me prendia os pés.

Aliviada desse peso, pensei no que fazer. Seria melhor ir embora sem perguntar mais nada, ou agradecer ao comandante o gesto de clemência? Sua indulgência era o resultado de um jogo pernicioso. O objetivo era ampliar o ultraje a que havia me submetido por meio de um capricho engenhoso, que me tornava devedora na relação com meu torturador. Ele havia planejado tudo, usando seus subordinados como lacaios de carrasco. Autor intelectual de sua vilania, pretendia ser seu juiz.

Optei pela saída que outrora tanto teria me custado. Agradeci-lhe com todas as fórmulas de cortesia. Senti necessidade de me revestir de ritos, recuperar o que fazia de mim um ser humano civilizado, moldado por uma educação que se inscrevia numa cultura, numa tradição, numa história. Mais do que nunca, sentia a necessidade de me afastar da barbárie. Ele me olhou surpreso, sem saber se eu estava debochando ou se acabara por curvar a espinha.

Peguei o caminho de volta, sentindo em mim os olhares de escárnio, mas nos quais se podia ler o despeito pela constatação de que, apesar de tudo, eu me saíra bem. Podia apostar que todos tinham concluído que a velha tática das lágrimas por fim vencera a teimosia do comandante. Eu era uma mulher perigosa. Os papéis tinham se invertido sub-repticiamente: outrora vítima, eu agora era temida por ser uma mulher "política".

Essa denominação encerrava todo o ódio de classe com que eles lavavam seus cérebros diariamente. O doutrinamento era uma das responsabilidades do comandante. Cada acampamento era construído segundo o mesmo modelo e compreendia a construção de uma sala de aula, onde o comandante informava e explicava as ordens e onde todo mundo devia denunciar qualquer atitude não revolucionária que tivesse testemunhado, sob pena de ser considerado cúmplice, passível de julgamento em corte marcial e de fuzilamento.

Tinham explicado a eles que eu me candidatara às eleições presidenciais da Colômbia. Portanto, eu me encaixava no grupo dos reféns políticos, cujo crime era, segundo as Farc, ter aprovado leis a favor da guerra. A reputação de nosso grupo era odiosa. Éramos uma espécie de sanguessugas, prolongávamos a guerra para tirar dela vantagens econômicas. A maioria daqueles jovens não entendia o sentido da palavra "político". Ensinavam-lhes que a política era a atividade dos que conseguiam ludibriar e enriqueciam sonegando impostos.

O problema era que eu em grande parte concordava com essa explicação. Aliás, tinha me envolvido com a política na esperança, se não de mudar esse estado de coisas, de pelo menos ter a possibilidade de denunciar a injustiça.

Para eles, todos os que não estavam com as Farc eram crápulas. De nada adiantava eu me esfalfar para explicar meu combate e minhas ideias, isso não lhes interessava. Quando lhes explicava que fazia política contra tudo que detestava — a corrupção, a injustiça social e a guerra —, a resposta inevitável era: "Todos vocês dizem a mesma coisa".

Voltei para a jaula livre das correntes, mas com o peso daquela animosidade que se reforçava contra mim. Foi então que ouvi pela primeira vez essa cantiga farquiana cantada com uma melodia infantil:

Esos oligarcas hijue'putas que se roban la plata de los pobres.
Esos burgueses malnacidos los vamos a acabar, los vamos a acabar.*

No início, era um ronronar, uma surdina vindo de uma das barracas, depois o canto se deslocou e veio me acompanhar em minha passagem. Perdida em divagações, não achei ruim. Foi só quando vozes masculinas começaram a entoar o refrão, articulando-o bem alto de propósito, que levantei o nariz. Não que tivesse entendido de imediato a letra, já que volta e meia o sotaque regional que os fazia deformar certas palavras me obrigava a pedir que repetissem o que diziam, mas porque o circo que se instalara progressivamente acabou por provocar um riso geral. Essa mudança de atmosfera me trouxe de volta à realidade.

Quem cantava era aquele mesmo homem que tinha soltado as correntes. Cantava com um sorriso esquisito nos lábios, bem alto, como que para ritmar os gestos, enquanto fazia de conta que arrumava suas coisas dentro da mochila. O outro, aquele que fizera o percurso da jaula à barraca, era um pobre-diabo, mirrado e careca, que costumava fechar os olhos a cada dois segundos, como se estivesse enfrentando um golpe. Uma das moças, sentada no colchão dos rapazes, se divertia em cantarolar a música, que, visivelmente, todos conheciam de cor, e me olhava de soslaio. Hesitei, cansada de tanto combate, pensando que, afinal de contas, não devia me sentir visada por aquela letra. Havia na atitude deles a maldade criminosa dos pátios de recreio. Sabia que o melhor era me fazer de surda. Mas me decidi pelo contrário e parei. O guarda que me seguia de perto mal teve tempo de parar também e quase se esborrachou como um bobo em cima de mim, o que o irritou. Intimou-me a avançar, num tom grosseiro, aproveitando um público que lhe era facilmente favorável.

Virei-me para a moça que cantarolava e ouvi-me dizendo:

— Não cante mais essa música na minha frente. Vocês têm fuzis, no dia em que quiserem me matar, basta fazê-lo.

Ela continuou a cantar, junto com os companheiros, mas já tinha perdido o ânimo. Não podiam, diante de suas vítimas, fazer da morte uma espécie de uni--duni-tê. Tinham entendido que não deviam se divertir com a morte.

A ordem de tomar banho não custou a chegar. A tarde ia terminar e me anunciaram que o tempo dedicado a isso seria muito curto. Sabiam que a hora do

---

* Esses oligarcas filhos da puta que roubam a grana dos pobres./ Esses burgueses malnascidos vamos acabar com eles, vamos acabar com eles.

banho era para mim o melhor momento do dia. Encurtá-lo era um indício do regime a que de agora em diante eu devia me sujeitar.

Eu não disse nada. Escoltada por dois guardas, fui até o rio e mergulhei na água cinzenta. A corrente continuava muito forte e o nível da água não parara de subir. Agarrei-me a uma raiz perto da margem e mantive a cabeça submersa, com os olhos bem abertos, esperando assim lavar tudo o que tinha visto. A água estava gelada e em contato com ela todas as minhas dores despertaram. Senti dor até a raiz dos cabelos.

O lanche chegou assim que voltei para a jaula. Farinha, água e açúcar. Naquela noite, eu estava toda enroscada em meu canto, dentro de roupas secas e limpas, para beber aquela *colada*, não porque era boa, mas porque era quente. Não teria forças para enfrentar outros dias como aquele. Devia me proteger, inclusive de mim mesma, pois estava claro que eu não tinha condições para suportar por muito tempo o regime em que me mantinham. Fechei os olhos antes que caísse a noite, mal respirando, na esperança de ver diminuir o sofrimento, a angústia, a solidão e o desespero. Durante as horas dessa noite sem sono e os dias que se seguiram, todo o meu ser iniciou o curioso caminho da hibernação da alma e do corpo, esperando a liberdade como se fosse a primavera.

O dia seguinte chegou, como todas as manhãs e todos os anos de toda a minha vida. Mas eu estava morta. Tentava povoar as horas intermináveis, ocupando meu espírito com outra coisa que não eu mesma, mas o mundo não me interessava mais.

Vi-os chegar de longe, do outro extremo do acampamento, calados, um atrás do outro, ou melhor, um empurrado pelo outro. Quando estavam na altura do guarda, Yiseth falou-lhe algo ao ouvido. Ele fez um sinal com o queixo, autorizando a passagem. Ela lhe disse palavras que pareceram incomodá-lo.

— Queremos falar com você — disse-me, e eu me esforcei para não fazer cara de quem tinha algo a ver com aquilo.

Ela usava o colete de tecido de camuflagem da véspera. Mantinha o mesmo ar duro e secreto que a envelhecia.

Ergui os olhos para ela, olhos pesados de amargura. Seu companheiro fazia parte do grupo dos três que haviam se enfurecido comigo nos pântanos. Sua simples presença me causou um arrepio de repulsa. Ela percebeu e apressou o rapaz com um toque no ombro:

— Vamos, diga a ela.

— Viemos... Vim dizer que... sinto muito. Peço perdão pelo que lhe disse ontem. *Yo no pienso que usted sea una vieja hijue'puta. Quiero pedirle perdón, yo sé que usted es una persona buena!* *

A cena me pareceu surrealista. Aquele homem vinha me pedir desculpas, como um garoto que levou uma bronca da mãe severa. Sim, tinham me chamado de todos os nomes. Mas aquilo não era nada diante do horror que tinham me feito passar.

Tudo era absurdo. A não ser o fato de que tinham vindo. Eu escutava. Achava que estava indiferente. Levei tempo até entender que aquelas palavras e a maneira como haviam sido ditas me aliviaram tremendamente.

---

* Não acho que você seja uma velha filha da puta. Quero lhe pedir desculpas, sei que você é uma pessoa boa!

2. Adeus

23 de fevereiro de 2009

Faz exatamente sete anos que fui sequestrada. A cada aniversário, quando acordo, levo um susto ao tomar consciência da data, embora há semanas saiba que ela está chegando. Empreendi uma contagem regressiva consciente, com a intenção de marcar esse dia para nunca, nunca esquecê-lo, para descascar, remoer, ruminar cada hora, cada segundo da cadeia de instantes que culminaram com o horror prolongado de meu interminável cativeiro.

Levantei hoje de manhã como todas as manhãs, dando graças a Deus. Como todas as manhãs depois de minha libertação, levo alguns instantes, frações de segundo, para reconhecer o lugar onde dormi. Sem mosquiteiro, em cima de um colchão, com um teto branco em vez do céu camuflado de verde. Acordo naturalmente. A felicidade não é mais um sonho.

Mas hoje, 23 de fevereiro, assim que abri os olhos senti-me culpada por não ter sabido. Sinto-me culpada por tê-la perdido em minhas lembranças, e parece-me que o alívio de ter me lembrado é bem menor que o remorso de não ter pensado nele. Sob o efeito desse mecanismo de culpa e angústia, minha memória enlouqueceu, vomitando sobre mim tamanha quantidade de lembranças que tive de pular da cama e escapar dos lençóis, como se o contato com eles pudesse, por um malefício irreversível, me tragar e me jogar novamente nas profundezas da selva.

Uma vez longe do perigo, com o coração bem ancorado na realidade, percebi que o apaziguamento por ter reencontrado minha liberdade não podia nem de longe ser comparado com a intensidade do martírio que vivi.

Lembrei-me então da passagem da Bíblia que me impressionou quando eu estava no cativeiro. Era um cântico do Livro dos Salmos, em louvor a Deus e que descreve toda a dureza da travessia do deserto. A conclusão me pareceu surpreendente. Dizia-se que a recompensa para o esforço, a coragem, a tenacidade, a resistência, não era a felicidade nem a glória. O que Deus ofereceria como recompensa era o descanso.

Para apreciar a paz é preciso envelhecer. Eu sempre tinha vivido num turbilhão de acontecimentos. Sentia-me viva, era um ciclone. Casei-me cedo, meus dois filhos, Mélanie e Lorenzo, realizavam todos os meus sonhos e resolvi transformar meu país com a força e a cegueira de um touro. Acreditava na minha boa estrela, trabalhava duro e sabia fazer mil coisas ao mesmo tempo porque tinha certeza de que seria bem-sucedida.

Janeiro de 2002

Eu estava viajando pelos Estados Unidos, acumulando noites insones e emendando um encontro no outro para angariar o apoio da comunidade colombiana para meu partido, Oxigênio Verde, e a campanha presidencial. Minha mãe me acompanhava e estávamos juntas quando recebi uma ligação de minha irmã, Astrid. Papai tivera um problema de saúde, nada grave. Meus pais tinham se divorciado alguns anos antes, mas permaneciam muito próximos. Minha irmã nos explicou que ele estava cansado e perdera o apetite. Lembramo-nos de imediato das mortes de meus tios e tias, todas repentinas, depois de um simples mal-estar. Astrid ligou dois dias depois: papai tivera uma parada cardíaca. Precisávamos voltar imediatamente.

A viagem de volta foi um pesadelo. Eu adorava meu pai. Os momentos passados perto dele nunca tinham sido banais. A existência sem ele, eu imaginava, era como um deserto de tédio. Cheguei ao hospital para encontrá-lo ligado a um aparelho assustador. Ele acordou, me reconheceu, seu rosto se transformou:

— Você está aqui!

E caiu novamente num sono profundo de barbitúricos, para voltar a si dez minutos depois, reabrindo os olhos e exclamando de novo:

— Você está aqui! — E assim sucessivamente, durante uma hora.

Os médicos pediram que nos preparássemos. O padre de sua paróquia veio lhe ministrar a extrema-unção. Durante um hiato de lucidez, ele chamou todos nós para perto da cama. Escolhera as palavras de seu adeus, dando a cada um uma bênção com a justeza de um sábio que escruta os corações. Deixaram-nos, a mim e minha irmã, sozinhas com ele. Tomei consciência de que chegara a hora de sua partida e de que eu não estava pronta. Caí em prantos na frente dele, agarrada desesperadamente em sua mão. Essa mão sempre estivera ali para mim, afastara os perigos, me consolara, me segurara para atravessar a rua e me guiara nos momentos difíceis da vida, e me mostrara o mundo. Era ela que eu pegava assim que estava perto dele, como se ela me pertencesse.

Minha irmã virou-se para mim e disse, com ar severo:

— Pare. Nossa lógica é uma lógica de vida. Papai não vai morrer.

E, pegando a outra mão dele, garantiu-me que tudo iria bem. Ela a apertou com força. Enquanto eu soluçava, sentia que algo extraordinário nos acontecia. De meu braço, uma onda elétrica se difundia para suas artérias, através de meus dedos. O formigamento não deixava nenhuma dúvida. Olhei para minha irmã:

— Está sentindo?

Sem mostrar surpresa, ela respondeu:

— Claro que estou sentindo!

Nessa posição passei provavelmente a noite inteira. Estávamos mergulhadas no silêncio, sentindo esse circuito de energia que se formara entre nós, fascinadas por uma experiência que não tinha nenhuma explicação, a não ser a do amor.

Meus filhos também visitaram meu pai. Vieram de Santo Domingo com Fabrice, o pai deles. Fabrice continuava muito próximo de meu pai, embora não estivéssemos mais casados. Meu pai sempre o considerou um filho. Quando Mélanie ficou sozinha comigo à cabeceira de meu pai, experimentou, ao segurar a mão dele, a mesma estranha sensação de corrente elétrica que Astrid e eu tínhamos sentido. Meu pai voltou a abrir os olhos quando Lorenzo lhe deu um beijo; Anastasia e Stanislas, os filhos de Astrid, ainda bem pequenos, permaneciam em volta querendo igualmente ficar abraçados com ele. Meu pai se sentiu tão feliz por ter a família inteira junto dele que começou a se recuperar.

Minha mãe e eu ficamos ao lado de papai no hospital durante as duas semanas que durou sua convalescença. Eu sabia que não teria forças para prosseguir, se por acaso ele viesse a me faltar.

Em plena campanha presidencial, eu vivia um momento de extrema importância para nosso partido. O Oxigênio Verde era uma organização política ainda jovem — criada quatro anos antes — e congregava um grupo de cidadãos apaixonados e independentes que lutavam contra os muitos anos de corrupção política que haviam paralisado a Colômbia. Defendíamos uma plataforma fundamentada numa alternativa ecológica e um compromisso com a paz. Éramos Verdes, apoiávamos as reformas sociais, éramos "limpos", num país em que a política era conduzida, com demasiada frequência para o nosso gosto, por barões da droga mancomunados com os paramilitares.

A doença de papai tivera como resultado a interrupção total de todas as minhas atividades políticas. Desapareci da cena jornalística e despenquei em queda livre nas pesquisas. Em pânico, uma parte de meus colaboradores desertou, para engordar as fileiras do candidato que estava em primeiro lugar. Vi-me à saída do hospital com uma equipe reduzida para preparar a reta final. A eleição presidencial seria em maio. Tínhamos três meses pela frente.

A primeira reunião da equipe completa pôs em pauta a agenda das semanas vindouras. A discussão foi inflamada. A maioria insistia para continuarmos com o programa que fora estabelecido no início da campanha e que previa uma visita a San Vicente del Caguán. Os membros da direção propunham que fôssemos dar uma ajuda ao prefeito de San Vicente, o único prefeito eleito no país com a bandeira de nosso partido. A equipe queria que eu fizesse um esforço extra para compensar as semanas passadas à cabeceira de papai e que eu me envolvesse a fundo na campanha.

Senti-me na obrigação de estar à altura da dedicação deles e aceitei a contragosto fazer a viagem a San Vicente. Ela foi anunciada numa entrevista coletiva, durante a qual explicamos nosso plano de paz para a Colômbia. Desde os anos 1940 o país vivia mergulhado numa guerra civil entre o Partido Conservador e o Partido Liberal. A guerra fora tão cruel que esse período era chamado de "La Violencia". Essa luta pelo poder se propagava a partir de Bogotá, a capital, e ensanguentava o campo. Os camponeses identificados como liberais eram massacrados pelos partidários dos conservadores e vice-versa. As Farc* nasceram espontaneamente da reação dos camponeses que procuravam se proteger contra essa violência e evitar o confisco de suas terras pelos proprietários liberais ou conservadores. Os dois partidos conseguiram chegar a um entendimento para dividir o poder e pôr um fim à guerra civil, mas as Farc foram excluídas desse acordo. Durante a Guerra Fria, o movimento deixara de ser uma organização rural e defensiva, tornando-se uma guerrilha comunista e stalinista que tinha como objetivo a conquista do poder. Instituiu uma hierarquia militar e abriu frentes em várias partes do país, atacando o Exército e a polícia. Nos anos 1980, o governo colombiano tentou

---

* A sigla oficial da organização é Farc-EP, que em espanhol significa Forças Armadas Revolucionárias da Colômbia — Exército do Povo.

dar um fim às hostilidades. Foi proposta às Farc uma trégua, em seguida firmada, e no Congresso votaram-se reformas políticas para apoiar um retorno à paz. Com o crescimento do tráfico de drogas, porém, as Farc tinham encontrado um meio de financiar sua guerra e o acordo de paz fracassou. A organização espalhou o terror no interior do país, matando os camponeses e trabalhadores rurais que não aceitavam sua dominação. A disputa pelo controle da droga entre os traficantes e as Farc não tardou a dar ensejo a outra guerra, enquanto os paramilitares se manifestavam a favor de uma aliança entre a extrema direita política (particularmente os proprietários) e os traficantes, destinada a enfrentar as Farc e expulsá-las de suas regiões. Em 1998, Andrés Pastrana venceu as eleições presidenciais com um programa que previa o engajamento num novo processo de paz com as Farc.

O objetivo do Oxigênio Verde era estabelecer um diálogo simultâneo com todos os atores do conflito, mantendo uma forte pressão militar. Para melhor salientar nossa mensagem na entrevista coletiva, sentei-me no centro de uma mesa comprida, entre as fotos de papelão, em tamanho natural, de Manuel Marulanda, o chefe das Farc (a mais antiga guerrilha comunista da América do Sul), e Carlos Castaño, seu maior adversário, o chefe dos paramilitares, assim como dos generais do Exército colombiano que combatiam os dois grupos.

Dias antes, em 14 de fevereiro, ocorrera um debate televisionado de todos os candidatos à presidência, justamente em San Vicente del Caguán, com os membros do Secretariado das Farc. Esse encontro fora organizado pelo governo que estava deixando o poder e que pusera o avião presidencial à nossa disposição para fazer a viagem de ida e volta. O governo queria angariar apoio para seu processo de paz com as Farc. O processo era alvo de críticas cada vez mais acerbas, pois a organização tinha conseguido o controle de uma zona de 42 mil quilômetros quadrados, praticamente do tamanho da Suíça, como garantia para se sentar à mesa de negociações. San Vicente del Caguán era exatamente o centro dessa zona.

Os membros das Farc sentaram-se de um lado, os candidatos e membros do governo, do outro. O encontro virou um requisitório contra a guerrilha, acusada de bloquear as negociações.

De meu lado, quando me deram a palavra, exigi das Farc um comportamento coerente com seus discursos de paz. O país tinha acabado de assistir com horror à morte de Andrés Felipe Pérez, um garotinho de doze anos que suplicara que o deixassem falar com o pai antes de morrer. A criança estava com um câncer em fase terminal e o pai era soldado do Exército colombiano feito refém pela organização havia vários anos. As Farc não cederam. Expus a amargura que todos nós sentimos e o horror diante da falta de humanidade de um grupo que se proclamava defensor dos direitos humanos. Concluí que a paz na Colômbia deveria começar pela libertação dos reféns — mais de mil — das Farc.

Na semana seguinte, as Farc piratearam um avião comercial no sul do país e sequestraram o senador mais importante da região, Jorge Eduardo Gechem. O presidente da República encerrou o processo de paz. Num discurso televisionado, anunciou que em 48 horas o Exército colombiano retomaria o controle da região e desalojaria as Farc do território.

Nas horas que se seguiram, o governo anunciou que as Farc tinham abandonado o território de San Vicente e que a ordem fora restabelecida. Como prova, a imprensa anunciava uma viagem do presidente Andrés Pastrana à cidade, dali a dois dias, exatamente no dia em que tínhamos previsto a nossa, semanas antes.

As linhas telefônicas de nosso quartel-general ficaram congestionadas. Se o presidente ia a San Vicente, também poderíamos ir! Minha equipe de campanha entrou em contato com o gabinete do presidente para perguntar se podíamos viajar com a comitiva do presidente, mas o pedido foi negado. Depois de longas horas de conversas com meio mundo, ficou claro que era possível chegar de avião a Florencia — cidade a 370 quilômetros ao sul de Bogotá — e fazer de carro o resto do percurso. O aeroporto de San Vicente estava sob controle militar e fechado aos voos civis. Os serviços de segurança confirmaram uma escolta sólida: dois carros blindados nos esperariam na descida do avião, um para mim, outro para a equipe de segurança que se deslocaria comigo e com o grupo que me acompanhava, bem como batedores na frente e atrás da comitiva.

Falei ao telefone com o prefeito de San Vicente. Ele insistia muito para que eu fosse. Helicópteros militares tinham sobrevoado a cidade durante a noite toda e a população estava amedrontada. As pessoas temiam represálias, tanto dos paramilitares como da guerrilha, pois a cidadezinha de San Vicente apoiara o processo de paz.

O prefeito contava com a cobertura da mídia da qual eu, como candidata a presidente, me beneficiava, para alertar a opinião pública sobre os riscos corridos pela população. Pensava que eu poderia servir de escudo contra as ações violentas de que ela eventualmente seria vítima. Para acabar de me convencer, argumentou que o bispo de San Vicente pegara a estrada naquela mesma manhã e chegara a seu destino sem dificuldade. O trajeto não era perigoso.

Portanto, aceitei ir, contanto que a presença do dispositivo de segurança em solo me fosse confirmada antes de nossa partida, prevista para as cinco horas da manhã seguinte.

Naquela noite, eu estava exausta ao sair do nosso quartel-general. Mas minha noite apenas começava. Tinha um encontro com amigos da esquerda colombiana muito engajados em favor de uma paz negociada. Nosso objetivo era elaborar, juntos, uma estratégia diante da nova situação de retomada das hostilidades. Saí da reunião para ir ao jantar de uma colaboradora de minha campanha que reunira em sua casa o "núcleo duro" do grupo. Todos nós precisávamos nos encontrar para comentar os acontecimentos recentes.

No meio da noite, recebi um telefonema de uma de minhas novas colaboradoras, Clara. Ela havia entrado em nossa campanha substituindo nosso administrador, que fora engrossar as fileiras de outro candidato à presidência. Queria participar da viagem a San Vicente. Seria melhor que não fosse, respondi. Havia tanto trabalho a fazer nos próximos dias, repeti-lhe várias vezes, que ela poderia passar o fim de semana preparando as providências que seriam necessárias. Clara insistiu. Recém-chegada à campanha, queria mergulhar nos assuntos, conhecer nossa equipe de San Vicente. Combinamos, então, que eu passaria para pegá-la de carro, de madrugada.

Saí da reunião às dez da noite. Tinha pressa de ir para os braços de papai. Ele ainda não teria jantado, pois estaria à minha espera, e eu queria colocá-lo na cama antes de ir para casa. Desde sua saída do hospital eu me impusera a regra de concluir meu dia de trabalho indo lhe dar um beijo. Era um prazer sempre renovado discutir com ele sobre todas as pequenas crises do momento. Ele olhava para o mundo do alto. Ali onde eu via imensas ondas, ele via apenas um mar ondulante.

Eu sempre chegava com o rosto frio e as mãos geladas, feliz de poder beijá-lo. Ele tirava a máscara de oxigênio e fazia um ar de quem estava desagradavelmente surpreso. "Ai! Parece um sapo!", dizia, como se não gostasse que eu me encostasse nele e o fizesse sofrer o frio trazido de fora.

Era uma brincadeira que desencadeava uma chuva de beijos e ele ria.

Mas quando cheguei naquela noite ele estava, sob a máscara de oxigênio, com uma aparência grave. Pediu-me para sentar no braço da poltrona, o que fiz, intrigada. Disse-me então:

— Sua mãe está muito aflita com sua viagem amanhã...

— Mamãe vive aflita com tudo... — respondi, despreocupada, e depois, refletindo, acrescentei: — E você, está inquieto?

— Não, não propriamente.

— Se não quiser que eu vá, cancelo tudo, você sabe.

— ...

— Papai, se eu não for, não tem a menor importância. E não estou exatamente com vontade de ir, gostaria de ficar com você.

Meu pai era prioridade absoluta na minha vida naquele momento. No dia de sua saída do hospital, seu médico tinha nos chamado à parte, minha irmã e eu, e nos levara para uma salinha abarrotada de computadores. Mostrando numa tela um coração que batia, ele apontara um percurso caprichoso: "Esta é a artéria que mantém seu pai vivo. Ela vai arrebentar. Quando? Só Deus sabe. Pode ser amanhã, depois de amanhã, daqui a dois meses ou dois anos. Preparem-se".

— Papai, me diga que prefere que eu fique, e eu ficarei.

— Não, minha querida, faça o que tem de fazer. Você deu sua palavra, as pessoas de San Vicente a esperam, você tem de ir.

Pousei a mão na dele, como sempre. Olhamo-nos nos olhos, calados. Papai sempre tomava suas decisões baseando-se em princípios. Eu tinha me rebelado muito contra isso; quando jovem, achava essa atitude rígida e boba. Depois, quando eu mesma tive de tomar minhas decisões, compreendi que, diante da dúvida, o melhor caminho era sempre o dele. Fiz de seu exemplo minha própria máxima, e deu certo. Naquela noite, também encarava a viagem a San Vicente como uma questão de princípios.

De repente, numa espécie de ímpeto irracional, ouvi-me dizer a ele:

— Papai, espere por mim! Se me acontecer alguma coisa, espere por mim! Você não vai morrer!

Seus olhos se arregalaram de surpresa e ele me respondeu:

— Claro que esperarei, não vou morrer.

Depois seu olhar sossegou, ele respirou fundo e acrescentou:

— Sim, esperarei por você, meu amor. Se Deus quiser.

Então virou-se para a imagem de Jesus que havia no quarto. Seu olhar era tão intenso que me obrigou a virar-me também. Aquela imagem, que estava lá desde sempre, eu nunca a observara de verdade. Aos meus olhos de adulta, parecia-me um tantinho kitsch. Mas era um Jesus de ressurreição, cheio de luz, os braços abertos e o coração saliente. Ele me pediu para me colocar à sua frente, sob a imagem sacra, e disse:

— *Mi buen Jesus, cuidame a esta niña.**

Deu uns tapinhas em minha mão, para indicar que era de mim que falava, como se seu pedido pudesse se prestar a confusão.

---

* Meu bom Jesus, tome conta desta menina.

Levei um susto, assim como ele levara outro minutos antes. Suas palavras me pareciam curiosas. Por que dizia "esta menina", e não "minha filha"? Papai costumava usar expressões antiquadas, nascera antes do bonde, no tempo das berlindas e das velas. Fiquei imóvel, observando a expressão de seu rosto.

— *Cuidame a esta niña.*

Repetiu duas ou três vezes a frase, que me impregnou intimamente, como se fosse água que ele tivesse despejado sobre minha cabeça.

Ajoelhei-me na frente dele, apertando suas pernas contra mim, e encostei nelas meu rosto:

— Não se preocupe. Vai dar tudo certo.

Era mais para me tranquilizar que eu proferia essas palavras. Depois, ajudei-o a ir para a cama, tomando o cuidado de posicionar corretamente o balão de oxigênio em sua cabeceira.

Ele ligou a televisão, que estava transmitindo o último telejornal. Aninhei-me contra ele e descansei minha cabeça em seu peito, escutando os batimentos de seu coração, e adormeci em seus braços, confiante.

Por volta de meia-noite me levantei, apaguei as luzes e o beijei, cobrindo-o bem. Ele estendeu a mão para me dar a bênção e dormiu antes mesmo que eu tivesse cruzado a porta. Virei-me para olhá-lo uma última vez antes de ir embora, como fazia todas as noites.

Não podia saber que essa era a última vez que o via.

3. A captura

23 de fevereiro de 2002

A escolta chegou como previsto, um pouco antes das quatro da manhã. Ainda era noite e vesti meu uniforme de campanha: camiseta com nosso slogan da eleição, "Por uma Colômbia Nova", jeans e botinas de marcha. Pus o casaco de lã grossa e, antes de partir, num impulso, tirei o relógio.

Pom, minha cadela, era a única em casa que já estava acordada. Beijei-a entre as duas orelhas e saí, com uma sacola pequena, apenas o necessário para passar uma noite fora.

Quando cheguei ao aeroporto, verifiquei se o plano de segurança fora mesmo confirmado. O capitão encarregado da coordenação da equipe de segurança tirou um fax do bolso e me mostrou:

— Está tudo em ordem, os veículos blindados foram postos à sua disposição pela prefeitura.

Sorriu para mim, satisfeito por ter cumprido sua missão.

O restante do grupo já estava no local. O avião decolou de manhãzinha. Faríamos escala em Neiva, a 250 quilômetros de Bogotá, bem antes de atravessar os Andes e aterrissar do outro lado, em Florencia, capital do departamento do Caquetá, nos Llanos Orientales, uma extensão de terras planas e luxuriantes entre a floresta amazônica e a cadeia andina. Então pegaríamos o carro para San Vicente.

A escala, que devia durar cerca de meia hora, prolongou-se um pouco mais de duas horas. Mal me dei conta disso, pois meu celular não parou de tocar: um artigo venenoso na imprensa local falava da cisão que houvera em nossa equipe de campanha. O jornalista só publicara as declarações indelicadas daqueles que tinham desertado. A equipe estava indignada e queria que reagíssemos o quanto antes. Passei grande parte do tempo ao telefone, no papel de intermediária entre o quartel-general da campanha e o editor do jornal em questão para conseguir que nossa explicação dos fatos fosse publicada.

Pegamos de novo o avião num calor sufocante. Chegando a Florencia, já estávamos atrasados em relação à programação. Mas ainda havia tempo suficiente para chegar a San Vicente antes do meio-dia. Os cerca de cem quilômetros que tínhamos pela frente podiam ser feitos em menos de duas horas.

O aeroporto de Florencia fora inspecionado pelas forças militares. Uma dúzia de helicópteros Black Hawk alinhados na pista esperava, com as hélices girando, a ordem de decolar. Assim que desci do avião fui recebida por um coronel encarregado das operações no local; ele me levou a uma sala com ar-condicionado forte enquanto minha segurança contatava os responsáveis pelo nosso deslocamento terrestre e cuidava dos últimos detalhes antes da partida. O coronel aproximou-se respeitosamente e, muito cortês, ofereceu-se para nos levar de helicóptero até San Vicente:

— Temos helicópteros que partem a cada meia hora. A senhora pode subir no próximo.

— É muita gentileza sua, mas somos quinze...

— Deixe-me fazer uma consulta.

Saiu e voltou dez minutos depois, anunciando, com ar contrariado:

— Só podemos levar cinco pessoas a bordo.

O capitão que cuidava de minha segurança foi o primeiro a reagir:

— Uma parte da equipe de segurança pode ficar.

Perguntei se o helicóptero poderia levar sete.

— Sem problemas — concordou o coronel, pedindo para esperarmos em sua sala pelo próximo helicóptero.

Previa-se meia hora de espera. Minha segurança estava reunida, provavelmente para decidir quem me acompanharia. Um dos guarda-costas se dedicava a limpar sua arma e recolocava as balas no revólver. As balas tinham sido retiradas para a viagem de avião. Nessa manobra, ele acionou o gatilho e ouviu-se um tiro, felizmente sem consequências. A bala passou por mim raspando e quase morri de susto, de tão nervosa que estava.

Eu detestava esses pequenos incidentes, não por si mesmos, mas por causa das ideias que eles faziam vir imediatamente à cabeça. Costumava ter pensamentos discordantes, que me davam a impressão de que havia várias pessoas falando ao mesmo tempo dentro de meu cérebro. "Mau presságio", ressoava a voz em mim num tom monocórdico, como no roteiro de um filme ruim. "Que ideia estúpida, ao contrário, que sorte!" Eu via minha equipe em alerta, espreitando minha reação, e o pobre sujeito, vermelho até as orelhas, que se desdobrava em desculpas.

— Não se preocupe. Mas sejamos prudentes. Estamos todos cansados — eu disse, para pôr um fim no incidente.

Pensei em ligar para papai, mas me lembrei de que naquela região as comunicações eram arriscadas. A espera se prolongou. O resto do grupo se dispersou, uns indo ao banheiro, outros indo beber alguma coisa. Eu já tinha visto mais de três helicópteros levantando voo e a nossa vez não chegava. Não queria parecer impaciente, ainda mais que a oferta era muito generosa. Por fim, levantei-me à cata de informações.

O coronel estava lá fora, discutindo com meus oficiais de segurança. Ao me ver chegar, interrompeu a discussão e virou-se para mim, embaraçado.

— Sinto muito, senhora, acabei de receber ordens de não levá-los de helicóptero. É uma ordem de cima, não posso fazer nada.

— Bem, nesse caso, temos de voltar ao Plano A. Senhores, podemos pegar a estrada imediatamente?

O silêncio de minha escolta era pesado. O coronel me sugeriu então apelar para seu general, que estava na pista:

— Só ele pode dar a autorização.

Um grandalhão meio rude estava dando ordens na pista de aterrissagem. Era o general em questão.

Recebeu-me com uma agressividade que me constrangeu.

— Não posso fazer nada pela senhora. Libere a pista, por favor!

Por um instante, pensei que ele não tinha me reconhecido e tentei lhe explicar a razão de minha presença ali. Mas ele sabia quem eu era e o que queria. Irritado, distribuía ordens aos seus subordinados a todo momento, ignorando-me grosseiramente, de modo que acabei falando sozinha. Ele sem dúvida nutria preconceitos em relação a mim, decerto em razão das discussões no Congresso durante as quais eu denunciara casos de corrupção entre alguns funcionários de alto escalão. Sem perceber, elevei o tom de voz. Câmeras brotaram do nada e num segundo um grupo de jornalistas nos rodeou.

O general passou um braço em meus ombros e me empurrou para o escritório, a fim de que saíssemos da pista e nos afastássemos das câmeras. Explicou que estava apenas obedecendo a uma ordem, que o presidente chegaria dali a pouco, acompanhado de uma centena de jornalistas, e que os helicópteros deviam ficar à disposição para transportá-los a San Vicente.

— Se quiser esperar aqui, ele vai passar bem na sua frente e, se vir a senhora, com toda certeza vai parar para cumprimentá-la e dará a ordem de transportá-la. É tudo que posso fazer pela senhora — acrescentou.

Fiquei ali, de mãos abanando, pensando se de fato precisava me prestar a essa encenação. Mas, antes mesmo que eu conseguisse refletir seriamente sobre a questão, um bando de jornalistas acorrera para o meu lado a fim de filmar a aterrissagem do avião presidencial. Nem pensar em me mexer. Teria sido interpretado como falta de cortesia.

A situação era ainda mais embaraçosa porque o presidente da República estava a par de nosso pedido da véspera para viajar com o grupo de jornalistas que se deslocaria para San Vicente, pedido que ele mesmo tinha se negado a atender. Fazia 24 horas que os telejornais não paravam de repetir que a região estava liberada e que as Farc tinham evacuado completamente a área. A viagem do presidente a San Vicente confirmava isso: era preciso mostrar ao mundo inteiro que o processo de paz empreendido pelo governo não havia sido um grande erro, que sua consequência seria a perda, para a guerrilha, de parte significativa do território nacional. Pelo que consegui saber, a zona estava sob controle militar: helicópteros das Forças Armadas não pararam de decolar para San Vicente desde nossa chegada. Caso Pastrana se negasse de novo a atender nosso pedido, teríamos, pura e simplesmente, de pegar a estrada como prevíramos, sem perder mais tempo.

O avião do presidente aterrissou, um tapete vermelho foi desenrolado na pista, colocou-se a escada diante da porta. E a porta não se abriu. Nas janelinhas apareceram rostos, que logo se esconderam. Eu estava em pé, bloqueada entre a fileira dos soldados em posição de sentido e a massa de jornalistas atrás de mim, com uma única vontade: sumir.

Nem sempre as relações com o presidente Andrés Pastrana tinham sido boas. Eu o apoiara durante sua campanha, com a condição de que ele iniciasse amplas reformas contra a corrupção política, modificando particularmente o sistema eleitoral. Ele não cumprira a palavra, eu passara para a oposição. Ele atacara ferozmente minha equipe e conseguira aliciar dois dos meus senadores.

Entretanto, eu sempre o apoiara no processo de paz. Poucas semanas antes, tínhamos nos encontrado num coquetel na embaixada da França e ele me agradecera por meu apoio indefectível às negociações de paz.

A porta do avião acabou se abrindo. O primeiro a descer não foi o presidente, mas seu secretário. Lembrei-me de repente de um incidente que desde então me saíra da cabeça. Durante o debate televisionado com os comandantes das Farc, nove dias antes, eu sustentara a tese da necessidade de coerência entre a ação e o discurso de cada uma das partes para criar um espaço de confiança entre o governo e a organização. Minhas críticas às Farc tinham sido, de fato, severas, mas não menos do que as que fizera ao governo. Em particular, eu explicara que um governo que parecia complacente com a corrupção não era digno de credibilidade num processo de paz. E tinha mencionado um caso escandaloso, em que o secretário do presidente fora acusado de manipular em benefício próprio a compra de uniforme para as forças de ordem, razão pela qual eu pedia que fosse afastado de suas funções. Ora, os dois eram amigos íntimos. Fazer seu secretário descer primeiro era uma mensagem clara do presidente para mim: ele me recriminava por minhas declarações. Punha o secretário na sua frente para que eu soubesse que este contava com todo o seu apoio.

O que aconteceu em seguida apenas confirmou minhas deduções. O presidente passou na minha frente roçando em mim, sem parar para me estender a mão. Recebi calada a afronta. Dei meia-volta mordendo os lábios: bem feito para mim, deveria ter ido embora sem esperar!

Aproximei-me de meu grupo, mergulhado na consternação mais completa.

— Vamos, precisamos ir, já estamos muito atrasados! — eu disse.

Meu capitão, vermelho como um pimentão, transpirava de dar pena dentro do uniforme. Eu me preparava para reconfortá-lo com uma palavra gentil quando ele disse:

— Senhora, sinto muito, recebi agora mesmo uma ordem peremptória de Bogotá. Minha missão acaba de ser cancelada. Não posso acompanhá-la a San Vicente.

Olhei para ele, incrédula.

— Espere, não estou entendendo. Que ordem? De quem? Do que está falando?

Ele se adiantou, tenso, e me estendeu o papel, que amassava nervosamente nas mãos. De fato, estava assinado por seu superior. Ele me explicou que acabara de passar vinte minutos ao telefone com Bogotá, tentando de tudo, mas que a ordem viera "do alto". Perguntei-lhe o que isso significava e ele disse, com um doloroso suspiro:

— Da presidência, senhora.

Caí das nuvens, começando a compreender a extensão do estrago. Se eu fosse para San Vicente, viajaria, de novo, sem proteção. Isso já tinha acontecido, quando o governo nos recusara um reforço para a minha escolta para atravessar o vale do Médio Madalena, a terra banida dos paramilitares. Olhei ao redor, para a pista agora quase deserta. Os últimos jornalistas da comitiva presidencial estavam subindo num helicóptero semivazio, e três outras aeronaves, com as hélices girando, permaneciam no solo, sem passageiros para transportar.

O general se aproximou e me disse, com ar paternalista:

— Bem que eu avisei!

— Bom, e agora, o que propõe? — perguntei, irritada. — Afinal de contas, se eu não tivesse levado a sério a proposta de seu coronel, teria partido há muito tempo e já teria chegado a San Vicente!

— Faça o que havia programado antes! Pegue a estrada! — ele retrucou, contrariado, e o vi desaparecer dentro do prédio, com todos os seus galões.

O que não era tão simples, pois ainda precisariam ter nos deixado os carros blindados.

Aproximei-me de novo de minha equipe de segurança para saber o que estava programado no que se referia à equipe local, que devia assegurar nosso transporte. Todos se atrapalharam, sem saber o que responder. Um deles, que fora enviado em busca de notícias, voltou com ar desolado.

— Os homens da equipe local também partiram. Receberam ordens de abortar a missão.

Tudo tinha sido tramado para evitar minha chegada a San Vicente. Provavelmente o presidente temia que minha presença lá o prejudicasse. Sentei-me um instante para refletir: o calor, o barulho, as emoções embrulhavam minhas ideias. Quis agir da melhor maneira possível.

O que aconteceria com nossa democracia se os candidatos à presidência aceitássemos que, ao retirar nossa segurança, o governo nos impusesse uma tutela à nossa estratégia de campanha? Não ir a San Vicente era aceitar uma censura suicida. Era perder a liberdade de se expressar sobre a guerra e sobre a paz e a capacidade de agir em favor das populações marginalizadas que não tinham direito à palavra. Nessas condições, aquele que tinha o poder poderia, da mesma forma, designar seu sucessor.

Um dos integrantes da nossa segurança conseguira estabelecer um bom contato com homens da segurança do aeroporto. Esses funcionários podiam pôr à nossa disposição um dos veículos oficiais estacionados, para o trajeto a San Vicente. Após se informar, ele voltou com a autorização.

Era um pequeno 4x4 Luv, com uma cabine na frente, portas duplas e uma caçamba aberta atrás. Só havia lugar para cinco pessoas: nada a ver com o carro blindado com que contávamos. Pedi a opinião do grupo. Uns riram, outros deram de ombros. Meu chefe de logística, Adair, se aproximou para se oferecer como motorista. Sem hesitar, Clara se declarou pronta para ir a San Vicente. Nosso assessor de imprensa desistiu — queria que houvesse lugar para o cinegrafista e para um dos jornalistas estrangeiros que nos acompanhavam. Os dois jornalistas franceses estavam em acalorada discussão. Finalmente, a jovem repórter resolveu não ir. Não se sentia em segurança e preferia que seu companheiro mais velho fosse conosco, ele faria belas fotos. Um dos membros de minha segurança me pegou pelo braço e pediu que lhe concedesse alguns minutos. Era o mais antigo do grupo, incumbia-se de minha proteção fazia mais de três anos. Fora o único a ir comigo ao vale do Madalena.

— Quero ir com a senhora. — Tinha o semblante nervoso e embaraçado. — Não gosto do que estão fazendo com a senhora.

— Falou com seu superior?

— Falei.

— Se me acompanhar, o senhor corre o risco de ser demitido?

— Seguramente.

— Não, escute aqui. Não é hora de criar mais dificuldades! — Então, querendo um conselho, perguntei: — O que pensa da estrada? Acha que pode ser perigosa?

Ele sorriu, triste. Respondeu-me com ar resignado:

— Não mais do que em outro lugar.

Depois, como para explicar no que se fundamentava seu pensamento, acrescentou:

— Os militares estão por todo lado, é seguramente menos perigoso do que nossa travessia do Madalena! Telefone-me assim que chegar a San Vicente, farei o necessário para que a volta transcorra em condições melhores.

Minha equipe cobrira o veículo de cartazes improvisados com meu nome e a palavra PAZ. Estávamos prestes a partir quando o homem do departamento de segurança que nos conseguira o carro veio correndo em nossa direção, visivelmente excitado. Segurava na mão umas folhas de papel e explicava, ofegante:

— Vocês não podem ir embora sem assinar um termo de responsabilidade. Este é um veículo do Estado, se por acaso houver um acidente, terão de assumir as despesas!

Fechei os olhos. Tinha a impressão de estar num filme cômico mexicano.

Decididamente, queriam fazer de tudo para atrasar nossa partida. Sorri, armando-me de paciência.

— Onde é preciso assinar? — perguntei.

Clara pegou a folha me dizendo, gentil:

— Eu cuido disso, espero que meus anos de direito me sirvam para alguma coisa!

Achei graça e deixei o assunto por conta dela. Já era meio-dia, o calor estava ficando sufocante, não devíamos esperar mais.

Pegamos a estrada, com o ar-condicionado no máximo. Só a perspectiva de passar duas horas naquele pequeno forno metálico respirando um ar artificial me deixou no maior mau humor.

— Há uma barreira militar na saída de Florencia. É só questão de rotina para controle de identidade.

Eu tinha feito aquele trajeto inúmeras vezes. Os militares eram sempre meio tensos. A barreira logo apareceu à nossa frente. Os carros, em fila, esperavam pacientemente. Todo mundo devia ser revistado. Estacionamos o carro e descemos.

O telefone tocou. Remexi em minha bolsa e levei alguns segundos para pegá-lo e atender. Era mamãe. Eu estava surpresa com sua ligação, pois em geral na saída de Florencia não havia mais sinal. Contei-lhe os últimos detalhes de nossas peripécias:

— Minha escolta recebeu ordem de não vir comigo. Parece que isso foi obra do presidente em pessoa. Mas mesmo assim preciso ir, dei minha palavra. Gostaria de estar com papai. Diga a ele que lhe mando um monte de beijos.

— Não se preocupe, querida, vou dizer a ele. E estou com você a cada segundo, a cada passo que der estarei com você. Seja prudente.

Enquanto falava com mamãe, os militares se apossaram do veículo, examinando minuciosamente o tapete, as sacolas e o porta-luvas. Ao desligar, segurei-me para não dar um telefonema a papai. Virei-me para o oficial que estava meio afastado, provavelmente encarregado de supervisionar as operações, e perguntei como andava o trânsito.

— Está tudo normal. Até agora não tivemos problemas.

— Qual é a sua opinião?

— Não tenho opinião a lhe dar, senhora.

— Bem, mesmo assim agradeço.

Pegamos a estrada atrás de um ônibus, acompanhados de uma pequena moto acelerada a fundo por uma jovem de braços de fora, cabelos ao vento e olhar grudado no asfalto. Com o acelerador no máximo, ela mal chegava a se manter emparelhada conosco; parecia querer apostar corrida. A situação era um tanto engraçada e nos divertia. Mas o barulho de seu motor era infernal. Aceleramos para ganhar distância e chegar mais depressa ao posto de gasolina de Montañitas, etapa inevitável do percurso. Toda vez que eu fazia aquele trajeto parava ali para encher o tanque, beber água gelada e conversar com a proprietária.

Como sempre, ela estava em seu posto de guarda. Cumprimentei-a, contente de encontrar um rosto simpático. Olhando ao redor, ela me confessou:

— É um alívio que eles tenham ido embora! Esses guerrilheiros tinham se instalado na região como se ela lhes pertencesse. Tive muitos problemas com eles. Agora o Exército conseguiu que dessem o fora daqui. Fez um bom trabalho.

— Ele não desmantelou os postos de controle que os guerrilheiros tinham instalado na estrada?

— Sim, sim. A estrada está completamente desimpedida. Se houvesse qualquer coisa, eu seria a primeira a saber. Quando um carro é obrigado a dar meia-volta, é aqui que ele para, a fim de dar o alerta.

Entrei no carro satisfeita e relatei a meus companheiros as palavras da proprietária. Depois, abri-me com todos, amarga:

— Estou convencida de que eles não queriam que fôssemos a San Vicente. Azar, vamos com atraso, mas vamos.

Partimos e uns quinze minutos depois avistamos ao longe duas pessoas sentadas bem no meio da estrada. Chegando mais perto, percebemos que havia uma ponte em obras. Na viagem anterior, tínhamos enfrentado exatamente o mesmo problema na volta de San Vicente. Era a temporada das chuvas, o rio transbordara e a força das águas fragilizara a estrutura da ponte. Tínhamos sido obrigados a contorná-la, como deveríamos fazer agora, e atravessar o rio de carro. Nesse dia, nada havia para cruzar além de um filete de água, só um pequeno desvio em nosso trajeto. As duas pessoas se levantaram para nos indicar o caminho, com o braço esticado. Precisávamos virar à esquerda e descer o declive.

Na nossa frente, um carro branco da Cruz Vermelha, que descia pelo desvio que íamos pegar, desapareceu de nossa vista assim que chegou ao outro lado do talude. Nós o seguimos cautelosamente.

Assim que nosso carro saiu do talude, eu os vi. Estavam vestidos dos pés à cabeça com roupas militares, fuzil a tiracolo, agrupados em volta do veículo da Cruz Vermelha. Por reflexo, olhei atentamente para seus sapatos: botas pretas de borracha, muito usadas pelos camponeses nas zonas pantanosas. Tinham me ensinado a identificá-los assim: se fossem botas de couro, eram os militares; se fossem de borracha, eram as Farc.

Um dos guerrilheiros, ao perceber nossa presença, caminhou em nossa direção, com o fuzil AK47 apontado:

— Deem meia-volta, a estrada está fechada — ordenou.

Nosso motorista improvisado, Adair, olhou para mim, sem saber o que fazer. Hesitei um momento, dois segundos de mais: já tinha passado por controles das Farc. Falava-se com o comandante do grupo, ele pedia autorização pelo rádio e passávamos. Mas isso tinha sido na época da "zona de distensão", quando as negociações de paz aconteciam em San Vicente. Fazia 24 horas que tudo tinha mudado.

— Dê meia-volta, depressa! — eu disse a Adair.

A manobra não era óbvia, estávamos bloqueados entre o carro da Cruz Vermelha e o talude. Ele a iniciou sob uma enorme tensão.

— Depressa, depressa! — gritei.

Eu já tinha percebido os olhares da tropa assestados sobre nós. O chefe deles deu uma ordem e nos interpelou de longe. Um de seus homens correu em nossa direção, com cara de mau. Já tínhamos feito três quartos da manobra quando ele nos pegou, pondo a mão na porta e fazendo sinal para Adair baixar o vidro:

— Parem! O comandante quer falar com vocês. Não saiam correndo.

Respirei fundo e rezei aos céus. Eu não tinha reagido suficientemente rápido. Não deveríamos ter hesitado em recuar e pegar o caminho de volta. Fiquei zangada comigo mesma. Virei-me. Sentia-me culpada. Meus companheiros estavam lívidos.

— Não se preocupem — disse-lhes, sem convicção. — Vai dar tudo certo.

O comandante passou a cabeça pela janela e encarou cada um de nós atentamente. Fixou o olhar em mim e perguntou:

— Ingrid Betancourt é você?

— Sim, sou eu.

Era difícil negar: os cartazes em volta do carro mostravam meu nome ostensivamente.

— Bem, siga-me. Estacionem o carro na estrada lateral. Ele tem de passar entre os dois ônibus.

Ele não largou a porta, obrigando o carro a andar muito devagar. Foi então que senti um cheiro fortíssimo. Um homem, segurando um galão amarelo, jogava gasolina na carroceria dos dois ônibus. Ouvi um barulho de motor e me virei. A moça com a moto, como nós todos, tinha caído na emboscada. Um dos guerrilheiros ordenou que ela descesse e pegou sua moto, fazendo-lhe sinal para ir embora.

Ela ficou ali, em pé, sem saber o que fazer. Sua moto também foi molhada de gasolina. Ela compreendeu e saiu rápido em direção à ponte.

Na outra margem da estrada, um homem parrudo, de pele acobreada e farto bigode preto, suando em bicas, enxugava-se nervosamente com um lenço vermelho. Impaciente, torcia as mãos até deixar brancas as juntas dos dedos. As feições de seu rosto estavam deformadas pela angústia. Devia ser o motorista do ônibus que estivera à nossa frente na estrada.

Por um instante, o tempo de passarmos entre os dois veículos, perdemos de vista os passageiros do carro da Cruz Vermelha, que esperavam na lateral da estrada, sob a mira de um homem armado. Todos acompanhavam o que estava acontecendo, com os olhos cravados em nós.

O comandante mandou nosso carro parar a alguns metros dali. O homem que tinha inundado a moto de gasolina abandonou-a encostada na carroceria do ônibus e, depois de uma chamada de seu chefe, correu até nós. A uns dez metros, quando ele atravessava o acostamento da estrada, uma explosão nos fez tremer de pavor. O homem foi arremessado para cima e caiu de volta no chão. Estava numa enorme poça de sangue. Seu olhar espantado fixou-se no meu. Ele me olhava apavorado, sem entender o que acabara de lhe acontecer.

O comandante vociferava, xingando e amaldiçoando o mundo inteiro. No mesmo instante, o homem ferido começou a berrar de pavor: puxava de trás de si sua bota, que continha um pedaço de perna sanguinolenta e um osso, que não mais lhe pertencia.

— Vou morrer, vou morrer! — ele berrava.

O comandante ordenou que seus subordinados o instalassem na caçamba de nossa picape. O homem estava coberto de sangue, que respingava por todo lado. Sua perna se reduzira a nacos de carne espalhados, alguns dos quais haviam se colado na carroceria de nosso veículo e no para-brisa, e também nas roupas de uns, e nos cabelos e rostos de outros. O cheiro de carne queimada misturado com o de sangue e gasolina era repugnante. Ouvi-me dizendo:

— Podemos levá-lo ao hospital, podemos ajudar vocês!

Eu falava com o chefe do grupo como a um acidentado na estrada.

— Você irá aonde eu lhe disser para ir.

Depois, virando-se, mandou o homem ferido se calar, o que ele fez na mesma hora, gemendo baixinho como um cão, entre a dor e o medo. O comandante pareceu satisfeito.

— Vá em frente! — ordenou ao nosso motorista. — Vá com jeito, e depressa!

Adair não se fez de rogado. Ligou o carro, enquanto os últimos membros da tropa pulavam para dentro da caçamba. Um deles entrou no veículo, segurando sua arma pelo cano e empurrando meus companheiros para se sentar no banco traseiro. O rapaz se desculpou por incomodá-los, pôs seu fuzil em pé entre as pernas e sorriu, olhando para a frente. Estavam todos apertados, os cotovelos imóveis, tentando evitar o contato com o recém-chegado.

Eu disse em francês para o jornalista que nos acompanhava:

— Não se preocupe, sou eu que eles querem. Nada acontecerá com vocês.

Ele fez que sim com a cabeça, nem um pouco tranquilo. Gotas de suor brotavam em sua testa. Pelo vidro traseiro, vi a cena aterradora que se passava na caçamba. O ferido chorava, segurando seu coto com as duas mãos. Seus companheiros tinham lhe feito uma espécie de torniquete com uma camisa, mas o sangue espirrava, efervescente, pelo tecido já encharcado. O carro dava um solavanco a cada dois segundos, tornando quase impossível a colocação de mais um garrote. O comandante bateu na carroceria, vociferando, e Adair diminuiu a marcha. O ferido balançava a cabeça para trás, com olheiras cor de púrpura, já semi-inconsciente.

Fazia vinte minutos que andávamos por uma estradinha esburacada e empoeirada, sob um calor infernal, quando o chefe nos mandou parar, justo antes de uma curva que contornava um promontório.

De todos os lados apareceram jovens fardados. Mulheres, com as tranças presas num coque, que sorriam de orelha a orelha, alheias ao drama. Eram todos adolescentes. Vários deles descarregaram o ferido para um lugar meio escondido, onde se percebia o telhado de uma casa.

— É nosso hospital — declarou orgulhoso o rapaz que viera conosco dentro do carro. — Ele vai sair dessa, estamos acostumados.

Não havíamos parado nem um minuto e o chefe já nos dava ordens para partir. Outros homens subiram atrás, na caçamba, e ficaram em pé, apesar dos solavancos e da velocidade do carro. Todos estavam armados, ameaçadores.

Dez minutos depois, o carro parou. Um dos novos caronistas pulou da parte traseira e veio abrir as portas:

— Saiam todos, andem, depressa!

Apontou o fuzil para nós e me pegou rudemente pelo braço:

— Dê o seu celular. Deixe eu ver o que tem aí dentro.

Remexeu na minha sacola e me empurrou para a frente, enfiando o cano de seu fuzil nas minhas costas.

Desde o início eu tinha mantido a esperança de que nos levariam ao lugar onde cuidariam do ferido e que em seguida poderíamos dar meia-volta e partir.

Nesse momento tive de encarar o que estava me acontecendo. Eu acabara de ser pega como refém.

4. El Mocho César

Eu tinha apertado a mão de Marulanda, Mono Jojoy, Raúl Reyes e Joaquín Gómez — da última vez, exatamente duas semanas antes —, e isso me levara a crer que um diálogo se instalara entre nós e que isso me dava imunidade contra suas ações terroristas. Tínhamos discutido política horas a fio, partilhado refeições. Eu não conseguia imaginar que, da noite para o dia, essas pessoas afáveis pudessem tomar a decisão de nos sequestrar.

E, no entanto, os que estavam sob suas ordens me ameaçavam de morte, obrigando-me a acompanhá-los. Tentei tirar do carro minha sacola de viagem, mas o indivíduo que me empurrava com a arma me proibiu, aos berros. Deu ordens, com voz histérica, para me separarem dos demais e vi meus companheiros de infortúnio alinharem-se miseravelmente do outro lado da pista, cada um mantido a distância por um homem armado. Rezei com todas as minhas forças para que nada lhes acontecesse, já aceitando a sorte que acreditava ser a minha. Meu espírito navegava por um nevoeiro denso e eu só registrava os sons e gestos com certo atraso, como se estivesse com um tampão nos ouvidos. Eu já tinha visto aquela estrada. Eu já tinha vivido aquela cena. Ou talvez a tivesse imaginado. Lembrei-me da foto de jornal que me consternara de horror. Naquela estrada, ou talvez numa parecida, havia um carro estacionado no acostamento, como estava o nosso. Os cadáveres jaziam de barriga para cima, espalhados em volta do veículo com as portas ainda abertas. A mulher que fora morta junto com os membros de sua escolta era a mãe de um membro do Congresso. Ao olhar a foto, eu tinha imaginado tudo, seu pavor diante da instantaneidade da morte, sua resignação diante do inevitável, e depois o fim da vida, o tiro, o nada. Agora entendia por que tudo aquilo me obcecara. Era um espelho do que me esperava, um reflexo de meu futuro. Eu pensava em todos que amava e achava uma idiotice morrer assim. Estava numa bolha, encolhida dentro de mim mesma. Portanto, não ouvi o motor, e quando ele estacionou perto de mim sua grande picape Toyota último tipo, baixou o vidro automático e falou comigo, não consegui fixar seu olhar nem compreender suas palavras:

— *Doctora** Ingrid... *Doctora* Ingrid... Ingrid!

Eu acabava de sair de meu torpor.

— Entre — ele ordenou.

Aterrissei no banco dianteiro, ao lado daquele homem que me sorria pegando minha mão como a de uma criança.

— Não se preocupe, comigo a senhora está em segurança.

— Sim, comandante — respondi sem refletir.

Era César, El Mocho César, chefe da Frente 15 das Farc. Eu não tinha me enganado, era ele mesmo o comandante. Parecia radiante que eu tivesse adivinhado.

Olhou ao redor e perguntou:

— Quem são essas pessoas?

— Ela é minha assistente.

— E eles, não são guarda-costas?

— Não, nada disso, trabalham comigo na campanha. Um cuida da logística, organiza os deslocamentos. O outro é um cinegrafista que contratamos para nos acompanhar. O mais velho é um jornalista estrangeiro, um fotógrafo francês.

— A senhora não corre nenhum risco. Mas quanto a eles... Preciso verificar a identidade de cada um.

Fiquei lívida, compreendendo bem demais o alcance dessas palavras.

— Por favor, acredite em mim, não há nenhum agente da segurança...

Olhou-me com grande frieza, o tempo de um piscar de olhos, e depois, imperceptivelmente, sua atitude voltou a ser amena.

— Todos os seus pertences estão aí?

— Não, não me deixaram trazer minha sacola.

Passou a cabeça pela janela e deu ordens. Eu compreendia seu significado mais pelos gestos que acompanhavam as palavras do que pelas palavras em si. Tre-

---

* Na Colômbia, uma forma de cortesia.

mia da cabeça aos pés. Vi que Clara tinha sido separada do grupo e fora forçada a subir na traseira, junto conosco. Um homem correu para pegar minha sacola e a deixou rapidamente entre minhas pernas, antes de também pular na caçamba da caminhonete, no exato instante em que o comandante César engatava a marcha a ré. Virei-me. Clara estava agora sentada num dos dois bancos que tinham sido instalados na caçamba, imóvel no meio de uma dúzia de homens e mulheres armados até os dentes, cuja presença eu não tinha notado antes. Nossos olhares se cruzaram. Ela sorriu imperceptivelmente.

Virei-me, apenas o tempo de ver os meus outros companheiros serem empurrados rudemente para dentro do carro que fora o nosso até então. Um guerrilheiro pegou a direção.

— O ar não a incomoda? — perguntou, num tom cortês.

— Não. Obrigada, está ótimo assim.

Olhei para ele atentamente. Era um homenzinho moreno, a pele tostada de sol. Devia estar na faixa dos cinquenta anos e tinha uma barriga proeminente em cima do que devia ter sido um corpo de atleta. Notei que lhe faltava um dedo. Ele acompanhava, divertido, a inspeção de sua pessoa, e me disse:

— Chamam-me El Mocho,* evidentemente!

Mostrou ostensivamente seu coto e concluiu:

— Foi um presentinho dos militares. Eu lhe meto medo?

— Não, por que me meteria medo? É bastante educado.

Ele riu a valer, encantado com minha resposta.

— Os comandantes me encarregaram de lhe transmitir seus cumprimentos. Como verá, as Farc vão tratá-la muito bem.

Olhei para o outro lado.

— Gosta de música? De quê? *Vallenatos,*** boleros, salsa? Abra o porta-luvas, tem tudo o que quiser aí dentro, vá! Escolha!

Eu estava achando essa conversa absolutamente surrealista. Mas, sentindo os esforços que ele fazia para me relaxar, joguei o jogo. Havia uns CDs empoeirados e jogados de qualquer jeito. Eu não conhecia nenhum dos intérpretes e lia com dificuldade o que restava de seus nomes nas etiquetas. Visivelmente, era uma bela coleção de CDs piratas. Rejeitei-os um a um e observei a impaciência de César diante de minha falta de entusiasmo.

---

* *Mocho*: cortado.
** Música de Valledupar, na costa caribenha.

— Pegue o azul, esse aí. Vou fazê-la ouvir nossa música. Isso é um puro produto Farc, o autor e o intérprete são guerrilheiros! — fez questão de salientar, levantando o indicador. — Gravamos em nossos próprios estúdios. Ouça isto!

Era uma música que chiava e rasgava os tímpanos. O sistema de som parecia ultramoderno, com luzes fluorescentes que partiam em todas as direções como o painel de bordo de uma nave espacial: "Digno de um narcotraficante!", não pude deixar de pensar. Imediatamente me recriminei, ao ver o orgulho infantil daquele homem. Ele tocava em todos os botões com a destreza de um piloto de avião e, ao mesmo tempo, conseguia manobrar o volante naquela estrada infernal.

Chegamos a um vilarejo. Meu espanto era extremo: como ele podia passear comigo, sua refém, assim tão despreocupadamente, diante do mundo?

De novo César leu meu pensamento.

— Aqui, o rei sou eu! Este vilarejo me pertence, é Unión-Penilla. Todos aqui me adoram.

E, como para me provar a veracidade de suas afirmações, abriu a janela e acenou com a mão, dando bom-dia aos passantes. Naquela rua comercial do vilarejo, pelo visto a principal, as pessoas retribuíam o gesto e o cumprimentavam, gentis, como teriam cumprimentado o prefeito.

— Ser rei de um vilarejo não é bom para um revolucionário! — retruquei.

Ele me olhou, surpreso. Depois caiu na risada.

— Eu tinha vontade de conhecê-la. Vi você na tevê. É mais bonita na tevê.

Foi a minha vez de rir.

— Obrigada, é muita gentileza sua. Você faz bem ao meu estado de espírito.

— É uma nova vida que vai começar conosco. Precisa se preparar. Farei o possível para lhe facilitar as coisas, mas vai ser duro para você.

Ele não ria mais. Fazia cálculos, planejava, tomava decisões. Naquela cabeça estavam se definindo coisas essenciais para mim, que eu não podia antecipar nem avaliar.

— Tenho um favor a lhe pedir. Meu pai está doente. Não quero que seja informado de meu sequestro pelos jornais. Quero ligar para ele.

César me olhou longamente. Depois, como se pesasse cada uma de suas palavras, respondeu:

— Não posso permitir esse telefonema. Poderiam nos localizar e isso a deixaria em perigo. Mas permito que lhe escreva. Enviarei sua carta por fax, hoje mesmo ele a receberá.

Mais de três horas se passaram depois de nossa passagem por Unión-Penilla. Eu estava morrendo de vontade de ir ao banheiro. César me garantira que chegaríamos em alguns minutos, mas esses poucos minutos haviam se estendido para mais de uma hora e ao redor só havia campos ermos.

De repente, após uma curva, vi seis pequenos barracos de madeira, alinhados três a três em cada lado da estrada. Eram todos parecidos, como caixas de sapatos, sem janelas, teto de folha de flandres enferrujada e cobertos por um verniz de poeira que unificava em tom cinza as velhas tintas coloridas que deveriam ter embelezado as paredes.

César freou abruptamente diante da entrada de um deles. A porta estava escancarada e por ela via-se até o fundo do quintal. Era uma casinha modesta mas limpa, na sombra e agradavelmente fresca.

César me empurrou para dentro, mas me recusei a ir adiante, pois queria ter certeza de que Clara nos seguia. Ela desceu e pegou minha mão, como para se assegurar de que não ficaríamos separadas.

— Não se preocupem, vocês vão ficar juntas.

César nos fez entrar e me indicou o banheiro, no fundo do quintal.

— Pode ir, uma moça vai lhe mostrar o caminho.

O jardim era cheio de flores de todas as cores. A essa altura, pensei que, se nosso local de cativeiro fosse aquela casinha, eu poderia aguentar sem me queixar.

Um cubículo com porta de madeira aparentava ser o banheiro em questão. Só vi a moça segundos mais tarde. Devia ter no máximo quinze anos e sua beleza me impressionou. Vestindo uniforme de camuflagem, o fuzil de viés diante do peito, estava em pé, as pernas afastadas, com um movimento dos quadris muito sedutor. Tinha um bonito rosto, o cabelo louro trigo enrolado no alto da cabeça como um ninho de pássaros pousado ali, e brincos cuja feminilidade contrastava com o rigor do uniforme. Respondeu-me quase intimidada, com um belo sorriso.

Entrei no cubículo, que exalava um cheiro horroroso. Não havia papel higiênico. Um zumbido de grandes moscas verdes em cima do buraco nauseabundo tornava o exercício ainda mais penoso. Saí dali a ponto de desmaiar.

César nos esperava em pé, dentro da casa, com uma bebida fresca, que nos entregou orgulhoso, e duas folhas de papel, que colocou sobre a mesinha da sala. Explicou que podíamos escrever uma mensagem para nossas famílias.

Refleti longamente nas palavras que queria usar para escrever a papai. Expliquei-lhe que acabara de ser pega como refém, mas que me tratavam com consideração e que eu não estava sozinha, pois Clara permanecia comigo. Descrevi-lhe as condições em que tínhamos sido capturadas, como eu ficara aflita ao ver um dos guerrilheiros perder a perna ao andar sobre uma mina antipessoal que eles haviam colocado na estrada e finalmente disse que detestava a guerra.

Queria que ele sentisse pelas minhas palavras que eu não estava com medo. E queria prolongar nossa última conversa, pedir-lhe que me esperasse.

César voltou, disse-nos que tínhamos todo o tempo, mas que não devíamos dar nenhuma indicação de lugar nem de tempo, nem mencionar nenhum nome, pois nesse caso ele não poderia enviar nada. Ele leria minha carta, naturalmente, talvez até a censurasse!

Afastou-se, mas senti seu bafo na minha nuca, como se lesse por cima de meu ombro. Azar, escrevi o que tinha decidido, tomando cuidado para que as lágrimas que me escapavam não caíssem no papel. Precisava ser forte, olhar em frente. Mas "em frente" era tenebroso. Minha boa estrela acabara de se extinguir.

César partiu, mas voltou pouco depois, acompanhado por um homem baixo e redondo como uma pipa, com um bigode que lembrava uma escovinha e o cabelo brilhante de gordura. Seus olhos se viravam para todo lado e ele nos observava em pânico, como se tivesse visto o diabo. Entrelaçava as mãos, nervoso, e visivelmente esperava instruções do chefe.

— Apresento-lhe a *doctora* Ingrid.

O recém-chegado nos esticou a mão enorme, coberta de gordura, que tentara limpar rapidamente no jeans e na camiseta furada.

César prosseguiu num tom pausado, articulando bem as palavras, como se quisesse ser bem compreendido para não ter de repetir:

— Vá comprar roupas, calças, jeans, alguma coisa chique, e camisetas bem bonitas, para moças, entendeu?

O homem concordou com a cabeça, rapidamente, os olhos cravados no chão em sinal de extrema concentração.

— Pegue também roupa de baixo. Bem feminina, da melhor qualidade...

A cabeça do homem balançava de alto a baixo, como acionada por uma mola, e ele prendia a respiração.

— E botas de borracha. Traga as boas, as Venus. Não as nacionais. E vá também me pegar um bom colchão, espessura dupla, com um mosquiteiro. Mas dos bons, não quero aquelas peneiras que você me descobriu da última vez! E mande tudo imediatamente para Sonia. Conto com você, quero qualidade, entendeu?

O homenzinho saiu, cumprimentando e recuando, antes de dar meia-volta na entrada e desaparecer.

— Se estão prontas, vamos logo embora!

Era o fim do dia, o calor estava insuportável e a estrada não passava de uma pista empoeirada horrorosa, cheia de crateras imensas com lama estagnada. Grandes árvores centenárias bloqueavam o horizonte e o céu que serpenteava acima da estrada era vermelho-sangue. Clara e eu agora estávamos na frente, na cabine. O som finalmente se calou e nosso silêncio foi invadido pelos pios de milhões de pássaros invisíveis que circulavam no céu por punhados negros quando passávamos, para logo voltarem atrás e retomarem seu lugar na escuridão das folhagens. Tentei passar a cabeça pelo vidro, para observar no alto da copa das árvores a silhueta daqueles pássaros feéricos e livres. Se papai estivesse ali comigo, ele gostaria de contemplá-los, como eu. Pela primeira vez senti que esse espetáculo maravilhoso me fazia mal, a felicidade daqueles pássaros me fazia mal, e a liberdade deles também.

— Terá de se habituar a comer de tudo — César observou. — Aqui, a única carne é de macaco!

— Sou vegetariana... — retruquei. Era mentira, mas eu precisava responder com uma tirada. — Terá de me providenciar saladas, frutas e legumes. Acho que, com todo esse verde, não vai ser difícil.

César se mantinha calado. Mas parecia se divertir com a conversa. Fui um pouco mais longe.

— E, se quiser realmente me dar um prazer, providencie queijo!

Dez minutos depois, ele parou a caminhonete no meio de um lugar ermo. Os guerrilheiros que estavam atrás desceram para esticar as pernas e urinar na frente de todo mundo, sem cerimônia. César também desceu e deu ordens, depois partiu com dois deles para uma casinha escondida entre as árvores, que eu não tinha visto. Voltou sorrindo com um saco de plástico em cada mão, seguido pelos dois outros, que traziam uma caixa de cerveja.

Entregou-me um dos sacos plásticos:

— Tome, isso é para você. Sempre que eu puder vou lhe conseguir, mas aqui não é fácil.

Não pude deixar de sorrir. Havia na sacola um grande pedaço de queijo fresco e uma dúzia de limõezinhos verdes. Observei o olhar de soslaio dos rapazes e guardei o saco na sombra, debaixo do banco.

A pista agora era mais estreita e as árvores pareciam dominar tudo. Só se via o céu através da cúpula de vegetação. De repente, depois de cruzar um riacho, o carro virou à esquerda bruscamente. Ia se esmagar contra o arbusto. Ergui o antebraço diante dos olhos para me proteger do impacto, mas em vez disso o carro abriu uma passagem e avançou para uma espécie de praça de terra batida. Era uma clareira. O espaço fora limpo de toda vegetação. O carro parou. Começava a escurecer, a noite caía.

O rangido da freada anunciara nossa chegada e um grande pastor-alemão vinha trotando, latindo, certo de estar cumprindo seu dever. César desceu do carro. Fiz o mesmo.

— Cuidado, é um cão muito mau.

De fato, o animal se lançou para cima de mim, latindo com todas as suas forças. Deixei-o se aproximar, me farejar, depois esbocei um afago entre suas orelhas. César me observava de soslaio.

— Adoro cães — aventurei-me a explicar. Não queria que César pensasse que podia me intimidar.

Havia em torno do espaço aberto algumas cabanas, mais ao longe barracas de campanha e, de um lado, uma espécie de alpendre grande que abrigava, a cada meio metro, mesas baixas feitas de tábuas sustentadas por cavaletes. Uma das cabanas era totalmente fechada por um muro de terra, outra, totalmente aberta, tinha bancos alinhados como numa igreja, diante de uma pequena televisão suspensa no galho de uma grande árvore que penetrava por um dos lados da construção. Entrei pela primeira vez num acampamento das Farc.

— Apresento-lhes Sonia.

Uma mulher grande, o cabelo pintado de louro ao estilo Marilyn Monroe preso no alto da cabeça em corte militar, me estendeu a mão. Não a vira chegar, estendi a minha com algum atraso. Ela esmigalhou meus ossos e berrei de dor. Soltou-me e sacudi a mão com força para fazer a circulação voltar. César estava radiante. Sonia, curvada, ria até as lágrimas. Depois, retomando o fôlego, me disse:

— Sinto muito, não quis lhe fazer mal.

— Bem, você entendeu: trate-a com delicadeza — disse César, e partiu.

Antes mesmo que eu pudesse me despedir dele, Sonia me pegou pelos ombros, como uma velha colega de classe, e me levou para conhecer o local. Clara nos seguiu.

Sonia comandava o acampamento. Vivia com seu companheiro, um homem mais moço e de patente subalterna, a quem dava ordens de forma ostensiva, para nos mostrar que era a chefe. Levou-nos para visitar sua cabana, a única, na verdade, a ter uma parede, e portanto a dispor de alguma intimidade. Mostrou-nos, reinando entre um colchão posto diretamente do chão e uma cadeira de plástico, uma pequena geladeira elétrica. Abriu-a com orgulho, só continha dois refrigerantes e três garrafas de água. Como para se desculpar por contar com um luxo tão grande, explicou-nos:

— É para os remédios...

Olhei para ela, sem entender.

— Sim, este acampamento é um hospital das Farc. Recebemos todos os feridos da região, os que estão esperando para ser operados na cidade, e os que estão em convalescença.

Levou-nos depois para o grande abrigo. Numa das mesas do fundo, moças olhavam com curiosidade o conteúdo de grandes sacos plásticos pretos. Havia também um colchão enrolado e suspenso por cordinhas e um grosso rolo de malha.

— Isabel e Ana, vocês vão se revezar para a guarda. Façam a cama, instalem-nas.

As mesas baixas eram camas. No outro extremo do abrigo, os guerrilheiros começavam a instalar os mosquiteiros e se esticavam para dormir sobre plásticos pretos que tinham estendido direto sobre tábuas de madeira. Em cada um dos quatro cantos do abrigo um homem montava guarda. Era difícil sair dali sem ser visto.

As moças tinham acabado de fazer uma cama. Olhei ao redor e não vi nada para fazer outra. Perguntei por que e uma delas me respondeu que a ordem era de dormirmos juntas. Uma lua imensa iluminava o acampamento. Perguntei a Clara se queria caminhar um pouco comigo. Logo estávamos lá fora, respirando o ar leve de uma bela noite tropical. Sentia-me ainda livre e me recusava a entrar no papel de refém. As moças que nos seguiam forneceram uma lanterna para cada uma de nós.

— Só as utilizem em caso de absoluta necessidade. Jamais apontem com elas para o céu. Apaguem-nas assim que ouvirem um avião ou helicópteros se aproximando, ou quando alguém mandar. Agora temos de voltar. Se precisarem de alguma coisa, chamem-nos. Uma de nós ficará ao pé da cama de vocês.

A moça que tinha falado se afastara e se pusera de pé na nossa frente, os cotovelos apoiados na ponta do fuzil, que deixara descansar no chão. Imaginei que era nossa guarda pessoal e que os quatro outros eram sentinelas postadas ali de modo habitual.

Sentei-me na beira do colchão, sem forças para olhar para dentro das sacolas com nossas novas roupas. Não tinha comido nada o dia todo. Vi o saco plástico de César: estava vazio, e os limões boiavam na água do queijo. Clara já dormia, deitada sob o mosquiteiro, toda vestida e coberta por um lençol bege de flores marrons. Deitei-me também, tentando ocupar o menor espaço possível. Examinei o mosquiteiro com a lanterna, não queria que os bichinhos entrassem. Depois a apaguei. Onde estariam os outros? Adair? O fotógrafo francês? Uma tristeza súbita me invadiu e chorei em silêncio.

5. O acampamento de Sonia

Não preguei o olho durante a noite. Espiava os guardas mais do que eles me vigiavam. A cada duas horas, outros homens chegavam para substituí-los. Eu estava distante demais para ouvir o que diziam, mas eram poucas palavras, um tapinha nas costas, uns iam embora, deixando os outros em pé no lugar deles, em plena escuridão. As moças que se sucediam à nossa cabeceira acabaram se sentando na cama vazia em frente e devagar pegaram no sono. Como sair dali? Como retomar a estrada? Como voltar para casa? Haveria guardas mais longe? Na saída do acampamento? Eu precisava observar tudo o mais em detalhes, perguntar, olhar. Imaginava partir para a liberdade com minha amiga. Ela concordaria em me seguir? Eu iria direto ver papai. Chegaria de surpresa em seu quarto. Ele estaria sentado na poltrona de couro verde. Estaria com a máscara de oxigênio. Ele me abriria os braços e eu me aninharia e choraria de felicidade por estar com ele. Depois, chamaríamos todo mundo. Que alegria! Talvez fosse preciso pegar um ônibus na estrada. Ou talvez andar para chegar a uma cidade. Seria mais seguro. A guerrilha tinha espiões por todo canto. Seria preciso procurar uma base militar ou um posto de polícia. Quando César havia parado para pegar o queijo e as cervejas, apontara para a direita. Rira ao explicar que a base militar ficava ali pertinho. Dissera que os *chulos* eram estúpidos. Eu não sabia que a guerrilha chamava os soldados de *chulos*, abutres. Senti-me magoada, como se fosse um insulto dirigido a mim. No entanto, eu não tinha dito nada. "Daqui para a frente, vou ficar sempre do lado dos militares", pensei.

Qual seria a reação do país ao saber do meu sequestro? Que fariam meus concorrentes? Seriam solidários comigo? Eu pensava em Piedad Cordoba, uma colega do Senado. Conheci Manuel Marulanda, o chefe das Farc, por seu intermédio. Tínhamos percorrido de táxi a estrada entre Florencia e San Vicente. Foi a primeira vez que lá estive. Pegamos uma estrada terrível, verdadeiras montanhas-russas. Enfiamo-nos várias vezes na lama, forçados a andar a pé em certos momentos para aliviar o peso do veículo. Todos nós havíamos empurrado, puxado e erguido o carro antes de chegarmos, negros de poeira, a um posto avançado das Farc na entrada da mata virgem. Vi como o velho Marulanda tinha o controle absoluto de todos os seus homens. A certa altura, havia se queixado da lama debaixo de sua cadeira. Foi literalmente levantado, como um imperador, enquanto os demais comandantes tinham posto tábuas de madeira no chão e montado um tablado improvisado. Piedad Cordoba fora sequestrada pelos paramilitares seis meses depois de nossa visita às Farc. Castaño, o chefe deles, a acusava de ter se juntado à guerrilha. Fui falar com um fazendeiro idoso a quem conhecia, alguns diziam que ele era interlocutor de Castaño. Pedi-lhe para intervir em favor da libertação de Piedad. Muitos tinham se manifestado em seu favor. Alguns dias depois, ela fora libertada. Eu esperava que meu caso fosse similar ao dela. Talvez fosse apenas questão de poucas semanas até obterem minha libertação. Todas essas questões em que se misturavam fantasmas e realidade me ocuparam a noite inteira.

O dia começava a raiar, o primeiro de minha vida em cativeiro. O mosquiteiro que tinham nos fornecido era branco, de malha muito apertada. Através dele eu acompanhava o mundo estranho que acordava ao meu redor, como protegida num casulo, com a ilusão de poder olhar sem ser vista. Os contornos dos objetos começaram a se destacar na noite negra. Estava bem fresco, quase frio. Eram quatro e meia da manhã quando um dos guerrilheiros ligou o rádio suficientemente alto para que eu conseguisse ouvir. Falavam de nós. Apurei o ouvido, tensa ao extremo e sem ousar sair de meu refúgio para me aproximar do rádio. A voz confirmava que eu tinha sido sequestrada pela guerrilha, ouvi as declarações de mamãe e meu coração se contraiu dolorosamente, impedindo-me de ouvir direito. Depois falou-se de Clara. Acordei-a para que acompanhasse o noticiário comigo. O guerrilheiro mudava de estação, e a cada vez caía em alguma que estava transmitindo notícias a nosso respeito. Ali perto, alguém sintonizou o aparelho no mesmo programa, depois um terceiro fez a mesma coisa. O som nos chegava em estéreo e facilitava a escuta.

Pouco antes das cinco da manhã alguém passou perto de nós fazendo um barulho com a boca, desagradável e muito alto, o que teve como resultado pôr o acampamento em movimento. Isso se chamava *la churuquiada*, outro desses termos tipicamente farquianos que designava a imitação dos guinchos dos macacos. Era o toque de alvorada da selva.

Todos os guerrilheiros convalescentes que dormiam conosco sob o alpendre se levantaram imediatamente. Tiraram os mosquiteiros, os dobraram depressa e os enrolaram num rolo apertado, solidamente preso pelas mesmas cordinhas que serviam para pendurá-los nos quatro cantos das camas. Eu os observava, fascinada, enquanto escutava os boletins informativos. Clara e eu nos levantamos, pedi para ir ao banheiro.

Nossa guarda se chamava Isabel. Era uma mulher baixinha, de uns trinta anos, cabelo muito comprido e crespo, que usava num coque atrás da cabeça. Tinha bonitos brincos de ouro e presilhas infantis para prender longe do rosto as mechas rebeldes. Meio gordinha, usava calça de tecido de camuflagem um pouco apertada demais para estar confortável. Recebeu meu pedido dando-me um de seus mais belos sorrisos e estava visivelmente encantada em cuidar de nós. Pegou-me pela mão e depois prendeu meu antebraço sob seu cotovelo, num gesto inesperado de afeto e cumplicidade:

— Vocês vão gostar de ficar conosco, podem acreditar, não terão mais vontade de ir embora!

Eu a segui, esperando encontrar uma latrina parecida com a que usara na véspera, na casa na estrada, já preparada para prender a respiração e enfrentar o mau cheiro.

A alguns metros, vinte no máximo, nos metemos na mata cerrada. Eu ainda não via nenhum banheiro por ali. Acabamos chegando a uma clareira bastante ampla. O chão de terra parecia ter sido todo revolvido. Um ruído de máquina me chamou a atenção. Perguntei a Isabel qual era o motor que funcionava nas redondezas. Ela não entendeu a pergunta, e depois, ouvindo mais atentamente, afirmou:

— Não, não, não há nenhum barulho de motor.

— Há, sim, eu não estou louca, há um barulho muito forte, ouça!

Isabel prestou atenção e depois caiu na risada, apertando o nariz como uma garotinha para não fazer barulho.

— Que nada! São as moscas!

Olhei para o chão, apavorada. Rodopiando a meus pés, milhares de moscas de todo tipo, grandes, gordas, amarelas, verdes, aglutinavam-se ao meu redor, tão excitadas que colidiam umas com as outras e caíam de costas na terra, as patas viradas para o ar, as asas vibrando inutilmente contra o solo. Descobri então um mundo de insetos extraordinariamente ativos. Vespas atacando moscas antes que estas conseguissem se levantar, e formigas batendo nas duas primeiras para transportar até as tocas o butim ainda trepidante. Besouros pesados de couraças brilhantes que voavam e vinham se esborrachar em nossos joelhos. Não consegui segurar um grito nervoso quando percebi que uma miríade de formigas minúsculas tomara de assalto minha calça e já chegava à minha cintura. Tentei sacudi-las, batendo os pés nervosamente, para evitar que continuassem a me escalar.

— Então, onde é o banheiro?

— Mas estamos nele! — Isabel rolava de rir. — São os *chontos*. Ainda há buracos disponíveis: você se agacha em cima dele, faz suas necessidades e cobre com a terra que está ao lado, assim, empurrando com o pé.

Olhei com mais atenção o solo, que tinha sido esburacado aqui e ali. Nos buracos, o espetáculo era ignóbil. Insetos chafurdavam na matéria mal recoberta. Eu já estava me sentindo mal e instintivamente me dobrei, vítima de espasmos, sentindo com horror o cheiro que subia, nauseabundo, e me enchia as narinas. Vomitei de repente, e o vômito respingou em nós duas, até a camisa.

Isabel já não ria. Enxugou-se com a manga do casaco e cobriu meu vômito com o montinho de terra mais próximo.

— Bem, vou esperá-la ali em frente.

A ideia de ficar sozinha naquele inferno fez com que me sentisse desamparada. Do outro lado da mata vi sombras se agitarem.

— Mas todo mundo pode me ver!

Isabel me passou o rolo de papel higiênico.

— Não se preocupe, não deixarei ninguém se aproximar.

Voltei para o campo cambaleando, já com saudades da latrina da casinha na estrada. Precisava lavar as roupas que estava usando e vestir as que tinham nos fornecido. Havia quatro calças, todas jeans de tamanhos e feitios diferentes, camisetas com estamparias infantis e roupas de baixo, algumas muito simples, de algodão, outras cheias de rendas e de cores espalhafatosas. A divisão se fez facilmente: cada uma pegou as peças de tamanhos que mais lhe convinham. Havia também duas grandes toalhas de rosto e dois pares de botas de borracha, as mesmas que tinham me ajudado a identificar os guerrilheiros. Instintivamente, deixei-as de lado, achando que nunca as usaria.

Uma moça bem novinha, que eu não vira antes, se aproximou. Parecia muito intimidada. Isabel nos apresentou:

— É a recepcionista de vocês.

Arregalei os olhos. Não podia imaginar que naquele lugar completamente perdido pudesse haver uma "recepcionista". Isabel me explicou:

— É ela a encarregada das refeições de vocês. O que querem tomar?

Deviam ser seis e meia da manhã, o mais tardar. Pensei, portanto, num café da manhã, o mais simples possível: ovos estrelados? Maria saiu, com o ar aflito, para o fundo do acampamento e depois desapareceu numa rampa. Isabel, por sua vez, saiu sem que eu lhe perguntasse como fazer para tomar um banho. Clara foi se sentar e em seu rosto se lia todo o tédio do mundo. Olhei ao redor. Não havia doentes nas camas. Estavam ocupados em seus afazeres habituais: alguns trabalhavam em pedaços de madeira com o facão, outros costuravam alças nas mochilas, outros teciam correias com uma técnica muito esquisita. Tinham mãos tão ágeis que era impossível seguir seus movimentos.

— Vamos dar uma volta pelo acampamento? — propus à minha companheira.

— Tudo bem — ela me respondeu, com entusiasmo.

Arrumamos nossas coisas da melhor maneira possível num canto da cama e nos preparávamos para sair do abrigo quando às nossas costas a voz de uma mulher nos fez parar.

— O que estão fazendo?

Era Ana. Pegara o fuzil FAL com as duas mãos e nos olhava com ar severo.

— Vamos dar uma volta pelo acampamento — respondi, surpresa.

— Têm que pedir autorização.

— A quem devemos pedir autorização?

— A mim.

— Ah, bom! Então, bem: "Você pode nos autorizar a dar uma volta pelo acampamento?".

— Não.

No mesmo instante Maria voltou com uma panela escaldante, de onde vinha um forte aroma de café. Na outra mão, segurava dois pãezinhos e duas xícaras de inox. Sonia chegou atrás, sorridente.

— Então, Ingrid, como vai?

Acertou-me um tapa nas costas que me desequilibrou, e prosseguiu, radiante:

— Só falam de você no rádio! O Secretariado* anunciou que vão publicar um comunicado esta noite. Vai dar a volta ao mundo!

* Corpo dirigente da cúpula da hierarquia das Farc.

A guerrilha estava muito orgulhosa com a repercussão que minha captura lhe proporcionara na imprensa. Mas eu estava longe de pensar que a notícia atrairia a atenção internacional. Esperava, no máximo, que despertasse o governo para que se mexesse a fim de conseguir nossa libertação, tanto mais necessária para ele na medida em que a revelação dos fatos que haviam precedido meu sequestro podia ser constrangedora.

— Poderíamos ver os telejornais desta noite? Reparei que vocês têm uma televisão...

Sonia fez uma expressão séria e meditativa, que eu já tinha visto no rosto de El Mocho César. Todos se viraram para ela, prendendo a respiração em meio a um silêncio absoluto, como se suas vidas dependessem da resposta. Depois de algum tempo, ela decretou, pesando cada palavra:

— A televisão está proibida por causa da aviação — disse. — Mas abrirei uma exceção esta noite...

Uma lufada de felicidade invadiu o acampamento. As conversas foram retomadas alegremente, risos ao longe cruzavam o ar.

— O comandante César avisou que vem para uma visita. Venha me ver em minha *caleta* quando quiser — disse-me Sonia antes de se afastar.

Eu estava tentando apreender esses novos códigos, esse vocabulário desnorteante. A *caleta* devia ser sua cabana, assim como os *chontos* eram o banheiro, e a recepcionista era a empregada. Imaginava que numa organização revolucionária certas palavras deviam ser banidas. Devia ser impensável engajar-se nas Farc para acabar fazendo o trabalho de uma doméstica. Claro, era melhor ser chamada de recepcionista.

Ana voltou, visivelmente contrariada, com a missão de nos levar para o banho.

— Andem, depressa, peguem suas roupas limpas e as toalhas, tenho mais o que fazer!

Apanhamos apressadas as coisas que tínhamos jogado de qualquer jeito dentro de um saco de plástico, encantadas com a ideia de nos refrescar. Pegamos de novo a alameda que ia até os *chontos*, mas bem antes de chegar lá viramos à direita. Sob um telhado de zinco tinham construído um tanque de cimento, que enchiam de água com a ajuda de uma mangueira de regar.

— Perfeito, é esta a minha ducha! — pensei alto.

Ana nos entregou uma barra de sabão de lavar roupa e foi até os arbustos. O barulho do motor se extinguiu e a água parou de jorrar. Ana voltou, sempre de mau humor. Isabel havia nos seguido. Mantinha-se na entrada, de pé, as pernas afastadas, o fuzil a tiracolo. Calada, observava Ana.

Observei à minha volta, o lugar era cercado por um matagal denso. Procurei com os olhos onde colocar minhas coisas.

— Vá cortar uma barra para elas — disse Isabel, seca.

Ana pegou o facão e escolheu um galho teso da árvore mais próxima. De um golpe o cortou e o agarrou no voo, com espantosa habilidade. Limpou-o e descascou-o até transformá-lo num cabo de vassoura tão perfeito que parecia saído da fábrica. Eu não acreditava no que estava vendo. Então ela o prendeu, uma ponta na beira do tanque, a outra na forquilha de um arbusto que havia ali ao lado; verificou a solidez de seu trabalho e recolocou o facão no estojo. Ali pendurei, aplicadamente, as roupas que ia vestir, ainda impressionada com seu trabalho. Depois, procurando Clara com os olhos, a vi despir-se completamente. Sim, claro, era o que tínhamos de fazer. As moças nos olhavam, impassíveis.

— E se alguém chegar de repente? — hesitei.

— Gente é tudo igual — Ana retrucou. — E daí?

— Ninguém virá, não se preocupe — Isabel falou como se não tivesse ouvido a observação da colega. Depois, com voz suave, acrescentou: — Pegue este *timbo*.

Eu não tinha a menor ideia do que podia ser um *timbo*. Procurava com os olhos e não via nada. A não ser, dentro da água, um galão de óleo cortado no meio, com a alça e o fundo formando um recipiente prático. Clara e eu o passamos de uma para a outra.

Ana se impacientou. Ficou batendo os pés, perto dos arbustos, resmungando. Resolveu religar o motor da bomba-d'água:

— Pronto, estão contentes? Agora se apressem.

A ducha final só durou uns poucos segundos. Dois minutos depois, estávamos vestidas e prontas para receber o comandante César.

Sua caminhonete estava estacionada na clareira. Ele conversava com Sonia. Aproximamo-nos, escoltadas pelas duas guerrilheiras. Sonia as despachou imediatamente. César me estendeu a mão, sorridente:

— Como vai?

— Mal. Não sei nada de meus companheiros, você tinha me dito que...

Cesar me interrompeu:

— Eu não lhe disse nada.

— Disse que ia verificar a identidade deles.

— Você me disse que eram jornalistas estrangeiros...

— Não, eu lhe disse que o velho era um fotógrafo de uma revista estrangeira, o jovem era um cinegrafista contratado para a minha campanha e o outro, aquele que estava dirigindo, era meu chefe de logística.

— Se o que me diz é verdade, eu respondo pela vida deles. Confisquei todo o material de vídeo e ontem à noite o assisti: os militares não gostam muito de você! Bela discussão a que você teve com o general na pista do aeroporto. Isso lhe custou o posto! E eles já estão em seu encalço. Há combates perto de Unión-Penilla. Vai ser preciso ir embora daqui bem depressa. Trouxeram-lhe as suas coisas?

Aquiesci, automaticamente. Tudo o que ele me dizia era preocupante. Gostaria de ter certeza de que meus companheiros ficariam em lugar seguro e seriam libertados logo. A história dos combates em Unión-Penilla era uma fonte de esperança. Mas, se ocorressem enfrentamentos, haveria o risco de mortes. Como ele podia saber que o general fora destituído de seu posto? Naquele momento ele era a pessoa ideal para fazer uma operação bem-sucedida de salvamento. Era o homem que conhecia a zona, o homem de ação, o homem que me vira pela última vez.

César partiu. Não havia nada a fazer senão esperar, sem saber exatamente o quê. Os minutos se esticavam numa eternidade pegajosa e preenchê-los exigia uma vontade que eu não tinha. Nada mais me restava a não ser ruminar meus pensamentos. Havíamos reparado num tabuleiro de xadrez no canto do que pretendia ser uma mesa. Sua existência era inesperada e surpreendente no meio daquele mundo fechado. Passamos a cobiçá-lo como a uma pérola rara. Mas, quando sentei defronte do tabuleiro, o pânico me invadiu. Nós éramos aqueles peões. Nossa existência se definia segundo uma lógica que nossos sequestradores procuravam sempre nos ocultar. Afastei o tabuleiro, incapaz de continuar. Quanto tempo aquilo iria durar? Três meses? Seis meses? Observei as criaturas ao redor. A despreocupação em que viviam e que escapava de cada um de seus gestos, aquela lentidão do bem-estar, a doçura daquele tempo ritmado por uma rotina imutável, tudo isso me deixava doente. Como conseguiam dormir, comer, sorrir, dividindo o tempo e o espaço com o calvário de outra pessoa?

Isabel acabara seu turno de guarda e viera para o almoço. Olhava, com um desejo manifesto, para as roupas de baixo vermelhas de rendas pretas, intactas dentro dos saquinhos. Ofereci-as. Ela as revirava em todos os sentidos, com uma felicidade infantil, e as guardava de novo, como se afastasse uma tentação grande demais. Finalmente se levantou, levada por um súbito arroubo, e falou bem alto para que os companheiros ouvissem:

— Vou apresentar meu requerimento.

Os "requerimentos", eu aprenderia mais tarde, eram parte fundamental da vida nas Farc. Tudo era controlado e vigiado. Ninguém podia ter uma iniciativa qualquer, dar um presente a alguém ou recebê-lo, sem pedir permissão. Podiam recusar a alguém o direito de se levantar ou de se sentar, de comer ou de beber, de dormir ou ir aos *chontos*. Isabel voltou correndo, com as faces coradas de felicidade. Obtivera licença para aceitar meu presente.

Olhei para ela enquanto se afastava e tentei imaginar o que podia ser a vida de uma mulher num acampamento. Havia uma comandante, claro, mas eu tinha contado cinco moças para uns trinta homens. O que podiam esperar de melhor ali e não em outro lugar? Sua feminilidade não parava de me espantar, embora elas jamais se separassem dos fuzis, tivessem reflexos masculinos que não me pareciam artificiais. Assim como fizera com o vocabulário novo, as músicas singulares, o habitat especial, olhei com espanto para aquelas mulheres que pareciam todas saídas de um mesmo molde e ter perdido qualquer individualidade.

Ser prisioneira já era muito. Mas ser uma mulher prisioneira nas mãos das Farc era ainda mais delicado. Para mim, era difícil formular isso. Intuitivamente, sentia que as Farc tinham conseguido instrumentalizar as mulheres, com o consentimento delas. A organização trabalhava com a sutileza, as palavras eram escolhidas conscienciosamente, as aparências eram cuidadas... Eu acabara de perder minha liberdade, não queria entregar minha identidade.

Quando caiu a noite, Sonia veio nos buscar para assistirmos ao jornal na tevê. O acampamento se reunira na cabana onde imperava a telinha. Ela nos indicou nossos lugares, depois se retirou para ligar o gerador elétrico. Uma lâmpada solitária balançava no teto, como um enforcado. A lâmpada acendeu e o grupo ficou extasiado. Custei a compreender a excitação deles. Esperava, sentada, no meio de homens armados, com os fuzis entre as pernas. Sonia voltou, ligou a televisão e saiu, deixando uma imagem desregulada e um som de chiados. Ninguém se mexia, os olhos grudados na tela. Sonia acabou voltando, girou dois botões e uma imagem fora de foco, mais em preto e branco do que colorida, apareceu na tela. O som chegava bem nitidamente. O telejornal já começara. Vi Adair, meu chefe de logística. Eles todos tinham acabado de ser libertados e falavam com emoção dos últimos instantes passados conosco. Pulei de alegria. Minha emoção, visivelmente, não era contagiante. Alguns pediram silêncio, sem qualquer amabilidade. Afundei no meu banco, com os olhos marejados.

Não estava com sono. A lua brilhava de novo e lá fora fazia um tempo agradável. Queria andar para espantar os espíritos. Isabel montava guarda. Acatou facilmente o meu pedido. Comecei a andar para lá e para cá, da praça aos *chontos*, passando defronte da cabana de Sonia e rodeando o abrigo. Alguns convalescentes tinham ligado o rádio e ecos de música tropical me chegavam como a lembrança de uma felicidade perdida. Imaginava o mundo sem mim, aquele domingo de tristeza e inquietação para os que eu amava. Meus filhos Mélanie e Lorenzo, e Sébastien, meu enteado, certamente já sabiam da notícia. Eu esperava que fossem fortes. Muitas vezes tínhamos evocado a possibilidade de um sequestro. Mais que de um assassinato, era do sequestro que sempre tive medo. Eu lhes dissera que jamais deviam aceitar a chantagem e que era melhor morrer do que se submeter. Agora eu já não tinha certeza disso. Não sabia mais o que pensar. A dor deles, mais que tudo, era insuportável. Não queria que ficassem órfãos, tinha de lhes devolver a despreocupação. Imaginava-os conversando entre si, unidos pelo mesmo tormento, tentando reconstituir os acontecimentos que haviam antecedido meu sequestro, tentando compreender. Isso me doía.

Eu já entendera o significado do comunicado à imprensa que o Secretariado divulgara. Eles confirmavam que eu estava com eles como refém e incluída no grupo dos "intercambiáveis".* Ameaçavam me matar se ao fim de um ano exato de minha captura não se chegasse a um acordo para libertar os guerrilheiros presos nos cárceres colombianos. Ficar um ano em cativeiro para ser executada em seguida: eis o que me esperava. Iriam cumprir as ameaças? Eu não conseguia acreditar nisso, mas não queria estar ali para verificar. Precisava fugir.

A ideia de preparar nossa fuga me acalmou. Fiz o mapa do lugar mentalmente e tentei reconstituir de memória a estrada que tínhamos pegado para chegar. Estava certa de que havíamos percorrido um trajeto quase em linha reta, para o sul. Precisaríamos andar muito, mas era factível.

Por fim fui me deitar, toda vestida, ainda incapaz de fechar os olhos. Deviam ser nove da noite quando os ouvi chegando de longe. Helicópteros — havia vários se aproximando rapidamente de nós. No mesmo instante um frenesi tomou conta do acampamento. Os convalescentes saltaram da cama, puseram as mochilas nas costas e saíram correndo. Ordens foram gritadas no escuro, a agitação chegou ao auge.

— Nada de luzes, porra!

---

* Reféns políticos capazes de ser alvo de uma troca com guerrilheiros das Farc presos nas prisões colombianas.

Era Sonia, que gritava com voz de homem. Ana e Isabel apareceram, arrancando o mosquiteiro e nos empurrando para fora da cama:

— Peguem tudo que puderem, vamos embora imediatamente, é a aviação!

Meu cérebro entrou em estado de vigília. Ouvi as vozes histéricas ao meu redor e entrei num outro estado, meio inconsciente: calçar os sapatos, enrolar as roupas dentro da sacola, pegar a sacola, verificar se algo foi esquecido, marchar. Meu coração batia devagar, como quando eu fazia mergulho. O eco do mundo exterior me chegava da mesma maneira, como que filtrado por uma imensa parede de água. Ana continuava a berrar e a me empurrar. Já havia uma fila indiana de guerrilheiros seguindo por uma trilha desconhecida. Virei-me. Ana enrolara o colchão e o segurava sob o braço. Apertado sob o outro braço, levava o mosquiteiro dobrado como um rolo. Além disso, carregava sua enorme mochila, que a forçava a jogar-se para a frente, de tão pesada que estava. "Que vida de cachorro!", murmurei, mais irritada do que outra coisa. Não tinha medo. A pressa deles não me dizia respeito.

A uns cem metros do acampamento, recebemos ordem de parar. A lua proporcionava claridade suficiente para que eu distinguisse as pessoas ao redor. Os guerrilheiros se sentaram no chão, encostados nas mochilas. Alguns tiraram delas os plásticos pretos e se cobriram com eles.

— Quanto tempo vamos ficar aqui? — cochichei para Isabel.

O barulho dos helicópteros continuava presente, mas tive a impressão de que não se aproximavam mais.

— Não sei. Precisamos esperar as instruções de Sonia. Podemos ter dias de marcha pela frente...

— Dias de marcha?

— ...

— As botas ficaram no acampamento — prossegui, na esperança de ter um motivo para voltarmos.

— Não, fui eu que as guardei. — Mostrou-me as botas, dobradas numa sacola que ela usava como travesseiro. — Você devia calçá-las, pois não vai conseguir andar na montanha sem isso.

— Na montanha? Vamos para a montanha?

Isso atrapalhava todos os meus cálculos! Eu tinha previsto que íamos para o sul, para os confins dos Llanos. Depois, era a Amazônia. A montanha: isso significava voltar na direção de Bogotá. Os Andes eram uma barreira natural praticamente intransponível a pé. Bolívar conseguira cruzá-los com seu exército, mas era uma façanha!

Minha pergunta lhe pareceu suspeita, como se eu tentasse lhe armar uma cilada para obter uma informação secreta. Isabel me olhou, desconfiada:

— Sim, a montanha, *al monte*!

Eles chamavam de *monte* a selva, a floresta virgem, e qualquer vegetação que não tinha sido modificada pelo homem. Era curioso, pois o significado antigo da palavra *monte* era mesmo esse. Eles a haviam assimilado à palavra *montaña* e a usavam indistintamente. Seu dialeto se prestava a confusão. Eu começava a aprendê-lo como se fosse uma língua estrangeira, tentando memorizar as palavras cognatas entre o meu espanhol e o deles. Quando compreendi que estávamos andando para os Llanos, meu espírito foi longe.

O barulho dos helicópteros aumentou depressa, com seu voo rasante acima das árvores. Avistei três deles alinhados numa formação, no alto de minha cabeça, e pressenti que deviam ser muito mais numerosos. Vê-los me encheu de felicidade: eles estavam nos procurando! Era visível a angústia dos guerrilheiros. Viravam o rosto para o céu com os maxilares apertados, pelo desafio, o ódio, o medo. Eu sabia que estava sendo observada por Ana. Evitava exteriorizar meus sentimentos. Agora os helicópteros se afastavam. Não voltariam mais. Esse segundo de esperança que senti fora percebido ao meu redor. Eles eram uns animais treinados para farejar a felicidade dos outros. Fiz a mesma coisa. Farejei o medo deles e me alegrei com isso. Agora, podia sondar a satisfação deles diante de minha decepção. Eu lhes pertencia, a sensação de vitória os excitava. Cutucavam-se com os cotovelos e murmuravam, mirando-me direto nos olhos. Baixei os meus, impotente.

A fila se desfez, cada um voltou a cuidar de seu canto. Fui ver Clara. Pegamos nas mãos uma da outra, caladas, sentadas lado a lado, retesadas em cima de nossas mochilas. Estávamos habituadas com a cidade. A noite avançava. Grandes nuvens viajavam em nossa direção e povoavam o céu. A lua se ocultou. Um alvoroço sacudiu o espaço. Os guerrilheiros tinham se ajoelhado diante das mochilas, que abriam depois de ter desfeito as mil correias, fivelas e nós que as prendiam.

— O que está acontecendo?

— Vai chover — respondeu Isabel, também concentrada em sua mochila.

— E nós, o que fazemos?

À guisa de resposta, ela me entregou um plástico preto.

— Cubram-se vocês duas com isto!

Os primeiros pingos começaram a cair. De início os ouvimos batendo nas folhas das copas das árvores, ainda sem trespassar a vegetação. Alguém nos jogou outro plástico, que acabou parando a nossos pés. Foi bem a tempo: a tempestade despencou como um dilúvio bíblico.

Às quatro e meia da manhã, voltamos ao acampamento. Os rádios foram ligados, vozes familiares anunciavam as manchetes do dia. Um cheiro de café preto marcava o início de um novo dia. Desabei sobre as tábuas antes mesmo de ter me reinstalado.

Maria trouxe um grande prato de arroz e lentilhas, com duas colheres.

— Você tem garfos? — perguntei.

Eu não tinha o hábito de comer com colher.

— Vai precisar fazer o requerimento ao comandante — respondeu.

— A Sonia?

— Não, ao comandante César!

Ele chegara ao acampamento no início da tarde em sua grande caminhonete vermelha, luxuosa demais para um rebelde. Sorri pensando na história que me contara. Tinha mandado comprar o carro em Bogotá, por intermédio de um miliciano das Farc, que o dirigira até a zona desmilitarizada, onde o veículo lhe fora entregue. Em seguida, o comandante tinha declarado que o carro fora roubado e recebera o dinheiro do seguro. Era o método das Farc. Mais que rebeldes, eram verdadeiros bandidos! Um grande caminhão de canteiro de obras abarrotado de jovens guerrilheiros seguia o carro.

César me cumprimentou, com o ar contente:

— Tivemos combates ontem à noite. Matamos uma meia dúzia de soldados. Eles tinham vindo para pegar você. Finalmente entenderam que jamais conseguirão! Temos de partir imediatamente. Este lugar já foi detectado. É para sua segurança. Preparem suas coisas.

Dessa vez, César não nos acompanhou. Quem dirigia era o mesmo senhor gordo que comprara o colchão e as roupas. Os quinze que tinham vindo com César continuaram o caminho conosco, na caçamba do caminhão, todos em pé, armados com fuzis. Clara e eu subimos na boleia, junto com o motorista.

Por causa da tempestade da véspera, a pista tinha virado um pegajoso tobogã de lama. Era impossível avançar a mais de vinte quilômetros por hora. Estávamos pegando de novo a estrada para o sul, cada vez mais enfiados nos Llanos. A paisagem se tornara muito arborizada, ainda víamos alguns campos não cultivados e outros terrenos mordidos por incêndios controlados. Os especialistas davam a isso o nome de "fronteira agrícola". A floresta amazônica devia estar pertinho.

O céu estava em chamas. O sol caía em grande aparato. Tínhamos andado muitas horas sem parar. À medida que avançávamos, meu coração se comprimia: eram tantos outros quilômetros extras a percorrer para voltar para casa. Eu me acalmava calculando que era possível guardar algumas provisões para nossa fuga, o suficiente para aguentar uma semana de marcha. Ela deveria ser empreendida durante a noite, quando os guardas relaxavam a atenção. Teríamos de andar até de manhãzinha e nos esconder durante o dia. Pedir ajuda a civis era inviável, eles podiam estar de conluio com as Farc. A atitude do motorista era reveladora, pois indicava relações quase feudais entre o campesinato e a guerrilha, movidas a dependência, submissão, interesse e medo.

Eu estava mergulhada em minhas reflexões quando o veículo parou. Tínhamos chegado ao alto de um morro. O pôr do sol oferecia-se em todo o seu esplendor. À esquerda, havia uma entrada que lembrava as das *haciendas*. A propriedade estava fechada, não por um muro, mas por uma tela encerada verde que a rodeava e a isolava, de modo que, da estrada, o que havia ali dentro ficava completamente invisível.

Os guerrilheiros pularam do caminhão e partiram em grupos de dois, posicionando-se nos cantos da propriedade. Um rapaz alto, de bigode fino, abriu o portão. Era muito jovem, tinha talvez vinte anos. O caminhão entrou, sem fazer barulho. O céu ficou verde e a noite caiu de repente.

O grandalhão se aproximou e me estendeu a mão:

— Muito honrado em conhecê-la, sou seu novo comandante. Se precisar de alguma coisa, é a mim que pedirá. Meu nome é César. Ela é Betty, vai se ocupar de você, é sua recepcionista.

Betty não era seu verdadeiro nome. Todos os guerrilheiros tinham nomes de guerra, escolhidos pelo comandante que os recrutara. Muitas vezes era um nome estrangeiro, ou bíblico, ou tirado de uma série de televisão. A série *Yo Soy Betty, la Fea*, durante bastante tempo fizera muito sucesso na Colômbia e imaginei que por aí se explicava a escolha. Além disso, estávamos com um novo chefe com nome igual.* "Realmente, todos os comandantes aqui se chamam César", pensei, achando graça.

Nossa Betty não era feia, mas era baixinha como uma anã. Acendeu a lanterna e pediu que a seguíssemos. O caminhão logo foi embora, vazio, e o portão se fechou. Ela nos levou para uma velha cabana cujo teto apodrecido desabara no chão. Sob a metade ainda de pé havia duas camas iguais àquelas que tínhamos usado no hospital, a não ser pelas tábuas que também estavam podres e caíam aos pedaços.

Betty pôs sua mochila num canto e, com o fuzil sempre a tiracolo, fez questão de recuperar as poucas tábuas que ainda estavam sólidas para com elas fazer uma

---

* A série colombiana inspirou a série americana *Uggly Betty*.

única cama. Tinha posto a lanterna na boca para deixar as mãos livres e trabalhar mais depressa. Os feixes luminosos acompanhavam seus gestos. Ela estava prestes a pôr a mão numa das tábuas quando deu um pulo e perdeu a lanterna, que rolou no chão. Eu a tinha visto ao mesmo tempo que Betty: uma enorme tarântula de pelos ruivos, de peito estufado sobre as grossas patas, pronta para pular. Peguei correndo a lanterna para procurar o bicho, que tinha pulado para debaixo da cama e ia fugindo pelo lado do telhado e do monte de palha. Com seu facão, Betty cortou o animal ao meio.

— Não poderei dormir aqui, tenho horror a esses bichos. Além disso, eles vivem aos pares, o outro não deve estar longe!

Minha voz soou aguda, revelando meu estado de nervos. Era espantoso. Eu acabara de falar igual à minha mãe. Era ela que tinha horror "a esses bichos". Eu, não. Ao contrário, eles me fascinavam, pois pela imensidão de seu tamanho pareciam sair do mundo dos insetos para entrar no dos vertebrados.

— Vamos limpar bem a área, vou olhar debaixo da cama e por todos os cantos. E além disso dormirei aqui com vocês, não tenham medo.

Betty estava com vontade de rir e se esforçava para disfarçar. Minha companheira se jogou na cama assim que o colchão e o mosquiteiro foram postos no lugar. Betty voltou com uma vassoura velha, que peguei para ajudá-la. Pus nossas coisas sobre uma tábua que ela instalara à guisa de prateleira e também fui me deitar. Não consegui dormir até de madrugada. A insônia, porém, me permitiu descobrir o local dos guardas e conceber um plano de fuga para a noite seguinte. Tinha até localizado um canivete na mochila de Betty, que poderia nos ser útil.

Infelizmente, minhas esperanças de fuga não foram longe. El Mocho César apareceu por volta de meio-dia e pegamos a estrada de novo, sempre para o sul. Novamente a angústia me apertou a garganta. Eu calculava que, agora, precisaria de mais de uma semana para voltar pelo caminho que tínhamos feito. A situação estava ficando crítica. Quanto mais nos afastávamos, mais as chances de êxito diminuíam. Precisávamos reagir o quanto antes e nos equipar para poder sobreviver numa região cada dia mais hostil. Havíamos deixado uma região plana e começávamos as subidas e descidas numa paisagem cada vez mais ondulada. Os camponeses deram lugar a uma população de lenhadores, detectável unicamente pela amplidão dos estragos que deixavam atrás de si. Espectadores impotentes de uma catástrofe ecológica que não interessava a ninguém, atravessamos o espaço devastado como se fôssemos os únicos sobreviventes de uma guerra nuclear.

El Mocho parou o carro no alto de um pequeno morro. Embaixo, numa casinha construída no meio de um cemitério de árvores, crianças seminuas brincavam no chão. A lareira fumegava tristemente. Ele mandou que um grupo de guerrilheiros fosse até lá pegar queijo, peixe e frutas. Peixe? Eu não via nenhum rio. A nossos pés estendia-se uma imensa vegetação: árvores até o infinito. Rodopiei: em 360 graus o horizonte tinha se tornado uma só linha verde, ininterrupta.

El Mocho ficou de pé a meu lado. Eu estava emocionada, sem saber por quê. Sentia que ele também estava. Pôs a mão diante dos olhos para se proteger da reverberação e me disse, depois de um longo silêncio:

— Isso aí é a Amazônia.

Disse isso com grande tristeza, quase com resignação. Suas palavras ficaram gravadas em minha mente, como se eu não conseguisse compreender seu significado. Sua voz e o tom que usava me deixaram, dessa vez, à beira do pânico. Eu olhava para a frente, incapaz de falar, o coração disparado, escrutando o horizonte a fim de encontrar uma resposta. Estava morta de medo. Sentia o perigo. Não o via. Não o reconhecia. Mas ele estava ali, na minha frente, e eu não sabia como evitá-lo.

Mais uma vez, adivinhando o que eu sentia, César disse:

— É para lá que você vai.

6. A morte de meu pai

23 de março de 2009

Estou só. Ninguém me olha. Finalmente, sozinha comigo mesma. Nessas horas de silêncio que adoro, falo comigo e rememoro. O passado, fixo no tempo, imóvel e infinito, se volatilizou. Dele nada resta. Por que, então, sofro tanto? Por que essa dor sem nome? Fiz o caminho que tinha estabelecido para mim e perdoei. Não quero ficar acorrentada ao ódio nem ao rancor. Quero ter o direito de viver em paz. Voltei a ser dona de mim mesma. Levanto-me de noite e ando de pés descalços. Não há ninguém para me cegar com uma lanterna, ninguém. E estou sozinha. Meu barulho não me atrapalha, meu andar não intriga ninguém. Não pedi permissão, não tenho de me explicar. Sou uma sobrevivente! A selva ficou em minha cabeça, mesmo não havendo nada ao meu redor para testemunhar, fora a sede com que bebo a vida. Fico muito tempo no chuveiro. A água está escaldante, no limite do tolerável. O vapor invade o espaço. Posso receber a água em minha boca e deixá-la correr devagar, morna, sobre o rosto e o pescoço. Ninguém fica enojado com isso, nenhum olhar de soslaio. Fecho a torneira. Agora, quero a água fria. Meu corpo a aceita sem se retesar. Tem o treinamento de anos demasiado longos de água fria, muitas vezes gelada.

Hoje faz sete anos que papai morreu. Estou livre e choro. De felicidade e de tristeza, de honra e de gratidão. Tornei-me um ser complexo. Não consigo mais sentir uma emoção de cada vez, estou dividida entre contrários que me habitam e me sacodem. Sou dona de mim mesma, mas pequena e frágil, humilde pois consciente demais de minha vulnerabilidade e de minha inconsequência. E minha solidão me descansa. Sou a única responsável por minhas contradições. Sem precisar me esconder, sem o peso daquele que escarnece, que late ou que morde.

Há sete anos, exatamente, vi os guerrilheiros se reunirem em círculo. Olhavam-me de longe e falavam entre si. Estávamos instalados num novo acampamento. O grupo tinha aumentado. Outras moças haviam se juntado a Betty: Patricia, a enfermeira, e Alexandra, uma moça muito bonita, por quem todos os rapazes pareciam estar apaixonados.

Dez dias antes, houvera um alerta, os *chulos* percorriam o rio. Estávamos em plena fuga. Havíamos caminhado durante vários dias. Eu andara doente durante todo o trajeto. Patricia e Betty ficaram perto de mim para me ajudar. Andávamos dias e dias, de enfiada. A estrada era bastante larga para permitir a circulação de veículos nos dois sentidos e fazia a ligação entre a margem de um rio e a foz de outro, a quilômetros de distância. Nesse labirinto de cursos de água que é a Amazônia, a guerrilha construíra um sistema de vasos comunicantes que ela guardava em segredo. Sabiam manejar à perfeição os aparelhos GPS e os mapas virtuais para encontrar o caminho certo. A determinada altura, foi preciso atravessar mais um rio à beira do qual havíamos acabado de chegar. Eu não via como. Fazia pelo menos um mês que tinha sido capturada. Minhas coisas estavam sendo transportadas pelos guerrilheiros dentro de um saco de compras que eu via passar de mão em mão ao longo de todo o trajeto. O saco fora deixado ali na margem do rio, como se quem o transportasse tivesse se fartado de fazê-lo. Quando fui pegá-lo, as moças me empurraram rudemente para dentro do mato, perdi o equilíbrio e me vi no chão.

— *Cuidado, carajo! Es la marrana.**

— *La marrana?*

Eu esperava ver chegar em cima de mim uma porca furiosa e tentei me levantar o quanto antes. Mas as moças, segurando-me pelos ombros, me forçaram a ficar no chão, o que aumentou meu pânico.

— *Arriba, mire arriba! Alla está la marrana.***

Olhei para o que uma delas me apontava. Acima de nossas cabeças, através

* Cuidado, porra! É a porca!
** No alto, olhe para o alto! A *marrana* está lá.

84

das nuvens, no meio de um céu azul, muito alto e muito longe, um avião, como uma minúscula cruz branca, nos sobrevoava.

— *Esos son los chulos! Asi es como nos miran para después "borrbadiarnos".**

Ela pronunciava errado o verbo *bombardear* e dizia *borrbadear*, como uma garotinha que tivesse distúrbios de elocução. Eles também empregavam o verbo "olhar" em lugar do verbo "ver". O resultado era surpreendente: diziam "olhei para ela" quando queriam dizer que tinham visto alguma coisa. Sorri. Como poderiam nos localizar naquela distância? Isso me parecia impossível. Mas senti que nem sequer valia a pena discutir. O que contava era ter entendido que os militares prosseguiam em suas buscas, e que para os guerrilheiros aquela *marrana* era o inimigo, portanto a esperança para mim.

Eu tinha consciência de que nos enfurnávamos cada vez mais na selva, que cada passo nos afastava um pouco mais da civilização. Mas a presença da *marrana* provava que os militares estavam seguindo nosso rastro. Não haviam nos abandonado. Meia hora depois, o avião deu meia-volta e desapareceu. Logo o céu ficou carregado de grandes nuvens pretas. Mais uma vez, o mau tempo tomara o partido da guerrilha. Não mais ouvimos o motor da *marrana*. As moças me entregaram um grande plástico preto.

Grandes pingos de chuva formavam círculos na superfície calma do rio. Ouvi o canto de um galo, não muito longe, na outra margem. "Meu Deus, deve haver gente por aqui!", pensei. Fui invadida por uma alegria simples. Se alguém me visse, poderia dar um alerta, e os militares viriam nos procurar.

O jovem César chegou, com ar altivo. Tinha encontrado uma piroga para fazermos a travessia. Na outra margem havia uma grande *finca*.** A mata tinha sido derrubada, dando lugar a uma imensa pastagem no meio da qual havia uma bonita casa de madeira pintada de cores alegres, verde e laranja. Consegui avistar galinhas, porcos e um cachorro cansado, que começou a latir assim que saímos da mata cerrada para embarcar.

César exigira que atravessássemos o rio bem cobertas para que os "civis" não pudessem nos reconhecer. A tempestade desabara sobre nós. Eu estava molhada até os ossos, apesar do plástico preto, avançando na chuva horas seguidas até que já fosse noite escura. Os guerrilheiros tinham instalado uma barraca na beira da estrada, entre duas árvores, direto sobre a terra, com o tamanho exato para estender o mosquiteiro. Desabamos ali em cima, encharcadas.

---

* Esses são os *chulos*! É assim que nos miram para depois nos bombardear.
** Fazenda.

No dia seguinte, a marcha continuou até um lugar onde se percebia que outros guerrilheiros tinham dormido antes. Era bonito. Uma nuvem de borboletas coloridas rodopiava em volta de nós. Estávamos de novo perto da estrada, e pensei que a fuga ainda era possível.

Mas no dia seguinte, de madrugada, nos mandaram empacotar tudo de novo. Sem que ninguém soubesse como, inúmeros sacos de mantimentos tinham sido empilhados perto da estrada durante a noite. Os guerrilheiros, já carregados com suas mochilas pesadas, pegavam, ademais, uma parte dos mantimentos, que levavam sobre a nuca, com a espinha curvada.

Depois de uma hora de marcha, na altura de um grosso tronco de árvore caído atravessado na estrada, pegamos uma bifurcação para uma pequena trilha coberta de plantas adventícias. Essa trilha serpenteava caprichosamente entre as árvores. Eu precisava me concentrar para não perder de vista as marcas que os que iam à nossa frente haviam deixado, a fim de nos orientar no caminho. O lugar era muito úmido e eu suava em bicas.

Tínhamos cruzado uma pontezinha de madeira semipodre. Depois uma segunda, e uma terceira. Elas iam ficando mais compridas à medida que avançávamos. Algumas eram praticamente alamedas construídas sobre pilotis através da selva. Fiquei alucinada, pois vi a dificuldade de percorrer em sentido contrário o mesmo caminho, durante a noite e tateando. Quando anoiteceu, chegamos a uma espécie de clareira em suave declive. Bem no alto, uma barraca já estava armada. Tinham construído no meio do mato uma cama de verdade, com quatro forquilhas a uns vinte centímetros do chão à guisa de pés para sustentar os galhos transversais em que repousava o colchão. O mosquiteiro estava pendurado, como numa cama de baldaquino, em longas estacas nos quatro cantos, a que chamavam de *esquineras*.*

Foi nesse acampamento que os vi conspirar perto do *economato*, nome que davam ao abrigo sob o qual os mantimentos eram estocados.

Estávamos no dia 23 de março, um mês exato desde meu sequestro. Eu sabia que a França tinha lhes dado um ultimato. Ouvira no rádio de um dos guardas. Se não me libertassem, as Farc seriam incluídas na lista das organizações terroristas feita pela União Europeia.

Depois de nossa chegada, dez dias antes, uma rotina se instalara, ritmada pelas trocas de guarda a cada duas horas e pelos intervalos das refeições. Eu já

---

* Cantoneiras.

tinha percebido exatamente a hora ideal para fugir. Clara concordava em me acompanhar.

Eles discutiam e lançavam olhares sinistros para mim. Imaginei que já sabiam da notícia e senti certo alívio com a ideia de que estavam sob pressão para me soltar. De qualquer maneira, estava pouco ligando. Em poucos dias estaria em casa, nos braços de papai. Fixei como data limite para a fuga o domingo seguinte. Tinha certeza de que ia dar certo. Estávamos no início da Semana Santa. Queria fugir no domingo de Páscoa.

Observei o conciliábulo. Estavam visivelmente aflitos. O jovem César acabou por dispersá-los e Patricia, a enfermeira, veio falar conosco, com cara de quem tinha sido investida de uma missão delicada. Agachou-se diante da nossa *caleta*.

— Que notícias vocês ouviram recentemente?

— Nada de especial — aventurei-me a responder depois de um silêncio, tentando entender o objetivo de sua aproximação.

Ela se mostrou particularmente amável a fim de ganhar nossa confiança. Alegava ter pena de nossa situação e querer nos dar coragem. Disse que precisávamos ser um pouco mais pacientes, que já tínhamos esperado "o mais longo", que agora podíamos esperar "o mais curto". Afirmou que breve seríamos libertadas. Senti que estava mentindo.

Eu só pensava em uma coisa: disfarçar tudo que pudesse alertá-los sobre nosso plano. Minha alma estava blindada. Na verdade, não era uma fuga que os inquietava. O olhar de Patricia não vasculhava a *caleta* à procura de um indício. Ela estava calma e ponderada, sondando meus olhos como se procurasse ler meus pensamentos. Foi embora. Pensei que estivesse irritada por não ter conseguido tirar nada de nós. Enganava-me. Na verdade, retirou-se aliviada.

Meu pai acabara de morrer. Eles queriam apenas se certificar de que eu não estava a par disso. A partir desse momento, tinham me impedido de ouvir rádio. Temiam que a tristeza me levasse a fazer loucuras.

7. O abismo

3 de abril de 2002

Voltamos para o acampamento três dias depois de nossa segunda fuga, empurradas pelos dois guardas que tinham nos capturado. Clara estava com os pés inchados, quase não conseguia mais andar. Eu, mortificada, me recriminava terrivelmente por não ter tido bons reflexos, por não ter sido mais previdente e cautelosa. Pensava em papai. Não estaria com ele no dia de seu aniversário. Não estaria em casa para o Dia das Mães. Em setembro minha filha completaria dezessete anos. E, se por acaso eu ainda não tivesse sido solta, viria em seguida o aniversário de meu filho. Queria tanto estar lá para seus catorze anos...

Os guardas nos empurravam. Debochavam. Tinham dado tiros para o ar ao chegar ao acampamento e todos gritavam e cantavam vitória ao nos ver. O jovem César nos olhava de longe, com olhos sinistros. Não queria se juntar às festividades iniciadas com nossa recaptura. Fez sinal às recepcionistas que cuidassem de nós. Ele já não era a mesma pessoa, e o vi em sua *caleta* andar de um lado para outro, dando voltas como uma fera na jaula.

A enfermeira do acampamento veio nos ver. Remexeu nossos pertences e, mesquinha, confiscou todos os objetos de que gostávamos: a faquinha de cozinha, as vitaminas C efervescentes, as cordas e os anzóis que um dos rapazes nos passara. E, claro, a lanterna de bolso.

Fez um monte de perguntas. Fui o mais evasiva possível. Não queria que deduzisse a hora nem o caminho que tínhamos pegado para fugir. Mas ela era talentosa. Fez tantos comentários, introduzindo perguntas ardilosas aqui e ali, que precisei me concentrar, mordendo os lábios até sangrarem, para não cair na armadilha.

Clara estava ferida e pedi à enfermeira que cuidasse de minha amiga. Ela sentiu que seu interrogatório não poderia prosseguir e levantou-se de mau humor:

— Vou mandar alguém para lhe fazer uma massagem — disse à minha companheira.

Vi quando se dirigiu para a barraca do comandante. César parecia discutir asperamente com ela. Era um sujeito alto, muito esguio e provavelmente mais moço. Parecia exasperado com o que ela lhe dizia. Deu meia-volta e a deixou falando sozinha, enquanto subia a ladeira para ir à nossa *caleta*.

Chegou com ar grave. Depois de um longo silêncio, fez um discurso:

— Vocês fizeram uma grande besteira. Poderiam ter morrido nesta selva, devoradas por qualquer bicho. Havia onças, ursos, jacarés prontos para nos comer. Puseram em perigo sua vida e a de meus homens. Vocês não vão mais pôr os pés fora do mosquiteiro sem a permissão dos guardas. Para ir aos *chontos*, serão acompanhadas por uma das moças. Não tiraremos mais os olhos de vocês.

Depois, num tom baixo, quase íntimo, me disse:

— Nós todos perdemos as pessoas que amamos. Eu também sofro, estou longe daqueles que amo. Mas nem por isso vou jogar minha vida pelos ares. Você tem filhos que a esperam. Deve ser sensata. Deve pensar agora é em ficar viva.

Virou as costas e foi embora. Fiquei calada. Seu discurso era absurdo. Ele não podia comparar seu sofrimento com o nosso, pois escolhera seu destino, ao passo que nós estávamos sujeitas ao nosso. Claro, devia ter passado horas negras de aflição por ter de sofrer a reprimenda de seus superiores devido à nossa fuga. Podia até ser julgado pelo conselho de guerra e executado. Eu esperava que ele fosse violento e impiedoso como o resto de seus homens. Mas, ao contrário, era ele que os continha. Evitara as zombarias que os guerrilheiros haviam feito conosco no caminho de volta, como se tivesse mais medo por nós do que por ele mesmo.

Naquela noite, fizeram outra reunião. Pude vê-los todos reunidos em círculo no meio do acampamento. Falavam baixo. Só me chegava o zum-zum das discussões. De vez em quando alguns levantavam a voz. As falas pareciam tensas.

Ao meu lado, encostada numa das estacas que sustentavam o mosquiteiro, uma moça estava de guarda. Era a primeira vez que um guarda se instalava nada menos do que dentro da barraca: obviamente, as condições de detenção tinham mudado. A lua brilhava tanto que era possível enxergar como se estivéssemos em pleno dia. A moça acompanhava com paixão o desenrolar da assembleia, mais treinada do que eu para escutar à distância.

Percebeu que eu a observava e mudou o fuzil de ombro, meio encabulada:

— César está furioso. Avisaram aos chefes cedo demais. Se tivessem esperado um pouco, ninguém teria sabido de nada. Agora, o mais provável é que ele seja afastado do comando.

Falava sem olhar para mim, em voz baixa, como se pensasse alto.

— Quem avisou?

— Patricia, a enfermeira. Ela é a segunda no comando... Gostaria de pegar o lugar dele.

Caí das nuvens. Uma guerra palaciana em plena selva!

Na manhã seguinte, o *socio* de Patricia — seu namorado, no jargão das Farc — apareceu no raiar da aurora diante de nossa barraca carregado de grandes correntes semienferrujadas. Ficou ali um tempão, brincando com as correntes, se deliciando em fazê-las cantar entre seus dedos, produzindo um estalinho agudo. Não quis me rebaixar e perguntar-lhe para que serviriam. E ele desfrutava da mortificação que produzia em nós a incerteza de nossa condição.

Aproximou-se, os olhos brilhantes, os beiços arreganhados. Resisti, sentindo que ele tinha medo de ultrapassar aquele limite. Olhou para trás. Deu de ombros e declarou, vencido:

— Bem, será nos tornozelos! Azar o de vocês, vai ser mais desconfortável, vocês não poderão calçar as botas.

Senti-me muito mal. A ideia de ser acorrentada não era nada se comparada com a realidade de sê-lo de fato. Apertei os lábios sabendo que teria de me submeter. Na prática, isso não mudava grande coisa, devíamos pedir licença para fazer o menor deslocamento. Mas psicologicamente a sensação era horrorosa. A outra ponta da corrente estava presa numa grande árvore, e por isso ficava esticada caso resolvêssemos nos sentar no colchão e sob o mosquiteiro. Essa tensão, necessariamente, acabava cortando nossa pele e pensei em como dormiria nessas condições. Porém, acima de tudo havia o horror de perder a esperança. Com aquelas correntes, qualquer fuga se tornava impossível. Já não teríamos nem mesmo a possibilidade de imaginar uma nova forma de evasão: uma chapa de chumbo caía definitivamente sobre nós. Agarrando-me ao irracional, cochichei para Clara:

— Não se preocupe, vamos conseguir fugir assim mesmo.

Ela se virou para mim com os olhos esbugalhados e berrou:

— Chega! É você que eles querem, não eu. Não sou uma política, não represento nada para eles. Vou escrever uma carta aos comandantes, sei que me deixarão partir. Não tenho que ficar aqui com você.

Pegou seu saco de viagem, remexeu nervosamente dentro dele. Depois, no auge da irritação, esgoelou-se:

— Guarda! Preciso de uma folha de papel para escrever!

Clara era solteira, tinha por volta de quarenta anos. Havíamos trabalhado juntas no Ministério do Comércio. Ela participara de minha primeira campanha quando me candidatei ao Congresso e depois resolvera retornar ao ministério. Fazia anos que eu não a via. Duas semanas antes de nosso sequestro, ela se aproximara de mim para juntar-se à equipe da campanha. Éramos amigas, mas até então eu não a conhecia muito bem.

Clara estava certa. Eu não podia ficar brava. Tínhamos chegado ao ponto em que devíamos nos render ao óbvio: nossa libertação talvez levasse meses. Uma nova tentativa de fuga seria mais difícil ainda porque nossa margem de manobra estava encolhendo. Os guardas se mostravam prontos para o que desse e viesse, espiando todos os nossos movimentos, limitando ao máximo nossos deslocamentos. Só nos tiravam as correntes quando íamos aos *chontos* e na hora do banho. Aliás, podíamos nos considerar felizes: um dos guardas resolvera que tomaríamos banho com a corrente no tornozelo, arrastando atrás de nós o comprimento que ele soltaria da árvore. Tive de apelar para César, que se mostrou clemente. Mas, quanto ao resto, nossa situação se deteriorara imensamente. Não tínhamos acesso ao rádio. Os guardas que se sucediam tinham ordens de responder com evasivas a todos os nossos pedidos. Era o modo Farc. Não nos diziam "não": postergavam, mentiam para nós, o que era ainda mais humilhante. Agiam da mesma forma no que se referia às lanternas: sempre as tinham esquecido em suas *caletas* quando precisávamos delas, mas continuamente as jogavam em cima de nós, o feixe de luz em pleno rosto durante a noite inteira. Devíamos nos calar. Não podíamos mais usar seus facões, nem mesmo para as tarefas mais rudimentares. Precisávamos pedir a todo momento que nos ajudassem, e eles nunca tinham tempo. Ficávamos o dia inteiro sob o mosquiteiro, entediadas, incapazes de fazer um movimento sem atrapalhar uma à outra. Sim, eu compreendia a reação dela. Mas sua atitude, é claro, me feria. Ela estava se afastando de mim.

Clara escreveu a carta e passou-a para que eu a lesse. Era uma carta curiosa, escrita no jargão jurídico, como se ela se dirigisse a uma autoridade civil. Esse formalismo destoava do mundo onde estávamos. Mas por que não? Afinal de contas, aqueles guerrilheiros nos impunham nada mais, nada menos do que sua autoridade.

Ela fazia questão de entregá-la diretamente ao comandante. Mas o jovem César não apareceu. Mandou a enfermeira em seu lugar e foi ela que nos garantiu que a carta chegaria às mãos de Marulanda. Seria preciso esperar duas semanas pela resposta. Ou seja, uma eternidade. Com um pouco de sorte, nos soltariam antes disso.

Uma noite, conversando sobre a história dessa carta e a possibilidade de libertação, Clara e eu nos metemos nas areias movediças de nossas hipóteses e de nossas fantasias. Ela previa sua volta para Bogotá, certa de que os chefes recuariam na decisão e lhe devolveriam a liberdade. Era obcecada pelas plantas de seu apartamento, que deviam ter murchado por falta de cuidados. Arrependia-se por nunca ter dado as chaves da casa à sua mãe e constatava, com amargura, como era sozinha na vida.

Seus arrependimentos despertaram os meus. Tomada por um súbito ímpeto, agarrei seu braço com força para lhe dizer, com uma intensidade descabida:

— Quando você for solta, jure que irá ver papai imediatamente!

Ela me olhou, surpresa. Eu estava com os olhos úmidos e a voz entrecortada. Ela concordou com um movimento da cabeça, sentindo que eu andava às voltas com uma emoção inabitual. Caí em prantos, ainda agarrada em seu braço, e confiei-lhe as palavras que gostaria de dizer a papai... Queria lhe dizer que sua bênção era meu maior socorro. Que constantemente eu repassava na memória a imagem daquele momento em que ele se dirigira a Deus para me colocar entre suas mãos. Eu me recriminava por não ter lhe telefonado naquela última tarde em Florencia. Queria lhe dizer como sofria por não ter lhe dedicado mais tempo de minha vida. No turbilhão de atividades em que estivera envolvida na época do sequestro, havia perdido o senso das prioridades. Concentrara-me no trabalho, queria levantar o mundo e acabara deslocando para longe de mim as criaturas que me eram as mais queridas. Agora compreendia por que ele me dizia que a família era o que tínhamos de mais importante, e quanto eu estava decidida a mudar meu modo de vida no dia em que reencontrasse minha liberdade.

— Diga-lhe que me espere. Diga-lhe que aguente, por mim, pois preciso saber que está vivo para ter coragem de continuar a viver.

Minha companheira escutou essa confissão trágica como uma intrusa num drama que não lhe dizia respeito e diante do qual se mantinha indiferente. Tinha sua própria tragédia a enfrentar e não queria, além disso, carregar a minha nas costas.

— Se o vir, lhe direi que você pensa nele — concluiu, evasiva.

Lembro-me dessa noite, deitada na beira do colchão, o rosto colado ao mosquiteiro, tentando não acordá-la. Chorei a noite inteira, calada, sem que nem mesmo o cansaço conseguisse secar minhas lágrimas. Desde minha infância papai sempre fizera o possível para me preparar para o momento de nossa separação definitiva. "A única coisa certa é a morte", costumava dizer, num tom de sábio. Depois, quando teve certeza de que eu compreendia que ele não temia a morte, dizia-me com um toque brincalhão: "Quando eu morrer, virei coçar seus pés debaixo das cobertas". Cresci com a ideia dessa cumplicidade inabalável, que faria com que, além da morte, teríamos a possibilidade de continuar a nos comunicar. Depois, resignei-me ao pensar que, acontecesse o que acontecesse, Deus me daria a oportunidade de estar perto dele, de mãos dadas, quando ele estivesse passando para o além. Quase cheguei a considerar ser esse um direito que me cabia, pois sentia que era sua filha querida. Quando, um mês antes, papai quase morreu no hospital, a presença de minha irmã Astrid fora meu melhor recurso. Sua força, seu controle, sua segurança, me haviam revelado que aquela mão forte que o ajudaria a atravessar o Aqueronte não seria a minha, mas a de minha irmã mais velha. Ao contrário, minha mão arriscava-se a retê-lo como um peso, tornando sua partida mais dolorosa.

Eu não tinha considerado a possibilidade de estar ausente à sua cabeceira no dia de sua morte. Isso jamais passara pela minha mente. Até o alvorecer daquele dia. Depois do café da manhã, o sol penetrou na selva por todo lado. A terra exalava os vapores da noite e nós todos tentávamos estender nossa roupa sob os raios mais fortes que se filtravam entre os galhos.

Dois guerrilheiros chegaram com os ombros carregados de troncos recém-descascados, que jogaram ruidosamente ao pé de nossa barraca. Alguns terminavam numa forquilha, e foi com esses que começaram a trabalhar. Fincaram os troncos bem fundo no solo nos quatro cantos de um retângulo imaginário. Repetiram a operação com quatro outros, cortados mais curtos e espetados de modo desalinhado. Com cipós que tinham trazido enrolados, prenderam uma série de varas postas na horizontal entre as forquilhas. Vê-los trabalhar era fascinante. Não falavam e pareciam perfeitamente sincronizados, um cortando, o outro fincando na terra, um prendendo, o outro medindo. Uma hora depois, havia diante de nossa *caleta* uma mesa e um banco feitos de troncos de árvores, a uma distância que nos permitia chegar ali com nossas correntes.

O guarda deu autorização para nos instalarmos ali. Um raio de sol caía direto no banco. Não me fiz de rogada, procurando me desfazer da umidade da selva que impregnava minhas roupas. Sentada onde estava, eu tinha uma vista perfeita para o *economato*. Por volta de onze horas da manhã, vi chegarem guerrilheiros, que transportavam nas costas grandes sacos de mantimentos. Havia, coisa singular, um estoque de repolhos embrulhados em papel-jornal. Os legumes eram um alimento raríssimo, pelo que tínhamos entendido. Porém, mais extraordinária ainda era a presença de um jornal no acampamento.

Pedi autorização para recebermos o jornal antes que fosse jogado no buraco destinado ao lixo, e insisti para que o pedido fosse formulado ao comandante. César concordou. Nossa recepcionista foi encarregada de recuperar o jornal. Depois do almoço, trouxe-nos um montinho de folhas amassadas e ainda úmidas, mas legíveis. Formamos dois maços e nos instalamos em nossa mesa para a leitura, felizes por termos encontrado um passatempo e um uso adequado para nossa nova mobília. A guarda foi trocada e substituída pelo companheiro da enfermeira. Ele foi se postar um pouco mais longe, quase escondido atrás da grande árvore na qual estavam presas nossas correntes. Não tirava os olhos de mim e eu me sentia desconfortavelmente vigiada. Azar, o jeito era aprender a me abstrair.

A folha que eu tinha à minha frente era do jornal *El Tiempo* de um domingo de março. Velha de mais de um mês. Era uma seção dedicada às fofocas do mundo do espetáculo, da política e da burguesia do país. Uma leitura obrigatória para quem quisesse ficar por dentro da atualidade social da capital. Eu estava prestes a virar a página em busca de informações mais consistentes quando minha atenção foi atraída pela foto do centro da página. Olhei-a atentamente. Mostrava um padre sentado, vestindo uma casula bordada nas cores púrpura e verde, que usava por cima da alba. Olhava para dois fotógrafos munidos de teleobjetivas imensas, apontadas para um alvo invisível. O que me chocou não foi a foto em si, mas a expressão do padre, a tensão em seu rosto, sua dor evidente, e também uma certa raiva manifestada na rigidez do corpo. A curiosidade me levou a ler a legenda: "Padre testemunha as manobras de dois fotógrafos em busca do melhor ângulo para fotografar o caixão de Gabriel Betancourt, falecido na semana passada".

Senti uma mão invisível empurrar minha cabeça para dentro da água. As palavras e as letras dançavam diante de meus olhos e eu custava a entendê-las. Lia e relia, e a ideia tomava corpo lentamente em meu espírito aparvalhado. Quando finalmente associei a palavra "caixão" ao nome de meu pai, o horror me gelou a ponto de me fazer perder o controle da respiração. O ar não entrava mais. Eu forçava, expelia, tragava, sem sucesso, no vazio, a boca escancarada como um peixe fora d'água. Sufocava-me sem entender o que estava me acontecendo, sentindo que meu coração tinha parado e que eu ia morrer. Durante todo o tempo da agonia, pensei: "Não é ele, é outra pessoa, enganaram-se". Agarrei-me à beira da mesa, suando frio, assistindo ao duplo pavor de sua morte e da minha, até que consegui despregar os olhos do jornal e levantar o rosto para o alto em busca de oxigênio.

E dei com os olhos dele, que me espiava atrás da árvore, fascinado em assistir à transfiguração, assim como uma criança diante da mosca cujas asas acabou de arrancar. Ele sabia de tudo — sabia da morte de papai e esperava que eu a descobrisse. Instalara-se no melhor lugar e se deliciava com meu sofrimento. Odiei-o imediatamente. Meu ódio obrigou-me a me reaprumar, como uma chicotada em pleno rosto.

Virei-me num pulo, vermelha de indignação. Não queria que ele me visse. Ele não tinha o direito de me olhar. Eu ia morrer, ia implodir, ia expirar naquela selva de merda. Antes isso, pois iria ao encontro de meu pai. Era o que eu queria. Queria desaparecer.

Foi então que ouvi sua voz. Ele estava ali, a poucos metros de mim. Não podia vê-lo, mas o sentia. Era o cheiro de seus cabelos brancos que eu beijava ao ir embora, toda noite. Estava em pé à minha direita, como uma daquelas árvores centenárias que me cobriam com suas sombras, tão grande, tão sólido como elas. Olhei em sua direção e uma luz branca me cegou. Fechei os olhos e senti as lágrimas escaparem, rolando devagar em meu rosto. Era sua voz sem palavras. Cumprira sua promessa.

Virei-me para minha companheira e, fazendo um esforço sobre-humano, disse:

— Papai morreu.

8. Os marimbondos
Um mês antes — março de 2002

Era domingo de Páscoa. O acampamento continuava a ser construído. O jovem César mandara erguer uma *rancha** ao lado do riacho que contornava o acampamento, o *economato* para estocar os mantimentos e, no meio do círculo das barracas, a *aula*, isto é, a sala de aula.

Eu gostava de dar uma voltinha pela *rancha* para ver como preparavam os alimentos. No início, cozinhavam em fogão de lenha. Depois, um pesado fogão a gás foi transportado nas costas de homens, com seu enorme bujão cheio. No entanto, o que me interessava mais eram duas facas de cozinha que ficavam permanentemente na mesa da *rancha*. Pensava que precisaríamos delas para a fuga que estávamos planejando.

Enquanto eu costurava, embrulhava, selecionava os objetos para nossa partida e os guardava sob o mosquiteiro, observava com atenção a vida do acampamento. Havia em especial um jovem guerrilheiro que vivia uma história atormentada. Chamavam-no El Mico, pois tinha orelhas de abano e uma boca enorme. Era apaixonado por Alexandra, a guerrilheira mais bonita, e conseguira seduzi-la. Ao fim de cada dia chegava ao acampamento um sujeito alto, forte e bonito, que tam-

---

* Espaço que fazia as vezes de cozinha.

bém tinha paquerado a moça. Era o *masero*.* Seu papel era fazer a ligação entre os dois mundos: o da legalidade, em que vivia como qualquer pessoa da aldeia, e o da ilegalidade, que implicava levar provisões e informações para os acampamentos das Farc. Alexandra era sensível às suas atenções, enquanto El Mico ficava dando voltas em torno dela, vítima de tremendo ciúme. Perdia tanto o controle de suas emoções que no turno de guarda era incapaz de tirar os olhos da moça, esquecendo por completo de cuidar de nós. Rezei para que estivesse de guarda no dia de nossa fuga. Estava convencida de que poderíamos partir nas barbas dele, pois não perceberia rigorosamente nada.

Nesses dias de preparativos a sorte nos ajudou. Enquanto o acampamento estava em efervescência e os guerrilheiros trabalhavam como formigas, cortando lenha para fazer construções de todo tipo, um deles deixou um facão solto por ali, perto de nossa barraca. Foi minha companheira que o descobriu e consegui levá-lo para os *chontos*, a fim de escondê-lo. Os *chontos* que haviam fabricado para nós ficavam entre os arbustos. Prevendo algo duradouro, tinham aberto seis buracos quadrados, cada um com um metro de profundidade. Quando o primeiro buraco ficasse cheio, seria coberto e passaríamos a usar o seguinte.

Escondi o facão no último buraco e o cobri de terra. Prendi no cabo uma cordinha, que deixei discretamente aparecendo, a fim de que no dia de nossa saída só tivéssemos de puxá-la para pegar o facão, sem ter de mergulhar a mão na terra para procurá-lo. Precavida, expliquei à minha companheira que era preciso evitar usar aquele buraco, para não complicar a recuperação do facão.

Já era Semana Santa. Eu havia me recolhido todos os dias, tirando de minhas preces a coragem de tentar uma nova fuga. O aniversário de papai era no fim de abril e calculei que, partindo um mês antes, teríamos chances de fazer-lhe uma boa surpresa.

Examinara, uma a uma, a lista das tarefas que me impunha, e concluíra satisfeita que estávamos prontas para a grande partida. Pensava naquele domingo como um bom dia para tentar a fuga. Observara que o jovem César reunia sua tropa todo domingo à noite para atividades de recreação. Jogavam, cantavam, recitavam, inventavam slogans revolucionários, o que desviava a atenção dos guardas de serviço, que se lamentavam de não estar ali.

Portanto, tínhamos de esperar que a oportunidade se apresentasse. Toda noite, na hora do lusco-fusco, fazíamos uma sessão de ensaio. Eu estava tensa como

---

** Aquele que fazia o contato com "as massas", ou seja, os camponeses da região.

um arco, incapaz de dormir, imaginando na insônia todos os obstáculos que podiam surgir.

Uma tarde, ao voltar dos *chontos*, vi minha companheira esconder alguma coisa em sua sacola, com um gesto brusco. Por curiosidade e disposta a implicar com ela, tentei saber o que procurava dissimular. Descobri com estupor que ela já tinha tocado nas nossas reservas de queijo e de comprimidos de vitamina C. Senti-me traída. Isso reduzia singularmente nossas chances. Mas, sobretudo, criava um clima de desconfiança entre nós.

Era o que devíamos evitar a todo custo. Devíamos ficar unidas, inseparáveis, devíamos poder contar uma com a outra. Tentei explicar-lhe da melhor maneira possível minha apreensão. Mas ela me olhava sem me ver. Peguei suas mãos para fazê-la voltar à realidade.

O domingo custou a passar. O acampamento caíra numa calmaria soporífera. Estávamos prontas, bastava ter paciência. Eu tinha tentado dormir pensando que o que nos esperava seria penoso e que devíamos poupar nossas forças. Esforcei-me para ser amável e vigiei meus gestos para não despertar suspeitas. Sentia que me encontrava num estado meio estranho, invadida por uma grande agitação diante da perspectiva de acabar com nosso cativeiro e angustiada até a alma ao pensar que poderíamos ser apanhadas. Se não tivesse me contido, teria engolido a comida sem mastigar, teria esquecido de me enxugar depois de tomar banho, e teria perguntado as horas a cada dois minutos. Justamente por isso fiz o contrário: mastiguei devagar os alimentos, realizei com calma as tarefas do dia e me concentrei na sua execução para imitar o melhor possível o que eu acreditava ser minha atitude habitual. Falava com eles, mas sem procurar conversar. Fazia um mês e uma semana que tínhamos sido capturadas. Estavam orgulhosos de nos manter prisioneiras, e senti um prazer verdadeiro com a ideia de deixá-los.

Os guerrilheiros fingiam-se de gentis, eu fingia estar habituada a viver entre eles. A aflição pairava sobre todas as nossas palavras, cada um avaliava o outro atrás de sua máscara. O dia se passava tanto mais devagar quanto aumentava minha impaciência. A angústia ia ficando sufocante. Flagrei-me pensando que aquela insuportável adrenalina que me subia era mais eficaz para fugir do que o medo de que o cativeiro se prolongasse. Pontualmente às seis da tarde daquele domingo, 31 de março de 2002, houve uma troca de guardas. Era El Mico que pegava seu turno. Aquele mesmo que era loucamente apaixonado por Alexandra, a bela guerrilheira. Meu coração deu um pulo: era um sinal do destino. Tínhamos de ir. Seis e quinze era a hora ideal para sair da *caleta*, andar até os *chontos* e embrenhar-se na selva. Às seis e meia já seria noite.

Já eram seis e dez. Deixei minhas botas de borracha bem visíveis, diante da *caleta*, e comecei a calçar os sapatos com que ia partir.

— Não podemos ir, é arriscado demais — disse Clara.

Observei ao redor. O acampamento se preparava para a noite. Todos estavam cuidando de seus afazeres. El Mico deixara o posto. Afastou-se e chamou a moça, fazendo grandes sinais, bem no instante em que o belo *masero* entrava no acampamento. A moça se preparava para ir até onde estávamos e parou de repente ao ver chegar o outro pretendente.

— Espero você nos *chontos*. Você tem três minutos, não mais que isso — cochichei para Clara à guisa de resposta, com os pés já fora do mosquiteiro.

Dei uma última olhadela para o guarda e me recriminei por tê-lo feito. Se ele tivesse me olhado nesse instante, meu gesto teria bastado para pôr tudo a perder. Mas "o mico" vivia seu próprio drama. Estava encostado numa árvore, observando o sucesso do rival. Nada lhe interessava menos no mundo do que o que poderia acontecer conosco. Dirigi-me direto para o buraco onde tinha enterrado o facão. A cordinha continuava lá. Em compensação, o buraco tinha sido usado e um cheiro horroroso emanava dali. "Não se irritar, não se irritar", eu me repetia puxando a cordinha e trazendo não só o facão, mas imundícies de todo tipo.

Minha companheira chegou e se agachou, ao meu lado, ofegante, procurando se esconder dos olhos do guarda. Algumas palmeiras nos protegiam.

— Ele viu você?

— Acho que não.

— Está trazendo tudo?

— Estou.

Mostrei-lhe o facão, que limpei rapidamente com folhas. Ela fez uma careta de nojo.

— Eu não tinha entendido — respondeu, desculpando-se, com um risinho nervoso.

Peguei a vara que havia escondido entre os arbustos e me embrenhei no mato, andando sempre em frente. O canto das cigarras vinha explodir na floresta, invadindo os cérebros até o atordoamento. Eram seis e quinze em ponto: as cigarras sabiam melhor que nós, eram de uma pontualidade britânica. Sorri, era impossível que alguém conseguisse ouvir a barulheira que fazíamos ao andar pelas folhas e os galhos secos que estalavam com estardalhaço sob nossos passos. Quando tivesse anoitecido de vez, as cigarras dariam lugar ao coaxar dos sapos. Os barulhos de fundo seriam perceptíveis, mas a essa altura já estaríamos longe. Pelos matagais distingui a claridade que vinha do acampamento, vi as formas humanas entrarem e saírem das *caletas*. Protegidas pela vegetação, já estávamos no breu. Eles não podiam mais nos ver.

Minha companheira agarrava-se em meu ombro. Havia na nossa frente um tronco de árvore deitado no chão que me parecia imenso. Montei nele, passei para o outro lado e me virei para ajudá-la. Era como se alguém acabasse de apagar a luz. De repente, estávamos na mais densa escuridão. A partir de agora, teríamos de avançar tateando. Com a vara, como uma cega, eu identificava os obstáculos e ia abrindo caminho entre as árvores.

A certa altura as árvores ficaram mais espaçadas e depois desapareceram. A marcha se tornou mais fácil e nos encorajou a falar. Tive a impressão de estar num caminho que descia em suave declive. Se fosse o caso, era melhor nos afastarmos e pegar de novo a floresta. "Um caminho" era sinônimo de guardas, e eu ignorava quantos círculos de segurança tinham sido instalados em volta do acampamento. Corríamos o risco de cair nos braços de um de nossos sequestradores.

Fazia quase uma hora que andávamos assim, no escuro e caladas, quando senti de repente a presença de alguém. A sensação de não estarmos mais sozinhas foi imediata e parei na mesma hora. De fato, alguém se deslocava no escuro. Ouvi nitidamente o farfalhar das folhas sob seus passos e quase achei ter ouvido sua respiração. Minha companheira tentou sussurrar algo em meu ouvido, mas tapei sua boca com minha mão para interrompê-la. O silêncio era de chumbo. As cigarras haviam se calado e os sapos esperavam. Ouvi meu coração bater contra o peito e me convenci de que o desconhecido também devia ouvi-lo. Não devíamos nos mexer — se ele tivesse uma lanterna, estaríamos perdidas.

Ele se aproximou, devagar. Seus passos deslizaram sem ruído, como se caminhasse sobre um tapete de musgo. Parecia enxergar na escuridão, pois não havia a menor hesitação em seu andar. Estava ali, a dois passos de nós, e parou. Pressenti que ele tinha nos escutado. Senti seu olhar em nós.

Um suor frio me percorreu a espinha e a adrenalina gelou meus vasos. Fiquei paralisada, impossível fazer o menor movimento ou emitir o menor som. No entanto, precisávamos nos mexer, afastarmo-nos pé ante pé, procurar uma árvore, tentar escapar dele antes que acendesse uma luz e pulasse em cima de nós. Era impossível. Só meus olhos nas órbitas mantinham certa mobilidade. Apesar dos esforços que fiz para captar ainda que fosse uma sombra, as trevas eram tão densas que pensei realmente ter ficado cega.

Ele se aproximou mais um pouco. Senti o calor que emanava de seu corpo. Era um vapor denso que colava em minhas pernas e seu cheiro se elevou, como para zombar de mim em meu pânico. Era uma exalação forte e rançosa. Mas não a que eu esperava. Meu cérebro funcionou à toda, introduzindo as variáveis que meus sentidos lhe transmitiam. Olhei instintivamente para baixo. Não era um homem.

O animal grunhiu a meus pés. Devia bater na altura de meu joelho, mal me roçava. Era um bicho selvagem, agora eu tinha certeza. Minutos de eternidade se passaram num silêncio de mármore. Então o animal se afastou, como tinha chegado, num murmúrio de vento e num sussurro de folhas.

— É um tigre — soprei ao ouvido de minha companheira.

— Tem certeza?

— Não.

— Vamos iluminá-lo, precisamos ver o que é.

Hesitei. Não devíamos estar muito longe do acampamento, eles podiam ver luz e vir nos buscar. Mas não havia barulhos, nem vozes nem luzes.

Acendemos a lanterna um segundo e apagamos.

O animal desapareceu no mato, como um raio amarelo. Diante de nós, uma pequena trilha serpenteava em descida. Dirigimo-nos instintivamente para ela, como se pudesse nos levar a algum lugar. A poucos metros, mais abaixo, a trilha ia dar numa pequena ponte de madeira que cruzava um filete de água. Do outro lado o terreno era plano e ressequido, um solo arenoso, coberto aqui e ali por mangues. Eu não tinha mais medo, a luz me restituía meus meios.

Mas eu estava aflita, pois seguir o caminho não era uma boa ideia, sobretudo com a lanterna. Tomamos a decisão de margear o riacho para nos afastarmos da trilha. Andávamos depressa, a fim de percorrer um máximo de quilômetros num mínimo de tempo. Um raio rasgou a noite e o vento soprou, curvando a folhagem em nossa passagem. Sem perder tempo, começamos a trabalhar. Precisávamos construir o quanto antes um abrigo. Uma cordinha estendida entre duas árvores do mangue, o grande plástico preto por cima, e tínhamos um teto. Sentadas ali embaixo, encolhidas sobre nós mesmas para cabermos as duas no abrigo, depositei a meus pés o facão que acabara de usar e desabei sobre os joelhos, vencida por um sono do início dos tempos.

Acordei pouco depois, com a sensação desagradável de estar sentada na água. Um verdadeiro dilúvio se abatia sobre nós. Uma explosão precedida de um rangido sinistro acabou me acordando. Uma árvore gigantesca acabava de desabar a poucos metros de nosso abrigo. Poderia ter nos esmagado. Pus a mão na terra em busca do facão e encontrei três centímetros de água. A tempestade estava no auge. A água subia e inundava o local onde estávamos. Quanto tempo tínhamos dormido? Tempo suficiente para que o filete de água tivesse multiplicado seu volume e transbordasse sem parar.

Eu continuava agachada, tateando à procura do facão, quando senti que a água a meus pés ganhou velocidade: estávamos bem no meio de um rio!

Acendi a lanterna de bolso. Nem pensar em continuar procurando o facão. Ele acabava de ser levado. Era preciso recolher nossas coisas e partir o quanto antes. Foi quando me lembrei dos comentários dos guerrilheiros. No inverno, os terrenos ao lado do riacho ficavam submersos, o que explicava a existência daquelas alamedas de madeira construídas sobre pilotis que eu tinha confundido com pontes construídas de qualquer jeito. Em poucos minutos o inverno acabava de cair sobre nós, e tínhamos instalado nosso abrigo no pior lugar possível.

Sem o facão e com os dedos entorpecidos pela água e pelo frio, desfazer o abrigo tornou-se tarefa árdua. Eu ainda estava tentando desatar os nós para recuperar a preciosa cordinha, e já estávamos com água até os joelhos. Olhei para cima de nossas cabeças. O mangue tecia uma teia apertada de galhos a poucos centímetros acima de nós. A água continuava a subir depressa. Se não encontrássemos a saída, correríamos o risco de morrer afogadas na vegetação do mangue. Olhei rapidamente ao redor, a água tinha engolido todas as pistas.

A chuva insistente, a água até a cintura, a dificuldade de se deslocar em contracorrente, tudo conspirava contra nós. A lanterna parou de funcionar. Minha companheira entrou em pânico, falava aos gritos, sem saber o que fazer no escuro. Andava ao meu redor, me fazendo perder o equilíbrio numa corrente que se tornara perigosa demais.

— Vamos sair dessa. A primeira coisa a fazer é substituir as pilhas da lanterna. Vamos fazer isso devagar, juntas. Tire as pilhas da sacola, uma de cada vez. Passe-as para mim, ponha-as com bastante firmeza na minha mão. Preciso encontrar o lado certo, assim. Dê-me a outra. Pronto.

A operação durou longos minutos. Eu me instalara num arbusto, presa entre os galhos para evitar ser desestabilizada pela corrente. Só tinha um medo: que as pilhas escorregassem entre meus dedos e se perdessem na água. Minhas mãos tremiam e era difícil segurar direito os objetos. Quando afinal apertei o interruptor e a lanterna acendeu, estávamos com água até o pescoço.

Na primeira varredura de luz, vi minha companheira andando à minha frente.

— É por aqui! — ela gritou, enquanto afundava mais ainda na água.

Não era hora de discutir. De meu lado, ainda trepada no arbusto, escrutei as redondezas tentando encontrar algum indício, uma direção a tomar.

Ela voltou desanimada, e me olhou, pasma.

— Por ali — ordenei.

Era mais forte que uma intuição. Era como um apelo. Deixei-me guiar e começei a andar. "Um anjo!", pensei, sem ver nisso um absurdo. Hoje, ao relembrar a cena, gosto de pensar que aquele anjo era papai. Ele acabava de morrer e eu ainda não sabia.

Embrenhei-me ainda mais profundamente na floresta e continuei a andar, obstinada, na mesma direção. Senti mais longe que o terreno iniciava uma subida, em declive acentuado. Estávamos no meio de uma imensa laguna. O riacho tinha desaparecido, a pontezinha também, um verdadeiro rio rolava furioso, inundando tudo ao passar.

Andávamos de costas curvadas, encharcadas até os ossos, tiritando a cada passo, abatidas. Os primeiros clarões da aurora atravessaram a vegetação espessa. Tínhamos de fazer o inventário de nossas perdas e torcer todas as nossas roupas. Tínhamos, sobretudo, de preparar o esconderijo para o dia. Eles certamente já estavam em nosso encalço e não havíamos avançado o suficiente. O sol chegou. Através da folhagem cerrada, pedaços de azul-claro deixavam pressentir um céu limpo. Os raios de luz que trespassavam obliquamente a vegetação esquentavam com tamanha intensidade que os vapores se soltavam do chão, como sob o efeito de um sortilégio. A selva perdera seu aspecto sinistro da véspera. Falávamos aos cochichos, planejando meticulosamente as tarefas que íamos dividir durante o dia.

Tínhamos resolvido não andar durante a noite enquanto não houvesse lua para iluminar o caminho. Mas estávamos com medo de andar durante o dia, sabendo que a tropa havia se lançado à nossa procura e que podia estar bem perto. Procurei um lugar onde pudéssemos nos esconder. Havia um buraco deixado por uma raiz gigantesca que parecia ter sido literalmente arrancada do solo sob o peso da árvore ao cair. A terra à mostra era vermelha e arenosa, apetitosa para qualquer tipo de bichinho que rastejava ali em volta. Nada muito perigoso, nenhum escorpião, nem "barbas de índios", como eram chamadas aquelas grandes lagartas venenosas. Pensei que poderíamos passar o dia camufladas naquele buraco. Precisávamos cortar umas palmeiras pequenas para nos esconder. O canivete que eu tinha "pego por empréstimo" no acampamento substituía muito bem o facão.

Estávamos confeccionando um biombo com galhos e palmeiras, quando ouvimos a voz forte do jovem César gritando ordens, e depois o barulho de passos rápidos de vários homens a alguns metros, à nossa direita. Um deles xingava e fugia, e ouvimos quando se afastou e desapareceu de vez. Instintivamente nos aninhamos dentro do buraco e prendemos a respiração. A calma voltou com o barulho do vento desafiando a copa das árvores, o gorgolejar das águas passando por ali para se escoar no rio, o canto dos pássaros e a ausência de gente. Teríamos sonhado? Não os vimos, mas eles tinham passado muito perto. Era um aviso, precisávamos agir rápido. As roupas que vestíamos já tinham secado. Nossas botinas transbordavam de água. Bem colocadas sob um poderoso raio de sol, produziam um belo turbilhão de vapores. As exalações tinham atraído um enxame de abelhas, que se agarravam em cachos e se revezavam para chupá-las e tirar-lhes o sal. Assim disfarçadas, as botas mais pareciam uma colmeia do que um par de calçados. Acabei reparando que a ação das abelhas era benéfica: funcionavam como uma sessão de limpeza, deixando um perfume de mel no lugar do cheiro rançoso que antes saía das botas. Entusiasmada com a descoberta, tive a infeliz ideia de pôr minha roupa de baixo para secar no galho de uma árvore em pleno sol. Quando voltei, caí na gargalhada: as formigas as haviam cortado e levado pedacinhos de tecido com elas. O que sobrou foi devorado por traças, para construir seus túneis.

Resolvemos então partir na aurora do dia seguinte. À guisa de colchão, usaríamos as palmeiras que já tínhamos cortado. Poríamos um plástico ali em cima e o outro seria pendurado, nos servindo de teto. Estávamos no alto de uma colina. Se recomeçasse a chover, pelo menos ficaríamos livres de inundações. Quebramos quatro galhos para fincar nos quatro cantos de nossa barraca improvisada. Poderíamos até nos dar ao luxo de instalar o mosquiteiro.

Havíamos acabado de passar nossas 24 horas em liberdade! Do lado de fora do mosquiteiro, besouros duros e brilhantes se debatiam como bobos contra a malha. Fechei os olhos depois de me assegurar de que o mosquiteiro estava hermeticamente fechado, preso pelo peso de nossos corpos. Quando me levantei de um pulo, o sol já estava alto no céu. Tínhamos dormido demais.

Recolhi tudo às pressas, dispersei as palmas para não deixar vestígios identificáveis de nossa passagem e apurei o ouvido. Nada. Eles deviam estar longe, já deviam ter levantado acampamento. A consciência de nossa solidão me tranquilizou e me angustiou ao mesmo tempo. E se ficássemos dando voltas semanas a fio e nos perdêssemos para sempre naquele labirinto de clorofila?

Eu não sabia que direção pegar. Ia avançando por instinto. Clara me seguia. Ela insistia comigo para levar um monte de miudezas, remédios, papel higiênico, cremes anti-inflamatórios, esparadrapo, roupas limpas e, evidentemente, comida. Queria pegar meu pequeno saco de viagem que agora, superlotado, pesava uma tonelada. Fiz tudo para dissuadi-la. Mas não consegui levar mais longe a discussão, pois entendi que ela armazenava naquele pequeno saco todos os antídotos contra seu próprio medo. Ao fim de uma hora de marcha, ela se esforçava para não parecer aleijada pela carga e eu fazia o possível para fingir que nem percebia.

Tentei descobrir nossa localização em relação ao sol, mas algumas nuvens grandes invadiram o céu com uma camada cinza, deixando plano o espaço debaixo das árvores, sem sombras e, portanto, sem direção. Nós duas estávamos à cata de um barulho que nos advertisse a presença de alguma alma, mas a floresta estava encantada, suspensa no tempo, ausente da memória dos homens. Só havia nós e o barulho de nossos passos sobre o tapete das folhas mortas.

De uma hora para outra, sem aviso prévio, a floresta havia mudado. A luz estava diferente, os sons da selva tinham ficado menos intensos, as árvores pareciam mais distantes umas das outras, e nos sentíamos menos protegidas. Nosso andar tornou-se mais lento, mais prudente. Um passo, dois passos. Acabamos chegando numa estrada bastante larga para permitir a passagem de um veículo, uma verdadeira estrada no meio da selva! Dei um pulo depressa, pegando minha companheira pelo braço para nos escondermos na vegetação e nos agacharmos entre as raízes imensas de uma árvore. Uma estrada era a saída! Mas era também o maior dos perigos.

Estávamos fascinadas com essa descoberta. Onde iria dar a estrada? Seria possível que, seguindo-a, fôssemos parar num lugar habitado, num canto de civilização? Estariam por ali os guerrilheiros que tínhamos visto na véspera? Conversávamos sobre tudo isso em voz baixa, olhando para a estrada como para um fruto proibido. Uma estrada na selva era obra da guerrilha. Era território deles.

Resolvemos então andar margeando a estrada, a uma distância razoável, e mantendo-nos constantemente protegidas. Queríamos avançar o máximo possível durante o dia, mas com a maior cautela. Por horas a fio seguimos nossa determinação inicial. A estrada subia e descia em declives agudos, fazia curvas caprichosas e parecia não ter fim. Eu andava rápido, para tentar percorrer a maior distância possível durante as horas de luz. Minha amiga ia pouco a pouco se atrasando. Ficava lá atrás, apertando os lábios para não confessar que sofria com o peso de seu fardo.

— Passe-me isso, deixe que eu carrego.

— Não, está muito pesado.

A estrada se estreitou significativamente e se tornou cada vez mais difícil ficar perto dela: o relevo parecia ter enlouquecido. As subidas se transformaram em escaladas e as descidas em tobogãs. Fizemos uma pausa depois de três horas, numa pequena ponte de madeira acima de um riacho. A água era cristalina e cantava, correndo sobre um leito de pedrinhas brancas e rosas. Eu estava morta de sede e bebi como um animal, ajoelhada na margem. Enchi a garrafinha que levara comigo. Clara fez o mesmo. Ríamos como crianças com a felicidade simples de beber água fresca. O que ruminávamos na solidão de nossos pensamentos tornou-se assunto de debate: tínhamos andado durante toda a manhã sem encontrar vivalma. Os guerrilheiros sabiam que ignorávamos a existência daquela estrada. Se a pegássemos, poderíamos fazer aumentar enormemente a distância percorrida. Tínhamos combinado andar num estrito silêncio para conseguir pular e nos proteger ao menor barulho, e eu mantinha os olhos fixos ao longe para tentar identificar o menor movimento. Pouco a pouco meu espírito se deixou absorver mais pela concentração do esforço físico que pela vigilância que tínhamos combinado manter.

Chegamos, numa curva, a outra ponte bastante longa que cruzava um riacho seco. Nossas botinas estavam imundas de lama e a madeira da ponte parecia ter sido lavada com sabão e água depois das últimas chuvas. Resolvemos cruzar a ponte para evitar deixar rastros das botas. Ao me esgueirar sob a ponte, notei ramos de cipós que pendiam tortos sobre excrescências de musgo. Eu já tinha reparado naquela forma esquisita de vegetação pendurada nas árvores e achei que aquilo parecia estranhamente com os cabelos dos rastafáris. Podia imaginar qualquer coisa, menos que fossem ninhos de marimbondos. E os vi pululando numa das vigas da ponte, e o pavor me fez dar um salto, me afastando. Avisei Clara, que me seguia alguns metros atrás, mostrando-lhe com o dedo a bola fervilhante de insetos contra a qual quase me espatifara. Um segundo depois, um zumbido que foi se ampliando veio me avisar que as vespas tinham voado para nos punir de tê-las incomodado.

Vi o batalhão, em formação triangular, precipitar-se para cima de mim. Saí como uma flecha, passei pela ponte e continuei a correr pela trilha tão depressa quanto possível até que tivesse a impressão de estar longe do zumbido. Parei ofegante e virei-me para assistir a um espetáculo digno de pesadelo: minha companheira, em pé a alguns metros de mim, estava negra de marimbondos. Os bichos perceberam que eu tinha parado e largaram sua primeira presa para vir para cima de mim, tal qual uma esquadrilha de caça. Mas eu não podia recomeçar a correr e deixar Clara paralisada à mercê do enxame enfurecido. Num piscar de olhos fiquei eu mesma coberta de bichinhos raivosos, que se enfiavam profundamente em minha carne com seus poderosos ferrões. Um dos guardas tinha falado das vespas africanas, cuja picada podia matar o gado num segundo.

— São as vespas africanas! — gritei, fora de mim.

— Pare! Você vai excitá-las mais ainda! — respondeu Clara.

Nossas vozes ressoavam em eco na floresta. Se nossos sequestradores tivessem nos ouvido, saberiam onde nos achar! Eu continuava a gritar, em pânico, sob o efeito da dor a cada ferroada. Depois, de súbito recuperei a razão. Saí da estrada e entrei na mata mais próxima. Observei que, ao me deslocar, conseguia me distanciar de alguns marimbondos. Isso me deu coragem. A proximidade de uma vegetação mais densa teve como efeito desnorteá-los, e outros me largaram para se juntar ao enxame. Eu ainda tinha muitos marimbondos agarrados na calça. Pegava-os entre dois dedos pelas asas que batiam frenéticas e arrancava-os um a um para colocá-los sob o pé e esmagá-los sem perdão. Eles estalavam desagradavelmente e isso me dava arrepios. Obriguei-me a continuar, metodicamente. Quase sempre a operação resultava em quebrá-los ao meio, deixando o abdômen ainda incrustado em minha pele. Agradeci aos céus que fosse eu a viver isso, e não minha mãe ou minha irmã, pois elas morreriam. Fiz um enorme esforço para me controlar, não mais sob o efeito do medo, mas sob o domínio de uma aversão nervosa que me fazia tremer de repugnância em contato com o corpo frio e úmido desses insetos. Por fim ganhei a batalha, surpresa de não sentir nenhuma dor, como sob o efeito de uma anestesia, e observei que o mesmo acontecera com Clara, com a diferença de que ela sofrera um ataque mais forte do que o meu e conseguira manter o sangue-frio melhor que eu.

— Meu pai tinha colmeias no campo. Aprendi a conhecê-las — explicou-me quando expressei minha admiração.

O assalto das vespas nos abalou. Pensei no barulho que tínhamos feito e não rejeitava a ideia de que eles poderiam ter enviado um grupo para nos encontrar.

A ponte das vespas foi a primeira de uma longa série de pontes de madeira construídas a cada cinquenta metros, como as que tínhamos atravessado para chegar ao acampamento de onde fugimos. Por instantes, aquelas pontes pareciam viadutos pois se prolongavam interminavelmente ziguezagueando por centenas de metros entre as árvores. Deviam ter sido construídas anos antes e estavam abandonadas. As tábuas apodreciam e pedaços inteiros desabavam, devorados por uma vegetação faminta. Andávamos ali em cima, a dois metros do chão, inspecionando as tábuas e as vigas sobre as quais avançávamos com a angústia de cair no vazio a qualquer momento. Estávamos conscientes do risco de nos localizarem caso a guerrilha estivesse na área, mas aquelas pontes evitavam que lutássemos contra a armadilha das raízes e cipós entrelaçados que havia embaixo.

Decidimos nos revezar para carregar a sacola. Sem comer nada e bebendo pouco, estávamos extremamente cansadas.

Quando as pontes começaram a rarear, resolvemos suspender a sacola na vara que me servia de bengala e levar cada ponta no ombro de cada uma de nós, uma na frente e outra atrás. Com essa técnica a caminhada ficou mais leve e prosseguimos assim, num passo mais rápido, durante algumas horas.

As cores da floresta ficaram pálidas e pouco a pouco o ar se tornou mais fresco. Precisávamos encontrar um local para pernoitar. Diante de nós, a trilha subia e uma última ponte de madeira nos esperava na saída de uma curva. Atrás da ponte, a floresta parecia menos densa, a luz que filtrava era diferente. O rio podia estar pertinho e, quem sabe, com o rio a esperança de encontrar camponeses, um barco, uma ajuda qualquer.

Mas minha companheira estava muito cansada. Vi como seus pés tinham dobrado de volume. Os marimbondos a picaram por toda parte. Ela quis parar antes de atravessar a ponte. Refleti. Eu tinha consciência de que o cansaço era péssimo conselheiro e rezei para não estar enganada. Ou talvez, por sentir que me enganava, apelei para o céu. A noite cairia em menos de uma hora, os guerrilheiros deveriam estar de volta ao acampamento para fazer o relatório de um dia em que tinham voltado de mãos abanando. A ideia me trouxe serenidade. Aceitei pararmos e expliquei a Clara as precauções que devíamos tomar. Eu não tinha notado que, antes de descer para beber água numa fonte que jorrava lá embaixo, ela colocara o saco encostado numa árvore, visível do caminho.

Ouvi as vozes deles. Chegaram por trás e conversavam tranquilamente enquanto andavam, sem desconfiar de que estávamos a poucos metros. Meu sangue gelou. Vi-os antes que me vissem. Se Clara se escondesse a tempo, passariam por nós sem nos avistar. Eram dois, a bonita guerrilheira que, sem querer, servira de distração para o guarda e permitira nossa fuga, e Edinson, um jovenzinho com ar esperto que sempre ria às gargalhadas. Falavam alto o suficiente para serem ouvidos de longe. Tirei os olhos deles e me virei para o lado de Clara. Ela já tinha ido, num ímpeto, pegar a sacola, ficando totalmente a descoberto. Acabava de dar de cara com Edinson. O garoto fitou-a com olhos que lhe saíam das órbitas. Clara virou-se para mim, o rosto lívido, o pavor e a dor deformando suas feições. Edinson seguiu seu gesto e me descobriu. Nossos olhares se cruzaram. Fechei os olhos. Estava tudo acabado. Ouvi a gargalhada cruel do rapaz, depois uma rajada de metralhadora no ar para festejar a vitória e anunciá-la aos outros. Eu os odiava por sua felicidade.

9. As tensões do convívio

Eu estava com papai. Ele usava os óculos quadrados de tartaruga que eu nunca mais tinha visto desde os dias felizes de minha infância. Agarrava sua mão e cruzávamos uma rua de trânsito intenso. Balançava meu braço de trás para frente para chamar sua atenção. Era bem pequena. Ria da felicidade com sua presença. Chegando à calçada, ele parou sem me olhar e respirou profundamente. Apertou minha mão, sempre presa na sua, contra seu coração. A boca crispou-se numa contração de dor e minha alegria se transformou em angústia, sem transição.

— Papai, tudo bem?

— É o coração, minha querida, é o coração.

Olhei ao redor a fim de encontrar um carro e nos metemos no primeiro táxi em direção do hospital. Mas foi à casa dele que chegamos, foi em sua cama que o instalei, ele sempre com dor, e eu me esforçando para tentar encontrar seu médico, minha mãe, minha irmã, e o telefone continuava mudo. Papai desabou sobre mim. Eu o segurava, o sacudia, ele era muito pesado, eu me sufocava sob seu peso, ele estava morrendo em cima de mim e eu não tinha a força física de recolocá-lo na cama e ajudá-lo, salvá-lo. Um grito silencioso permanecia preso em minha garganta e me vi sentada sob o mosquiteiro, ofegante e coberta de suor, os olhos arregalados e cegos. "Meu Deus! Ainda bem que é só um pesadelo!", pensei. "Mas de que estou falando? Papai morreu e eu estou presa. O verdadeiro pesadelo é acordar aqui!" Caí em prantos, incapaz de segurar as lágrimas torrenciais que lavaram meu rosto e encharcaram minhas roupas. Chorei durante horas e horas, esperando o dia nascer para sepultar minha dor nos gestos cotidianos que fazia mecanicamente para me dar a impressão de continuar viva. Minha companheira estava com a cabeça no sentido oposto à minha, ao meu lado, e se mostrou irritada.

— Pare de chorar, você não está me deixando dormir!

Refugiei-me no silêncio, magoada até a alma por sofrer esse destino que não me permitia sequer chorar à vontade. Recriminava Deus por ter se aferrado contra mim. "Odeio-te, odeio-te! Não existes, e se existes és um monstro!" Toda noite, durante mais de um ano, sonhei que papai morria em meus braços. Toda noite acordava aterrorizada, desorientada, no vazio, procurando saber onde estava, para descobrir que meus piores pesadelos não eram nada se comparados à realidade.

Os meses se passavam numa uniformidade terrível. Horas vazias que era preciso povoar, pontuadas pela cadência das refeições e do banho. Uma distância feita de lassidão instalara-se entre mim e Clara. Eu não falava mais com ela, ou falava muito pouco, apenas o necessário para seguir em frente, às vezes para me dar coragem. Controlava-me para não compartilhar meus sentimentos, para não iniciar discussões que queria evitar. Tudo começou com coisas bem miúdas, um silêncio, um constrangimento de ver na outra o que não queríamos descobrir. Não era nada, só o cotidiano que se instalava apesar do horror.

No início, partilhávamos tudo, sem discutir. Logo tivemos de dividir meticulosamente o que nos davam. Olhávamo-nos atravessado, ficávamos bravas por causa do lugar que a outra ocupava, deslizávamos imperceptivelmente para a intolerância e a rejeição. A sensação de "cada um por si" começou a emergir. Não devíamos, em nenhuma hipótese, verbalizá-la. Havia uma fronteira, ou melhor, uma muralha entre nós e nossos sequestradores, constituída por nossos segredos, nossas conversas inacessíveis a eles apesar da vigilância constante. Enquanto nossa coesão fosse mantida, eu sentia que ficaríamos blindadas. Mas o cotidiano nos submetia ao desgaste. Um dia, pedi ao guarda que me conseguisse uma corda para pendurar nossa roupa. Ele não quis nos ajudar. Mesmo assim a corda chegou no dia seguinte, e tratei de instalá-la de uma árvore a outra para usá-la por inteiro, de modo mais eficaz. Fui pegar minha roupa e ao voltar descobri que não tinha mais lugar para minhas coisas. Clara a ocupara inteiramente com as dela.

Em outra ocasião, o espaço sob o mosquiteiro tornou-se um problema. Depois, foi a higiene para o controle dos cheiros. Depois, a gestão do barulho. Era impossível nos entendermos para estabelecer a regra mais elementar de comportamento. Havia nessa intimidade imposta um risco maior, o de cair na indiferença e no cinismo e acabar obrigando o outro a nos tolerar sem nenhum pudor. Uma noite, quando pedi a Clara que se afastasse um pouco, pois eu não tinha mais espaço na cama, ela explodiu:

— Seu pai teria vergonha de você se a visse!

Suas palavras feriram meu coração com mais força que uma bofetada. Fiquei arrasada com a gratuidade da ofensa, magoada ao compreender que, dali em diante, perderia a possibilidade de me apoiar nela.

Cada dia trazia sua dose de dor, amargura, frieza. Eu nos via indo à deriva. Precisava ser muito forte para não descontar as constantes humilhações dos guardas humilhando aquela que compartilhava comigo a mesma sorte. Com certeza não era consciente, com certeza não era desejado, mas era uma forma de supurar nossa amargura.

Nessa época ficávamos acorrentadas 24 horas por dia a uma árvore e não tínhamos outro refúgio a não ser o mosquiteiro, debaixo do qual passávamos o dia todo, sentadas uma em cima da outra num espaço de dois metros de comprimento por um metro e meio de largura.

Consegui que nos trouxessem tecido e linha e agradeci aos céus por ter dado ouvidos a minha velha tia Lucy, que, na minha adolescência, me ensinara a arte do bordado. Minhas primas tinham fugido dessa maçada, mas eu ficara por curiosidade. Compreendi então que a vida nos enche de provisões para nossas travessias do deserto. Tudo o que eu tinha adquirido de modo ativo ou passivo, tudo o que tinha aprendido voluntariamente ou por osmose me voltava como verdadeiras riquezas de minha existência num momento em que eu tudo perdera.

Flagrava-me refazendo os gestos de minha tia, usando suas expressões e atitudes, explicando a Clara os rudimentos do ponto de cruz, do ponto de laçada, do ponto festonê. Em breve as moças do acampamento, nas horas em que não estavam de plantão, vieram observar nossos trabalhos. Também queriam aprender.

As horas, dias e meses transcorreram com menos dureza. A concentração necessária ao bordado tornava nossos silêncios mais leves. Era possível encontrar gestos de fraternidade que suavizavam nosso destino. Isso durou vários meses, e muitos acampamentos, até as linhas acabarem.

Algumas semanas depois de nossa fuga fracassada, mandaram que recolhêssemos nossas coisas, sem explicação, e em seguida partimos na direção oposta do que eu chamava "a saída". Nós nos embrenhamos ainda mais dentro da selva, e pela primeira vez não havia nenhuma vereda, nenhuma marca humana.

Andávamos em fila indiana, um guarda na frente, outro atrás. Esses deslocamentos imprevistos me enchiam de enorme ansiedade. Essa sensação coincidente, que cada uma de nós imaginava ser idêntica na outra, volatilizava na mesma hora a guerra do silêncio que se instalara entre nós duas e que se alimentava das incessantes tensões cotidianas para demarcar nosso espaço e nossa independência.

Bastava uma troca de olhares entre nós e tudo estava dito. Era nesses momentos terríveis, em que nosso destino parecia soçobrar ainda mais fundo no abismo, que nos confessávamos vencidas, reconhecendo como precisávamos uma da outra. Enquanto a guerrilha estava acabando de desmontar o acampamento e assistíamos ao desmembramento daquele espaço a que estávamos ligadas, enquanto os últimos guerrilheiros arrancavam e jogavam no mato as estacas que tinham sustentado nossa barraca, não restando mais que um terreno baldio e lamacento, qualquer prova de nossa existência naquele lugar acabava de ser totalmente eliminada, Clara e eu pegamos nossas mãos, caladas, num esforço instintivo de dar coragem uma à outra.

Esforcei-me em memorizar tudo, na esperança de guardar em algum canto da mente uma coerência espacial que eventualmente me permitisse encontrar o caminho de volta. Mas, quanto mais andávamos, mais se somavam a meus cálculos novos obstáculos se quiséssemos recuar. Arrepios de febre percorriam minha pele e minhas mãos ficavam tão úmidas que eu era obrigada a secá-las continuamente na calça. Depois, veio o enjoo. Eu já tinha feito a reconstituição do processo que se desencadeava a cada anúncio de partida. Na hora e meia que se seguia, no máximo, eu precisava sair correndo para me esconder atrás de uma árvore e vomitar sem ser vista. Sempre me prevenia levando comigo um pequeno rolo de papel para enxugar a boca e as roupas, como se isso pudesse mudar alguma coisa, quando eu já estava imunda de lama.

O novo campo que nos esperava era muito diferente do anterior. Consideraram prudente construir nossa *caleta* afastada das habitações dos demais. Do lugar onde nos instalaram, era impossível acompanhar suas atividades ou sua organização. Estávamos isoladas, com um guarda de expressão tenebrosa postado a dois metros de nosso mosquiteiro, com toda certeza descontente por estar condenado a se entediar longe dos companheiros naquele cara a cara constrangedor.

Achei que era melhor assim. Seria mais simples, quando as condições permitissem, driblar a vigilância de um só homem.

Já tínhamos reencontrado nossas referências e retomado nosso bordado quando vi Patricia, a enfermeira, aproximar-se com um homem que eu nunca tinha visto. Era jovem, na faixa dos trinta, de pele acobreada, bigodinho preto e brilhante, o cabelo cortado curto. Usava a calça cáqui regulamentar, as botas de borracha de praxe e uma camisa desabotoada até o umbigo, que deixava descoberta uma corpulência peluda no limite do sobrepeso, enfeitada com uma imponente corrente de ouro de onde pendia um grande dente amarelado.

Chegava todo sorridente, balançando os ombros, e não pude deixar de pensar que devia ser um homem sanguinário. Patricia fez as apresentações:

— É o comandante Andrés! — disse, com uma expressão de adulação que me espantou.

O homem queria evidentemente fazer uma bela estreia e impressionar uma parte do grupo que se reunira a alguns metros para assistir à cena.

— O que está fazendo? — disse num tom meio autoritário, meio descontraído.

— Bom dia — respondi, levantando o nariz de meu bordado.

Ele me olhara direto nos olhos, como se tentasse decifrar meus pensamentos, e caiu na gargalhada enquanto alisava o bigode. Continuou, sempre sorrindo:

— O que é isso?

— Isso? Uma toalha para mamãe.

— Deixe eu ver!

Passei-lhe o bordado, tomando cuidado para não levantar demais o mosquiteiro. Ele fingiu inspecionar meu trabalho como um conhecedor e se preparava para me devolvê-lo dizendo "nada mau" quando uma moça muito bonita que estava atrás dele, e que eu não tinha visto, arrancou o bordado de suas mãos com uma confiança que não deixava nenhuma dúvida sobre a natureza da relação deles:

— Ah!, que bonito, quero fazer uma igual! Por favor!

Ela requebrava os quadris com a clara intenção de seduzi-lo. Andrés parecia radiante:

— Veremos, mais tarde — disse ele, rindo.

Patricia interveio mais uma vez:

— É o novo comandante.

Portanto, agora era com aquele homem que eu teria de me entender. Já sentia saudades do jovem César, que fora simplesmente destituído do cargo por causa de nossa fuga.

— O que é que você tem no pescoço? — perguntei, para lhe dar o troco.

— Isso? É um dente de tigre.

— Tigre?

— É, enorme, eu mesmo o matei!

Seus olhos pretos brilhavam de prazer. Sua expressão se transformou, tornando-o quase sedutor.

— São animais em risco de extinção, não se deve matá-los.

— Nós, nas Farc, somos ecologistas! Não matamos, executamos!

Virou as coisas e desapareceu com seu grupo de mulheres. Minha companheira me olhou atravessado:

— Você é uma idiota!

— Sou, mas não posso me impedir.

Mergulhei de novo no meu trabalho, pensando em papai. Fazia dez dias que não comia, na necessidade de fazer o luto, de marcar sua morte em minha carne e gravar na memória aqueles dias de dor, num tempo e num espaço privados de qualquer ponto de referência. "Preciso aprender a segurar minha língua", concluí para mim mesma, picando-me com uma agulha. Com a escuridão, assaltavam-me meus remorsos mais profundos. A lembrança de papai era o principal detonador. Parei de lutar contra isso, dizendo-me que era melhor chorar até secar meu sofrimento. Mas também tinha a intuição de que meu sofrimento, em vez de se esgotar, evoluía, e que nessa evolução, em vez de ficar mais leve, tornava-se mais compacto. Portanto, resolvi enfrentar minha desgraça por etapas. Autorizei-me a me embalar na tristeza da evocação dos momentos que construíram o amor por meu pai, mas me proibi o menor pensamento a respeito de meus filhos. Isso era para mim simplesmente insuportável. Nas vezes em que abri uma brecha mínima ao evocá-los, pensei que estava enlouquecendo. Também não conseguia mais pensar em mamãe. Desde a morte de papai começara a me torturar ao pensar que ela também podia desaparecer a qualquer momento. E essa ideia que vinha sempre colada em sua lembrança, como uma obsessão perversa, me enchia de pavor, pois eu também tinha imaginado a morte de papai e ela se tornara uma realidade, como se eu tivesse adquirido o poder abominável de materializar minhas apreensões.

Eu não sabia nada de minha família. Desde 23 de março, dia em que tínhamos concluído nosso primeiro mês de cativeiro, dia também em que nos proibiram o acesso aos rádios, havíamos perdido contato com o mundo dos vivos. Uma só vez o jovem César viera nos contar as novidades: "Seu pai falou no rádio, pede-lhe que aguente, que seja forte, e quer que você saiba que ele está se cuidando e a esperando!". Depois que soube da morte de papai, fiquei me perguntando se César não tinha mentido para mim, se não tinha inventado essa história para me acalmar. Mas não queria acreditar nisso, pois me fazia bem pensar que papai quisera me tranquilizar antes de morrer.

Nem por isso, quando a noite chegava, eu deixava de ir encontrar papai e, talvez por ter a convicção de que nós dois fazíamos parte do mundo dos mortos, de falar com ele e chorar nas trevas que dividíamos, com a sensação de que ali podia me aninhar como sempre tinha me aninhado em seus braços.

Descobri o mundo da insônia e o encantamento que ele produzia em mim. Aquelas horas de vigília me davam acesso a outra dimensão de mim mesma. Uma outra parte de minha mente se substituía à primeira. No imobilismo físico que me forçava a dividir o pequeno colchão onde vivíamos, meu espírito ia longe e eu falava comigo mesma, como falava com papai, como falava com Deus, fazendo daquelas longas horas na escuridão os únicos momentos de intimidade.

À noite, outro tipo de natureza emergia. Os sons tinham uma ressonância profunda que dava a medida da imensidão daquele espaço desconhecido. A cacofonia dos grasnidos da fauna era tão ampla que se tornava dolorosa. Cansava a mente, incomodava-a com as vibrações, submergia-a com estímulos dissonantes e impossibilitava a reflexão. Era também a hora das grandes ondas de calor, como se a Terra expelisse o que tinha armazenado durante o dia, rejeitando na atmosfera calores sulfurosos que nos davam a sensação de termos caído num estado febril. Mas esses momentos passavam depressa. Uma hora depois a temperatura baixava vertiginosamente e tínhamos de nos prevenir contra um frio que dava saudade das baforadas de ar quente do crepúsculo. O ar fresco se instalava, os pássaros notívagos saíam, quebrando o ar com o batimento seco das asas, e cruzavam o espaço levando consigo o sinistro ulular de almas solitárias. Eu os seguia em minha imaginação, esquivando junto com eles as árvores pelas quais passavam em grande velocidade e voava atrás deles para além da floresta, mais alto que as nuvens, para constelações onde eu sonhava com as felicidades do passado.

A lua se deslocava entre a folhagem cerrada: estava sempre atrasada, sempre caprichosa e imprevisível. Forçava-me a repensar cuidadosamente tudo o que imaginava saber a seu respeito sem jamais verdadeiramente compreender: a dança da lua em volta da Terra, suas diferentes fases e seu poder. Ausente, ela me intrigava ainda mais.

Nos dias de lua nova, um feitiço caía sobre a floresta. Na escuridão total, o solo se iluminava com milhares de estrelas fluorescentes como se o céu tivesse se espalhado pelo chão. No início, pensei estar delirando. Depois, acabei admitindo que a selva era encantada. Passava a mão sob o mosquiteiro e recolhia pepitas fosforescentes que cobriam o solo. Às vezes voltava com uma pedrinha na mão, outras vezes com um fiapo ou uma folha que pegava. Mas em contato comigo eles perdiam sua luz sobrenatural. No entanto, bastava pousá-los no chão para que reencontrassem seus poderes e se acendessem de novo.

O mundo inanimado saía de seu torpor e a vida prendia a respiração. Naquelas noites os sons da floresta eram mágicos. Milhares de sininhos suspensos no ar começavam a tilintar alegremente, e aquele barulho mineral parecia ter eclipsado as chamadas dos animais. Por mais absurdo que parecesse, havia uma melodia naquele carrilhão noturno e eu não podia deixar de pensar nos sinos de Natal em pleno mês de julho e de chorar amargamente ao evocar o tempo perdido. Numa dessas noites sem lua em que escutava ao longe as conversas cochichadas dos guardas, como se tivessem falado ao meu ouvido, ouvi por acaso um deles dizer a Yiseth que por um triz não tínhamos conseguido fugir. No final da estrada das pontes podres havia um *caserio*, um casario na beira do rio. Fazia pouco tempo que os militares estavam instalados ali, onde haviam iniciado um trabalho de infiltração para os serviços de inteligência do Exército. Essa informação multiplicava meus remorsos: jamais deveríamos ter parado à beira do caminho.

Sabia que alguns deles nos espiavam quando tomávamos banho. Quando pedi a Andrés que mandasse instalar umas cabanas na beira do rio a fim de bloquear a vista, ele me respondera que "seus homens tinham mais o que fazer do que ficar olhando umas 'bruxas velhas'". Mesmo assim, tinha mandado construir a cabine no dia seguinte.

Em outra dessas noites em claro, ouvi um dos guardas dizer:

— Pobre mulher, sairá daqui quando o cabelo dela estiver nos calcanhares!

O comentário me assustou. Não conseguia acreditar que isso fosse sequer pensável. Fiz um enorme esforço para aceitar esperar que uma negociação em vista de nossa libertação desse certo, mas quanto mais o tempo passava mais se complicava a equação que levaria à nossa soltura.

10. Prova de sobrevivência

Certa manhã, El Mocho César, chefe da frente que me capturara, apareceu. Embora nada pudéssemos ver do que acontecia, o vaivém nervoso da tropa, assim como as vestimentas impecáveis, os uniformes de gala, eram sinais evidentes da presença de um chefe.

Eu estava sentada de pernas cruzadas sob o mosquiteiro, os pés descalços com a grande corrente presa no tornozelo. Iniciava um novo trabalho manual. Tinha consciência de que minha relação com a duração das coisas andava totalmente perturbada. "Na vida civil", para usar a terminologia farquiana, os dias se passavam com uma rapidez alucinante e os anos iam correndo devagar, o que me dava uma sensação de ter vivido uma vida bem plena.

No cativeiro, minha consciência de tempo se invertera por completo. Os dias pareciam não ter fim, prolongados cruelmente com o desespero e o tédio. Em compensação, as semanas, os meses e, mais tarde, os anos pareciam se empilhar a toda velocidade. Minha consciência desse tempo irremediavelmente perdido despertava o terror de me sentir enterrada viva.

Quando César chegou, eu estava fugindo dos demônios que me perseguiam, com o espírito concentrado em enfiar uma linha na agulha.

Ele olhou para meus pés inchados pelas inúmeras picadas infligidas por bichinhos invisíveis... Seu olhar me constrangeu e sentei escondendo os pés sob as nádegas, o que provocou uma dor terrível, pois a corrente me cortava.

— O que lhe deu para fugir assim, na selva? Você poderia ser atacada por um tigre, foi uma loucura total!

— ...

— O que eu teria de fazer? Mandar seu cadáver para seus filhos?

— ...

— Não entendo. Você sabe que não tem a menor chance.

Eu o encarei em silêncio. Sabia que ele não gostava de me ver naquele estado, e no fundo pensava que ele tinha vergonha.

— Você teria feito o mesmo. Só que teria conseguido. É meu dever recuperar minha liberdade, como o seu é me impedir de fazê-lo.

Seus olhos brilharam com um brilho perturbador. Encarou-me, mas não era a mim que ele via. Seriam essas as lembranças que ele via desfilar diante de seus olhos? De repente, parecia ter envelhecido cem anos. Virou-se encurvado, como se com enorme cansaço, e antes de ir embora me disse, com uma voz profunda como se falasse a si mesmo:

— Vamos tirar as correntes, vou proibir de recolocá-las. Vou lhe enviar frutas e queijo.

Cumpriu a palavra. No crepúsculo, um jovem guerrilheiro veio tirar as correntes. Tentou o tempo todo ser gentil, querendo entabular uma conversa, que evitei. Não o reconheci, mas era o guerrilheiro que se sentara atrás na cabine de nosso carro no dia da captura. Abriu o cadeado com precaução, minha pele debaixo da corrente estava azul.

— Sabe, isso me alivia mais do que à senhora! — disse, com um largo sorriso.

— Como você se chama? — perguntei, como que acordando de um sonho.

— Eu me chamo Ferney, *doctora*!

— Ferney, me chame de Ingrid, por favor.

— Bem, *doctora*.

Dei risada e ele foi embora correndo.

As frutas e o queijo também chegaram. César nos enviou uma grande caixa de papelão com umas trinta maçãs vermelhas e verdes, e cachos grandes de uva. Ao abri-la, tive o reflexo de oferecê-las a Jessica, a *socia* do comandante, que nos tinha trazido a caixa. Com um muxoxo desagradável, ela respondeu:

— A ordem é trazer frutas para as prisioneiras. Não devemos aceitar nada de vocês!

Virou as costas e foi embora, estufando o peito. Compreendi que para ela não devia ser fácil. Agora eu sabia muito bem que as frutas e o queijo eram um luxo raro num acampamento das Farc. Nossa dieta diária constituía-se de arroz e feijoca.

Na semana seguinte César reapareceu.

— Tenho uma boa notícia!

Os batimentos de meu coração se aceleraram. A toda hora a esperança de uma libertação próxima cruzava meu espírito. Com o ar mais distante possível, perguntei:

— Uma boa notícia? Realmente, seria espantoso. Qual?

— O Secretariado autorizou que você envie uma prova de sobrevivência à sua família.

— ...

Fiquei muda e tive vontade de chorar. Uma prova de sobrevivência era tudo menos uma boa notícia. Confirmava o prolongamento de nosso cativeiro. Eu acreditava que negociações secretas pudessem ter se iniciado com a França. Sabia que a guerrilha tinha sido duramente atingida pela inclusão de seu nome na lista de terroristas da União Europeia e imaginava que ela poderia empreender contatos para conseguir ser excluída dessa lista em troca de nossa liberdade. Essa esperança acabava de se quebrar em mil pedaços.

A eleição presidencial era iminente: dali a dois meses a Colômbia teria um novo governo e Alvaro Uribe, o candidato da extrema direita, tinha todas as chances de vencer. Se as Farc queriam gravar provas de sobrevivência a poucos dias do primeiro turno, era indício de que não havia contatos para nossa libertação e que os guerrilheiros se preparavam para fazer pressão sobre o candidato que ganhasse. Se fosse Alvaro Uribe, as Farc o odiavam, e ele lhes retribuía na mesma moeda. E meu espírito balançou com a ideia de que era mais fácil que os extremos negociassem entre si. Pensei em Nixon restabelecendo relações diplomáticas com a China Popular de Mao, ou em De Gaulle levando adiante uma política de reconciliação com a Alemanha. Imaginava que Uribe pudesse ser bem-sucedido onde seu predecessor tinha fracassado, pois sendo o mais feroz opositor das Farc estava isento das suspeitas de fraqueza ou de negociações clandestinas que haviam minado as últimas iniciativas.

Perguntei a César quanto tempo eu teria para preparar a mensagem.

Ele queria gravá-la à tarde.

— Use um pouco de maquiagem — acrescentou.

— Não tenho maquiagem...

— As moças conseguirão.

Eu acabava de compreender por que tínhamos recebido frutas e queijo em abundância.

Instalaram-se num espaço aberto onde a luminosidade era maior — ali onde costumavam secar suas roupas. A sessão durou vinte minutos. Tomei a firme resolução de não me deixar levar pelas emoções. Queria acalmar minha família apresentando-lhes um rosto sereno e uma determinação na voz e nos gestos que os faria entender que eu não tinha perdido a força nem a esperança. Quando evoquei a morte de papai, enfiei na mão o lápis até sair sangue, de modo a desviar minha atenção por alguns instantes e fazer uma barragem para o rio de lágrimas que subia dentro de mim.

Fiz questão de falar em nome dos outros reféns, que, como eu, esperavam voltar para casa. A casca das árvores vizinhas à nossa *caleta* estava machucada de um modo estranho. No mesmo lugar, anos antes, houvera uma prisão com outros reféns também acorrentados nas árvores. Eu não os conhecia, mas tinha ouvido falar que alguns completaram seu 57º mês de cativeiro. Fiquei horrorizada, sem conseguir imaginar o que isso representava e sem saber que meu próprio suplício seria bem maior. Pensei que, recusando-se a falar de nossa situação, condenando--nos ao esquecimento, as autoridades colombianas tinham jogado no mar a chave de nossa liberdade.

Nos anos que iriam se seguir, a estratégia do governo colombiano seria deixar o tempo passar, esperando que dessa forma a desvalorização de nossas vidas obrigasse a guerrilha a nos soltar sem contrapartida. Estávamos a caminho de pegar a maior condenação que se pode infligir a um ser humano: a de não saber quando a pena terminará.

O peso psicológico dessa revelação era dramático. O futuro não deveria mais ser considerado como um espaço de criação, conquistas, objetivos a alcançar. O futuro estava morto. Quanto a El Mocho César, estava visivelmente satisfeito com seu dia. Quando a prova de sobrevivência foi gravada, ele quis conversar comigo, sentado sobre o tronco da árvore.

— Vamos ganhar essa guerra. Os *chulos* não podem nada contra nós. São uns idiotas. Dois dias atrás matamos dezenas deles. Lançam-se em nosso encalço como patos em formação. Estamos escondidos e esperamos por eles.

— ...

— Além disso, são muito corruptos. São burgueses, só a grana é que lhes interessa. Nós os compramos e depois os matamos!

Eu sabia que, para alguns, a guerra era fonte inesgotável de enriquecimento ilícito. Eu tinha denunciado no parlamento colombiano contratos de compra de armamentos superfaturados, com o preço verdadeiro até três vezes maior para permitir a distribuição generosa de propinas. Mas o comentário de César me feria bem no coração. "Na civil" eu sentia que a guerra não me dizia respeito. Era contra por princípio. Agora, com os meses que acabava de passar nas mãos das Farc, eu me dava conta de que a situação do país era bem mais complexa. Eu não podia mais ficar neutra. César podia criticar as Forças Armadas. No entanto, eram elas que os enfrentavam e detinham sua expansão. E os militares eram os únicos a lutar para nos libertar.

— O dinheiro interessa a todo mundo, e às Farc em particular. Veja como vivem os seus comandantes. E, além disso, vocês matam, mas eles os matam também. Quem nos garante que você estará vivo no fim do ano?

Olhou-me com uma expressão surpresa, como quem fosse incapaz de imaginar a própria morte.

— Você não tem nenhum interesse na minha morte!

— Eu sei. Por isso é que desejo que você viva muito tempo.

Ele apertou minha mão entre as suas e me disse adeus, concluindo:

— Prometa-me que vai se cuidar.

— Sim, prometo.

Dois meses depois, El Mocho César morria numa emboscada militar.

11. A casinha de madeira

Numa noite de lua cheia, chegou a ordem de nos mexermos. Fomos parar numa estrada onde nos esperava uma grande caminhonete nova em folha. Como era possível que no meio de lugar nenhum houvesse uma estrada e aquele veículo? Estávamos perto da civilização? O motorista era um cara simpático, beirando os quarenta anos, de jeans e camiseta, que eu tinha visto uma ou duas vezes antes. Chamava-se Lorenzo, como meu filho. Andrés e sua companheira, Jessica, subiram atrás. O resto do grupo seguiu, caminhando. Eu tinha a impressão de que pegávamos a direção norte, como se fizéssemos o trajeto de volta. A ideia de voltar atrás me dava ânimo. E se por acaso um acordo tivesse sido possível? E se a liberdade estivesse bem perto? Eu ia ficando falante e Lorenzo, extrovertido por natureza, dava vazão à sua espontaneidade:

— Vocês nos criaram problemas, hein?

Deu uma olhada para mim, enquanto dirigia, para julgar o efeito de suas palavras.

— Eles nos puseram na lista dos terroristas, mas a gente não é terrorista.

— Se não são terroristas, não devem se comportar como terroristas. Vocês sequestram, matam, jogam garrafões de gás nas casas das pessoas, espalham o terror, como é que querem ser chamados?

— Isso são as necessidades da guerra.

— Talvez, mas o modo de fazerem guerra é puro terrorismo. Lutem contra o Exército, mas não ataquem os civis se não querem ser chamados de terroristas.

— A culpa é sua. Foi a França que nos incluiu na lista de terroristas.

— Bem, se a culpa é minha, libertem-me!

Tínhamos ido parar num imenso campo à beira de um rio. Uma casa de madeira construída com bom gosto dominava a paisagem, e uma linda varanda ao redor, fechada por uma balaustrada de madeira pintada em cores vivas lhe dava um aspecto colonial. Eu não me enganava, reconheci aquela casa. Passamos diante dela alguns meses antes, sob uma tempestade tropical que caíra logo depois de termos avistado, escondidos na outra margem, a famosa *marrana*, o avião militar de reconhecimento.

Pela primeira vez, depois de tantos meses, revi o horizonte. A sensação de amplitude me apertou o coração. Enchi os pulmões com todo o ar que podiam conter, como se assim me apropriasse do espaço infinito que se abria à minha frente, tão longe quanto meus olhos permitiam ver. Era um parêntese de felicidade, uma felicidade que eu só tinha conhecido na selva, uma felicidade triste, frágil e fugaz. Uma brisa de verão balançava as palmeiras imensas que a mão do homem poupara e que permaneciam orgulhosas na beira do rio, fiéis testemunhas dessa guerra contra a selva que o homem começa a ganhar. Fizeram-nos andar até o embarcadouro, que nada mais era do que um *sangre toro*, uma árvore imponente e nodosa que servia de atracadouro para as pirogas. Gostaria de ter ficado ali, naquela linda casa, à beira daquele rio sereno. Fechei os olhos e imaginei a felicidade de meus filhos ao descobrir aquele local. Imaginei a expressão de meu pai em êxtase diante da beleza daquela árvore jogando seus galhos a dois metros do solo como um enorme cogumelo. Mamãe já estaria cantando um de seus boleros românticos. Bastava tão pouco para ser feliz.

O ronco do motor me tirou do devaneio. Clara pegou minha mão e a apertou com angústia.

— Não se preocupe. Vai dar tudo certo.

Verifiquei a direção da corrente enquanto me aproximava da canoa. Se a descêssemos, estaríamos nos embrenhando cada vez mais profundamente na Amazônia. O piloto pôs a embarcação a jusante e saiu devagar. Imediatamente senti enjoo. O rio se estreitava. Em certos momentos as árvores das duas margens entrelaçaram seus galhos acima de nossas cabeças e navegamos por um túnel de vegetação. Ninguém falava. Esforcei-me para não sucumbir à sonolência geral, pois queria ver e memorizar tudo. Depois de horas, levei um susto ao ouvir música tropical vindo de lugar nenhum. Após uma curva, três cabanas de madeira enfileiradas à margem pareciam esperar por nós. Dentro de uma delas, havia uma lâmpada acesa pendurada num fio elétrico balançando-se suavemente e espalhando na superfície da água uma miríade de faíscas. O piloto desligou o motor e nos deixamos levar em silêncio pelo rio para não chamar a atenção. Fixei meu olhar nas cabanas, na esperança de ver um ser humano, alguém que pudesse nos localizar e falar conosco. Assim fiquei, com o pescoço todo esticado, até perdê-las de vista. E depois, mais nada.

Três, quatro, seis horas se passaram. Sempre as mesmas árvores, as mesmas curvas, o mesmo ronco contínuo do motor e o mesmo desespero!

— Chegamos!

Olhei ao redor. A floresta parecia ter sido mordida até o lugar onde tínhamos parado. No meio do espaço vazio, uma casinha de madeira ali nos esperava, de aspecto miserável. Vozes vieram nos receber, reconheci facilmente uma parte da tropa que tinha nos precedido.

Estava cansada e nervosa. Ousava esperar que nos permitissem passar o resto da noite dentro da casinha. Andrés desceu. Deu ordens para que seus pertences fossem para dentro da barraca e designou os guardas que nos levariam "ao sítio".

Andávamos em fila indiana, iluminados na frente por uma grande lanterna. Atravessamos o quintal da casa, e depois o que devia ser um pomar. Deixamos atrás de nós um estábulo que observei com saudades, e nos metemos subitamente num enorme milharal, cujos pés de milho de mais de dois metros estavam com espigas já maduras. Ouvi a voz de mamãe proibindo de me aproximar do milharal, quando eu era criança: "Está cheio de cobras e caranguejeiras". Apertei a sacola contra o peito, e com a outra mão enxotei todos os bichinhos que pulavam em cima de mim e enroscavam as asas e as patas no meu cabelo, milhões de gafanhotos gigantes e borboletas-corujas aflitas com a nossa marcha. Custava a avançar, dando cotoveladas e joelhadas, de tal forma o milharal era fechado. Tentava proteger o máximo possível o rosto contra as folhas verdes do milho que cortavam como uma lâmina de barbear.

De repente, em pleno milharal, paramos. Eles tinham aberto a facão um espaço quadrado e posto quatro estacas para sustentar nosso colchão e o mosquiteiro armado como um baldaquino. A população de insetos, atraída pela estranha construção, o colonizara por todos os lados. Gafanhotos vermelhos e brilhantes maiores que a mão de um homem pareciam querer impor sua lei. O guarda os enxotou fazendo um amplo movimento com a lâmina do facão e eles saíram voando, pesados, lançando gritos agudos.

— Vocês vão dormir aqui! — O guarda se deliciava, sem o menor pudor, com nossa perturbação.

Enfiei-me sob o mosquiteiro, tentando bloquear a entrada da fauna ofegante, olhei para o céu aberto acima de minha cabeça, fervilhando de nuvens pretas, e caí num sono profundo.

Eles tinham começado a construir o acampamento no *monte*,* mais além do milharal e atrás da plantação de folhas de coca que rodeava a casa. Ao atravessá-la, enchemos os bolsos dos casacos de limões verdes colhidos num enorme limoeiro que imperava, fantástico, entre os pés de coca.

Tinham levado uma motosserra e os ouvi da manhã à noite aferrados na derrubada das árvores. Ferney veio ajudar a nos instalarmos e concentrou-se em construir para nós uma pequena prateleira onde pudéssemos colocar nossas coisas. Passou a tarde a descascar a madeira das estacas, orgulhoso de fazer "um trabalho benfeito".

Quando acabou sua obra, Ferney foi embora, esquecendo o facão entre as aparas da madeira. Clara e eu o avistamos ao mesmo tempo. Minha companheira pediu autorização para ir aos *chontos*. Na volta, parou para trocar umas palavras com o guarda. Foi o que bastou para que eu pegasse o facão, o enrolasse na toalha e o escondesse na minha sacola.

A posse do facão nos deixou eufóricas. Isso permitia que nos aventurássemos de novo na selva. Mas eles podiam nos impor revistas a qualquer momento. Na manhã seguinte, fomos submetidas a uma dura prova. Ferney veio acompanhado de quatro companheiros, que vasculharam toda a zona sem nos dizer uma só palavra. Estávamos sentadas de pernas cruzadas sob o mosquiteiro. Clara lia em voz alta um capítulo de *Harry Potter e a pedra filosofal*, que enfiara na sacola antes de partir de Bogotá. Tínhamos combinado nos revezar na leitura. Durante a hora em que eles fizeram a busca, a leitura foi meramente mecânica. Líamos sem entender uma palavra. Estávamos as duas concentradas em seguir com o canto de olho a equipe de Ferney, fazendo o possível para não demonstrar interesse em seus gestos.

Finalmente um dos sujeitos virou-se para nós e com cara de mau perguntou:

— Foram vocês que pegaram o facão de Ferney?

Uma dose de adrenalina bloqueou meu cérebro e respondi, bobamente:

* Bosque.

— Por quê?

— Ferney deixou o facão aqui ontem à noite — ele retrucou com ar ameaçador.

Resmunguei, sem saber o que responder, angustiada com a ideia de que minha companheira também poderia ser interrogada.

Era mais que evidente que eu estava com medo. Sabia que iam nos revistar, e fiquei em pânico só de pensar nisso.

Foi quando Ferney veio em meu auxílio.

— Acho que não o deixei aqui. Lembro-me de tê-lo pegado ao ir embora. Acho que deixei perto da serraria, quando fui buscar as tábuas. Vou procurar daqui a pouco. Bem, vamos embora.

Falara sem sequer olhar para mim e virou as costas levando com seu gesto os outros companheiros, radiantes de se verem livres dessa tarefa.

Clara e eu ali ficamos, extenuadas. Peguei o livro de suas mãos trêmulas e tentei recomeçar a leitura. Mas era impossível fixar a vista. Deixei-o cair no colchão. Olhávamo-nos como se tivéssemos acabado de ver o diabo e caímos num riso nervoso, dobrando-nos para evitar que o guarda nos visse.

À noite, fazendo um balanço dos acontecimentos do dia, senti nascer um sentimento de culpa que me pareceu ridículo: senti-me mal por ter enganado Ferney.

Eles não nos tinham posto de novo as correntes. Podíamos nos mexer livremente em volta da *caleta*. Mas ficávamos quase o dia todo sentadas no universo de dois metros cúbicos delimitado por nosso mosquiteiro, pois nos habituamos a isso. O véu que nos separava do mundo exterior era uma barreira psicológica que nos defendia do contato, da curiosidade e dos sarcasmos de fora.

Enquanto estávamos sob o mosquiteiro, eles não se atreviam a falar conosco. Mas a sensação de poder sair de "nossa *caleta*" e andar de um lado para outro se desse vontade era uma liberdade mais estimada ainda, porque agora compreendíamos que não era óbvia. Nós a usávamos com parcimônia, temendo que nos vissem muito excitadas e pensassem em torná-la um instrumento de chantagem.

Pouco a pouco enveredei pelo caminho do distanciamento das coisas pequenas e grandes, para me sujeitar apenas a meus desejos ou necessidades. Como não tinha mais controle sobre a possibilidade de satisfazê-los, tornei-me ainda mais prisioneira de meus carcereiros.

Eles também tinham nos trazido um rádio. Foi tão inesperado que nem sequer desfrutamos desse prazer. Quem nos enviava era El Mocho César, provavelmente porque em nossa última conversa eu tinha lhe dito que nada sabia do mundo e que, o que parecia extraordinário, estava pouco ligando para isso. Na verdade, desde a morte de papai aparentemente o mundo exterior passara a ser alheio e distante para mim. Para nós o rádio era nocivo.

Era um Sony grande, que os jovens chamavam de "tijolo" por ser quadrado e preto, um modelo que gozava de certa popularidade entre os guerrilheiros, pois vinha com um alto-falante poderoso que permitia ao grupo ouvir aos berros a música popular na moda entre eles. Quando Jessica nos trouxe o rádio, compreendi na mesma hora que não apreciara o gesto de seu comandante. Pior, ficara indignada com nosso desinteresse:

— Aqui, isso é o que vocês podem ter de melhor!

Ela confundira nossa reação com desprezo, imaginando que "na civil" estávamos acostumadas a algo bem melhor. Não conseguia entender que em nosso estado mental só a liberdade nos interessava.

Vingou-se a seu modo. No dia seguinte, veio buscar o canivete que El Mocho César tinha me dado antes de ir embora, a pretexto de que fora uma ordem do comandante César. Eu sabia muito bem que ela guardaria o canivete para si. Era a namorada do comandante. Tudo lhe era permitido. Entreguei-o, a contragosto, argumentando que tinha sido um presente, o que multiplicou seu prazer.

Quanto a esse rádio, pouco a pouco tornou-se um pomo da discórdia. No início, Clara e eu o passávamos uma para a outra para tentar acompanhar os noticiários do dia. Mas o exercício não era fácil, o rádio era um tanto caprichoso, tínhamos de mexer no aparelho como num radar, virando-o para todos os lados até encontrar a posição mais favorável e obter a melhor recepção, infelizmente sempre cheia de interferências.

O que eu achava surpreendente era que na *caleta* ao lado houvesse exatamente o mesmo "tijolo", mas com uma recepção perfeita. Descobri que eles incrementavam os aparelhos "envenenando" os circuitos e instalando uns pedaços de cabos para aumentar a potência da recepção. Perguntei se alguém poderia "envenenar" nosso tijolo. Mandaram-me falar com Ferney.

— Claro, vou dar um jeito. Vamos fazer isso quando estiverem instaladas na casa nova.

Caí das nuvens:

— Qual casa nova?

— A casa que o comandante César mandou construir para vocês. Vocês vão estar muito bem, e até terão um quarto, não vão mais se preocupar que haja gente olhando enquanto se despem — disse.

Era a menor de minhas preocupações. Uma casa de madeira? Preparavam-se para nos manter prisioneiras durante meses! Portanto, eu não estaria em casa para o aniversário de Mélanie, nem para o de meu Lorenzo — ele faria catorze anos. Deixaria de ser uma criança. Estar longe dele naquele momento me partia o coração. Meu Deus, e se aquilo se prolongasse até o Natal?

A angústia não me abandonava mais. Perdi completamente o apetite.

Depois que cortaram as tábuas, a construção da casa durou menos de uma semana. Foi erguida sobre pilotis, com um telhado de palmeiras trançadas cujo conjunto me pareceu surpreendentemente belo e engenhoso. Era uma construção simples, num plano retangular, fechada com uma parede de madeira de dois metros de altura nos três lados, de modo que a fachada que dava para o acampamento fosse totalmente aberta para o exterior.

No canto esquerdo desse espaço, levantaram duas paredes internas para fazer um quarto com uma porta de verdade. Dentro havia quatro tábuas sustentadas por cavaletes, à guisa de cama, e, nos cantos, peças de madeira nos serviriam de prateleiras. Fora do quarto fizeram uma mesa para duas pessoas e um banquinho.

Andrés fez questão de nos levar para nosso novo lar. Estava orgulhoso do trabalho de sua equipe. Eu custava a esconder meu desespero. A porta seria fechada com um grande cadeado à noite, e vi que dificilmente conseguiríamos fugir. Tentei mudar minha sorte:

— Seria preciso fazer uma janela, o quarto é muito pequeno e escuro, vamos sufocar!

Ele me deu uma olhada cheia de desconfiança e não insisti. No entanto, no dia seguinte uma equipe chegou com a serra para abri-la. Respirei aliviada: com uma janela, teríamos mais chances.

Nossa vida mudou. Paradoxalmente, embora aquele espaço fosse mais confortável que nossas condições de vida anteriores, as tensões entre Clara e mim tornaram-se insuportáveis. Eu tinha criado uma rotina que me permitia ser ativa, evitando ao máximo interferir com ela. Suas reações não eram normais. Se eu varria, ela me perseguia para arrancar a vassoura de minha mão. Se me sentava à mesa, ela queria pegar o meu lugar. Se eu andava para lá e para cá fazendo exercício, ela barrava o meu caminho. Se eu fechava a porta para descansar, exigia que eu saísse. Se eu me recusava, pulava em cima de mim como um gato mostrando as garras. Eu não sabia mais o que fazer. Certa manhã, ao descobrir uma colmeia num canto da cozinha, começou a berrar e, usando a vassoura, jogou no chão tudo que estava nas prateleiras ao longo da parede. Depois, saiu correndo para a selva. Os guardas a trouxeram de volta, empurrando-a com os fuzis.

Quando veio cuidar do nosso rádio, Ferney trouxe uma vassoura novinha, que havia feito para nós.

— Fiquem com ela, é melhor não pedir coisas emprestado. Isso irrita as pessoas.

Ele também se deu ao trabalho de me explicar quais eram os programas que podíamos pegar e as horas de transmissão. Antes das seis e meia da manhã não havia nada. Em compensação, à noite poderíamos nos deliciar com todas as estações do país. Mas esqueceu de nos avisar o essencial: não tínhamos ideia, nessa época, da existência de um programa especial transmitido para os reféns, através do qual as famílias podiam enviar mensagens.

A tensão aumentou certa manhã, no raiar do dia, quando fiquei incomodada com um chiado abominável. Clara estava encostada na parede, o rádio entre as pernas, rodando os botões em todos os sentidos, inconsciente do barulho que fazia. O cadeado de nossa porta só era aberto às seis da manhã. Sentei-me calada, à espera, sentindo meu humor abominável se manifestar. Expliquei-lhe com toda a calma que não haveria transmissão antes das seis e meia, na esperança de que desligasse o aparelho. Mas ela estava pouco ligando para o incômodo que causava e continuou a fazer o aparelho chiar. Levantei-me, sentei-me de novo, fiquei dando voltas entre a cama e a porta, manifestando minha irritação. Pouco antes da abertura do cadeado, aceitou que o "tijolo" se calasse.

No dia seguinte a cena se reproduziu, idêntica, exceto pelo fato de que não foi mais possível conseguir que Clara desligasse o aparelho. Olhei para ela, concentrada ao ouvir o chiado do rádio e pensei: "Enlouqueceu".

Outra manhã, quando eu já estava fora e escovava os dentes num balde de água que a guerrilha colocava, cheio, diante da casa, ouvi um barulhão dentro do quarto. Corri aflita e encontrei Clara balançando os braços, o rádio quebrado a seus pés. Olhava fixamente para o aparelho.

— Paciência, veremos se alguém pode consertá-lo — disse eu, tentando não ficar brava com ela.

12. Ferney

Às seis da tarde, quando ainda era dia, o guarda ia pôr o cadeado na porta. Rodeava o barraco até os fundos e fechava a única janela com outro grande cadeado. Depois, ia até a frente para assumir seu plantão noturno. Eu seguia seus gestos com extremo interesse, tentando encontrar a falha do sistema que nos permitisse escapar.

A operação precisaria ser programada em dois tempos. Antes das seis da tarde, Clara devia sair pela janela, pular e correr para se refugiar nos arbustos atrás do barraco, levando a sacola com todo o necessário. O guarda viria às seis em ponto para fechar a porta. Ele me veria, assim como um boneco ao meu lado, o que o levaria a acreditar que minha companheira já estava dormindo. Passaria o cadeado antes de dar a volta para fechar a janela nos fundos. Eu teria o tempo exato de sair pela janela e pular para o telhado, onde me esconderia. Ele passaria o cadeado na janela e se dirigiria para seu posto, na frente da casa, deixando-me o terreno livre para ir encontrar Clara nos fundos.

Em seguida, teríamos de pegar à direita para nos afastar do acampamento, depois virar em ângulo reto à esquerda, o que nos levaria ao rio. Teríamos de nadar e nos deixarmos levar pela corrente o mais longe possível. Teríamos de nos esconder durante o dia, pois eles estariam em nosso encalço, vasculhando as paragens. Mas depois de dois dias de navegação, sem saber para que lado tínhamos ido, não poderiam mais nos encontrar. Deveríamos então procurar uma casa de camponês e correr o risco de pedir ajuda.

Eu temia nadar nas águas negras daquela selva em plena noite, tendo visto os olhos brilhantes dos jacarés disfarçados perto das margens à espreita de uma presa. Precisaríamos de uma corda para nos agarrarmos, de modo que a corrente não nos separasse e que não pudéssemos nos perder no escuro. Se uma de nós fosse atacada por um jacaré, a outra a salvaria graças ao facão. Precisávamos fabricar um estojo para o facão, de modo a poder levá-lo à cintura sem que ele nos atrapalhasse na hora de nadar. O saco deveria ser carregado às costas, nós nos revezaríamos. Seu conteúdo devia ser todo enrolado em sacos plásticos e fechado hermeticamente com elásticos. Nossa resistência na água era um verdadeiro problema. Devíamos fabricar boias, pois se tratava de nadar durante horas.

Resolvi esse problema usando um isopor que a enfermeira tinha recebido com os remédios. Pedi-lhe para guardá-lo, Patricia riu, achando meu pedido curioso, mas me deu o que eu queria como se dá a uma criança um botão quebrado para brincar. Voltei orgulhosa com minha aquisição e, no quarto, Clara e eu serramos o isopor com o facão, falando bem alto e rindo para abafar o horrível rangido que a lâmina produzia no poliestireno. Estávamos fabricando boias com pedaços inteiros de isopor, bastante grandes para nos permitir apoiar o torso e suficientemente pequenos para caber nas mochilas.

O resto dos preparativos foi mais fácil de terminar. Uma noite, descobri na viga da porta, logo antes que nos trancassem para passarmos a noite, um imenso escorpião, uma fêmea de mais de vinte centímetros de comprimento, com toda a sua prole agarrada ao abdômen. O guarda a matou com um golpe de facão e a colocou num bocal com formol. Segundo ele, podia-se tirar dali um antídoto milagroso. Insisti então no perigo de não ter iluminação dentro do quarto, impressionada com a ideia de que o bicho pudesse ter ido parar na minha nuca quando eu fechasse a porta. Andrés nos mandou a lanterna de bolso, com que eu sonhava para nossa fuga.

No entanto, embora estivéssemos prontas para partir, nosso projeto foi adiado. Tivemos uma semana de temperaturas abaixo de zero, em especial quando o sol nascia.

— São as geadas do Brasil — me disse o guarda num tom de conhecedor. Felicitei-me por não ter fugido antes.

Depois, foi meu resfriado que nos atrasou. Sem remédios, a febre e a tosse se prolongaram. Porém, mais que tudo, era o comportamento ciclotímico de Clara que criava um obstáculo à nossa fuga. Um dia ela me explicou que não ia fugir porque tinha vontade de ter filhos e que o esforço da fuga podia perturbar sua capacidade de engravidar.

Outra tarde, procurando me refugiar no quarto, escutei uma conversa surpreendente. Minha companheira contava à moça que montava guarda um episódio de minha vida que eu tinha lhe revelado, com as mesmas palavras que eu usara para descrevê-lo. Reconheci com exatidão minhas expressões, as pausas que fizera, a entonação da voz. Tudo igual. O perturbador era que Clara se assumira como o sujeito da história, tomando meu lugar em sua narração. "Isso só vai piorar", pensei.

Precisávamos conversar.

— Sabe, eles podem nos mudar de acampamento a qualquer momento — eu disse uma noite, antes que ela dormisse. — Aqui a gente já conhece a rotina deles, sabe como operam. E, além disso, com esta casa relaxaram a vigilância, é um bom momento. Vai ser duro, é óbvio, mas ainda é possível. Há gente morando a dois ou três dias de nada, ainda não estamos no fim do mundo.

Pela primeira vez em semanas encontrei a pessoa que eu tinha conhecido. Suas reflexões eram ponderadas e suas perguntas, construtivas. Senti um verdadeiro alívio em poder dividir minhas reflexões com ela. Fixamos a data da partida para a semana seguinte.

No dia marcado, lavamos nossas toalhas de banho e as penduramos nas cordas, de modo a bloquear a visão do guarda. Eu tinha verificado que, do lugar de onde nos vigiava, ele não poderia ver nossos pés, sob a casa de pilotis, no momento em que pulássemos pelos fundos. Cumprimos nossa rotina com exatidão, como todo dia. Mas comemos talvez mais que de costume, o que fez nossa recepcionista franzir o cenho. Era uma bela tarde ensolarada. Esperamos até o último instante.

Chegada a hora, Clara pulou pela janela, como previsto. E ficou entalada, uma parte do corpo fora, a outra dentro. Empurrei-a com todas as minhas forças. Ela caiu desequilibrada, mas logo se levantou. Lancei a sacola pela janela e, no momento em que ela ia correndo para os arbustos, ouvi uma voz me chamando. Era Ferney, que chegava dos *chontos*. Será que a tinha visto?

— O que está fazendo aí?

— Tentando ver as primeiras estrelas — respondi, como Julieta em seu balcão.

Olhei para o céu na esperança de que ele fosse embora. A penumbra caiu depressa. O guarda ia fechar a porta com o cadeado. Tive de encerrar a conversa. Aventurei-me a dar uma olhada para onde Clara se encontrava. Ela estava invisível. Ferney continuou.

— Sei que você está muito triste por causa de seu pai. Gostaria de lhe dizer isso antes, mas não encontrei o momento adequado.

Senti-me representando um papel numa peça de teatro ruim. Se alguém tivesse observado a cena, a teria achado cômica. Encostada na janela, com o nariz virado para as estrelas, eu tentava tapear um guerrilheiro para conseguir fugir, e o dito guerrilheiro a meus pés, ou ao menos sob a janela, na atitude de quem se preparava para oferecer uma serenata. Implorei à Providência que viesse em meu auxílio.

Ferney achou que meu silêncio e minha ansiedade se deviam à emoção.

— Sinto muito, eu não devia fazê-la pensar em coisas tristes. Mas tenha confiança, um dia sairá daqui e será bem mais feliz do que antes. Sabe, nunca digo isso porque somos comunistas, mas rezo por você.

Deu boa-noite e se afastou. Virei-me imediatamente, o guarda já estava lá, inspecionando o quarto. Não tive tempo de fazer um boneco adequado.

— Onde está a outra prisioneira?

— Não sei, provavelmente nos *chontos*.

Nossa tentativa foi um fracasso lamentável. Rezei para que Clara percebesse e voltasse o quanto antes. Mas o que faria se a encontrassem com a sacola? E, na sacola, o facão, as cordas, a lanterna de bolso, a comida! Comecei a suar frio.

Resolvi ir eu mesma aos *chontos* sem pedir autorização ao guarda, na esperança de atrair sua atenção para mim e de que ela pudesse retornar ao quarto.

O guarda me perseguiu aos berros e me bateu com a coronha do fuzil para me obrigar a voltar atrás. Clara já estava dentro do quarto. O guarda a interpelou grosseiramente e nos trancou...

— Você está com a sacola?

— Não, tive de deixá-la escondida perto de uma árvore...

— Onde?

— Perto dos *chontos*.

— Meu Deus! Temos de refletir... Como pegá-la antes que a descubram?

Não preguei o olho a noite toda. A aurora despontava, ouvi vozes e gritos dos lados dos *chontos*, mas ninguém correndo em volta do barraco. Tive a impressão de que me esvaziava da angústia que me congestionara a noite toda. Encontrei de imediato uma paz e uma serenidade absolutas. Iam nos castigar, era evidente. Não importava. Iam ser perversos, humilhantes, talvez até violentos. Isso não me impressionava mais. Pensei simplesmente que isso postergaria nossa fuga, pois sabia que, no mais profundo de mim, eu jamais desistiria.

A porta se abriu antes das seis da manhã. Andrés estava ali, cercado por grande parte da tropa. Em tom imperioso, disse:

— Revistem-nas, da cabeça aos pés.

As moças tomaram conta do lugar e passaram um pente fino na totalidade de nossos bens. Tinham encontrado a sacola e a esvaziado. Fiquei imóvel. Quando a varredura terminou, e tendo elas tomado o cuidado de nos despojar, a tropa se dispersou. Só Andrés permaneceu ali.

— Vá — ele disse a alguém que eu não tinha visto, atrás de mim.

Virei-me.

Era Ferney, com um grande martelo e uma imensa caixa de pregos velhos enferrujados. Entrou no quarto e começou a enfiar freneticamente os pregos em todas as tábuas, a cada dez centímetros. Duas horas depois, ainda não tinha coberto o quarto todo. Desde o início ele se trancara num mutismo absoluto e resolveu cumprir sua tarefa com um zelo doentio, como se quisesse me pregar nas tábuas. Depois, subiu no telhado e continuou o trabalho enganchado numa viga, batendo pregos com raiva mesmo ali onde era visivelmente inútil, até o esgotar de seu estoque.

Passei o dia olhando para ele. Sabia perfeitamente o que podia estar sentindo. Ele tinha encontrado o facão e se sentia enganado. Lembrava-se da conversa que tivemos na janela. No início, fiquei constrangida, sentindo-me terrivelmente mal por tê-lo tapeado. Mas, à medida que as horas passavam, achei-o grotesco com aquele martelo e os pregos, com sua obsessão naquele quarto que ele transformava furiosamente em bunker.

Passou por mim, com o ar furibundo.

— Você é ridículo! — não pude deixar de lhe dizer.

Deu meia-volta, bateu com as duas mãos na mesa com cara de quem queria pular em cima de mim.

— Repita o que acabou de dizer.

— Eu disse que você é ridículo.

— Você rouba o meu facão, debocha de mim, tenta fugir, e *eu* sou ridículo!

— Sim, você é ridículo! Não tem por que estar furioso comigo.

— Estou furioso porque você me traiu.

— Não o traí. Vocês me sequestraram, me mantêm como prisioneira, fugir é um direito meu.

— Sim, mas lhe ofereci minha amizade, confiei em você — respondeu.

— E no dia em que seu chefe lhe disser para me tascar uma bala na cabeça, ainda terei sua amizade?

Ele não respondeu. Olhou-me com uma grande dor. Fez uma pausa, endireitou-se devagar e se afastou.

Não o vi mais. Uma noite, semanas depois, quando ele acabava de cumprir novamente seu turno de guarda e devia nos trancar com o cadeado, tirou do casaco um punhado de velas e me entregou.

Fechou a porta depressa sem me dar tempo de agradecer. Aquelas velas proibidas foram sua resposta. Fiquei em pé, a garganta apertada.

13. Aprendiz de tecelã

Em meu tédio, eu lia a Bíblia e tecia. Deram-me uma grossa Bíblia com mapas e ilustrações no final. Teria eu descoberto suas riquezas se não fosse impelida pela falta do que fazer e pela lassidão? Creio que não. O mundo em que vivia não deixava lugar para a meditação nem para o silêncio. Ora, é na ausência de distrações que a mente mistura as palavras e os pensamentos, como quando sovamos uma massa para fazer algo novo. Então, eu relia as passagens e descobria por que tinham se agarrado em mim. Eram como brechas, passagens secretas, pontes para outras reflexões, e como uma interpretação totalmente diferente do texto. Desse modo, a Bíblia tornou-se um mundo apaixonante de códigos, insinuações, subentendidos.

Foi talvez por isso que me dediquei facilmente à prática da tecelagem. Na atividade mecânica das mãos, o espírito entrava em meditação e eu podia refletir sobre o que lera enquanto minhas mãos estavam ocupadas.

A coisa começou um dia em que eu acabara de falar com o comandante.

Ferney estava sentado em seu colchão. Beto, o rapaz que dividia a barraca com ele, estava em pé defronte de uma das estacas que sustentavam o colchão, concentrado em tecer um cinto com fios de náilon. Volta e meia eu os via fazendo isso. Era fascinante. Tinham adquirido tamanha destreza e suas mãos se mexiam tão rápido que pareciam máquinas. A cada nó surgia uma forma nova. Sabiam confeccionar cintos com o próprio nome em relevo. Iam depois tingi-los na *rancha,* pondo-os para ferver dentro de grandes caldeirões com água fluorescente.

Parei um instante para admirar o trabalho dele. As letras de Beto eram mais bonitas que as que eu tinha visto nos outros trabalhos.

— É o melhor de todos nós! — disse Ferney sem complexos. — O tempo que levo para fazer um, Beto faz três!

— Ah, sei!

Eu custava a achar que era uma vantagem agir depressa num mundo em que havia tanto tempo a perder. Naquela noite, em minhas elucubrações noturnas, comecei a pensar que gostaria de aprender a tecer cintos iguais aos dele. A ideia me animava. Mas como fazer? Pedir autorização para Andrés? Perguntar a um dos guardas? Eu tinha aprendido que na selva não se ganha nada em agir sob o domínio do primeiro impulso. O mundo onde eu caíra prisioneira era o do arbitrário. Era o império do capricho.

Um dia, houve uma tempestade terrível. Chovera a cântaros da manhã à noite. Eu estava sentada no chão para ver o espetáculo dessa natureza furiosa. Cortinas de água formavam uma tela e só víamos as *caletas* mais próximas, o resto do acampamento parecia ter desaparecido. Os guardas estavam imóveis em seu posto, cobertos com o plástico preto da cabeça aos pés, como almas penadas. Pareciam flutuar num lago, pois o solo, sem conseguir absorver toda a chuva, estava coberto de vários centímetros de água marrom. Quem se aventurava a andar do lado de fora voltava coberto de lama. O acampamento se imobilizara. Só Beto continuava a tecer cintos, defronte da estaca, alheio à tempestade. Eu não conseguia tirar os olhos dele.

No dia seguinte, Beto e Ferney vieram juntos. Exibiam um grande sorriso.

— Pensamos que você ficaria contente de aprender a tecer. Pedimos autorização e Andrés está de acordo. Ferney vai lhe dar fio de náilon e eu vou lhe mostrar como se faz.

Beto passou vários dias comigo. Ensinou-me primeiro a preparar a trama e esticá-la com a ajuda de um ganchinho que eles chamavam de "garabato". Ferney fez um para mim, bonito, e me senti equipada como uma profissional. Beto passava à noite e revisava minha obra do dia:

— Tem que dar duas voltas por cima com o garabato, senão eles escorregam.

Pus toda a minha energia em aprender direito, em me corrigir, em seguir suas instruções com precisão. Tive de enrolar os dedos com pedaços de tecido, pois, de tanto puxá-lo, o fio de náilon abria minha carne. Mas isso não contava, e diante da obra eu não sentia mais o peso do tempo. As horas passavam depressa. Como entre os monges, pensei, que nos exercícios de contemplação se dedicam a elaborar objetos preciosos. Senti que a leitura da Bíblia e as meditações que surgiam em minhas horas de tecelagem me tornavam melhor, mais serena, menos suscetível.

* * *

Um dia Beto veio me dizer que eu estava pronta para fazer um cinto de verdade. Ferney apareceu com um carretel inteiro de fio. Cortamos fios de dez "braçadas" para fazer um cinto de cinco "quartos". Eram as medidas da selva. Eram necessárias duas "braçadas" para obter um "quarto" de cinto tecido. Uma "braçada" era o comprimento entre a mão e o outro ombro, o "quarto" era a distância entre o polegar e o mindinho quando a mão estava bem aberta.

Quis tecer um cinto gravado com o nome de Mélanie e corações em cada ponta. Tinha me informado e ninguém sabia fazê-los. Portanto, improvisei e consegui, o que desencadeou uma pequena moda no acampamento, pois todas as moças também queriam ter corações em seus cintos.

A possibilidade de ser ativa, de criar, inventar, deu-me uma trégua. Faltavam apenas duas semanas para o aniversário de Mélanie. Resolvi que o cinto deveria estar pronto antes, mesmo que eu precisasse passar meus dias inteiros nele. O exercício deixou-me num estado de excitação. Eu tinha a impressão de estar em comunicação com minha filha, portanto em contato com o melhor de mim mesma.

Uma tarde, Beto veio me ver. Queria me mostrar um outro cinto de cores diferentes, que tinha feito com uma técnica nova. Prometeu-me que me ensinaria esta também. Depois, na conversa, sem saber muito bem por quê, disse:

— Você vai precisar estar pronta para correr quando lhe dissermos. Os *chulos* estão pertinho, e se chegarem vão matá-la. O que eles querem é dizer que a guerrilha o fez, e assim não terão de negociar a sua libertação. Se eu estiver aqui, vou embora correndo. Não vou me deixar matar em seu lugar. Ninguém fará isso.

Tive uma sensação estranha ao ouvi-lo. Senti pena dele, como se pela confissão que acabava de me fazer se condenasse a não mais receber ajuda de outra pessoa quando precisasse.

Saiu do acampamento no dia seguinte e partiu "em missão", o que queria dizer que provavelmente seria o encarregado de nosso abastecimento nos meses vindouros. Uma noite, quando os guardas conversavam, convencidos de que dormíamos profundamente, soube que ele tinha sido morto pelo Exército colombiano numa emboscada, aquela onde El Mocho César tinha perdido a vida. Para mim foi um choque terrível. Não só porque me vinham em ecos suas últimas palavras e, com elas, sua furiosa vontade de viver, mas sobretudo porque eu não podia entender como seus companheiros falavam de sua morte sem um pingo de tristeza, como se falassem do último cinto que ele estava terminando.

Não consegui afastar de meus pensamentos esse sinal macabro do destino, essa correspondência fatídica, compreendendo que, afinal de contas, ele de fato morrera "no meu lugar" por causa desse encadeamento exato de acontecimentos que fizeram com que tivéssemos nos encontrado, sem querer: ele era meu guarda, eu, sua prisioneira. Terminando o cinto que ele me ajudara a começar, perdida em minhas meditações, agradeci no silêncio de meus pensamentos o tempo que ele passara a conversar comigo, mais que a arte que me transmitira, pois descobri que o que os outros têm de mais precioso a nos oferecer é o tempo, ao qual a morte dá seu valor.

14. Os dezessete anos de Mélanie

Os dias se pareciam e se arrastavam muito lentamente. Eu custava a me lembrar das coisas que tinha feito na véspera. Tudo o que vivia caía numa grande nebulosa e só memorizava as mudanças de acampamentos porque eram um sofrimento. Fazia quase sete meses que eu tinha sido sequestrada e sentia as consequências. Meu centro de interesses derrapara: o futuro não me interessava mais, o mundo exterior tampouco. Eram-me simplesmente inacessíveis. Vivia o presente na eternidade da dor e sem a esperança de um fim.

No entanto, o aniversário de minha filha me soou como se o tempo tivesse se acelerado caprichosamente, só para me perturbar. Fazia duas semanas que eu trabalhava tecendo seu cinto. Estava orgulhosa dele, os guerrilheiros desfilavam defronte do barraco para vir inspecionar meu trabalho: "A velha aprendeu!", diziam, com uma ponta de surpresa à guisa de congratulações. Chamavam-me a *cucha*, a velha, o que na gíria deles não tinha nenhuma conotação pejorativa. Empregavam o mesmo termo para falar ao comandante, num tom que queria ser familiar e respeitoso ao mesmo tempo. Mas eu custava a me habituar. Sentia-me irremediavelmente empurrada para o armário das relíquias. Mas, pois é, minha filha ia fazer dezessete anos: eu tinha idade para ser mãe de todos eles.

Tecia assim, perdida em 10 mil reflexões que se enfiavam umas nas outras como os nós que ia dando pacientemente em meu trabalho manual. Pela primeira vez desde a captura senti que tinha pressa. Essa descoberta me maravilhou. Na véspera do aniversário de Mélanie, às seis da tarde, logo antes que nos trancassem, dei o último nó no seu cinto. Estava muito orgulhosa.

Devia ser um dia de alegria. Pensei que era o único jeito de prestar-lhe uma homenagem, a ela que viera espalhar luz em minha vida, mesmo nos confins daquele buraco verde. Durante a noite inteira reconstituí mentalmente sua vida. Revivi no pensamento o dia de seu nascimento, seus primeiros passos, o medo, o pânico que lhe causava uma boneca mecânica que andava melhor que ela. Revi-a no primeiro dia de escola, com suas marias-chiquinhas e botinhas brancas de criança, e de pensamento em pensamento a vi crescer, acompanhando-a em seu percurso até a última vez em que a apertara nos braços. Chorei, mas minhas lágrimas eram de natureza totalmente diferente. Chorava de felicidade por ter estado ali e acumulado tantos instantes mágicos em que podia agora beber para matar minha sede de felicidade. Era sem dúvida uma felicidade triste, pois a ausência física de meus filhos era terrivelmente dolorosa, mas era a única felicidade que eu podia sentir.

Levantei-me bem antes que abrissem a porta. Esperei sentada na beira da cama, cantando em minha cabeça o "Parabéns pra você", cujas vibrações deviam chegar à minha filha, num percurso que eu fazia mentalmente daquela casa de madeira, por cima das árvores da selva, mais além do mar do Caribe, até o quarto dela, na ilha de Santo Domingo onde a imaginava dormindo como a deixara. Vi-me acordando-a com um beijo em sua face fresca e acreditei firmemente que ela devia me sentir.

Na véspera, pedira autorização para fazer um bolo e Andrés tinha dito sim. Jessica tinha vindo me ajudar e preparamos uma massa com farinha, leite em pó (o que era uma concessão surpreendente), açúcar e chocolate amargo, que fizemos derreter numa panela à parte. Sem forno, resolvemos fritá-lo. Jessica se encarregou do glacê: usou um saco de pó para preparar bebidas, sabor morango, e misturou com leite em pó diluído num pouquinho de água. A massa espessa que conseguiu fazer transformou o bolo num disco rosa-shocking sobre o qual ela escreveu uma frase cheia de arabescos cor-de-rosa, onde se lia: "Feliz aniversário, Mélanie. Da parte das Farc-ep".

Andrés tinha autorizado que pegássemos seu minicassete e Jessica veio para casa com o aparelho, o bolo e El Mico, nas barbas de quem tínhamos fugido. Ele estava lá para nos fazer dançar, pois Jessica estava muito decidida a aproveitar a ocasião. De meu lado, também me preparei. Vesti o jeans que usava no dia do sequestro e que Mélanie me dera no Natal, e o cinto que confeccionei para ela, pois tinha emagrecido muito e minha calça estava larga na cintura.

Por algumas horas aqueles jovens se transformaram como por encanto. Não eram mais guardas nem terroristas nem assassinos. Eram jovens, da idade de minha filha, que se divertiam. Dançavam divinamente, como se só tivessem feito isso na vida. Estavam perfeitamente sincronizados um com o outro, transformando aquele barraco num salão de dança, rodopiando com gosto e elegância. O espetáculo era fantástico. Jessica, com seus longos cabelos pretos e cacheados, sabia que era bonita e que todos a observavam. Balançava os quadris e os ombros, apenas o necessário para valorizar a harmonia de suas formas. El Mico, embora feio, parecia metamorfoseado. O mundo lhe pertencia. Eu gostaria tanto que meus filhos estivessem ali! Era de fato a primeira vez que um pensamento desses me ocorria. Gostaria que conhecessem aqueles jovens, que descobrissem seu modo de vida estranho, tão diferente e no entanto tão próximo, pois todos os adolescentes do mundo se parecem. Aqueles jovens, eu os conhecera cruéis, déspotas, humilhantes. Necessariamente, ao olhá-los dançar fiquei pensando se meus filhos, nas mesmas condições, teriam agido da mesma maneira.

Naquele dia compreendi que nada nos faz tão diferentes uns dos outros. Refleti sobre a época em que estava no Congresso. Por muito tempo eu tinha indigitado aqueles que denunciei ao desmascarar a corrupção em meu país. Agora me perguntava se tinha sido justa. Não que tivesse alguma dúvida sobre a veracidade de minhas acusações, mas porque tomava consciência da complexidade da condição humana. Graças a isso, a compaixão me aparecia sob um novo enfoque, como valor essencial para administrar meu presente. "A compaixão é a chave do perdão", pensei, disposta a recusar qualquer veleidade de vingança. No dia do aniversário de Mélanie, compreendi que não queria perder a ocasião de estender a mão ao inimigo, quando ela se apresentasse.

Depois desse dia, minha relação com Jessica mudou. Ela veio me perguntar se eu podia lhe dar aulas de inglês. O pedido me surpreendeu: fiquei pensando o que uma pequena guerrilheira poderia fazer na selva com suas aulas de inglês.

Jessica chegou no primeiro dia com um bonito caderno novinho em folha, uma caneta e um lápis preto com borracha. Ser namorada do comandante oferecia vantagens. Mas também era verdade que, desde o primeiro contato, ela mostrou todas as características de uma boa aluna: letra caprichada, uma organização mental e espacial metódica, grande concentração, ótima memória. Sua felicidade de aprender me estimulou a preparar melhor as aulas. Flagrei-me esperando com satisfação sua visita.

Com o correr do tempo, misturamos as aulas de inglês com pequenas conversas mais íntimas. Contou-me, trêmula, a morte de seu pai — ele mesmo guerrilheiro — e seu próprio recrutamento. Descreveu-me sua relação com Andrés. De vez em quando, elevava a voz e me falava do comunismo, da felicidade de ter pegado em armas para defender o povo, do fato de que as mulheres não eram discriminadas dentro das Farc e de que o machismo ali era terminantemente proibido. Baixava a voz para me falar de seus sonhos, ambições, problemas de casal. Eu compreendia que ela estava preocupada com a possibilidade de os guardas nos escutarem.

— Temos de tomar cuidado, pois podem entender mal e me pedir explicações na *aula*.

Soube então que os problemas se discutiam em público. Todos estavam sob vigilância e deviam informar o comandante sobre o menor comportamento suspeito de um companheiro. A delação fazia parte de seu sistema de vida. Todos a sofriam e a praticavam, indistintamente.

Um dia, Jessica chegou com a letra em espanhol de uma música que adorava. Queria que eu a traduzisse em inglês para cantar "como uma americana". Ela dava duro para aperfeiçoar o sotaque.

— Você é tão dotada que devia pedir a Joaquín Gómez que as Farc a enviem para prepará-la no estrangeiro. Sei que muitos filhos dos membros do Secretariado estão nas melhores universidades na Europa e em outros lugares. Pode interessar a eles ter alguém como você que fale um bom inglês...

Vi seus olhos se iluminarem por um instante. Depois, ela se refez e disse, elevando a voz:

— Estamos aqui para dar a vida pela revolução, não para fazer estudos burgueses.

Não voltou mais para as aulas. O que me deixou triste. Uma manhã em que estava de plantão, abordei-a a fim de lhe perguntar por que tinha abandonado o inglês, quando estava aprendendo tão bem.

Deu uma olhada ao redor e me disse baixinho:

— Tive uma briga com Andrés. Ele me proibiu de continuar as aulas de inglês. Queimou meu caderno.

15. À flor da pele

Certa manhã, quase de madrugada, Ferney veio nos ver:

— Arrumem todas as suas coisas. Vamos partir. Vocês têm de estar prontas em vinte minutos.

Senti que meu ventre se liquefazia. O acampamento já estava semidesfeito. Todas as barracas tinham sido recolhidas e os primeiros guerrilheiros partiam com suas mochilas, em fila indiana, para os lados do rio. Eles nos deixaram esperando.

Ao meio-dia em ponto, Ferney reapareceu, pegou nossas coisas e nos mandou segui-lo. Cruzamos o campo de coca como se cruzássemos um forno, de tal forma o sol castigava, depois passamos diante do limoeiro e apanhei alguns limões, com que enchi os bolsos. Era um luxo que eu não podia deixar passar. Ferney me olhou, impaciente, depois resolveu pegar também, intimando-me que continuasse a marchar. Entramos de novo na *manigua*.* A temperatura mudou instantaneamente. Do calor sufocante do campo de coca, passamos ao ar fresco e úmido da mata. Tinha cheiro de podre. Eu detestava esse mundo perpetuamente em estado de decomposição e seu fervilhar de insetos dignos de pesadelos. Era um túmulo que só esperava uma leve inadvertência nossa para nos tragar. A água estava a uns vinte metros apenas, pois nos encontrávamos na beira do rio. Portanto,

---

* Selva.

o que nos aguardava era um deslocamento de canoa. Mas não víamos nenhuma embarcação.

O guarda se jogou no chão, tirou as botas e fingiu se acomodar, como quem ia ficar muito tempo ali. Olhei ao redor na esperança de encontrar um local propício para descansar. Olhei para mim mesma, indecisa, como um cão que procurasse se sentar. Ferney reagiu rindo:

— Espere!

Tirou o facão e limpou com grandes gestos um quadrado de terreno em torno de uma árvore morta, depois cortou imensas folhas de uma bananeira selvagem e as arrumou cuidadosamente em cima.

— Sente-se, *doctora*! — disse em tom zombeteiro.

Fizeram-nos esperar o dia inteiro, sentadas naquele velho tronco na margem do rio. Através da folhagem densa, o céu de um azul a cada instante mais profundo enchia-me de saudades: "Por quê, Senhor? Por quê?".

Todo mundo se levantou. Além do piloto, que não era outro senão Lorenzo, Andrés e Jessica já estavam no barco. Consegui me descontrair ao ver que subíamos a corrente. Fomos parar num rio duas vezes maior que o anterior. Na penumbra do crepúsculo brilhavam aqui e ali as pequenas luzes de um número crescente de casas. Fiz o possível para não ceder ao efeito hipnótico das vibrações do motor. Os outros roncavam ao redor, em posições de tortura para evitar o vento que nos açoitava em pleno rosto.

Dois dias depois, desembarcamos defronte de uma casinha. Cavalos nos esperavam e, levadas pelas rédeas, atravessamos uma imensa fazenda com cercados cheios de gado bem nutrido. Novamente rezei: "Meu Deus, fazei que seja o caminho da liberdade!". Mas deixamos a fazenda e seguimos por uma estradinha de terra batida, muito bem conservada e salpicada de cercas recém-pintadas. Estávamos de volta à civilização. Invadiu-me uma sensação de leveza. Isso só podia ser de bom augúrio. Depois, numa encruzilhada, fizeram-nos descer do cavalo, devolveram nossos pertences para que os carregássemos e nos deram ordens de andar. Ergui os olhos e vi uma coluna de guerrilheiros que nos precedia e se embrenhava de novo na floresta escalando uma ladeira íngreme. Fiquei pensando se conseguiria imitá-los. Com um fuzil apontado para minhas costas, consegui subir, um pé depois do outro, igual a uma mula. Andrés escolhera montar o novo acampamento no topo.

O abastecimento nesse novo lugar parecia mais cômodo de organizar. Houve uma entrega de xampu e produtos de toalete, que fazia meses eu solicitava. No entanto, quando vi a caixa com todos aqueles frascos de supermercado, compreendi que minha libertação não estava no programa. Eles antecipavam minha presença ali no Natal. Houve uma entrega de roupas de baixo. Devia existir algum comércio não muito longe. A estrada que tínhamos seguido devia levar a algum lugar. Talvez houvesse um posto de polícia nos arredores, ou talvez até um destacamento militar?

Resolvi levar minha rotina cotidiana pensando em adormecer as desconfianças deles. Vivíamos numa *caleta* que tinham feito para nós sob um imenso plástico preto. Tínhamos também direito a uma mesinha com duas cadeiras frente a frente e a uma cama grande o suficiente para nosso único colchão e o mosquiteiro.

Eu tinha pedido a Andrés autorização para que nos fabricassem uma *pasera** onde pudéssemos colocar nossas coisas. Jessica, que estava bem atrás dele, dissera contrafeita:

— Elas estão instaladas como rainhas e se queixam!

Seu ressentimento me surpreendeu.

Foi ao tomar banho que percebi o ciúme que as moças sentiam de nós. Precisávamos descer uma ladeira — que ficou cheia de lama desde o segundo dia de nossa chegada — para termos acesso a um riacho lindo que serpenteava o sopé da colina. A água era absolutamente transparente, correndo num leito de pedrinhas de aquário que refletiam a luz numa multidão de raios coloridos.

Era o meu momento preferido do dia. Descíamos ao riacho no início da tarde para não atrapalhar o trabalho dos cozinheiros, que iam ao mesmo lugar para se abastecer de água e lavar as panelas, de manhã.

Duas moças nos escoltavam enquanto lavávamos nossa roupa e fazíamos nossa toalete. Tive a infeliz ideia de comentar que o lugar era encantador e que eu adorava mergulhar naquela água cristalina. Pior, me demorei na água alguns instantes mais, antes de cruzar com o olhar malvado de uma das guardas. A partir desse momento, as moças que nos vigiavam passaram a descer com o relógio no pulso e nos obrigavam a andar depressa, mal chegávamos.

Mesmo assim, eu estava decidida a não permitir que me estragassem aquele momento. Reduzia ao máximo o tempo de lavagem de roupa para aproveitar um pouco o banho. Foi a vez de Jessica nos acompanhar, junto com Yiseth. Mal chegou, saiu irritada porque eu tinha me jogado na água com alegria, igual a uma criança. Imaginei que, irritada, iria se queixar argumentando que eu levava muito tempo para tomar banho. Mas tínhamos cruzado com Ferney na descida e eu

---

* Estante.

contava com ele para dar um jeito na situação. Não esperava nem de longe o que ia se seguir.

Estávamos nuas enxaguando o cabelo, com os olhos cheios de sabão, quando ouvimos vozes masculinas berrando obscenidades na descida. Não tive tempo de me cobrir antes que dois guardas nos intimassem a sair da água, com o fuzil apontado para nós. Enrolei-me na toalha e reclamei, exigindo que fossem embora para que pudéssemos nos vestir. Um dos guardas era Ferney, com cara de mau. Mandou que eu saísse dali imediatamente:

— Vocês não estão de férias, vão se vestir na sua *caleta*!

Outubro de 2002

Eu me protegia com a Bíblia. Tinha decidido começar pelo mais fácil, os Evangelhos. Essas histórias — escritas como se uma câmera indiscreta tivesse seguido Jesus sem seu consentimento — estimulavam uma reflexão livre. Era, portanto, um homem que ganhava vida diante de meus olhos, um homem que convivia com homens e mulheres ao redor e cujo comportamento me intrigava mais ainda porque eu sentia que jamais teria feito igual.

Houve, porém, um detonador: o episódio das bodas de Canaã, que provocou minha curiosidade. Havia ali um diálogo entre Jesus e sua mãe que me deixou pasma, de tal forma me era intimamente familiar: eu poderia ter vivido a mesma situação com meu filho. Ao se dar conta de que não há mais vinho na festa, diz Maria: "Não há mais vinho". E Jesus, que compreende perfeitamente que por trás dessa simples observação esconde-se uma incitação à ação, responde de mau humor, quase irritado por se sentir manipulado. Maria, como todas as mães, sabe que, apesar da recusa inicial, Jesus acabará fazendo o que lhe sugeriu. Por isso é que vai falar com os que servem, pedindo que eles acatem as instruções dele. Como lhe sugeriu Maria, Jesus transforma a água em vinho e começa sua vida pública com esse primeiro milagre. Há um inegável e simpático sabor pagão na preocupação em garantir que a festa continue. Essa cena me ocupou a mente dias a fio. Por que Jesus recusa, no início? Tem medo, está intimidado? Como pode se enganar sobre a conveniência do momento, quando supostamente deve saber tudo?... A história me apaixonava. Os pensamentos giravam sem parar em meu cérebro. Eu procurava, refletia. E depois, de repente me dei conta: "Ele teve escolha!". Era idiota, mas evidente. Isso mudava tudo. Aquele homem não era um autômato programado para fazer o bem e sofrer um castigo em nome da humanidade. Sem dúvida, tinha um destino, mas fizera escolhas, sempre tivera escolha!... E eu, qual era o meu destino? Naquele estado de ausência total de liberdade, restava-me uma possibilidade de fazer uma escolha qualquer? E, se sim, qual?

O livro que tinha nas mãos se tornou meu único interlocutor fidedigno. O que ali estava escrito tinha tamanha força que eu seria levada a me desnudar diante de mim mesma, a parar de fugir, a fazer, eu também, minhas próprias escolhas. E, por uma espécie de intuição vital, descobri que tinha diante de mim um longo caminho a percorrer, que me transformaria de modo profundo sem que eu fosse capaz de adivinhar sua essência e sua amplidão. Havia uma voz atrás daquelas páginas repletas de palavras que se acumulavam a cada linha, e atrás daquela voz uma inteligência que procurava entrar em contato comigo. Não era mais apenas a companhia de um livro que me desentediava. Era uma voz viva que falava a mim. Falava comigo.

Consciente de minha ignorância, li a Bíblia da primeira à última linha, como uma criança: verbalizando todas as perguntas que me vinham ao espírito. Pois tinha reparado que, volta e meia, quando um detalhe da narração me parecia esquisito, eu o colocava de lado no espírito, numa cesta que criara mentalmente para aí jogar o que não entendia, carimbando-o com a palavra "erros" — o que me permitiu continuar a ler sem me fazer perguntas. A partir daquele momento, passei a formular as perguntas, o que estimulou minha reflexão, a fim de me permitir escutar aquela voz que me falava ao correr das palavras.

Comecei me interessando por Maria, simplesmente porque a mulher que descobri nas bodas de Canaã era bem diferente da adolescente ingênua e meio boba que eu acreditava conhecer até então. Revisei minuciosamente o Novo Testamento, havia muito pouco sobre ela. Maria nunca falava, a não ser no Magnificat, que para mim ganhou outra dimensão e que resolvi aprender de cor.

Meus dias estavam cheios, minhas angústias se suavizaram. Abria os olhos com a impaciência de pô-los para ler e tecer. O aniversário de Lorenzo se aproximava também e eu quis tornar aquele dia tão alegre quanto o do aniversário de Mélanie. Fiz disso um preceito de vida. Era também um exercício espiritual, o de obrigar-se a ter felicidade em meio ao maior dos infortúnios.

Dediquei-me a confeccionar um cinto excepcional para Lorenzo. Consegui tecer em relevo os barquinhos que precediam seu nome. Tendo adquirido mais destreza, pude terminá-lo bem antes da data. Minhas inovações me projetaram no grupo dos "profissionais". Tive com os grandes tecelões do acampamento conversas de alto nível técnico. O fato de ter uma atividade criativa me tornou capaz de fazer algo novo num mundo que me rejeitava, e me libertou do peso do fracasso em que minha vida se transformara.

Também continuei a fazer ginástica. Em todo caso, assim apresentava as coisas, pois o que buscava era me obrigar a um treino físico que me permitisse enfrentar uma futura fuga.

A leitura da Bíblia possibilitou melhorar a relação com Clara. Uma tarde, sob uma tempestade torrencial, quando estávamos confinadas debaixo do mosquiteiro, aventurei-me a dividir com ela os resultados de minhas ruminações noturnas. Expliquei em detalhes por onde sair da *caleta*, como evitar o guarda, que caminho pegar para alcançar a liberdade. A chuva fazia uma tamanha barulheira no teto de plástico que custávamos a nos ouvir. Ela me pediu que falasse mais alto e assim o fiz. Foi só quando acabei de expor meu plano detalhado que percebi um movimento atrás de nossa *caleta*. Ferney estava escondido ali dentro, atrás da estante que Andrés acabara permitindo que construíssem para nós. Ouvira tudo.

Desabei. O que iam fazer? Iam nos acorrentar de novo? Iam fazer novas revistas? Fiquei furiosa comigo mesma por ter sido tão negligente. Como pudera não tomar todas as precauções indispensáveis antes de falar?

Espiei a atitude dos guardas com o objetivo de detectar alguma mudança, e esperei ver surgir Andrés com as correntes na mão. Chegou o dia do aniversário de Lorenzo. Pedi licença para fazer um bolo, pensando que não me deixariam aproximar-me da *rancha*. No entanto, me deram autorização e dessa vez Andrés pediu que eu fizesse bolo suficiente para todo mundo. Como eu tinha feito o juramento, aquele foi um dia de remissão. Tirei da cabeça todos os pensamentos de tristeza, remorsos e incerteza e mergulhei na tarefa de dar prazer a todos, como uma maneira de retribuir, como compensação por ter recebido tanto com a chegada de meu filho.

Naquela noite, pela primeira vez havia meses, o sono tomou conta de mim. Sonhos de felicidade, em que eu corria por um campo salpicado de flores amarelas segurando Lorenzo, com três anos, no colo, invadiram aquelas poucas horas de folga.

16. O raide

Às duas horas da manhã, fui fortemente sacudida por um dos guardas, que me acordou aos berros, com a luz da lanterna apontada para mim.

— De pé, velha idiota! Quer morrer?

Abri os olhos sem entender, em pânico com o pavor que pressentia em sua voz.

Aviões militares sobrevoavam rasantes o acampamento. Os guerrilheiros pegavam suas mochilas e iam embora correndo, deixando tudo para trás. Era uma noite escura, não se via nada, a não ser os vultos dos aviões que pressentíamos que estariam acima das árvores. Peguei instintivamente tudo o que tinha ao alcance da mão: minha bolsa, uma toalha, o mosquiteiro...

O guarda uivava a plenos pulmões:

— Deixe tudo! Eles vão bombardear, você não está entendendo!

Tentava arrancar os pertences de minha mão e eu me agarrava a eles, enquanto apanhava mais umas coisinhas. Clara já tinha fugido. Fiz uma bola com tudo aquilo e comecei a correr na direção dos demais, perseguida pelas vociferações do guarda.

Consegui salvar os cintos de meus filhos, meu casaco e algumas roupas. Mas esqueci a Bíblia.

Cruzamos todo o acampamento e pegamos uma trilha cuja existência eu desconhecia até então. Tropeçava a cada dois passos, me reaprumando como podia com o que estava ao alcance da mão, mas com a pele lacerada pela vegetação. Atrás de mim o guarda se irritava, me xingando com mais fúria ainda por não haver nenhuma testemunha. Éramos os últimos e precisávamos alcançar o resto do grupo. Os motores dos aviões militares roncavam ao redor, afastando-se, depois voltando, e como resultado nos afundávamos na escuridão, pois o guarda não acendia a lanterna a não ser quando os aviões tinham se distanciado. Eu conseguira, correndo, pôr numa sacola as poucas coisas que salvei, mas não tinha mais fôlego e meu fardo me fazia andar mais devagar.

O guarda enfiava a ponta do fuzil nas minhas costelas, andando atrás de mim, mas me maltratava tanto que eu perdia mais ainda o equilíbrio e muitas vezes fiquei de gatinhas, diante da angústia de um bombardeio imediato. Ele estava fora de si, me acusava de fazer aquilo de propósito e me puxava pelos cabelos e pelo casaco para me pôr de pé.

Durante uns vinte minutos de marcha, em terreno plano, consegui avançar a duras penas, como um bicho acossado, sem saber muito bem como. Mas o terreno mudava com as descidas íngremes e subidas difíceis. Eu não aguentava mais. O guarda tentou pegar minha sacola, mas temi que seu objetivo fosse não me ajudar, e sim largá-la no meio do caminho, como ameaçara fazer. Portanto, agarrei-me às minhas coisinhas como à minha vida. De repente, sem transição, comecei a andar a passo lento, indiferente aos gritos e às ameaças. Correr? Por quê? Fugir, por quê? Não, eu não ia mais correr, e azar o das bombas, azar o dos aviões, azar o meu, eu não ia mais obedecer nem me submeter aos caprichos de um jovem superexcitado e em pânico.

— Sua idiota, vou lhe tascar uma bala na cabeça para você aprender a andar!

Virei-me como uma fera e o encarei:

— Mais uma palavra e não dou nem mais um passo.

Ele ficou surpreso e se recriminou por ter perdido as estribeiras. Preparava-se para me responder, empurrando-me com a coronha do fuzil, mas reagi mais rápido que ele:

— Proibo-o de me tocar.

Ele estacou e ficou imóvel. Compreendi que não era eu que o intimidara. Virei-me. Na trilha, Andrés vinha em nossa direção, a passos largos.

— Depressa, depressa, escondam-se na *manigua*, silêncio total, nada de luzes, nada de movimentos.

Fui jogada num fosso, de cócoras sobre minha sacola, pronta para ver surgirem militares a qualquer momento, com a boca dolorosamente seca, às voltas com uma sede mortal, me perguntando onde estaria Clara.

Andrés também ficou agachado ao meu lado, depois foi embora, dizendo-me, antes de desaparecer:

— Siga as recomendações ao pé da letra, os guardas têm instruções bem precisas e você corre o risco de não estar mais aqui amanhã.

Assim permanecemos, até de madrugada. Então, Andrés nos mandou andar para o vale, cortando caminho pela floresta.

— Esses *chulos* são tão estúpidos que nos sobrevoaram a noite toda e nem sequer localizaram o acampamento! Não vão nos bombardear. Vou mandar uma equipe pegar tudo o que ficou lá.

E assim foi. Estávamos numa elevação. Pela mata cerrada, vi a nossos pés uma imensa savana arborizada, quadriculada de pastos verde-esmeralda, como se o campo inglês tivesse se instalado ali por engano, no meio do campo colombiano. Devia ser bom viver ali! Aquele mundo que existia no exterior e que me era proibido parecia-me irreal. E no entanto, estava logo ali, depois daquelas árvores e dos fuzis.

Uma enorme explosão nos sacudiu. Já estávamos suficientemente longe mas talvez aquilo viesse de nosso acampamento.

Quando cruzamos com outros membros da tropa, eles só falavam disso.

— Ouviu?

— Ouvi, bombardearam o acampamento.

— Tem certeza?

— Sei lá. Mas Andrés enviou uma equipe para reconhecimento. É quase certo...

— Só bombardearam uma vez...

— Não, que nada! Ouvimos várias explosões. Fizeram ataques em série.

— Pelo menos todos os aviões foram embora, já tem isso de bom.

— É bom desconfiar. Eles fizeram um desembarque. Há contingentes em terra. Teremos os helicópteros em cima de nós o dia todo.

— Esses filhos da puta, não vejo a hora de enfrentá-los cara a cara, são todos uns covardes.

Eu observava, calada. Os mais medrosos eram sempre os mais agressivos nas palavras.

Paramos numa clareira minúscula margeada por um córrego. Minha companheira já estava lá, sentada sob uma árvore frondosa que dava uma sombra aconchegante. Não me fiz de rogada, estava exausta. Dali onde estava, via o teto da casinha e o filete de fumaça azulada que escapava da chaminé. Vozes de crianças brincando me chegavam de longe, como o eco de dias felizes perdidos em meu passado. Quem seriam aquelas pessoas? Podiam saber que no fundo de seu jardim a guerrilha escondia mulheres sequestradas?

Uma das moças, com uniforme de camuflagem, as botas brilhando como que para uma grande parada, impecavelmente penteada com uma trança grossa presa num coque, aproximou-se toda sorridente com dois enormes pratos. Como fazia para estar impecável depois de ter corrido a noite toda?

Ordenaram que recomeçássemos a marcha. Em fila indiana, pegamos uma trilha que subia, seguindo novamente a crista. A guerrilha queria ir depressa, pois o barulho dos helicópteros se aproximava. Eu estava surpresa com a resistência das moças, que carregavam fardos tão pesados como os dos homens e andavam tão rápido quanto eles. Uma guerrilheira, a pequena Betty, era surpreendente. Parecia uma tartaruga curvada sob um enorme saco duas vezes maior que ela, como debaixo de um piano. Suas perninhas se mexiam à toda para não ficarem para trás, e ela ainda dava um jeito de sorrir.

Os helicópteros estavam na nossa cola. Senti o ronco dos motores em minha nuca. William, o guarda que me fora designado para a marcha, me intimou a acelerar o passo. Ainda que eu quisesse, não conseguiria.

Alguém me deu uma pancada seca nas costas, que me deixou sem fôlego. Virei-me, indignada. William estava prestes a me dar outra coronhada no estômago.

— Merda, você quer que eles nos matem? Não está vendo que estão em cima da gente?

De fato, acima de nossas cabeças, a sessenta metros do chão, o ventre dos helicópteros parecia roçar a copa das árvores. Eu podia ver os pés de quem manobrava a artilharia, pendurados no vazio de cada lado do armamento. Eles estavam ali. Impossível que não nos tivessem visto! Se era para morrer, preferia morrer assim, numa confrontação na qual teria pelo menos a chance de ser libertada. A ideia de morrer a troco de nada, tragada por aquela selva maldita, jogada num buraco e condenada a ser riscada da face da Terra sem que nem minha família pudesse recuperar meu corpo, me horrorizava. Queria que meus filhos soubessem que, ao menos, eu tinha tentado, tinha lutado, tinha feito tudo para fugir e voltar para perto deles.

O guarda devia ter lido meus pensamentos. Armou o fuzil. Mas em seus olhos li um medo primário, visceral, essencial. Não pude me impedir de olhar para ele com desprezo. Ele perdeu o orgulho, ele, que bancava o tal o dia todo no acampamento.

— Corra como um coelho se lhe der na telha, não irei mais depressa!

Sua companheira cuspiu no chão e disse:

— Eu não vou morrer por causa dessa velha babaca! — E saiu trotando, desaparecendo na primeira curva.

Minutos depois os helicópteros desapareceram. Ainda ouvi dois deles, mas já tinham dado meia-volta antes de chegarem perto de nós e tinham ido embora de vez. Fiquei furiosa. Como podiam não ter nos visto? Havia uma coluna inteira de guerrilheiros bem diante do nariz deles!

Inconscientemente, comecei a andar mais rápido, frustrada e magoada, sentindo que tínhamos roçado uma chance de libertação. No fim de uma longa descida, toda a tropa se reuniu na entrada da floresta. Mais além havia um grande milharal, depois a floresta de novo. Andrés mandou preparar uma bebida em pó, sabor laranja, com água e açúcar.

— Beba! Isso evita a desidratação.

Não pedi que repetisse, estava encharcada de suor.

Andrés explicou que atravessaríamos o milharal em grupos de quatro. Apontou para o céu. Distingui, muito longe no azul, um minúsculo avião branco.

— Temos de esperar que ele se afaste, é o avião fantasma.

A ordem foi seguida rigorosamente. Atravessei em campo aberto, olhando o avião na vertical acima de minha cabeça. Recriminei-me por não ter um espelho para tentar fazer sinais, não tinha nada brilhante comigo, nada com que chamar a atenção. Novamente eles conseguiram passar entre as malhas do Exército. Do outro lado, na mata, um camponês desdentado e tostado de sol nos esperava.

— É nosso guia — alguém cochichou na minha frente.

De repente um vento frio começou a soprar, penetrando na floresta como um arrepio. Num segundo o céu ficou cinza e a temperatura baixou imediatamente vários graus. Como se tivessem recebido uma ordem peremptória, todos os guerrilheiros puseram as mochilas no chão, tiraram os grandes plásticos pretos e se cobriram com eles.

Alguém me passou um, no qual me enrolei como os vi fazer. Um segundo depois uma chuva diluviana caía sobre nós. Apesar de todos os esforços, logo fiquei encharcada até os ossos. Choveria assim o dia inteiro e toda a noite seguinte. Andaríamos uns atrás dos outros até a aurora. Atravessamos a floresta durante horas, calados, curvados para esquivar a água que o vento jogava em nossa cara. Depois, no crepúsculo, pegamos uma trilha que margeava uma encosta, transformada agora, com a passagem da tropa, em completo atoleiro. A cada passo eu tinha de puxar minha bota enfiada em cinco centímetros de lama grossa e fedorenta. Todo mundo fazia o mesmo. Eu estava no limite de minhas forças, tiritando de frio. Saímos da cobertura da mata, com suas subidas e descidas abruptas, para ir parar nas planícies quentes, cultivadas e habitadas. Atravessamos fazendas com cães que latiam e chaminés que fumegavam. Pareciam nos olhar com desprezo. Chegamos justo antes do crepúsculo a uma *finca* magnífica. A casa do proprietário era construída no melhor estilo dos traficantes de droga. Só o estábulo satisfaria, de longe, a todos os meus sonhos de habitação. Era tarde, eu estava com sede e fome, sentia frio. Meus pés estavam cortados e com bolhas enormes que estouraram, colando a pele nas meias encharcadas. Estava toda picada por piolhos minúsculos que eu não via, mas sentia formigar em todo o meu corpo. A lama grudada nos dedos inchados e sob as unhas me cortava a pele e a fazia rachar. Eu sangrava sem conseguir identificar as numerosíssimas feridas. Desmoronei, decidida a não mais me mexer.

Meia hora depois, Andrés deu ordens para partirmos de novo. Estávamos novamente de pé, arrastando nossa miséria, marchando como forçados na densidade da noite. Não era o medo que me fazia andar, não era sob o efeito da ameaça que eu punha um pé atrás do outro. Tudo isso me era indiferente. Era o cansaço que me impelia a avançar. Meu cérebro estava desconectado, meu corpo se deslocava sem mim.

Antes do alvorecer, chegamos ao alto de um morro que dominava o vale. Uma chuva fina continuava a nos perseguir. Havia uma espécie de abrigo em terra batida, com um teto de palha. Ferney pendurou uma rede entre duas vigas, estendeu no chão um plástico preto e me passou minha sacola.

— Troque de roupa, vamos dormir aqui.

Acordei às sete da manhã no laboratório de cocaína que nos tinha servido de refúgio. Todo mundo já estava de pé, e até Clara sorria: ela estava feliz por eu ter lhe passado as roupas secas que eu tinha conseguido levar no último minuto. O dia também se anunciava longo e difícil, e resolvemos vestir de novo as roupas sujas e molhadas da véspera e guardar as secas para dormir. Queria muito tomar um banho e me levantei com a ideia fixa de encontrar um lugar onde pudesse fazer minha toalete. Havia uma fonte a dez metros dali. Autorizaram-me ir até lá. Passaram-me um pedaço de sabão ordinário e esfreguei o corpo e o couro cabeludo com violência para tentar me desfazer dos piolhos e dos parasitas que acumulara durante a marcha. A moça que me escoltava insistia para que eu me apressasse, irritada pelo fato de eu ter tido a ideia de lavar o cabelo, quando tinham dado ordens de tomarmos um banho rápido. Mas não havia a menor pressa: quando subimos de novo para o abrigo, encontramos a tropa sem ter o que fazer, à espera de novas instruções.

O camponês desdentado e descarnado da véspera reapareceu. Trazia uma *mochila*, um desses sacos que os índios tecem lindamente, com duas galinhas que, amarradas pelos pés e balançando, soltavam espasmos convulsivos. Livrou-se de sua carga com gritos de vitória: o café da manhã se transformaria em banquete. Quando a euforia passou, aproximei-me do camponês e pedi, com uma desfaçatez que eu mesma não reconhecia em mim, que me desse a sua *mochila*. Ela estava engordurada, fedorenta e furada. Mas para mim era um tesouro. Poderia pôr ali dentro minhas miudezas para a marcha, mantendo as mãos livres, e depois de lavada e recosturada ela me seria útil para suspender as provisões, mantendo-as longe do alcance dos roedores. O homem olhou para mim, surpreso, sem entender o valor que eu atribuía à sua cesta. Entregou-a sem reclamar, como se em vez de um pedido acabasse de receber uma ordem. Agradeci com tamanha efusão e alegria que ele deu uma gargalhada, igual a uma criança. Aventurou-se então em ensaiar uma conversinha comigo à qual eu estava respondendo com prazer quando a voz de Andrés nos trouxe secamente de volta à ordem. Fui me sentar em meu canto e dei uma olhada para Andrés, surpresa ao sentir a violência de seu olhar fixado no presente que eu acabava de receber. "Não a guardarei muito tempo", pensei.

O dia foi longo. Logo depois de um café da manhã consistente em que recebi, para minha imensa alegria, os pés da galinha, descemos de novo para o vale e seguimos por uma estrada que ia em zigue-zague pela floresta. Ferney e Jhon Janer, um jovem que se juntara à tropa recentemente e que eu achava mais esperto do que malvado, foram designados para nossa guarda. Pareciam radiantes e andavam a passos largos, falando conosco como se fôssemos amigos. Visivelmente, o resto da tropa seguira um caminho diferente. Quando chegamos a uma encruzilhada, eu estava me arrastando, mancando, apoiada na lateral do pé. Avistei ao longe, como numa miragem, o camponês desdentado segurando pela rédea dois velhos pangarés. Assim que nos viu, começou a andar em nossa direção e desabei no chão, incapaz de fazer mais um gesto. Foi uma alegria rever o velho e poder trocar uma palavrinha com ele. Sabia que ele gostaria de ter feito mais.

Instalaram-nos cada uma sobre os animais e partimos, trotando devagar. Os guardas corriam a nosso lado, segurando firmemente os cavalos pelo pescoço. Tínhamos de alcançar a tropa e eles calculavam que isso levaria a maior parte do dia. Pensei que, a cavalo, podiam levar o dia todo se quisessem, e a noite e o dia seguinte. Agradeci em silêncio aos céus por essa sorte, consciente do que ganhava com isso.

A floresta que cruzamos era diferente da selva cerrada em que tínhamos nos escondido durante todos aqueles meses. As árvores eram imensas e tristes, os raios de sol só nos chegavam depois de terem atravessado uma camada espessa de galhos e folhas acima de nossas cabeças. A vegetação rasteira não tinha folhagem, nem samambaias, nem arbustos, só havia os troncos daqueles colossos tais como as pilastras de uma catedral inacabada. O lugar era estranho, como se lhe tivessem jogado um feitiço. A correspondência entre meu estado de espírito e aquela natureza reabriu em mim cicatrizes jamais fechadas por completo. E, no sossego de meu sofrimento físico, com os pés ensanguentados suspensos no ar e aliviados pela ausência de qualquer contato que os machucasse, era a dor de meu coração que despertava, incapaz como eu estava de fazer o luto de minha vida pregressa, tão amada e agora perdida.

A tempestade se anunciou com um trovão ali perto. O raio veio cair a poucos metros de mim, entre as árvores, e apavorou os cavalos. O temporal desabou. Vi os rapazes lutando com suas mochilas para delas tirar os plásticos, quando nós todos já estávamos pingando.

A chuva ganhou uma força brutal, como se alguém se divertisse em nos jogar baldes de água da copa das árvores. A estrada voltava a ser um atoleiro. A água cobria quase por completo as botas dos rapazes e a lama os aprisionava a cada passo como se fosse uma ventosa. Tínhamos começado a nos aproximar da tropa. Passamos por eles, um a um, curvados sob seus fardos, o rosto endurecido. Senti pena deles: um dia eu sairia daquele inferno, mas eles, por si mesmos, tinham se condenado a morrer naquela selva. Não quis cruzar com seus olhares. Sabia bem demais que estavam nos amaldiçoando.

A marcha continuou o dia todo, sob aquele temporal sem fim. Saímos da cobertura das árvores e atravessamos *fincas* ricas e cheias de árvores frutíferas. A chuva e o cansaço nos deixavam indiferentes. Os rapazes não tinham força para esticar o braço e apanhar as mangas e as goiabas que apodreciam no chão. Eu não me atrevia, do alto de meu cavalo, a colher as frutas ao passar, temendo irritá-los.

Numa curva do caminho, cruzamos com crianças que brincavam pulando nas poças. Tinham posto de lado sacos carregados de tangerinas. E, ao nos verem chegar, por estarmos a cavalo acharam que éramos comandantes da guerrilha e ofereceram a todos nós frutas de seus estoques. Aceitei, agradecida.

Ao cair da noite continuava a chover e eu tiritava, febril, enrolada num plástico que não mais me protegia da chuva, mas ao menos ajudava a me manter aquecida. Devíamos entregar os cavalos e continuar a pé. Mordi os lábios para não me queixar, sentindo a cada passo milhões de agulhas se enfiando sob meus pés e atravessando meus membros. Ainda andamos muito tempo, até uma *finca* ostentatória. A propriedade tinha ao lado uma casa majestosa, erguida em terras ondulantes como veludo na penumbra da noite. Guiaram-nos até um embarcadouro, onde permitiram que nos sentássemos. A espera se prolongou até a chegada de uma enorme chalupa com motor de ferro e espaço suficiente para toda a tropa, o conjunto das sacolas e uma dúzia de sacos de pano plastificado cheios de provisões.

Ordenaram que pegássemos um lugar no centro da embarcação. Andrés e Jessica instalaram-se logo atrás de nós, ao lado de William e Andrea, uma moça tão linda quanto desagradável, os que nos haviam escoltado quando estávamos sendo perseguidos pelos helicópteros. Falavam alto, de propósito para que ouvíssemos.

— Pois é, novamente nos livramos dos *chulos*!

— Se estão achando que vão recuperar a carga tão facilmente, terão uma surpresa.

Riam com ar malicioso. Eu não queria ouvi-los.

— Pegaram tudo o que sobrou do bombardeio e queimaram o resto. O colchão das velhas, a Bíblia delas, todas as baboseiras que tinham juntado.

— Melhor assim, agora têm menos coisas para carregar!

— E pensar que queriam fugir a nado, essas pobres velhas. Agora vão ficar conosco durante anos!

— Quando saírem, serão avós.

Riram às gargalhadas. Houve um silêncio, depois Andrés se dirigiu a mim num tom arrogante:

— Ingrid, passe-me a sua *mochila*. Agora ela é minha.

17. A jaula

Navegamos dias e dias descendo rios cada vez mais imponentes. Quase sempre o deslocamento era feito durante a noite, ao abrigo dos olhares. De vez em quando, mas raramente, nos aventurávamos a navegar de dia, sob um sol de rachar. Então eu tentava olhar ao longe, procurando o horizonte, para encher a alma de beleza, pois sabia que, quando protegida pelas árvores, não veria mais o céu.

Muros de árvores elevavam-se a trinta metros acima das margens, numa formação compacta que recusava a luz. Deslizávamos entre elas, sabendo que nenhum ser humano tinha se aventurado ali antes, e sobre um espelho de água cor de esmeralda que se abria à nossa passagem. Os ruídos da selva pareciam se amplificar dentro daquele túnel de água. Eu ouvia o grito dos macacos, mas não os via. Em geral Ferney se punha ao meu lado e me mostrava os *salados*. Eu escrutava a margem esperando ver algum animal mitológico surgir, sempre em vão. Confessei que não conhecia o significado dessa palavra. Ele riu de mim e acabou me explicando que era o lugar onde as antas, as *lapas* e os *chiguiros** iam beber água e que os caçadores sempre localizavam.

Em compensação, ninguém sabia me dizer os nomes dos milhares de pássaros que atravessavam nosso céu. Fiquei surpresa ao descobrir martins-pescadores, garças brancas e andorinhas, radiante de conhecer tais aves como se tivessem saído

---

* Pequenos mamíferos.

de um livro ilustrado. Os papagaios e periquitos de plumagem deslumbrante e enganadora faziam um escarcéu à nossa passagem. Voavam de seus abrigos para logo voltar, assim que nos afastávamos, o que nos permitia admirar suas asas magníficas. Havia também os que partiam como flechas rentes à água, ao nosso lado, como se apostassem corrida com nossa embarcação. Eram pássaros bem pequenininhos, de cores maravilhosas. Às vezes eu tinha a impressão de ver cardeais ou rouxinóis e pensava em meu avô, que, de sua janela, os espiava horas a fio, e o compreendia assim como agora compreendia tantas coisas que antes nunca tivera tempo de compreender.

Um pássaro me fascinava mais que qualquer outro. Era azul-turquesa, com a parte inferior das asas verde fluorescente e o bico vermelho sangue. Alertei todo mundo com meus gritos quando o vi, não só na esperança de que alguém pudesse me revelar seu nome, mas sobretudo pela necessidade de partilhar a visão daquela criatura mágica.

Essas visões que, eu sabia, ficariam gravadas para sempre em minha memória jamais teriam eco nas lembranças dos meus entes queridos. As boas lembranças são aquelas vividas com os que amamos, porque podemos rememorá-las juntos. Pelo menos, se eu conseguisse saber o nome do pássaro, teria a sensação de poder levá-lo comigo. Mas, naquele caso, nada restaria como lembrança.

Chegamos enfim ao término da viagem. Navegamos por um grande rio que deixamos para trás e subimos por um afluente secreto, cuja entrada se escondia sob uma vegetação densa que serpenteava caprichosamente uma pequena elevação. Desembarcamos na selva fechada. Sentamo-nos sobre nossas coisas enquanto, a grandes golpes de facão, os rapazes esculpiam o espaço abrindo uma área onde se ergueria o acampamento.

Em poucas horas construíram para nós uma habitação de madeira fechada de todos os lados e com uma abertura estreita à guisa de porta e um teto de zinco. Era uma jaula! Tive apreensão de entrar ali. Antecipei que aquele novo ambiente iria aumentar as tensões entre Clara e mim.

Depois da minha terceira tentativa de fuga, em que Yiseth me encontrara perto do rio, um grupo de seis guerrilheiros, entre eles Ferney e Jhon Janer, tinham posto uma grade de ferro em torno de nossa jaula. De noite, fechavam-nos com o cadeado. Contavam, com isso, evitar qualquer nova tentativa de evasão.

Atrás da grade metálica, a sensação de estar numa prisão me fez afundar num desespero insustentável. Fiquei em pé durante vários dias, rezando para encontrar um significado ou uma explicação a esse acúmulo de infelicidade: "Por quê? Por quê?".

Ferney, que estava de guarda, se aproximou. Entregou-me um rádio pequenininho, que podia passar pelas grades:

— Tome, escute as notícias, assim pensará em outra coisa. Esconda-o. Acredite em mim, isso me faz mais mal do que a você.

Ele me emprestava o radinho à noite e eu o devolvia pela manhã. Depois de ter nos trancado como ratos, começaram a escavar um buraco atrás de nossa jaula durante vários dias, revezando-se. No início, pensei que se esforçavam para fazer uma trincheira. Depois, vendo que o buraco ia sendo feito bem fundo e que não dava a volta na jaula, concluí que estavam escavando um fosso para nos matar e nos jogar ali dentro. Não tinha esquecido que depois de um ano de cativeiro as Farc haviam ameaçado nos assassinar. Eu vivia num estado assustador de palpitação. Teria preferido que anunciassem minha execução. A incerteza me corroía. Foi só quando o vaso sanitário de porcelana chegou que compreendi, com alívio, que construíam apenas uma fossa. Acabavam de cavar os três metros de profundidade que lhes tinham sido encomendados. Brincavam de pular dentro do buraco para sair sem nenhuma ajuda, só com a força dos braços, escalando uma parede lisa e como que polida à máquina. Alguém teve a ideia de também me submeter à prova, o que recusei de imediato, sem apelação.

Minha determinação teve como resultado excitá-los mais ainda. Empurraram-me e me vi no fundo do buraco, humilhada em meu amor-próprio, mas decidida: eles tinham feito suas apostas. Todos gritavam e rolavam de rir, na expectativa do espetáculo.

Clara se aproximou do buraco e inspecionou o local com ar circunspecto:

— Ela vai conseguir! — diagnosticou.

Eu não compartilhava de sua convicção. Mas com muito esforço e sorte acabei por lhe dar razão. A alegria dos dois guerrilheiros que tinham apostado em mim me fazia rir. Por um instante as barreiras que nos separavam tinham se esfumado, e outra divisão, mais sutil, muito humana, se revelara. Havia os que não gostavam de mim pelo que eu representava. E havia os outros, curiosos de compreender quem eu era, mais dispostos a estender pontes do que a construir muros, mais clementes em seus julgamentos pois com menos necessidade de se justificar. Restava Clara, aliviada por ter bancado o árbitro em meu favor. Apesar das tensões que nos separavam, sentia-se solidária de meu êxito e eu lhe era grata por isso.

O episódio abriu um intervalo de distensão entre nós todos, o que permitiu nos prepararmos com resignação para a chegada de nosso primeiro Natal em cativeiro. Tínhamos de deixar correr a amargura entre os dedos, como a água que não conseguimos mais reter.

Mais que tudo, para mim era insuportável a infelicidade que eu atribuía aos membros de minha família. Era o primeiro Natal deles sem meu pai e, para completar, sem mim. De certa forma, sentia-me mais afortunada que eles, pois conseguia imaginá-los juntos para a ceia natalina, dia de meu aniversário. Nada sabiam de mim, ignorando até se eu ainda estava viva. A ideia de meu filho, ainda garoto, ou de minha filha adolescente supliciados pelos horrores que sua imaginação lhes fornecia sobre meu destino me enlouquecia.

Para escapar desse labirinto, ocupei-me em fazer um presépio com o barro retirado da escavação da fossa, moldando imagens vestidas de roupas confeccionadas com folhas chatas de um gênero de cirpo tropical que proliferava nos pântanos ao redor. Meu trabalho atraiu a atenção das moças. Yiseth trançou uma linda guirlanda de borboletas, com o papel de alumínio dos maços de cigarros. Outra veio recortar comigo anjos de papelão, que suspendemos no telhado de zinco bem em cima do presépio. Enfim, dois dias antes do Natal Yiseth apareceu com um engenhoso sistema de iluminação. Ela conseguira um estoque de pequenas lâmpadas das lanternas de bolso, que prendera num fio elétrico. Bastava fazer contato com uma pilha de rádio para ter uma iluminação de Natal em plena selva.

Fiquei surpresa ao ver que eles também tinham decorado suas *caletas* para a ocasião. Alguns tinham feito até pinheiros de Natal com galhos enrolados em algodão da enfermaria e decorados com desenhos infantis.

Na véspera de Natal, Clara e eu nos beijamos. Ela me deu o sabão de sua reserva. Eu fiz para ela um cartão natalino. De certo modo éramos agora uma família. Como acontece com as famílias de verdade, não tínhamos nos escolhido uma à outra. Às vezes, como naquele dia, dá certa tranquilidade estar juntos. Juntamo-nos para rezar e entoar os *villancicos*, cantos tradicionais da Colômbia, ajoelhadas no chão defronte de nosso presépio improvisado, como se aquelas músicas pudessem nos levar para casa ainda que fosse por alguns instantes.

Nossos pensamentos partiram bem longe. Os meus viajaram para outro espaço e outro tempo, para onde eu tinha estado um ano antes com meu pai, minha mãe e meus filhos, numa felicidade que pensava ser inamovível, e cuja dimensão só agora apreciava por contraste e com a tristeza que me acabrunhava.

Perdidas em nossas meditações, não tínhamos percebido que havia um monte de gente atrás de nós: Ferney, Edinson, Yiseth, El Mico, Jhon Janer, Caméléon e os demais, que foram cantar conosco. Suas vozes possantes e afinadas enchiam a floresta e pareciam ressoar cada vez mais alto, além das muralhas da vegetação espessa, rumo ao céu, mais longe que as estrelas, na direção daquele Norte místico onde está escrito que Deus tem seu trono e onde eu imaginava que Ele devia nos ouvir, atento à indagação silenciosa de nossos corações, a que só Ele era capaz de responder.

18. Os amigos que vêm e vão

Tínhamos um novo recruta. Certa noite, quando acabávamos de montar o acampamento noturno perto do rio, uma família de macacos atravessou nosso espaço, de galho em galho, pela copa das árvores, parando só para nos jogar pedaços de pau ou para fazer xixi em cima de nós, como sinal de hostilidade e demarcação de seu território. A mamãe com o filhote nas costas agarrava-se conscienciosa em cada galho, verificando de vez em quando se seu bebê aguentava. William a matou. O bebê caiu a seus pés e tornou-se o mascote de Andrea. A bala que matara a mãe machucara sua mão. O bichinho chorava como uma criança e se lambia, sem entender o que tinha lhe acontecido, estando agora amarrado por uma corda a um arbusto perto da *caleta* de Andrea. Começou a chover e vi o macaquinho tiritando, sozinho, com uma cara infeliz, debaixo da chuva. Eu tinha conseguido guardar nas minhas coisas um vidrinho de Sulfacol, que levava comigo no dia do sequestro. Tomei a decisão de cuidar do bebê macaco. O bichinho uivava de pavor, puxando a corda com toda a força, quase se estrangulando. Aos poucos consegui pegar sua mãozinha, toda preta e suave como a de um ser humano em miniatura. Cobri a ferida com o pó e lhe fiz um pequeno curativo em volta do pulso. Era uma pequena fêmea. Foi batizada de Cristina.

Ao nos instalarmos no acampamento da jaula, pedi autorização para dar bom-dia a Cristina a cada dois dias. Tinha que cruzar todo o acampamento. Ela estava sempre presa a uma árvore, e quando me via chegar, exultava de alegria. E eu sempre guardava uma comidinha do almoço para lhe dar. Ela a arrancava de minhas mãos e fugia para comer, de costas para mim.

Certa manhã, ouvi Cristina dar gritos violentos. O guarda me explicou, rindo, que estavam lhe dando um banho porque ela andava fedorenta. Vi quando veio correndo, arrastando a corda e dando gemidos de tristeza. Agarrou-se violentamente em minha bota, olhando atrás de si para ver se não a seguiam. Trepou em mim até o pescoço e acabou dormindo com o rabo enrolado em meu braço para não cair.

Eles tinham cortado seu cabelo com um corte militar que chamavam *la mesa* e que a deixava com a cabeça achatada, e a mergulharam na água para lavá-la bem. Aventurei-me a comentar que bichos não precisavam se lavar na água como nós e que tinham um óleo no corpo que garantia sua higiene e os protegia contra os parasitas. Andrea nada respondeu. Aquele banho se tornou uma tortura diária. Ela resolvera que a macaquinha precisava se habituar a se lavar como qualquer ser humano. Em resposta, toda manhã Cristina esperava a hora do suplício fazendo cocô por todo lado, o que deixava Andrea e William histéricos. Quando conseguia escapar, a macaquinha se refugiava perto de mim. Eu a afagava, conversava com ela e lhe ensinava coisas. Quando Andrea vinha buscá-la, começava a berrar e não largava minha camisa. Eu tinha de fazer um enorme esforço para esconder minha tristeza.

Um dia, o homem que trazia os mantimentos numa chalupa a motor trouxe dois cachorrinhos que Jessica desejava amestrar. Nunca mais vi Cristina. Uma noite, Andrea veio me explicar que William e ela tinham ido para a floresta, onde a haviam soltado. Fiquei muito triste pois tinha muito afeto por Cristina. Mas me senti aliviada por ela estar livre e olhava para o céu toda vez que ouvia macacos, na esperança de revê-la.

Uma noite, novamente às voltas com a insônia, ouvi uma conversa que me gelou o sangue. Os guardas brincavam, dizendo que Cristina tinha virado a melhor refeição dos cachorros de Jessica.

A história de Cristina me abalou profundamente. Recriminei-me muito por não ter feito mais para ajudá-la. Não podia me dar ao luxo de me afeiçoar, pois isso era dar à guerrilha a possibilidade de me pressionar e agravar minha alienação.

Talvez fosse por isso que me esforçava em manter distância de todos, em especial de Ferney, que costumava ser tão gentil.

Depois de minha fuga fracassada, ele fora me ver. Estava muito desanimado com o tratamento que seus colegas me impingiam.

— Aqui também existem pessoas boas e pessoas más. Mas você não deve julgar as Farc em função do que são as pessoas más.

Toda vez que Ferney estava de plantão, dava um jeito para iniciar uma conversa em voz alta, que todo o acampamento podia acompanhar. Seu tema preferido era "A política". Reivindicava a luta armada dizendo que havia na Colômbia gente demais na miséria. Eu lhe respondia que as Farc nada faziam para combater a pobreza e que, ao contrário, sua organização se tornara uma engrenagem importante do sistema que ela pretendia combater, pois era fonte de corrupção, tráfico de drogas e violência.

— Agora você faz parte dele — eu argumentava.

Durante nossas conversas, ele me contou que nascera pertinho do lugar onde a guerrilha havia me sequestrado. Vinha de uma família muito pobre. Seu pai era cego e sua mãe, de origem camponesa, fazia o que podia num pedacinho de terra. Todos os seus irmãos tinham se envolvido com a subversão. Mas ele amava o que fazia. Aprendia coisas, tinha uma carreira pela frente e fizera amigos na guerrilha.

Uma tarde, me levou para treinar na academia que Andrés mandara construir na entrada do acampamento. Havia uma pista de jogging, barras paralelas, uma barra fixa, um aro para eles se exercitarem nos saltos perigosos e uma passarela a três metros do chão para trabalhar o equilíbrio. Tudo isso fora feito a mão, descascando árvores jovens e fixando as barras em troncos resistentes, com cipós. Mostrou-me como saltar da passarela com uma boa recepção no solo para evitar esmagar o tornozelo, o que fiz unicamente para impressioná-lo. Em compensação, fui incapaz de segui-lo quando ele fazia abdominais ou exercícios de resistência. Mas o derrotava em certas acrobacias e nos exercícios de flexibilidade. Andrés juntou-se a nós e deu uma demonstração de força que confirmava os anos de treinamento. Pedi permissão para usar a academia de modo regular e ele recusou. Aceitou, porém, que eu participasse do treinamento da tropa, que começava toda madrugada, às quatro e meia. Dias mais tarde, mandou construir perto da jaula barras paralelas para que Clara e eu pudéssemos usá-las.

Ferney interviera em nosso favor. Agradeci-lhe. Ele respondeu:

— Se a gente encontra as palavras certas e faz a pergunta no momento certo, tem certeza de conseguir o que quer.

Uma noite, quando eu acabava de ter problemas com Clara, Ferney se aproximou da grade e disse:

— Você sofre demais. Precisa tomar distância disso, do contrário também vai enlouquecer. Peça que eles separem vocês. Pelo menos ficará em paz.

Ele era muito jovem, devia ter dezessete anos. Mas seus comentários me deixaram pensativa. Havia nele uma generosidade de alma e uma retidão pouco comuns. Conquistou meu respeito.

Entre todas as coisas que eu tinha perdido no dia do raide estava meu terço, que eu tinha confeccionado com um pedaço de linha que encontrara no chão. Resolvi fazer outro arrancando os botões do casaco militar que tinham me dado e usando pedaços de fio de náilon que sobraram dos cintos.

Era um bonito dia do mês de dezembro, a estação seca na selva e a melhor do ano. Uma brisa morna acariciava as palmas, enfiando-se entre as folhagens, e chegava a nós trazendo uma sensação de quietude que nos era rara.

Eu tinha me instalado fora da jaula, à sombra, e tecia com aplicação, pensando em terminar o terço naquele mesmo dia. Ferney estava de guarda e pedi-lhe para cortar uns pedacinhos de madeira a fim de fazer um crucifixo para o terço.

Clara tinha aulas de tecelagem de cintos com El Mico, que de vez em quando passava lá para avaliar seu progresso. Assim que seu professor saiu, ela se levantou, o rosto tenso, ao ver que Ferney me trazia o crucifixo. Ela largou seu trabalho e se lançou contra ele como se quisesse arrancar seus olhos:

— E aí? Não está gostando do que eu estou fazendo? Ande, diga!

Ela era muito mais alta, e numa atitude de provocação inclinou o torso para frente, obrigando Ferney a levar a cabeça para trás para não encostar nela. Ele pegou o fuzil, devagar, a fim de que Clara ficasse fora de seu alcance e foi embora recuando, com muita precaução, enquanto dizia:

— Sim, sim, gosto muito do que você está fazendo, mas estou de guarda, não posso ir ajudá-la agora!

Minha companheira o perseguiu desse jeito por uns quinze metros, provocando-o, empurrando-o com seu corpo para a frente, e ele recuando, a fim de evitar qualquer contato físico. Andrés, avisado pela tropa, se aproximou e deu ordem para que voltássemos para a jaula. Voltei na mesma hora, calada. Maturidade não tinha nada a ver com idade. Admirei o autocontrole de Ferney. Ele tremia de raiva, mas não respondeu.

Quando lhe contei minhas reflexões, ele me disse:

— Quanto a gente está armado, tem uma grande responsabilidade perante os outros. Não podemos nos enganar.

Eu também podia escolher minhas reações. Mas costumava me enganar. Não era a vida em cativeiro que me tirava a possibilidade de agir certo ou errado, aliás a noção de bem e de mal já não era a mesma. Havia uma exigência superior que não dependia dos critérios dos outros, pois meu objetivo não era agradar ou obter apoios. Não. Eu sentia que precisava mudar, não para me adaptar à ignomínia, mas para aprender a ser uma pessoa melhor.

Quando estava tomando a bebida quente sempre servida, vi acima de minha cabeça um raio azul e vermelho cruzando a folhagem. Apontei para o guarda o extraordinário *guacamaya* que acabava de pousar a alguns metros acima de nós. Era um imenso papagaio paradisíaco de cores vivas, que do alto de seu poleiro nos olhava intrigado, inconsciente de sua extrema beleza.

Para quê! O guarda soou o alerta e Andrés se precipitou na mesma hora com seu fuzil de caça. Era uma presa fácil, não havia nenhuma proeza em matar aquele bicho suntuoso e ingênuo. Um segundo depois seu corpo inerte jazia no chão, num amontoado de penas azuis e laranjas espalhadas por todo lado.

Interpelei Andrés. Por que tinha feito algo tão inútil e estúpido?

Ele me respondeu irado, usando as palavras como uma metralhadora:

— Mato o que quero! Mato tudo o que se mexe! Em especial os porcos e as pessoas iguais a você!

Houve represálias. Andrés sentiu-se julgado e mudou abruptamente de comportamento. Tínhamos de ficar no máximo a dois metros de distância da jaula, e era proibido ir à *rancha* ou andar pelo acampamento. O pássaro acabou no buraco do lixo e suas belas penas azuis se arrastaram semanas a fio pelo acampamento, até que, com as novas chuvas, a lama as enterrou de vez. Tomei a decisão de ser prudente e me calar. Eu me observava como jamais tinha feito antes, compreendendo que os mecanismos de transformação espiritual demandavam uma constância e um rigor que eu tinha o dever de conquistar. Precisava me vigiar.

Os dias andavam quentes. Fazia semanas que não chovia. Os riachos estavam secos e a água do rio em que tomávamos banho tinha baixado até o meio. Os jovens organizavam partidas de polo aquático na água com as bolas que recuperavam dos desodorantes *roll-on*. Pareciam bolas de pingue-pongue, bem menores, e se perdiam facilmente na água. As batalhas para apanhá-las viravam pelejas sempre divertidas. Fui convidada a juntar-me a eles. Passamos algumas tardes brincando como crianças. Até que o tempo mudou e o humor de Andrés também.

Com as chuvas chegaram as más notícias. Uma noite, Ferney veio falar comigo através da grade. Ia ser transferido. Andrés via com maus olhos o fato de que ele sempre tomava minha defesa, acusando-o de ser gentil demais comigo. Ele disse, com o coração partido:

— Ingrid, lembre-se sempre do que vou lhe dizer: quando lhe fizerem mal, responda com o bem. Nunca se rebaixe, nunca responda aos insultos. Saiba que o silêncio será sempre sua melhor resposta. Prometa-me que vai ser prudente. Um dia vou vê-la na televisão, quando lhe devolverem a liberdade. Quero que esse dia chegue. Você não tem o direito de morrer aqui.

Sua partida me deixou dilacerada. Porque, apesar de tudo o que nos separava, eu tinha encontrado nele um coração sincero. Sabia que naquela selva abominável precisava me distanciar de tudo para evitar mais sofrimentos. Mas também começava a pensar que na vida vale a pena suportar certos sofrimentos. A amizade de Ferney aliviara meus primeiros meses de cativeiro e, sobretudo, o face a face sufocante com Clara. Sua partida obrigou-me a mais disciplina e resistência moral. Vi-me ainda mais só.

19. Vozes de fora

O rádio que Clara quebrara não funcionava direito. Agora, os únicos programas que conseguíamos ouvir eram uma missa dominical transmitida ao vivo de San José del Guaviare, capital de um departamento da Amazônia, e uma estação de músicas populares que os guerrilheiros adoravam e com a qual eu implicava cada vez mais.

Certa manhã, os guardas me chamaram com urgência porque tinham anunciado que minha filha falaria no rádio. Em pé diante da *caleta*, ouvi a voz de Mélanie. Estava surpresa com a clareza de seu raciocínio e a qualidade de sua expressão. Acabava de fazer dezessete anos. O orgulho de ser sua mãe foi mais forte que a tristeza. Lágrimas correram em minhas faces na hora em que eu menos esperava. Voltei para a jaula, habitada por uma grande paz.

Outra noite, quando já estava deitada no meu canto, sob o mosquiteiro, ouvi o papa João Paulo II pedindo nossa libertação. Era uma voz inconfundível e que significava tudo para mim. Agradeci aos céus, não tanto por achar que os chefes das Farc pudessem se emocionar com seu apelo, mas sobretudo porque sabia que seu gesto aliviaria o fardo de minha família e os ajudaria a carregar nossa cruz.

Entre as pouquíssimas boias que me lançaram nesse período, uma me encheu de esperança de conseguir reaver minha liberdade: a de Dominique de Villepin. Tínhamos nos conhecido quando entrei na faculdade de ciências políticas e não nos revimos por mais de vinte anos. Em 1998, Pastrana, antes de tomar posse como chefe de Estado, resolveu ir à França: queria assistir à Copa do Mundo de futebol. Soube que Dominique tinha sido nomeado secretário-geral do palácio do Eliseu* e propus a Pastrana que lhe telefonasse. Foi assim que ele entrou em contato com Dominique. Ele não tinha mudado, sempre generoso e atento aos outros. A partir de então, quando eu passava por Paris, não deixava de lhe telefonar. "Você precisa escrever um livro, seu combate precisa existir aos olhos do mundo", ele me dissera. Eu tinha seguido seu conselho e escrito *Coração enfurecido*.

A coisa aconteceu uma noite, na hora do lusco-fusco, quando eu me preparava para guardar meu trabalho. O guarda já balançava as chaves do cadeado para nos assinalar a hora de nossa clausura. Na *caleta* mais próxima, um rádio não parara de chiar a tarde toda. Eu tinha aprendido a me abstrair do mundo exterior para viver no silêncio e ouvir sem escutar. Parei de repente. Era um som vindo de outro mundo, de outra época: reconheci a voz de Dominique. Dei meia-volta, corri entre as *caletas* e fui grudar o ouvido no aparelho que estava balançando preso numa estaca. O guarda berrou atrás de mim, para que eu voltasse para a jaula. Intimei-o a se calar. Dominique se expressava num espanhol perfeito. Nada do que dizia parecia ter relação comigo. Intrigado com minha reação, o guarda também foi grudar o ouvido no aparelho. A locutora dizia: "O ministro das Relações Exteriores da França, Dominique de Villepin, em viagem oficial à Colômbia, quis expressar o compromisso de seu país com o retorno em vida, no prazo mais breve, da franco-colombiana e de todos os reféns que...".

— Quem é? — perguntou o guarda.

— Meu amigo — respondi, emocionada, porque o tom de Dominique traía a dor que nossa situação lhe causava.

A notícia se espalhou no acampamento como rastilho de pólvora. Andrés veio escutar o noticiário. Quis saber por que eu dava tanta importância a essa informação.

— Dominique de Villepin veio à Colômbia lutar por nós. Agora eu sei que a França jamais nos abandonará!

Incrédulo, Andrés me olhava. Era absolutamente impermeável às noções de grandeza ou de sacrifício. Para ele, os únicos dados a reter eram que eu tinha um passaporte francês e que a França — país do qual tudo ignorava — queria negociar nossa libertação. Ele via interesses onde eu via princípios.

---

* Cargo equivalente a chefe da Casa Civil da presidência da República no Brasil. (N. T.)

Depois dessa intervenção de Dominique, tudo mudou. Para o bem e para o mal. Meu estatuto de prisioneira sofreu uma evidente transformação. Não só diante da guerrilha, que compreendia que seu butim se valorizara. Mas também diante dos outros. A partir desse momento os rádios fizeram questão de martelar minha condição de "franco-colombiana", ora como uma vantagem quase indecente, ora com uma ponta de ironia, mas no mais das vezes com a preocupação de mobilizar os corações e sensibilizar as mentes. De fato, eu tinha dupla nacionalidade: criada na França, envolvera-me na política colombiana para lutar contra a corrupção. Sempre havia me sentido em casa tanto na Colômbia como na França.

Mas era sobretudo nas relações com meus futuros companheiros de infortúnio que o apoio da França teria repercussões profundas. "Por que ela, e não nós?" Foi o que entrevi durante uma discussão com Clara sobre a avaliação que fazíamos das chances de sermos soltas.

— Você não tem do que se queixar! Você, pelo menos, tem a França, que luta por você — ela me dissera com amargura.

O Ano-Novo começou com uma surpresa. Tínhamos visto chegar o novo comandante da Frente 15, aquele que substituíra El Mocho César depois de sua morte. Viera escoltado por uma morena alta investida de uma missão sensível.

— Vim lhe transmitir uma grande notícia — disse ela com um sorriso de orelha a orelha. — Vocês estão autorizadas a enviar uma mensagem às suas famílias!

Estava com a câmera na mão, pronta para nos filmar. Olhei-a de cima, inibida e distante. O que nos anunciava não era um serviço nem uma grande notícia. Lembrei-me de como tinham vergonhosamente truncado minha primeira prova de sobrevivência. Haviam cortado as partes em que eu descrevia nossas condições de detenção, as correntes que nos faziam carregar 24 horas por dia, bem como a declaração de gratidão às famílias dos soldados mortos na operação desencadeada imediatamente depois de nossa captura para nos libertar.

— Não tenho nenhuma mensagem para enviar. Mesmo assim, obrigada.

Dei as costas e voltei para a jaula, seguida por Clara, que me segurava pelo braço, furiosa com minha resposta.

— Escute aqui, se você quer agir assim, aja. Não precisa de mim para enviar uma mensagem à sua família. Aliás, você deveria enviar, seria muito bom que enviasse.

Ela não me largava. Fazia questão de saber por que eu me recusava a mandar uma prova de sobrevivência.

— É muito simples. Eles me mantêm prisioneira, tudo bem, não posso fazer nada. O que não admito é que, além disso, se apropriem de minha voz e de meus pensamentos. Não esqueci o tratamento que nos deram na última vez. Dos vinte minutos que gravamos, enviaram dez, escolhendo arbitrariamente o que lhes arranjava. Raúl Reyes faz declarações falando no meu lugar. É inadmissível. Não me presto às palhaçadas deles.

Após uma longa pausa, Clara se dirigiu à morena alta:

— Eu também não tenho mensagem para enviar.

Dias mais tarde, uma bela manhã, chegou Andrés, em meio a uma grande excitação.

— Tem alguém da sua família que quer lhe falar pelo rádio.

Eu jamais tinha acreditado que isso fosse possível. Haviam instalado uma mesa com o aparelho, debaixo uma montagem sofisticada de cabos grossos arrumados em pirâmide. O técnico de rádio, um jovem guerrilheiro louro de olhos claros que eles chamavam de Camaleão, repetiu uma série de códigos e mudou as frequências.

Uma hora depois, me passou o microfone.

— Fale! — disse Camaleão.

Eu não sabia o que dizer.

— Alô!

— Ingrid?

— Sim.

— Bem, Ingrid, vamos pô-la em contato com alguém importante, que vai lhe falar. Você não ouvirá a voz dele, repetiremos as perguntas e lhe transmitiremos as suas respostas.

— Pode prosseguir.

— Para verificar sua identidade, a pessoa quer que você lhe dê o nome de sua amiga de infância que mora no Haiti.

— Quero saber quem é meu interlocutor. Quem faz essa pergunta?

— Alguém ligado à França.

— Quem?

— Não posso responder.

— Bem. Então também não posso lhe responder.

Senti-me manipulada. Por que não davam a identidade de meu interlocutor? E se fosse uma montagem para obter informações que usariam depois contra nós? Durante alguns minutos eu tinha de fato acreditado na possibilidade de ouvir a voz de mamãe, de Mélanie ou de Lorenzo...

20. Uma visita de Joaquín Gómez

Semanas mais tarde, quando eu começava a confeccionar o quarto cinto, com o projeto de tecer um para cada membro de minha família, ouvi o barulho do motor anunciando a chegada de mantimentos. A debandada que se produzira no acampamento, todos procurando se arrumar, vestir o uniforme, se pentear, me levou a pressentir que, junto com as provisões, um figurão acabava de chegar. Era Joaquín Gómez, chefe do Bloco Sul, membro adjunto do Secretariado, a mais alta autoridade da organização que eles já tinham encontrado! Era da região de La Guajira, e tinha a pele escura dos índios wayu, do norte da Colômbia.

Ele atravessou o acampamento a passos largos, as costas curvadas como fazem esses homens que carregam responsabilidades muito pesadas, e me abriu os braços vindo em minha direção, antes de me beijar longamente, como se eu fosse uma velha amiga.

Eu estava estranhamente emocionada em vê-lo. A última vez em que tínhamos nos encontrado, no debate televisionado dos candidatos presidenciais, fora em presença dos negociadores do governo e dos membros das Farc durante o processo de paz de Pastrana, justamente em San Vicente del Caguán, quinze dias antes de meu sequestro. De todos os membros do Secretariado, era o meu preferido. Mostrava-se sempre relaxado, sorridente, afável, engraçado até, longe daquela atitude sectária e carrancuda de praxe entre os comunistas colombianos da linha stalinista a que as Farc mostravam fidelidade.

Mandou levarem duas cadeiras e sentou-se comigo nos fundos da jaula, sob a sombra de uma imensa ceiba, versão amazônica do baobá africano. Tirou do bolso às escondidas uma caixa de castanhas de caju e a colocou, sem cerimônia, em minhas mãos, sabendo que isso me daria prazer. Ria de minha alegria e, como para me surpreender ainda mais, perguntou se eu gostava de vodca. Ainda que não fosse o caso, eu diria sim: na selva não se recusa. Deu instruções para que fossem vasculhar em sua bagagem, e uma garrafa de Absolut de limão verde veio finalmente aterrissar em minhas mãos. Era um início de conversa promissor. Bebi com parcimônia, pois desconfiava dos efeitos que o álcool podia ter em meu organismo subalimentado.

— Como vai?

Dei de ombros, sem perceber. Gostaria de ser mais cortês, mas para que responder o que era tão evidente?

— Quero que me conte tudo — continuou, sentindo que eu me continha.

— Quanto tempo você pretende ficar entre nós?

— Partirei amanhã. Quero ter tempo para determinar as coisas no acampamento, e, sobretudo, quero que a gente converse.

De imediato começamos a fazê-lo. Ele queria entender por que a França se interessava por mim e por que a ONU desejava intervir na negociação para nossa libertação.

— De qualquer maneira, não faremos nada com a ONU. São agentes dos gringos!

Seu comentário me surpreendeu. Ele não sabia nada da ONU.

— Vocês deveriam aceitar os bons ofícios da ONU. É um parceiro indispensável num processo de paz...

Ele caiu na risada e retrucou:

— São espiões! Assim como os americanos que acabamos de capturar.

— Quem são eles? Você os viu? Como vão?

Eu tinha ouvido a notícia no rádio. Três americanos que sobrevoavam um acampamento das Farc tinham sido pegos como reféns alguns dias antes.

— Estão em plena forma, são uns grandalhões fortes. Uma temporadazinha conosco vai lhes fazer muito bem! O camarada Jorge os mantém vigiados pelos homens mais baixinhos que temos. Nada como uma lição de humildade para lembrar a eles que o tamanho não é proporcional à coragem!

Ele caiu na risada de novo. Havia em suas palavras um sarcasmo que me feriu. Eu sabia que aqueles homens sofriam. Joaquín deve ter sentido minha reserva, pois acrescentou:

— De qualquer maneira, é bom para todo mundo que os americanos pressionem Uribe para conseguir a libertação dos gringos, e você ficará livre mais depressa.

— Vocês se enganaram a meu respeito, estão prestando um grande serviço a todos os que me achavam incômoda demais para o sistema. O establishment não moverá nem um dedinho para me tirar daqui.

Joaquín me olhou muito tempo, com uma melancolia que me deixou condoída de minha própria sorte. Apesar do calor, eu começava a tiritar.

— Ande, venha, vamos dar uma voltinha peripatética!

Pegou-me pelos ombros e arrastou-me para o lado da pista de jogging, rindo com uma cara travessa.

— Mas de onde você tirou isso? Peripatética! — perguntei, incrédula.

— O quê? Acha que sou analfabeto? Minha pobre moça, li todos os clássicos russos! Lembre-se de que passei pela Lumumba!*

— Muito bem, *tovarich*!** Agradeçamos a Aristóteles, pois realmente ando com vontade de desabafar. E com todos os seus guardas ao redor é impossível!

Afastamo-nos tranquilamente, seguindo a trilha arenosa da pista de atletismo. Andamos durante horas, dando voltas e voltas pela mesma pista, até o crepúsculo. Contei-lhe tudo. Tudo o que sofríamos nas mãos daqueles homens insensíveis e quase sempre cruéis, as constantes humilhações, o desprezo, os castigos estúpidos, os assédios, o ciúme, o ódio, o machismo, esses detalhes do cotidiano que envenenavam minha vida, a cada dia mais numerosas proibições de Andrés, a falta de comunicação e de informação em que vivíamos, os abusos, a violência, a mesquinharia, a mentira.

E narrei-lhe até os detalhes estúpidos, como a história dos ovos daquele galinheiro que Andrés mandara construir defronte da nossa jaula, para zombar de nós, e que eles comiam diariamente e cujo cheiro vindo da *rancha* comichava nossas narinas toda manhã sem que jamais tivéssemos recebido um só ovo. Contei tudo, ou quase. Pois para mim era simplesmente impossível evocar certas coisas.

— Ingrid, vou fazer de tudo para melhorar as condições em que você vive. Dou-lhe minha palavra. Mas agora precisa me dizer sinceramente por que se recusa a gravar uma prova de sobrevivência.

---

* Universidade comunista Patrice Lumumba, em Moscou, assim chamada em homenagem a uma das principais figuras da independência do Congo.
** Camarada. (N. T.)

* * *

Joaquín Gómez veio me buscar na jaula na manhã seguinte. Tinha dado ordens de matar galinhas e na *rancha* os cozinheiros tratavam de prepará-las *au pot*, o que me fez salivar a manhã toda. Queria que almoçássemos juntos, com Fabian Ramírez, seu lugar-tenente, que eu tinha visto muito pouco pois ele se ocupara exclusivamente de Clara. Eu já o tinha visto, quando, antes de meu sequestro, conversara com Manuel Marulanda. Era um rapaz de estatura média, louro e de pele branco-leite, o que o fazia sofrer tremendamente com a exposição contínua ao sol implacável da região.

Deduzi que não devia viver protegido como nós, e que provavelmente devia se deslocar muito de barco pelos inúmeros rios da Amazônia.

Quando Joaquín veio me ver, estava com o ar preocupado.

— Sua companheira lhe falou do pedido que nos fez?

Eu não tinha ideia do que ele falava. Na verdade, Clara e eu nos comunicávamos pouco.

— Não, não sei de nada. De que se trata?

— Escute, é algo muito delicado, ela reivindica seus direitos de mulher, fala de seu relógio biológico, que não teria tempo de se tornar mãe, em suma, creio que deveríamos conversar sobre isso antes que eu submeta o pedido ao Secretariado.

— Joaquín, agradeço suas providências. Mas quero ser muito objetiva sobre isso: não tenho nenhuma opinião a dar. Clara é uma mulher adulta. Sua vida privada só diz respeito a ela mesma.

— Bem, se acha que não tem nada a dizer, eu respeito. Em compensação, quero que ela repita diante de nós dois o que disse a Fabian. Portanto, vou lhe pedir que me acompanhe.

Sentamo-nos numa mesinha e Fabian foi buscar Clara, que continuava na jaula. Ela se sentou a meu lado, de frente para Fabian e Joaquín, e repetiu palavra por palavra o que Joaquín tinha me dito. Era óbvio que Joaquín fazia questão não só de que eu fosse informada mas também de que servisse de testemunha.

O pedido de Clara me deixou perplexa. Concluí que tinha uma responsabilidade: conversar com ela. Perguntei-me qual seria o conselho de meu pai se eu pudesse consultá-lo. Esforcei-me para lhe falar com a maior sinceridade possível, fazendo tábula rasa de todas as dificuldades que tínhamos encontrado na nossa vida cotidiana, para lhe expor uma reflexão desinteressada, que a ajudasse a avaliar corretamente as consequências de seu pedido. Nós duas estávamos acuadas num destino terrível. Cada uma de seu lado, apeláramos para os recursos psicológicos que tínhamos ao alcance da mão para continuar a viver. Eu me servia de uma enorme reserva de recordações — dando graças por ter acumulado anos a fio uma inacreditável felicidade — e da força que tirava de meus filhos. Sabia que jamais renunciaria à minha luta para voltar viva ao lar, porque eles me esperavam.

O caso de Clara era diferente. Não havia nada que a retivesse em seu passado. Mas eu estava convencida também de que seu plano era insensato. Fiz o possível para encontrar as palavras certas e o tom adequado, não queria magoá-la. Fiz a lista de todos os motivos que, a meu ver, poderiam dissuadi-la de insistir naquele pedido, falando sobre a possibilidade que ela teria, quando libertada, de adotar uma criança, evocando como seria a vida de um bebê nascido em condições tão precárias, sem saber se as Farc iriam aceitar libertar seu filho junto com ela quando chegada a hora. Como último recurso, argumentei como gostaria que falassem comigo ou com a minha filha. Ela escutou atentamente cada uma de minhas palavras. "Vou pensar", concluiu afinal.

Joaquín veio me ver no fim da tarde. Estava preocupado com essa história de prova de sobrevivência. Pressenti que estava sob pressão e que sua organização devia ter um plano que dependia de que soubessem que eu estava viva.

— Se pode me garantir que a totalidade de minha mensagem será entregue à minha família, que vocês não vão suprimir nada, então poderemos voltar a conversar.

— Bem, não lhe prometo nada. O que posso dizer de antemão é que haverá regras do jogo. Você não poderá mencionar lugares, não poderá dar os nomes dos que a guardam, não poderá fazer referências às suas condições de detenção, pois o Exército, por dedução, poderia encontrá-la.

— Sou prisioneira, mas ainda posso dizer não.

Um diabo passou em seus olhos. Claro, eles tinham os meios de me filmar sem meu consentimento. Compreendi que ele pensava nisso e acrescentei:

— Vocês não farão isso... Seria de péssimo gosto... E mais cedo ou mais tarde isso se voltaria contra a sua organização.

Ele me beijou afetuosamente e disse:

— Não se preocupe. Estou de olho em você. Enquanto eu estiver aqui, há coisas que não deixarei acontecer.

Dei um sorriso triste, ele estava muito longe e muito alto na hierarquia para poder me proteger de verdade. Era inacessível, assim como eu era inacessível a ele por causa da distância e do bloqueio de seus subordinados. Ele também sabia. Já estava indo embora, eu já o via afastar-se com as costas curvadas assim como tinha chegado. Ia sumir de minha visão quando de repente se virou e disse:

— Pensando bem, acho que o melhor é que eu mande fazer uma casinha para cada uma, o que acha?

Suspirei, isso queria dizer que nossa liberdade não estava prevista para tão cedo. Ele compreendeu meu pensamento e antes que eu respondesse me disse, gentil:

— Bem, como diz Ferney, pelo menos você viverá em paz!

Meu Deus, me dava grande satisfação ter notícias de Ferney. Meu rosto se iluminou:

— Mande um abraço para ele.

— Mandarei, prometo!

— Ele está com você?

— Está.

Como prometera, Joaquín mandou construir duas casas separadas a uma distância razoável entre elas e sem *vis-à-vis*. O modelo era idêntico à casa de madeira que já tínhamos tido, mas menor. Eu tinha um quarto com porta de madeira que podia fechar e que nunca estava com cadeado. Portanto, podia me isolar sem ter a impressão de estar presa. Dividíamos o banheiro, onde instalaram um vaso sanitário de porcelana, no meio de um lugar ermo, dentro de um cubículo com muros de palmeiras e fechado com o pano de um saco de arroz, cortado no sentido do comprimento. Havia também uma grande cisterna de plástico, que eles enchiam com uma bomba que trazia água do rio e nos permitia tomar banho longe dos olhares indiscretos e na hora que nos desse vontade.

Finalmente eu tinha paz. Joaquín veio ver a casa terminada e disse aos guardas, na minha frente:

— Aqui, Ingrid está em casa. Nenhum de vocês tem o direito de pôr o pé ali dentro sem autorização dela. É como uma embaixada, aqui ela goza de extraterritorialidade!

Minha vida mudou. Era difícil entender como alguém podia ser bom ou malvado sob encomenda. Mas era isso mesmo que eu testemunhava. A metamorfose produziu-se em todos os detalhes da vida diária e embora eu entendesse que a atitude deles comigo estava longe de ser espontânea, eu descansava e aproveitava essa calmaria sem me fazer mais perguntas. Esforçava-me para reencontrar um equilíbrio emocional que tinha perdido. Aos poucos o sono voltou. Conseguia dormir algumas horas por noite e, sobretudo, me surpreendia a fazer sestas mais prolongadas que, eu sentia, me faziam muito bem.

Tive ideia de pedir um dicionário enciclopédico e o recebi. Eu não tinha consciência do luxo que isso representava. Rapidamente tornei-me uma viciada. Passava a manhã sentada à mesa de trabalho, com uma vista maravilhosa para o rio, e viajava no tempo e no espaço virando cada página. No início, seguia o capricho do momento. Mas aos poucos acabei estabelecendo uma metodologia que me permitia fazer pesquisas sobre um tema preestabelecido com uma lógica de um jogo de pistas.

Não conseguia acreditar na minha felicidade. Não sentia mais o tempo passar. Quando me traziam o prato de arroz e feijoca, eu comia tudo, ainda perdida nas minhas deduções eruditas, pensando na próxima etapa de minha exploração. Interessava-me por tudo, pela arte, pela religião, pelas doenças, filosofia, história, aviões, heróis de guerra, mulheres da história, atores, estadistas, monumentos, países. Encontrava tudo o que queria para satisfazer minha sede de aprender. E como todas as informações eram, por definição, destiladas, minha curiosidade era mais estimulada ainda e eu ia procurar em outro canto os detalhes que faltavam.

Minha solidão foi uma espécie de libertação. Não só porque eu não estava mais sujeita às oscilações de humor de minha companheira, mas também e sobretudo porque podia ser de novo eu mesma, regulando minha vida segundo as necessidades de meu coração. Depois da minha leitura matutina, impunha-me à tarde um treinamento físico exaustivo. Fechava a porta do quarto, empurrava a cama que Joaquín mandara fazer e a colocava em pé encostada na parede, e transformava o espaço livre em academia, onde me exercitava em todas as acrobacias que havia aprendido em criança e que abandonara na vida adulta. Pouco a pouco a memória dos movimentos me voltou, controlei o medo do risco e reaprendi a levar cada vez mais longe meus limites.

Depois tomava banho, olhando os pássaros voarem acima de mim, e conseguia admirá-los sem ficar com raiva deles. Voltando para casa, sentava-me de pernas cruzadas em posição de lótus e partia para uma meditação que nada tinha de religiosa, mas se concluía invariavelmente pela consciência indubitável da presença de Deus. Ele estava ali. Esse Deus em todo lugar, grande demais, forte demais. Eu não sabia o que Ele podia esperar de mim e menos ainda o que eu estava pedindo. Pensei em suplicar que me tirasse do cativeiro, mas imediatamente achei minha prece pequena demais, mesquinha demais, voltada demais para meu pequeno ego, como se pensar em meu próprio bem-estar ou solicitar Sua benevolência fosse um mal. Também, talvez o que Ele quisesse me dar eu não desejasse. Lembrava-me de ter lido na Bíblia, numa epístola aos romanos, que o Espírito Santo nos socorria em nossa necessidade de comunicação com Deus, sabendo melhor que nós o que nos convinha solicitar. Lendo aquilo, pensei que não queria que o Espírito Santo pedisse para mim outra coisa senão minha liberdade. E, tendo-o formulado assim, compreendi que perdia o essencial, pois havia provavelmente outra coisa superior à minha liberdade que Ele poderia tentar me dar e que por ora eu era incapaz de apreciar.

Eu tinha as perguntas. Mas não as respostas. Elas me perseguiam durante a meditação. E nessa reflexão circular que se prolongava dia após dia, via desfilarem os fatos do dia, examinados com precisão. Parava para analisar certos momentos. Refletia no significado da palavra "prudência" ou da palavra "humildade". Todo dia, num olhar, numa entonação de voz, numa palavra atravessada, no silêncio ou no gesto, todo dia eu me dava conta de que poderia ter agido diferentemente e poderia ter feito melhor. Sabia que a situação em que vivia era uma oportunidade que a vida me oferecia para me interessar por outras coisas que em geral me repugnavam. Descobri outro modo de viver, focado menos na ação e mais na introspecção. Incapaz de agir sobre o mundo, desloquei minha energia para agir em "meu mundo". Queria construir um eu mais forte, mais sólido. As ferramentas que desenvolvera até ali não me serviam mais. Precisava de outra forma de inteligência, outra espécie de coragem e mais resistência. Mas não sabia como fazer. Foi preciso esperar mais de um ano de cativeiro para que eu começasse a me questionar.

Seguramente Deus tinha razão e o Espírito Santo devia saber muito bem, pois se obstinava em não querer interceder em favor de minha liberdade. Eu ainda tinha muito que aprender.

21. Segunda prova de sobrevivência

A última vez que vi Joaquín Gómez foi para gravar a segunda prova de sobrevivência. Estava acompanhado por outros guerrilheiros, entre eles Ferney. Gostei de revê-lo.

Desconfiava que ele devia ter explicado a seu superior o tratamento que eu recebia e as situações que tive de enfrentar e lhe agradeci por isso, pois as coisas tinham entrado nos eixos. Andrés autorizara que de vez em quando eu tivesse leite em pó, e Edinson, aquele que tinha nos agarrado durante o ataque dos marimbondos, me trazia escondido alguns ovos que eu "cozinhava" na água fervendo que pedi com a desculpa de tratar de um eczema. O que mais me agradava, porém, era que Andrés tivesse me autorizado novamente a passar um tempo na *rancha*. Eu gostava de cozinhar. Aprendi as técnicas que eles tinham elaborado, em especial a de fazer um ersatz de pão, as *cancharinas*, preparadas com uma mistura de água e farinha que eles fritavam em óleo escaldante, delícias cujo segredo queria conhecer. Joaquín tivera a delicadeza de me enviar, entre uma e outra de suas duas últimas visitas, um saco preto cheio de coisas gostosas. O miliciano que dirigia a canoa a motor recebera instruções precisas de não abrir o saco preto e me entregá-lo pessoalmente. Era um gesto de Joaquín, pois no primeiro dia que fizemos nossa marcha "peripatética" eu havia me queixado da discriminação contra nós no quesito da comida. Quando a gente não tem nada, os bens mais elementares assumem uma dimensão insuspeita.

Quando Joaquín chegou, começamos a trabalhar imediatamente na preparação da gravação. Ele me dera sua palavra de honra de que o texto integral da mensagem seria entregue à minha família sem nenhuma modificação. Estava combinado que minha fala duraria entre quinze e vinte minutos, que seria filmada no casebre, instalando-se um lençol como tela de fundo para não fornecer nenhuma indicação de nossa localização, e que eu estaria sozinha. Minha companheira também enviaria uma prova de sobrevivência. Pensei em esclarecer um debate delicado do qual tivera alguns ecos ao ouvir os comentários no rádio. Na verdade, minha família se opunha firmemente à possibilidade de se fazer uma operação militar de resgate. Alguns meses antes, uma dezena de prisioneiros, entre eles Guillermo Gaviria, governador da região de Antioquia, e Gilberto Echeverri, seu conselheiro para a paz, tinham sido assassinados durante uma tentativa de libertação pelo Exército colombiano na região de Urrao.* Foi um choque terrível para mim. Não conhecia Guillermo pessoalmente, mas achava corajoso seu envolvimento para restabelecer a paz na região de Antioquia. Admirava esse homem que fora até o fim em nome de suas convicções.

Um dia, lá pelas quatro da tarde, quando mexia num aparelho de rádio que Joaquín me dera de presente numa de suas visitas anteriores, sintonizei por acaso, em ondas curtas, o noticiário da Radio Canadá. Era um pequeno aparelho de metal, sem muita potência, que os guardas se divertiam em denegrir pois só sintonizava de manhã cedíssimo ou ao anoitecer. Precisava de um sistema de antenas muito potentes que os próprios guardas me ajudaram a fazer com o fio de alumínio de esponjas de esfregar panelas. O fio tinha de ficar pendurado na copa das árvores, uma de suas pontas presa bem no alto, com a ajuda de um galho, e a outra enrolada na antena do aparelho. O sistema funcionava bastante bem e eu conseguia, sobretudo à noite, acompanhar as notícias. Era uma janela para o mundo. Eu escutava e, com minha imaginação, via tudo. Ainda não tinha descoberto a frequência da Radio France Internacional, à qual mais adiante me afeiçoaria muito particularmente, a ponto de memorizar os nomes e as vozes dos jornalistas, como se fossem meus amigos de longa data, nem a da BBC, que escutaria religiosamente todo dia com o mesmo prazer que sentia em ir ao cinema "na civil". Por ora, estava radiante por ter descoberto a Radio Canadá e ouvir falar francês. Mas meu prazer se transformou em pavor quando, a respeito dos reféns colombianos que tinham sido massacrados pelas Farc, ouvi meu nome. Não sabia do que falavam mas fi-

---

* Fato ocorrido em 5 de maio de 2003, conhecido como o "massacre de Urrao".

quei gelada, com o aparelho colado ao ouvido, tentando compreender, angustiada porque uma manobra errada no aparelho poderia me fazer perder o sinal fraco da transmissão. Não queria, sobretudo, perder o resto do noticiário. Minutos depois, repetiram a notícia integralmente e descobri, horrorizada, que Gaviria e Echeverri acabavam de ser assassinados. Não havia nenhuma outra informação nem outros detalhes. Mudaram de assunto, deixando-me trêmula entre quatro paredes. Fui me sentar na cama, os olhos inchados, imaginando tudo o que podia ter acontecido para que tivessem sido assim executados. E então me lembrei da ameaça das Farc: um ano depois do sequestro, começariam a nos liquidar, uns após outros. De fato, fazia pouco mais de um ano que tínhamos sido sequestrados. Portanto, era isso: as Farc haviam começado a executar seu plano!

Saí da cabana como se um raio tivesse caído em cima de mim. Quebrei uma das regras que tinha me imposto, a de não ir falar com Clara sem avisá-la de antemão. Fui andando pela trilha, seguida de perto pelo guarda, que me autorizou a ir vê-la. Clara estava varrendo o chão. Fez cara de quem se aborrecera com minha chegada.

— Escute, Clara, é muito grave, as Farc acabam de assassinar Gilberto e Guillermo...

— Ah, é?

— Deu no rádio, acabam de...

— Está bem. Obrigada pela informação.

— Eu... eu...

— Que fazer? Não podemos fazer nada. Pois é, paciência. O que quer que lhe diga?

Não insisti e voltei magoada para minha cabana. Tranquei-me no quarto. Rezei, sem saber como nem o que pedir a Deus. Imaginava as famílias deles, as esposas, os filhos, e sofria visceralmente, fisicamente, encolhida, sabendo o que também poderia estar sendo o destino dos meus. De noite, o aparelho começou a captar com força as estações colombianas. A cada dez minutos transmitiam a voz de Yolanda Pinto, mulher de Guillermo. Ela explicava em detalhes as providências para resgatar os cadáveres e as dificuldades que enfrentava pois o acesso ao local do massacre estava sob controle militar e era proibido às famílias ir lá. O guarda que estava de plantão me chamou, também queria ser informado. Disse-lhe que eles tinham começado a executar os reféns e que eu sabia que nossa vez logo chegaria.

Andrés chegou pouco depois.

— Ingrid, acabo de saber da morte de Guillermo e Gilberto. Quero lhe garantir que as Farc não vão assassiná-la. Foi um acidente, as Farc reagiram a um ataque militar.

Eu não acreditava nele. Depois de um ano de cativeiro, tinha entendido que para os membros das Farc mentir era apenas uma tática de guerra.

No entanto, à medida que as horas passavam, a informação parecia lhe dar razão. Os militares tinham tentado uma operação de resgate. Só dois reféns sobreviveram ao massacre. Eles descreviam como os prisioneiros haviam sido reunidos para ser fuzilados no momento em que o comandante compreendeu que estava cercado pelos helicópteros militares. Gilberto se ajoelhara implorando clemência. Fora morto a sangue-frio pelo próprio comandante. Os sobreviventes contavam que Gilberto pensava que eram amigos e lembrava isso a ele, implorando que não o matasse.

Eu imaginava a cena do assassinato nos menores detalhes, convencida de que estávamos fadadas à mesma sorte, a qualquer momento.

Foi por isso que, quando Joaquín veio para a prova de sobrevivência, fiz questão de expressar meu apoio à operação de libertação pelo Exército colombiano, sabendo que depois do massacre de Urrao muitas pessoas se oporiam a isso. Só podia falar em meu próprio nome. Mas fazia questão de salientar que, como a liberdade era um direito, qualquer esforço para recuperá-la era um dever superior a que não podia me furtar.

Também gostaria que o país iniciasse uma reflexão profunda sobre o que a defesa desse direito implicava. A decisão devia ser tomada no mais alto nível e o presidente da República devia assumir o custo político de um fracasso ou os louros de uma operação bem-sucedida. Temia que, no labirinto dos interesses políticos daquele momento, nossas vidas não tivessem mais nenhum valor e que fosse mais interessante organizar um fiasco sangrento para poder jogar nossa morte nas costas das Farc, em vez de uma verdadeira operação de resgate.

Depois que a prova de sobrevivência foi gravada, precisei esperar sua divulgação pelo rádio e pela televisão colombiana. Os meses que se passaram entre os dois momentos foram longos e tensos. Eu tinha acompanhado o envio de um avião francês ao coração da Amazônia brasileira, com a esperança de que a pressão para que eles obtivessem a prova de sobrevivência estivesse ligada a esse fato. Dias antes que a imprensa deixasse filtrar a informação, um médico das Farc fora nos ver. Era um sujeito que estudara alguns anos de medicina em Bogotá sem obter o diploma e que tinha sido recrutado com o objetivo de ser o instrutor dos enfermeiros a serem enviados para os diferentes fronts, e de assumir a direção de um hospital na selva que devia estar a pouca distância de nosso acampamento. Sua visita me fez aventar a possibilidade de uma libertação. Imaginei que as Farc tivessem interesse em libertar os reféns em condições que lhes permitissem dourar a pílula aos olhos do mundo. Pensava também que talvez essa prova de sobrevivência que a organização tinha desejado com tanta insistência podia ser uma das condições pedidas pela França para iniciar negociações que, saltava aos olhos, deviam permanecer secretas. Quando o avião partiu sem nós, imaginei que a exposição do caso na mídia tinha provavelmente fracassado a missão. Mas a esperança germinara. Vi como a França correra riscos reais para me tirar dali. Sabia que a França continuaria a procurar um jeito de me tirar das garras das Farc e esperava que outros contatos acontecessem, que outros emissários fossem enviados e que outras negociações fossem iniciadas.

Quando, semanas depois, o miliciano que vinha normalmente com os mantimentos chegou com a ordem de nos levar, para mim só podia se tratar do sucesso das negociações. Íamos embora no dia seguinte ao amanhecer, tínhamos de guardar nossas coisas. Selecionei meus pertences, pegando só o necessário para os poucos dias de deslocamento que, segundo meus cálculos, levaríamos até alcançar o ponto de encontro com os emissários europeus. Dei todo o resto às moças e, sobretudo, deixei-lhes o dicionário e um mapa-múndi que acabava de terminar, todo colorido, no qual tinha trabalhado semanas e que me dava muito orgulho.

Andrés organizou uma pequena reunião para nos despedirmos. Os guerrilheiros apertaram minha mão, felicitando-me do sucesso das negociações e de minha liberdade iminente. Não dormi à noite, saboreando minha felicidade. O pesadelo tinha acabado. Eu estava voltando para casa.

Estava sentada sobre minha trouxa, pronta para partir. A lua refletia suas luzes de prata na água indolente do rio. Lá pelas cinco da manhã, trouxeram-nos uma xícara de chocolate quente com uma *cancharina*. Minha companheira também estava pronta, sentada nos degraus da cabana, com uma bagagem que era o dobro da minha: tencionava não deixar nada para trás. Uma estranha felicidade e uma grande serenidade me habitavam. Não era a euforia que eu tinha previsto para quando me anunciassem a libertação, era uma felicidade tranquila, um descanso da alma. Eu refletia no que aquele ano de cativeiro significara para mim. Via-me como um ser estranho, como uma entidade distinta de meu eu presente. A pessoa que vivera na selva durante todos aqueles meses ficaria para trás. Eu voltaria a ser eu mesma. Um lampejo de dúvida atravessou meu espírito. Voltar a ser eu mesma? Era esse meu objetivo? Eu tinha aprendido o que devia aprender? Livrei-me depressa dessas ideias imbecis. Agora, não tinham a menor importância!

22. A vidente

22 de agosto de 2003

Um céu imaculado recortava-se acima de nossas cabeças, entre as árvores das duas margens, como uma longa serpente azul. Não andávamos depressa, o rio rasgava a selva caprichosamente e nas curvas muito fechadas ainda tínhamos de esquivar os troncos mortos encalhados ali. Eu estava impaciente. Apesar da expectativa dessa libertação tão próxima, minha barriga se crispara dolorosamente. O cheiro do motor, o perfume agridoce daquele universo de clorofila, a incerteza que me obrigava a avançar na vida como uma cega, tudo me levou ao momento exato em que senti a armadilha fechar-se sobre mim.

Foi uma semana depois de nossa captura. Tinham nos mudado de acampamento para acampamento até um lugar, no alto de um morro, em que eu descobrira pela primeira vez o oceano verde da Amazônia enchendo o horizonte a perder de vista. El Mocho César estava de pé a meu lado. Ele já sabia que aquela imensidão impenetrável acabaria me engolindo.

Tinham organizado um acampamento de improviso na encosta quase vertical do morro. Tomamos banho num riacho transparente que cantarolava ao passar por um leito de pedras translúcidas. Eu tinha visto os primeiros macacos, que se juntaram acima de nós e se divertiam em nos jogar pedaços de pau para que saíssemos de seu território.

A floresta era muito densa, impossível ver o céu através das árvores. Minha companheira se esticara como um gato, enchera os pulmões com todo o ar que podiam conter e me chocara dizendo: "Adoro este lugar!".

Eu estava tão obcecada com nossa fuga que não me permitia nem sequer considerar a beleza que nos cercava, temendo que aquilo freasse nosso ímpeto. Na verdade, eu me sufocava, e teria me sufocado igualmente se estivesse como prisioneira numa banquisa. A liberdade era meu único oxigênio.

Só esperava cair a noite para executar nosso plano. Contava com a lua cheia para facilitar nossa fuga.

Um caminhão vermelho apareceu atrás de uma curva. Como formigas, em menos de dois minutos os guerrilheiros carregaram o caminhão. Já tinham desmantelado o acampamento e nós nem havíamos notado.

Pegamos o caminho que ziguezagueava descendo. Ali havia duas casinhas com chaminés fumegando, tristes, no meio de um cemitério de árvores. Uma criança brincava, correndo atrás da bola furada. Da soleira da porta, olhava para ela uma mulher grávida, com as mãos nos quadris e as costas visivelmente doloridas. Ao nos ver, entrou depressa para dentro de casa. Depois, mais nada. Árvores imensas que se sucediam, idênticas, durante horas. A certa altura a vegetação mudou. As árvores deram lugar a arbustos. O caminhão saiu da estrada de terra batida e pegou uma trilha apenas visível entre samambaias e pequenas árvores. Subitamente, diante de nós, como pousada ali por engano, uma robusta ponte de ferro, bastante grande para permitir que o caminhão vermelho passasse. O motorista freou com um chiado terrível. Ninguém se mexeu. Do outro lado da ponte, saindo da floresta negra, duas pessoas com uniforme de camuflagem, grandes mochilas nas costas, vinham, decididas, a nosso encontro.

Imaginei que subiriam na caçamba e atravessaríamos a ponte. Não tinha reparado no rio esverdeado de água salobra que se arrastava sob nós. Nem no grande barco que nos esperava, com o motor roncando, pronto para partir.

Foi então que me veio uma cena à memória. Em novembro de 2001, durante minha campanha presidencial, na linda cidadezinha colonial da região de Santander, eu tinha sido abordada por uma mulher que insistia, grave, para falar comigo com urgência. O comandante do monoplano que fazia nosso transporte aceitara que partíssemos com meia hora de atraso em relação ao programa inicial, para que eu pudesse ouvi-la. Era uma moça bonita, o ar sério, vestida simplesmente, que se aproximou trazendo pela mão sua filhinha de cinco anos. Pegou meu braço, depois de pedir à criança que fosse se sentar mais longe, e me explicou nervosa que tivera visões e que suas visões sempre se confirmavam na realidade.

— Não quero aborrecê-la, e a senhora vai pensar que sou louca, mas só terei paz quando lhe disser o que sei.

— O que sabe?

Parou de me encarar e seus olhos se perderam. Senti que ela não mais me via.

— Há um andaime, alguma coisa que cai. Não passe debaixo. Afaste-se. Há um barco, uma embarcação na água. Não é o mar. Não suba. E sobretudo, escute-me bem, é o mais importante, não pegue essa embarcação.

Eu tentava entender. A mulher não fingia. Mas o que dizia parecia-me totalmente incoerente. No entanto, deixei-me levar:

— Por que não devo entrar naquele barco?

— Porque não voltará...

— Eu poderia morrer?

— Não, não morrerá... Mas levará muitos anos para voltar.

— Quanto tempo?

— Três anos. Não, vai ser mais. Mais de três anos. Muito tempo, um ciclo completo.

— E depois, quando eu voltar...

— Depois?

— Sim, depois. O que há depois?

O comandante veio me chamar. O aeroporto fechava antes do pôr do sol, às seis horas em ponto. Ele tinha de decolar imediatamente.

Subi no avião e esqueci o que a mulher me dissera.

Até aquele exato instante em que vi a canoa debaixo da ponte. Sentada na frente do caminhão vermelho, observei, estupefata, a canoa que nos esperava embaixo, na margem. Não devia entrar ali dentro. Não devia. Olhei ao redor, impossível fugir, todos estavam armados. Senti um nó na barriga, as mãos úmidas, um medo irracional tomando conta de mim, eu não queria ir. Um dos homens pegou meu braço, achando que eu hesitava em descer a ladeira íngreme com medo de escorregar. Os jovens pulavam alegremente, estavam orgulhosos de seu treinamento. Empurravam-me, puxavam-me. Escorreguei pelo barranco de areia preta, até embaixo, e pus um pé na embarcação, depois o outro. Não tinha escolha. Estava caindo na armadilha. Por muito tempo, ela dissera. Um ciclo completo.

Navegamos do crepúsculo à aurora. Era o fim da estação seca, o rio estava em seu nível mínimo de água, tinham de manter o barco bem no meio da corrente para evitar atolar. De vez em quando um dos guerrilheiros pulava todo vestido e, com água batendo na cintura, empurrava o barco para soltá-lo. Eu estava com medo. Como fazer para voltar atrás? A cada hora minha sensação de claustrofobia aumentava.

No início, fomos margeando algumas casinhas que olhavam, cegas, para a passagem de nosso comboio. As árvores enormes que as cercavam deixavam filtrar os últimos raios do crepúsculo, como para significar que logo atrás a floresta tinha sido derrubada, dando lugar a plantações. Muito depressa a densidade da floresta abafou qualquer luminosidade e entramos num tenebroso túnel de vegetação. Não havia mais nenhum sinal de vida humana, mais nenhum traço de civilização. Os ruídos da floresta nos chegavam em ecos lúgubres apesar do ronco do motor. Vi-me sentada com os braços segurando o ventre para manter as tripas no lugar. Árvores mortas, de galhos embranquecidos pelo sol, jaziam na água como cadáveres carbonizados de membros tortos, ainda esperando o socorro da Providência.

O capitão acendera uma luz poderosa para iluminar as águas negras que cruzávamos. Nas margens, luzes vermelhas acendiam quando passávamos. Eram os olhos dos crocodilos que caçavam na tepidez do rio. "Um dia terei de nadar neste rio para voltar para casa", pensei. A lua apareceu tarde da noite, tornando o mundo em que penetrávamos um espaço fantasmagórico. Eu tremia. Como fazer para sair dali?

Aquele medo não mais me abandonaria. Toda vez que eu subia numa canoa, era inexoravelmente levada de volta às sensações dessa primeira descida ao inferno, naquele rio negro do Caguán que me engolira.

Ali, porém, eu deveria ter me deixado levar pela contemplação da luxuriante natureza que celebrava a vida naquela feliz manhã de agosto de 2003. Mas a angústia borboleteava em meu ventre. A liberdade! Seria bonito demais para ser verdade?

23. Um encontro inesperado

22 de agosto de 2003

A canoa saiu do labirinto de água estreito e sinuoso e foi parar no grande rio Yari. Dirigiu-se a contracorrente, enviesada, para a margem em frente e ancorou entre árvores que a subida das águas começava a cobrir. Pediram-nos para descer ali. Pensei que estávamos sozinhas, no meio de lugar nenhum. Para minha grande surpresa, descobri, escondido entre as árvores, um grupo de guerrilheiros que eu não conhecia, ocupados em dobrar suas barracas e empacotar pertences pessoais. Abriram um plástico preto à sombra de uma grande ceiba e ali nos instalamos, Clara e eu, acostumadas a esperar sem fazer perguntas. Uma moça se aproximou e nos perguntou se queríamos comer ovos. Eu não tinha reparado que um pouco mais adiante eles haviam instalado uma *rancha* com fogão de lenha no qual esquentavam marmitas. Ovos! Fiquei de bom humor com a ideia de que nos davam um tratamento especial tendo em vista uma libertação próxima.

À nossa direita, um homem sentado como nós, encostado numa árvore, olhava-me de longe. Provavelmente um comandante. Levantou-se, andou de um lado para outro e depois, tomando impulso, se aproximou.

— *Ingrid? Eres Ingrid?*

Era um homem maduro, uma barba grisalha lhe cobria o rosto e grandes olheiras escuras emolduravam seus olhos inchados e úmidos como se lágrimas fossem lhe escapar. Sua emoção me abalou. Quem era aquele guerrilheiro? Eu já o tinha visto em algum lugar?

— *Soy Luis Eladio, Luis Eladio Pérez. Fuímos senadores al mismo tiempo...*

Compreendi antes que ele acabasse a frase. Quem eu achava ser um velho guerrilheiro não era outro senão meu antigo colega Luis Eladio Pérez, capturado pela guerrilha seis meses antes de mim. Eu estava no Congresso quando seu sequestro foi anunciado publicamente. Os senadores aproveitaram para levantar a sessão em sinal de protesto, e todos voltaram para casa, felizes em ter uma tarde livre. Quando o sequestro apareceu nas manchetes dos jornais, fui incapaz de me lembrar dele. Éramos cem senadores. Eu deveria ao menos reconhecer seu rosto nas fotos. Mas não, nada. Minha impressão era que nunca o tinha visto. Perguntei às pessoas ao meu redor para refrescar a memória. Todos falavam de Luis Eladio em termos elogiosos. Eu deveria saber quem era. "Sabe, sim, lembre-se, ele se senta atrás de nós, bem ali. Você o viu mil vezes, ele sempre lhe dá bom-dia quando você chega..."

Recriminei-me imensamente. Procurei no fundo da memória: branco total! Pior, sabia que tinha conversado com ele.

Ao ouvir seu nome, ao compreender que era Luis Eladio, pulei no seu pescoço, beijando-o, e, em seus braços, segurei as lágrimas. Meu Deus, senti tanta dor ao vê-lo em tão mau estado! Ele parecia ter cem anos. Peguei sua cabeça entre as mãos para olhá-lo bem. Aqueles olhos, aquele olhar, onde eu os guardara para que não os encontrasse em lugar nenhum? Era frustrante: não conseguia reconhecê-lo, nem superpor uma imagem do passado no rosto que estava na minha frente. No entanto, acabava de encontrar um irmão. Não havia nenhuma distância entre o desconhecido e mim. Peguei sua mão e acariciei seus cabelos como se nos conhecêssemos desde sempre. Choramos, sem saber se era de alegria por estarmos um com o outro ou de pena por vermos os estragos que a condição de refém imprimira em nossos rostos.

Com a mesma emoção, Luis Eladio foi beijar Clara.

— *Tu eres Clarita?*

Ela lhe estendeu a mão e, sem se mexer, respondeu:

— Chame-me de Clara, por favor.

Meio sem graça, Luis Eladio sentou-se conosco sobre o plástico preto. Questionou-me com os olhos. Respondi com um sorriso. Começou a falar sem parar, horas a fio, que se transformaram em dias inteiros, depois em semanas completas de um monólogo inesgotável. Queria me contar tudo. O horror de seus dois anos de confinamento num silêncio estrito (o comandante que não gostava dele proibira a tropa de lhe dirigir a palavra ou lhe responder). A maldade do homem que mandara matar a machadadas o cachorrinho que Luis Eladio recolhera e adotara. O medo que o obcecava de acabar seus dias na selva, longe da filha Carope, que ele adorava, e cujo aniversário era justamente naquele dia, 22 de agosto, dia de nosso encontro às margens do Yari. A doença, pois era diabético e dependia de injeções de insulina, que não recebia mais desde a captura, temendo a qualquer momento cair em coma hipoglicêmica que o mataria de modo fulgurante, ou pior, lhe queimaria o cérebro, deixando-o como um legume para o resto de seus dias. A inquietação diante das necessidades da família, que com seu sequestro perdera os recursos financeiros necessários a uma vida normal. A angústia de não poder estar lá para guiar o jovem filho Sergio nos estudos e na escolha da carreira. A tristeza de não estar à cabeceira de sua mãe que ia envelhecendo e cuja morte em sua ausência ele temia mais que tudo. O remorso que o habitava por não ter estado mais presente no lar, absorvido pelo trabalho e pelo engajamento político. O sentimento de impotência que o obcecava por ter caído numa armadilha e ter sido capturado pelas Farc. Contou-me tudo de um jato, sob a pressão de uma solidão que execrara.

Descemos a corrente sob o sol inclemente de meio-dia, e assim até o entardecer. Durante todas as horas da travessia eu não dissera uma palavra. Estávamos sentados lado a lado e eu o escutava, consciente da necessidade vital que tinha de desabafar comigo. Demo-nos as mãos instintivamente, ele para melhor me transmitir a intensidade de suas emoções, eu para lhe dar a coragem de continuar. Chorava quando ele chorava, inflamava-me de indignação quando ele descrevia a crueldade de que fora vítima, e ria com ele até as lágrimas, pois Luis Eladio tinha essa capacidade extraordinária de pôr numa perspectiva ridícula os momentos mais trágicos da ignomínia que sofríamos. Instantaneamente tornamo-nos inseparáveis. Naquela primeira noite em comum, continuamos a conversar até que o guarda nos pedisse para nos calarmos. Na manhã seguinte, levantamos radiantes de poder nos beijar de novo e fomos de mãos dadas sentar na canoa a motor. Pouco nos importava aonde íamos. Breve ele se tornou *Lucho*, e depois *mi Lucho*, e finalmente *Luchini*. Eu o adotara definitivamente, sentindo que o alívio que minha presença lhe causava dava-me uma poderosa razão de viver, ou melhor, dava um objetivo àquele destino que eu não tinha escolhido.

Tínhamos chegado, depois de vários dias de navegação, a uma praia de onde partia uma estrada de cascalho especialmente bem conservada. Um caminhão coberto na traseira por um toldo nos esperava. Não nos fizemos de rogados e subimos, contentes de estarmos juntos e continuar a conversar.

— Sei que você vai dizer não, porque deve pensar que sou um político da categoria dos que não aprecia, mas se um dia sairmos daqui eu gostaria realmente de poder trabalhar com você.

Isso me tocou mais do que tudo. Eu não estava nada em forma: suja, fedorenta, vestida com uns trapos imundos, envergonhada por ser vista velha, feia, reduzida a tão pouco. Espantava pensar que Lucho pudesse me ver como naquela mulher que eu não era mais.

Baixei a cabeça para que não percebesse minha perturbação e tentei sorrir para me dar o tempo de responder.

Tentando me tirar do embaraço, ele acrescentou:

— Mas faço questão de avisá-la de que teremos de mudar o nome do seu partido: Oxigênio Verde é pedir demais para mim! Não quero mais ver nada verde em minha vida!

Todo mundo caiu na risada. Os guerrilheiros, que tinham ouvido tudo, aplaudiram. Clara também riu com gosto. Eu dava gargalhadas. Rir fazia bem. Olhei para ele. E pela primeira vez, atrás de sua barba branca, atrás de seus olhinhos brilhantes, o reconheci. Vi-o sentado atrás de mim no hemiciclo do Senado, me cumprimentando com um ar travesso, depois de ter jogado uma bolinha de papel na nuca do colega sentado na frente dele, e que se virava, desesperado. Ele sempre me fizera rir, embora invariavelmente eu tentasse manter a seriedade por respeito à nossa função. Atrás de sua máscara de prisioneiro, eu acabava de encontrá-lo.

24. O acampamento de Giovanni

Fim de agosto de 2003

O caminhão parou horas mais tarde, no meio daquela estrada que cruzava o coração da floresta virgem. À esquerda, entre as árvores, era possível ver outro acampamento das Farc. Mandaram-nos descer. Minha companheira e eu carregávamos nossos sacos de batata, cheios de coisas nossas. Lucho já tinha passado à escala superior, carregava uma mochila farquiana, de lona impermeável verde, retangular, com uma profusão de correias nos lados onde era possível pendurar tudo, inclusive a marmita de plástico preto e a barraca enrolada. Estava equipado como um guerrilheiro.

Um homem de aspecto grosseiro, pernas afastadas, parado no acostamento da estrada, batia num gesto impaciente no alto da coxa musculosa com a lâmina do facão. Tinha olhos muito pretos e brilhantes, olhos como verrumas, e um bigodinho cercado por uma barba de três dias. Ainda estava com todo o corpo suado, provavelmente acabara de fazer intensa atividade física.

Dirigiu-nos a palavra com voz rude.

— Vocês aí! Aproximem-se! Sou o novo comandante. Agora estão sob a responsabilidade do Bloco Oriental. Entrem aí e esperem.

Mandou que passássemos pela barreira de árvores que escondia mais ou menos o acampamento. Era um verdadeiro formigueiro. Ali devia haver muita gente, pois vi *caletas* em todos os sentidos e homens e mulheres tratando de instalar suas barracas, apressados, sem a menor dúvida para que tudo estivesse pronto antes de cair a noite.

Olhamo-nos, Lucho e eu, e instintivamente nossas mãos se encontraram:

— "Nosso comandante" não deve ser fácil...

— A cara dele parece a de um assassino de beira de estrada — Lucho me respondeu, sussurrando. — Mas não se preocupe. Aqui a gente deve desconfiar dos que têm uma cara simpática. Não dos outros.

O comandante veio nos buscar e o seguimos prudentemente. Dez metros adiante, três *caletas* em fila acabavam de ser terminadas. A madeira descascada cuidadosamente ainda porejava. Alguns homens estavam ocupados em terminar uma grande mesa, com um banco de cada lado.

— Pronto, vocês vão se instalar aqui. Os *chontos* ficam bem atrás. Agora é muito tarde para um banho, mas amanhã de manhã enviarei a recepcionista para que os conduza ao lavadouro. Vou mandar que lhes tragam comida, se precisarem de alguma coisa mandem me chamar. Meu nome é Giovanni. Boa noite.

O homem desapareceu deixando dois guardas em cada ângulo do retângulo imaginário onde tínhamos sido autorizados a circular.

— Guarda? Como fazemos para ir aos *chontos*? — perguntei.

— É ali, siga pela trilha, atrás de uma fila de palmeiras. Tome cuidado, tem tigres...

— Sim, tigres, e tiranossauros também!

O guarda fingiu abafar um riso e Lucho me olhou, radiante. Que necessidade eles tinham de sempre nos meter medo?

Instalamo-nos para a noite com a esperança de termos chegado ao ponto de encontro com os emissários. Eu olhava o que Lucho arrumava, ele também olhava para o meu lado. Ele tinha um cobertor de lã xadrez que me dava inveja. Eu tinha um pequeno colchão forrado de tecido impermeável que podia ser dobrado em três e que Lucho parecia cobiçar. Sorrimos.

— Quer que lhe empreste o colchão? — cochichei.

— Mas como é que você vai dormir?

— Ah, eu, tudo bem, puseram umas palmas sobre a minha *caleta*, será suficiente.

— Quer que lhe passe um cobertor?

— Tenho meu casaco — respondi sem convicção.

— Mas tenho dois cobertores. Aliás, para mim seria muito bom se você ficasse com um, seria menos coisa para transportar.

Eu estava muito contente com nossa troca e ele também, visivelmente.

Emprestaram-nos lanternas de bolso, uma para cada um. Para nós era o fausto. Pedi licença para ir me sentar com Lucho à mesa e o guarda concordou. Já fazia noite escura, era um momento privilegiado para se confessar.

— O que você acha? — ele me perguntou em voz baixa.

— Acho que vão nos soltar.

— Não acho. Disseram-me que nos levam para outro acampamento junto com todos os outros presos.

Os guardas nos deixaram conversar e não nos atrapalharam. O tempo estava bom, uma brisa morna despenteava as árvores. Eu sentia um real prazer em ouvir aquele homem. Tudo o que dizia me interessava e me parecia estruturado e refletido. Sabia que sua presença me fazia um bem muito grande. Era uma espécie de terapia poder dividir com alguém tudo o que fervia em minha cabeça. Eu não tinha me dado conta de como me faltara até então o hábito de me abrir com outra pessoa.

De manhãzinha, o despertar foi alegrado inesperadamente pela chegada de uma loura muito bonita que se apresentou como nossa recepcionista. Lucho se levantara de ótimo humor e resolveu bombardeá-la de elogios. A moça lhe respondia no ato, indo cada vez mais longe o tom picante dos comentários. Todo mundo ria, mas a coisa estava no limite! Lucho não podia imaginar que era a *socia* do comandante! Quando Giovanni veio nos ver no fim do dia, era outro homem. Estava descontraído e afável. Cumprimentou-nos estendendo a mão e nos convidou para ficar com ele à mesa. "A mulher dele nos prestou um grande serviço", pensei ao observá-lo. Era um fino conversador. Ficou até tarde da noite nos contando sua vida.

— Estamos em plena batalha. Os paramilitares estão a trinta metros diante de nós e tem tiro para todo lado. Tivemos muitas perdas dos dois lados. A certa altura, quando estava rastejando para me aproximar da linha inimiga, recebi pelo rádio uma mensagem de um de meus homens. Ele estava morto de medo. Eu ali, deitado no chão, as balas assobiando rasantes sobre minha cabeça, tento falar com ele da melhor maneira possível, como se fosse um filho, para que ele avançasse sobre o inimigo junto comigo, para lhe dar coragem. Imaginou a cena? Com meu rádio na boca, vi o inimigo! Ele não me viu, estava na minha frente, também falava pelo rádio! Aproximei-me devagarinho, como uma cobra, ele não sentiu a minha chegada e, ó, estupor!, ouvi-o falar e compreendi que era ele que falava comigo no rádio. Foi terrível! Achei que estava falando com um dos meus rapazes e ele achava que estava falando com seu chefe. Mas era comigo que falava, esse idiota! E agora estava na minha frente e eu tinha de matá-lo! Fiquei alucinado! Não podia mais matá-lo, era um garoto, entende? Para mim não era mais o inimigo. Então dei-lhe uma surra, peguei o fuzil dele e o mandei dar no pé. Ele escapou por um triz, esse imbecil! Se está vivo, tenho certeza de que ainda se lembra!

Giovanni era muito jovem. Não tinha trinta anos. Era um rapaz muito ágil, dotado de grande senso de humor e de um talento inato para comandar. Era adorado por sua tropa. Eu observava com interesse seu comportamento. Era muito diferente de Andrés. Tinha confiança em seus homens, mas era exigente e controlador. Portanto, delegava com mais facilidade que Andrés, e seus homens se sentiam valorizados. Com esse grupo eu não tinha mais a sensação de ser espiada.

Havia uma vigilância, sem dúvida, mas a atitude dos guardas era diferente. Entre eles também o ambiente era bem distinto. Eu não percebia desconfiança, ao contrário de antes. Não se sentiam espionados pelos colegas. Todo mundo respirava melhor sob a autoridade desse jovem comandante.

Giovanni se habituara a vir jogar conosco, toda tarde, um jogo que Lucho inventara e que consistia em avançar num tabuleiro, com grãos de feijão, lentilhas e ervilhas à guisa de piões, e em alinhá-los eliminando os dos outros na passagem. Jamais consegui ganhar. O verdadeiro duelo começava quando só ficavam Lucho e Giovanni frente a frente. Era um espetáculo a não perder. Fustigavam-se com comentários mordazes, recuperando todos os preconceitos políticos e sociais que podiam para atacar o outro. Era engraçadíssimo. A tropa vinha seguir o jogo como quem vai a um espetáculo.

A companhia de Giovanni logo se tornou familiar e agradável. Perguntamos abertamente se pensava que íamos ser soltos e ele nos respondeu o que pensava. Dizia que isso ainda levaria semanas pois era preciso cuidar dos "últimos detalhes", o que era exclusivamente da alçada do Secretariado. Mas declarava francamente que precisávamos nos preparar para nossa libertação. Bem depressa isso se tornou o assunto privilegiado de nossas conversas.

Em pouco tempo tínhamos aprendido o nome de todos os guerrilheiros do grupo. Havia uns trinta. Giovanni fizera todo o possível para nos integrar, chegando mesmo a nos convidar para o "salão" para as atividades noturnas que costumavam promover. Isso me surpreendeu muito porque no acampamento anterior Andrés evitava rigorosamente que pudéssemos, mesmo de longe, ouvir o que ali se dizia. Era uma hora de descontração, em que os jovens se divertiam com jogos coletivos. Tinham de cantar, inventar palavras de ordem revolucionárias, adivinhar enigmas etc. Tudo isso num ambiente muito bem comportado. Uma noite, na saída do salão, um dos guerrilheiros me abordou:

— Você vai ser libertada daqui a alguns dias. O que vai contar a nosso respeito?

Olhei para ele, surpresa, e depois, tentando sorrir, respondi:

— Direi o que vi.

A pergunta me deixou um doloroso ressaibo. Tinha dúvidas se minha resposta havia sido a melhor.

Estávamos tomando o lanche da manhã quando ouvi um ruído de motores. Fiz um sinal para Lucho.

Uma grande agitação tomou conta do lugar e, antes mesmo que pudéssemos reagir, Jorge Briceño, vulgo Mono Jojoy, talvez o mais conhecido chefe das Farc depois de Marulanda, estava entrando. Quase engasguei com a bebida. Ele foi andando devagar, com seu olhar de águia, e jogou-se sobre Lucho, abraçando-o e sufocando-o contra o peito. Mono Jojoy era um homem temível. Provavelmente o mais sanguinário chefe das Farc. Construíra para si mesmo, acertadamente, uma reputação de homem duro e intransigente. Era o grande guerreiro, o militar, o combatente de aço, que provocava a admiração de toda aquela juventude que as Farc recrutavam aos montes nas regiões pobres da Colômbia.

Mono Jojoy devia ter uns cinquenta anos bem vividos. Era um homem de estatura média, corpulento, com uma cabeça grande e praticamente sem pescoço. Louro, o rosto congestionado e vermelho, sempre sob pressão, seu ventre proeminente lhe dava um jeito de touro quando andava.

Eu sabia que tinha me visto mas não veio falar comigo imediatamente. Levou muito tempo falando com Lucho, sabendo que minha companheira e eu o esperávamos em pé diante de nossas *caletas*, quase em posição de sentido. Como eu tinha mudado! A psicologia do prisioneiro marcava os nossos comportamentos mais simples.

Na última vez que o vira ele estava ao lado de Marulanda. Na ocasião, não quis me cumprimentar, eu mal o notara. E não teria notado se não tivesse sido pelo comentário desagradável que fizera a seus colegas:

— Ah, vocês junto com os políticos? Estão perdendo tempo! O melhor a fazer é pegá-los como reféns para o "intercâmbio humanitário". Pelo menos assim eles evitarão nos prejudicar. E aposto que se capturarmos uns políticos, este governo será forçado a nos devolver nossos companheiros!

Eu tinha me virado para Marulanda e interpelado, rindo:

— Puxa! É mesmo? Você seria capaz de me sequestrar assim no meio de uma estrada?

O velho fizera um gesto com a mão, como para afastar a má ideia que Mono Jojoy acabava de lhe sugerir.

Mas, exatos quatro anos depois, tive de constatar que Jorge Briceño executara sua ameaça. Finalmente se virou para mim e me apertou contra si, como se quisesse me triturar.

— Vi sua prova de sobrevivência. Gostei. Ela vai ser divulgada em breve.

— Pelo menos está claro que não sofro da síndrome de Estocolmo...

Virou-se para mim e me fitou com uma maldade que gelou meu sangue. Compreendi no ato que eu acabava de me condenar. O que lhe desagradara? Provavelmente o fato de que eu não queria sua aprovação. Deveria ter me calado. Aquele homem me detestava, irremediavelmente, eu era sua presa, ele não me largaria mais.

— Como estão sendo tratadas?

— Muito bem. Giovanni é realmente muito atencioso.

Aí, de novo, senti que tinha dado a resposta errada.

— Bem, façam sua lista e ditem-na a Pedro, cuidarei para que tudo lhes seja enviado rapidamente.

— Obrigada.

— Vou deixá-los em companhia de minhas enfermeiras. Elas farão um relatório sobre seu estado de saúde. Digam-lhes tudo o que não anda bem.

Foi embora me deixando mergulhada numa aflição inexplicável. Todo mundo concordava em dizer que o comandante Jorge era cortês e generoso. Eu queria admitir, mas sabia por instinto que sua visita era um péssimo presságio.

Sentei-me perto de Pedro, enquanto Lucho estava na visita médica, e empenhei-me em lhe ditar minha lista, seguindo a ordem precisa de Mono Jojoy. O pobre homem transpirava sem parar, incapaz de soletrar o nome dos produtos de que eu precisava. Lucho, que me escutava, rolava de rir sob os estetoscópios das enfermeiras, não conseguindo acreditar que eu me atrevesse a pôr na lista artigos de higiene.

— Já que é assim, peça a Lua! — mexia comigo.

Acrescentei uma Bíblia e um dicionário. No dia seguinte uma das enfermeiras voltou. Ela assumira o compromisso de se apresentar regularmente para massagear as costas de Lucho, que sofria horrivelmente de dores. Ele estava nas nuvens e se entregava em êxtase diante da moça.

Um rangido de freios na estrada me fez apurar o ouvido. Tudo foi muito rápido. Alguém berrou dando ordens. Giovanni chegou correndo, pálido.

— Têm que empacotar tudo. Vocês vão embora.

— Embora para onde? E você?

— Não, eu fico. Acabo de ser afastado de minha função.

— Giovanni...

— Não tenham medo. Vai dar tudo certo.

Veio um cara correndo, cochichou alguma coisa no ouvido de Giovanni. Este fechou os olhos e bateu nas coxas com os punhos fechados. Depois, se refazendo, nos disse:

— Sou obrigado a vendar seus olhos. Sinto muito. Realmente, sinto muito. Ai, que merda!

Para mim, o mundo desabou: os gritos, os guardas correndo em volta. Empurravam-me, puxavam-me. Cobriram-me os olhos com uma faixa grossa, eu não via nada, a não ser em minha cabeça: o olhar de fel de Mono Jojoy, que ficara gravado na minha memória e me perseguia, desfilava diante de meus olhos fechados como uma maldição.

25. Nas mãos da sombra

1º de setembro de 2003

Eu estava coberta por uma venda e amarrada. Com isso, perdi toda a segurança. O medo instintivo de não saber onde punha os pés me bloqueava. Dois homens me seguravam pelos braços. Esforçava-me em andar reta e normalmente, mas tropeçava a cada dois passos e era levantada pelos guardas, avançando sem querer, despossuída de equilíbrio e de vontade.

Ouvi a voz de Lucho bem na minha frente. Ele falava alto para que eu soubesse que não estava longe. Ouvi também a voz de Giovanni em algum lugar, à direita. Ele falava com alguém e eu tinha certeza de que não estava contente. Tive a impressão de ouvi-lo dizer que devia ficar conosco. Depois houve gritos e ordens dados por todo lado. Um barulho surdo. Encolhi a cabeça entre os ombros à espera de um tiro ou de uma pancada em alguma coisa.

Muito depressa fomos parar numa estrada. Senti o contato com o cascalho e o calor imediato do sol na minha cabeça. Um motor velho roncava pertinho, explodindo gases ácidos que irritavam minha garganta e meu nariz. Quis me coçar mas os guardas acharam que eu ia tirar a venda dos olhos. Reagiram com violência exagerada e meus protestos apenas os irritaram ainda mais.

— Andem logo! Subam com a carga!

O homem que acabava de falar tinha uma voz estrondosa que me fez mal. Devia estar bem atrás de mim.

Logo em seguida fui içada nos ares e jogada no que devia ser a caçamba de um caminhão. Aterrissei em pneus velhos nos quais tentei me acomodar, bem ou mal. Lucho chegou segundos depois, assim como minha companheira e meia dúzia de guerrilheiros que nos empurravam cada vez mais para o fundo do caminhão. Tateando, procurei as mãos de Lucho.

— Tudo bem? — ele me perguntou soprando.

— Calem a boca! — berrou alguém na minha frente.

— Sim, tudo bem — cochichei apertando seus dedos, agarrando-me a ele.

Alguém prendia um toldo na traseira do caminhão, uma porta foi trancada entre rangidos e estalos, o veículo tossiu antes de se sacudir como se fosse se desconjuntar de vez, depois saiu numa barulheira grotesca, bem devagar. Fazia muito calor e as exalações do motor inundavam nosso espaço. Os gases fedorentos se acumulavam, nos submetendo a uma tortura. A dor de cabeça, a vontade de vomitar e a angústia nos invadiram. Uma hora e meia depois, o caminhão parou com um irritante chiado de freios. Os guerrilheiros pularam do veículo e nos deixaram, creio, sozinhos. Devíamos ter chegado a um pequeno vilarejo, pois ouvi música popular vindo do que eu imaginava que devia ser uma *tienda*, onde se vende tudo, em particular bebidas.

— O que acha?

— Sei lá — me respondeu Lucho, arrasado.

Tentando me agarrar à última esperança, aventurei-me a dizer:

— E se fosse aqui o ponto de encontro com os emissários franceses?

— Não sei. O que posso dizer é que não estou gostando disso. Nada disso me agrada.

Os homens subiram de novo no caminhão. Reconheci a voz de Giovanni. Ele estava se despedindo e anunciou que ficaria no vilarejo. Portanto, tinha feito um trecho de estrada conosco. O caminhão atravessou uma aldeia, as vozes de mulheres, crianças e jovens que jogavam futebol se afastaram e finalmente sumiram. Só restaram as explosões do motor e o horror dos gases que nos ficavam na garganta, vindo diretamente do cano de descarga. Continuamos assim durante mais de uma hora. A sede se somara ao nosso desconforto. Mas era a incerteza, não saber o que nos aconteceria, que me causava a maior angústia. Os olhos vendados, as mãos amarradas, eu torturava meu espírito tentando tirar da cabeça os indícios que nos anunciavam que nosso cativeiro se prolongaria mais, indefinidamente. E se nossa libertação tivesse abortado? Não era possível, todos nos garantiam que marchávamos para a Liberdade! O que tinha acontecido? Será que Mono Jojoy interviera para fazer as negociações fracassarem? Afinal de contas, a ideia de pegar personalidades políticas como refém para que os guerrilheiros presos fossem soltos era a estratégia que ele imaginara, defendera e impusera à sua organização. Quando saímos do Bloco Sul, sob a égide de Joaquín Gómez, para passar ao Bloco Oriental, tínhamos caído na rede que ele pacientemente tecera ao nosso redor desde o sequestro. Queria nos ter sob seu controle, o que conseguiu.

O caminhão parou num tranco, embicado de frente numa ladeira. Tiraram as vendas de nossos olhos. Estávamos de novo à beira de um rio caudaloso. Duas canoas solidamente atracadas na margem balançavam nas ondas tumultuosas.

Meu coração deu um pulo. Subir de novo num barco se tornara para mim um sinal daquela maldição que me perseguia. Um homem baixinho, o ventre parecendo uma pipa, os braços curtos e as mãos de açougueiro, bigode escovinha e pele acobreada, já estava sentado num dos barcos. Havia ali grandes sacos de mantimentos na proa de cada um deles. Ele fez sinal para nos apressarmos e disse, com voz autoritária:

— As mulheres, aqui comigo. O homem no outro barco.

Nós três nos olhamos, lívidos. A ideia de uma separação me deixou doente. Éramos destroços humanos, nos agarrando uns aos outros para não naufragar. Incapazes de entender o que nos acontecia, sentíamos que, fosse qual fosse o destino que nos esperava, se fosse compartilhado seria menos doloroso.

— Por que nos separar?

Ele me olhou com seus olhos redondos e, como se compreendesse subitamente todo o tormento que nos corroía, disse:

— Não, não! Ninguém vai separá-los! O cavalheiro vai no outro barco para que possamos dividir o peso. Mas eles vão estar ao nosso lado durante todo o trajeto, não se preocupem.

Depois acrescentou, sorrindo:

— Meu nome é Sombra, Martin Sombra. Sou o novo comandante de vocês. Estou muito honrado em conhecê-la. Acompanhei-a pela televisão.

Estendeu-me a mão sem se levantar de seu assento e a sacudiu energicamente, tomado por uma verdadeira excitação que eu não compartilhava. Depois, virando-se para a tropa, deu aos berros umas instruções que para todos pareceram insensatas. Havia ali uns quinze homens, todos bem musculosos e muito jovens. Era a tropa do Bloco Oriental, famosa por seu treinamento e sua combatividade. Era a elite das Farc, a fina flor daquela juventude revolucionária. Maltratava seu batalhão e os jovens lhe obedeciam com respeito.

Em menos de dois minutos nós todos tínhamos embarcado, navegando sobre ondas violentas, empurrados por motores vigorosos em luta contra a corrente impetuosa. Descemos o rio, o que significava que nos embrenhávamos mais ainda na Amazônia.

Durante todo o trajeto Martin Sombra não parou de me fazer perguntas. Eu prestava atenção a cada uma de minhas respostas, tentando não cair nos mesmos erros que cometera antes e pelos quais eu continuava a me mortificar. Também queria estabelecer um contato que me permitisse falar facilmente com aquele que seria nosso comandante durante as próximas semanas, talvez próximos meses ou, quem sabe, próximos anos.

Comigo ele tinha um jeito aberto e cordial. Mas eu também o vira agindo com sua tropa e compreendi que podia ser perverso, abusivo e sem um pingo de remorso. Como me dissera Lucho, convinha desconfiar dos que tinham um ar gentil.

Sob um sol de chumbo, os barcos pararam numa curva, à sombra de um salgueiro-chorão. Os homens ficaram em pé contra a canoa e se divertiram em ver quem mijava mais longe. Pedi para desembarcar pelas mesmas razões mas com a intenção de ser mais discreta. A selva era mais cerrada que nunca. A ideia de partir correndo e me perder atravessou-me o espírito. Mas, claro, era total loucura.

Tranquilizei-me pensando que a hora da fuga chegaria, mas que era preciso prepará-la nos mínimos detalhes para não fracassar de novo. Eu carregava com as minhas coisas um facão enferrujado que El Mico perdera perto do embarcadouro, depois de uma pescaria no acampamento de Andrés, dias antes de nossa partida. Pensando que eu ia ser libertada, fizera questão de guardá-lo como uma espécie de troféu. Enrolara-o numa toalha e ninguém o descobrira até então. Mas aquele novo grupo pelo jeito não era fácil, convinha redobrar as precauções. Só de pensar nisso meu coração disparava.

Voltei para o barco, sempre inquieta. Sombra estava distribuindo refrigerantes e latas de conserva que se abriam puxando uma lingueta e continham um *tamal*, uma espécie de refeição completa à base de frango, arroz e legumes, típica do departamento colombiano de Tolima. Todos se jogaram em cima, famintos. Eu não conseguia nem sequer abrir minha lata. Dei minha ração a Clara, que a abriu, radiante. Lucho me olhava. Gostaria que eu tivesse lhe dado, mas estava muito longe.

Recomeçamos a navegação, um barco atrás do outro, por um rio que mudava a cada curva, alargava-se exageradamente em certos lugares e tornava-se muito estreito em outros. O ar estava pesado, eu me sentia à beira de uma indisposição.

Depois de uma curva, avistei entre os arbustos que obstruíam as margens um enorme tambor de plástico azul-rei balançando, agarrado no mangue. Era um desses que serviam para transportar os produtos químicos usados pelos laboratórios de cocaína. Portanto, devia haver gente pelas paragens. Mais ao longe cruzamos com outro idêntico, que também parecia perdido entre as ondas. A cada vinte minutos cruzávamos com um à deriva. Escrutei as margens na esperança de ver casas. Nada. Nenhuma vivalma. Só tambores azul-rei no verde geral. "A droga, maldição da Colômbia."

Devemos ter percorrido mais de duzentos quilômetros ziguezagueando por uma faixa de água interminável. Sombra olhava fixamente para frente, espiando cada curva com olhos de conhecedor.

— Acabamos de cruzar a fronteira — disse ao piloto com ar entendido.

O outro lhe respondeu com um grunhido e tive como que a impressão de que Sombra soltara esse fiapo de informação para que eu me desorientasse.

Numa curva o motor da embarcação parou.

À nossa frente surgiu um acampamento das Farc. Estava construído à beira da água. Canoas e pirogas balançavam sossegadas, atracadas numa imensa árvore dos manguezais. Tão longe quanto era possível ver, o acampamento estava afogado num imenso pântano de lama. O tráfico incessante da tropa transformava a terra da selva em atoleiro. "Eles terão de fazer passagens com tábuas", pensei. Os barcos deslizaram com a proa para a frente, abrindo caminho até a margem. Moças com uniforme de camuflagem, botas de borracha preta até o joelho e imundas saíram uma a uma de detrás das barracas ao ouvirem o barulho dos motores. Colocaram-se num alinhamento impecável e em posição de sentido. Sombra levantou-se depressa, passou por cima da proa da embarcação e com suas pernas curtas saltou no chão, respingando lama nas que tinham ido saudá-lo.

— Digam bom-dia à *doctora*! — intimou-as.

Elas responderam em coro:

— Bom dia, *doctora*.

Eu tinha quinze pares de olhos assestados em mim. "Meus Deus, fazei com que não fiquemos muito tempo aqui!", rezei em meu coração, observando o lugar sinistro onde tínhamos ido parar. Duas grandes marmitas estavam ali no chão, mal lavadas, e uns porcos se aproximavam, agressivos, com o focinho levantado, tencionando chafurdar ali dentro.

Contrastando com a sujeira do lugar, as moças estavam todas penteadas impecavelmente, o cabelo puxado para trás e preso com habilidade em tranças grossas que caiam como cachos pretos e brilhantes sobre seus ombros. Também usavam cintos de cores vivas e motivos geométricos que atraíram minha atenção. Era uma técnica que eu não conhecia. Deixei-me levar pelo pensamento de que até mesmo nos confins daquele buraco sórdido havia uma moda entre as moças das Farc. Observei-as ostensivamente e elas fizeram o mesmo, e nos olhamos sem complexos. Reuniram-se em grupinhos para cochichar ao nos observarem e caíram na gargalhada.

Sombra gritou de novo e os mexericos pararam imediatamente, cada uma indo trabalhar no seu canto. Mandaram-nos sentar em cima de bujões de gás enferrujados que rolavam na lama, trouxeram-nos comida em tigelas enormes. Era uma sopa de peixe. O meu boiava inteiro ali dentro, com olhos mortos que me fixavam através de uma camada de gordura amarelada. Suas grandes barbatanas peludas pendiam fora da tigela. Eu devia comer, mas não tinha coragem.

Sombra deu ordem para nos prepararem *caletas* para a noite. Duas moças foram desalojadas provisoriamente e nos cederam seus colchões. Quanto a Lucho, foi acomodado bem no meio da lama. Dois bujões de gás à guisa de base, duas tábuas de madeira atravessadas fazendo as vezes de cama e uma barraca por cima, em caso de tempestade.

Caíra a noite. A lama fervia com o calor subterrâneo. Gases de comida e de fermentação furavam as bolhas de lama e subiam à tona. O zumbido doentio de milhões de mosquitos enchera o espaço e sua vibração de ultrassons trespassava minhas têmporas como o anúncio doloroso de uma crise de loucura. Fazia muito calor. Eu tinha chegado ao inferno.

26. A serenata de Sombra

No dia seguinte, antes do alvorecer, o acampamento estava numa atividade febril. Uns trinta homens bem armados embarcaram antes da aurora nas duas canoas a motor que nos tinham transportado até lá. Todas as mulheres ficaram no acampamento e Sombra reinava sobre elas como sobre um harém. De meu colchão pude observá-lo, esparramado em seu velho colchão furado, sendo servido como um sultão.

Tive a intenção de ir lhe dar bom-dia, mas a moça que fazia a guarda se interpôs. Informou-me que eu não podia me mexer da *caleta* sem autorização de Sombra. Pedi para falar com ele. Meu recado lhe foi transmitido, de guarda em guarda. Ele fez um sinal com a mão que interpretei facilmente: não queria ser incomodado. A resposta seguiu o mesmo trajeto de volta e a guarda me comunicou enfim o resultado de meu pedido: Sombra estava ocupado.

Sorri. Dali onde estava o via perfeitamente. De fato estava bem ocupado com uma morena alta de olhos chineses que ele mantinha sentada no colo. Sabia que eu o olhava.

Por ora, não via nenhum espaço livre naquele acampamento para nos alojar. A não ser que construíssem as *caletas* sobre pilotis, ali onde viviam os porcos, no pântano à esquerda do acampamento. Essa opção parecia improvável. Mas foi exatamente o que eles fizeram. Três moças designadas para a tarefa saíram correndo para o barranco com pás, morderam a ladeira com afinco, escavando a terra para abrir uma plataforma suficientemente larga, como um balcão que desse para o lamaçal dos porcos. Ali encaixaram, com os pés no barro, enfileiradas contra o barranco, as três *caletas*. Fincaram umas estacas em cada extremidade para sustentar um grande plástico preto que nos serviria de abrigo. Despacharam-nos para nossos novos alojamentos antes do fim da manhã. Eflúvios de putrefação chegavam em ondas.

As relações com Clara estavam novamente tensas. Ela era suspeita de ter escamoteado uns cordões do equipamento que pertencia a uma guerrilheira. Minha companheira sabia que eu escondia o facão de El Mico e que se houvesse uma revista eu teria dificuldade para explicar a origem dele.

Sombra veio nos ver. Fingiu verificar nossa instalação e inspecionou nossas coisas. Fiquei aliviada por ter tomado precauções. Depois, num tom autoritário declarou:

— Vocês prisioneiros precisam se entender. Aqui não tolero a discórdia!

Compreendi. Devia estar a par das tensões com minha companheira e vinha se meter, feliz de representar o papel de pacificador.

— Sombra, agradeço o seu interesse e estou convencida de que você já foi amplamente informado sobre nossa situação. Mas quero lhe dizer que as desavenças entre minha companheira e mim só dizem respeito a nós. Peço-lhe que não tente interferir.

Sombra se deitara na *caleta* de Lucho. Estava de uniforme, com a camisa meio desabotoada que não conseguia conter seu enorme ventre. Olhava para mim de olhos semicerrados, sem expressão, avaliando cada uma de minhas palavras. As moças que estavam de plantão acompanhavam a cena com atenção. A morena alta de olhos chineses viera escutar e se mantinha encostada numa pequena árvore a poucos metros de nós. O silêncio ficou pesado.

De repente Sombra estourou numa gargalhada e veio me pegar pelos ombros:

— Mas você não deve se aborrecer assim! Só quero ajudá-la. Ninguém vai se meter em coisa nenhuma! Pronto, como castigo, vou lhe oferecer uma serenata. Isso vai relaxá-la. Mandarei alguém buscá-la!

Foi embora bem-humorado, cercado de uma corte de moças. Fiquei pasma. Uma serenata? Que ideia! Estava caçoando de mim, era evidente.

Dias depois, quando Lucho e eu já tínhamos concluído que Sombra era louco, fomos surpreendidos pela chegada de um batalhão de moças nos convidando para segui-las até a *caleta* do comandante.

Sombra nos esperava, estendido sobre seu colchão todo estragado, com o mesmo ventre gordo e redondo apertado numa camisa cáqui cujos botões pareciam prestes a estourar. Tinha se barbeado.

A seu lado estava Milton, guerrilheiro de certa idade que eu tinha reparado no dia da nossa chegada. Era um sujeito magro, com ossos salientes. Sua pele branca era fortemente marcada pela acne. Sentado desconfortavelmente num canto do colchão, como se tivesse medo de ocupar muito espaço, segurava entre as pernas um belo violão bem envernizado.

Sombra mandou que nos trouxessem os botijões de gás vazios para nos sentarmos. Quando nos acomodamos, como num banco de igreja, virou-se para Milton:

— Ande, comece.

Milton pegou o violão nervosamente com os dedos inchados e sujos cujas unhas pretas se alongavam como garras. Ficou com as mãos suspensas no ar, os olhos girando para todos os lados, à espera de um sinal de Sombra, que não chegava.

— Mas ande, comece! — Sombra gritou, irritado. — Toque qualquer coisa. Eu acompanho!

Milton estava bloqueado. Pensei que não conseguiria tirar nenhum som do instrumento.

— Ah, mas realmente, que idiota! Ande, toque o "Tango de Natal"... Pronto, isso mesmo. Mais devagar. Recomece.

Milton fez o possível, arranhando as cordas do violão, os olhos cravados no rosto de Sombra. Tocava incrivelmente bem, mexendo os grandes dedos escamados com uma destreza que me deixou perplexa. Começaram a encorajar Milton e a felicitá-lo espontaneamente, o que pareceu não agradar Sombra.

Irritado, ele começou a cantar com uma voz grossa de taberneiro. Era uma canção infinitamente triste que contava a história de um órfão que não teria presentes de Natal. Entre os refrões, Sombra aproveitava para brigar com o pobre Milton. A cena era realmente cômica. Lucho fazia um esforço sobre-humano para não cair na risada.

— Pare! Está bom! Chega!

Milton parou na hora, novamente petrificado, com a mão no ar. Em seguida Sombra se virou para nós, satisfeito. Nós três entendemos: tínhamos de aplaudir o mais forte possível.

— Bem, chega.

Paramos na hora.

— Milton! Vamos cantar aquela preferida das moças. Comece, depressa, santo Deus!

E recomeçou com sua voz grossa e forte, quase afinada, prestes a bater no pobre Milton a cada dois minutos, por capricho ou irritação. O espetáculo dos dois, um agarrado no violão, o outro se esgoelando, ambos meio enfiados na lama, me fazia pensar em o Gordo e o Magro.

Atrás do ogro que metia medo em todo mundo, descobri um homem que me enternecia, pois eu era incapaz de levá-lo a sério. Portanto, não podia ter medo dele e muito menos odiá-lo. Compreendia que era um homem capaz de muita maldade. Mas sua maldade era um escudo, não sua natureza profunda. Era mau para não ser visto como um imbecil. Naquele mundo de guerra e violência, sua aparência era proporcional à sua capacidade de castigar.

27. O arame farpado

A atividade do acampamento me preocupava. Toda manhã, ao raiar o dia, uma equipe de uns vinte homens, fortões, saía de canoa, na contracorrente, e voltava só antes do pôr do sol. Outra equipe desaparecia na mata, atrás do acampamento, mais para lá do barranco. Eu os ouvia trabalhar com motosserra e martelo. Quando ia aos *chontos*, via pelas árvores construções de madeira que começavam a tomar forma e se erguiam a uns cinquenta metros atrás de nossas *caletas*. Não queria perguntar nada. Tinha muito medo das respostas.

Certa manhã, Sombra veio nos ver. Estava acompanhado da sua morena alta, a Boyaca, e de uma moça gorda e simpática que se chamava Martha. Elas puxavam uns sacos grandes de lona emborrachada e os puseram nas nossas *caletas*:

— É Mono Jojoy que está mandando! Façam o inventário, se faltar alguma coisa, me digam.

Tudo o que tínhamos pedido havia chegado. Lucho não acreditava no que via. No dia em que fizemos a lista, ao perceber que eu incluía objetos até então proibidos, como lanternas de bolso, garfos e facas, baldes de plástico, aventurara-se a pedir espuma de barbear e loção pós-barba. Ria como uma criança ao descobrir que sua audácia fora recompensada. De meu lado, extasiei-me diante de uma pequena Bíblia encadernada de couro com um zíper todo em volta. Como brinde, Mono Jojoy nos mandava guloseimas que depois de demoradas discussões dividimos entre nós, assim como camisetas com cores difíceis pelas quais ninguém quis brigar.

Fiquei surpresa com as provisões que chegavam ao acampamento. Um dia, fiz um comentário a respeito com Sombra, que levantou o cenho, me olhando de rabo de olho, e me disse:

— Os *chulos* podem gastar tudo o que quiserem com aviões e radares para procurá-la. Enquanto houver oficiais corruptos, sempre seremos os mais fortes! Veja só, esta zona onde estamos encontra-se sob controle militar. Tudo o que se consome aqui deve ser justificado, deve-se indicar quem são os beneficiados, o número de pessoas por família, os nomes, as idades, tudo. Mas basta haver um que queira um dinheirinho extra no fim do mês e todo o plano deles vai por água abaixo.

E acrescentou, com ar malicioso:

— Não é só o baixo escalão que faz isso! Não é só o baixo...

Seu comentário me deixou perplexa. Se o Exército fazia esforços para nos encontrar, era verdade que a existência de indivíduos corruptos podia representar para nós meses, e até mesmo anos extras de cativeiro.

Entendemos direitinho a mensagem que Mono Jojoy nos enviara ao nos abastecer com o que queríamos. Devíamos nos preparar para aguentar muito tempo: as Farc consideravam que não havia negociação possível com Uribe. Fazia um ano que ele fora eleito e que movia uma campanha agressiva contra a guerrilha. Todo dia inflamava os espíritos com discursos incendiários contra os guerrilheiros, e seu índice de popularidade estava no zênite. Os colombianos se sentiam tapeados pelas Farc. As negociações de paz do governo Pastrana foram interpretadas como uma fraqueza do Estado colombiano diante da guerrilha, que aproveitara para se consolidar. Os colombianos, despeitados com a arrogância do Secretariado, queriam acabar de uma vez por todas com uma insurreição que repudiavam, pois ela atacava a todos e espalhava o terror pelo país. Uribe, interpretando o sentimento nacional, foi inflexível: não haveria nenhuma negociação para nossa libertação.

À noite, eu ia conversar com Lucho em sua *caleta*. Ele ligava o rádio suficientemente alto para abafar nossas vozes e nos acomodávamos para jogar xadrez num pequeno tabuleiro de viagem que Sombra nos emprestara.

— O que acha que vão fazer conosco?

— Estão construindo uma coisa grande, lá atrás.

— Talvez seja um alojamento para eles.

— Em todo caso, é grande demais para nós três.

Era a *Hora dos Boleros*, um programa de música dos anos 1950. Eu gostava. Conhecia de cor as letras das músicas que transmitiam porque desde que nasci mamãe as cantava o dia todo. Era a hora da fossa, das análises pessimistas e da contabilidade melancólica do tempo perdido. Lucho e eu nos abríamos, um depois do outro, descobrindo os abismos insondáveis de nossa tristeza.

— Tenho medo de morrer aqui, Lucho.

— Estou muito doente, sabe?

— De jeito nenhum. Você está em plena forma.

— Pare de zombar de mim, é sério. Sou diabético. É grave. Posso cair em coma a qualquer momento.

— Como assim, cair em coma?

— É como um desmaio, mas muito mais grave, você pode perder o cérebro, virar um legume.

— Pare! Você me dá medo!

— Quero que saiba, pois precisarei de você. Se por acaso me vir empalidecer ou perder a consciência, tem de me dar açúcar imediatamente. Se eu tiver convulsões, precisa segurar minha língua...

— Ninguém consegue segurar sua língua, meu Lucho! — retruquei, rindo.

— Não, é sério, escute bem. Você precisa tomar cuidado para eu não me sufocar com a própria língua.

Eu escutava, atenta.

— Quando eu voltar a mim, não pode me deixar dormir. Tem de falar comigo o dia todo e a noite toda, até que perceba que recuperei a memória. Em geral, depois de uma crise de hipoglicemia a gente quer dormir, e pode nunca mais acordar.

Eu escutava com atenção. Ele era insulinodependente. Antes de ser sequestrado, era obrigado a se aplicar todo dia, na barriga, uma dose de insulina. Fazia dois anos que não a recebia. Perguntava-se por qual milagre continuava a viver. Eu conhecia a resposta. Ela estava estampada em seus olhos. Lucho se agarrava à vida furiosamente. Não estava vivo porque tinha medo de morrer. Estava vivo porque tinha paixão pela vida.

Estava me explicando que as balas que tínhamos recebido podiam lhe salvar a vida quando o guarda nos chamou:

— Ei! Parem de escutar música, estão perdendo o noticiário!

— E daí? — dissemos em coro.

— E daí? Acabam de passar as provas de sobrevivência de vocês!

Pulamos de nossas cadeiras como se tivéssemos recebido um choque elétrico. Lucho manobrou correndo para sintonizar a Radio Caracol. A voz do jornalista estrela da estação nos chegava forte e clara. Ele fazia uma recapitulação de nossas mensagens que acabavam de ser retransmitidas pela televisão. Só consegui escutar trechos de minha fala, sem poder verificar se a gravação tinha sido adulterada. Mas ouvi a voz de minha mãe e as declarações de Mélanie. A exultação delas me surpreendia. De certa forma, me fazia mal. Quase as recriminei por estarem felizes com tão pouco. Havia algo de monstruoso naquele alívio que só lhes era outorgado por meus sequestradores para prolongar mais ainda nossa separação. Fiquei com o coração apertado ao pensar que nós todos tínhamos caído na cilada: aquela prova de sobrevivência não era uma condição para nossa libertação. Não havia negociações com a França. Ela anunciava cruelmente uma prolongação de nosso cativeiro. Conseguiam fazer pressão sem nenhuma intenção de nos libertar. Éramos um troféu nas mãos da guerrilha.

Como a ecoar meus pensamentos, a gorda Martha, que estava de guarda, se aproximou de mim:

— Ingrid... eles estão construindo uma prisão.

— Quem está construindo uma prisão?

— *Los muchachos.*

— Para quê?

— Vão fechar todos vocês lá dentro.

Recusei a me render às evidências. Como que tomada de tonteira à beira de um precipício, dei mais um passo no vazio:

— "Todos" quem?

— Todos os prisioneiros que estão no campo a uns trinta minutos daqui e vocês três. Há os políticos: três homens e duas mulheres, todos os outros são soldados e policiais. São os que fazem parte do "intercâmbio humanitário". Eles vão reunir vocês todos aqui...

— Quando?

— Muito breve. Provavelmente na semana que vem. Vão pôr o arame farpado amanhã.

Fiquei lívida.

— *Mamita,** vai ser muito duro para vocês — me disse Martha, condoída. — Vocês precisam ser muito fortes, se preparar.

Sentei-me na *caleta*, vazia por dentro. Igual a Alice, caí num poço sem fim. Sem que nada pudesse me deter, eu degringolava. O buraco negro era isso. Eu era tragada pelas entranhas da terra. Só estava viva para me ver morrer. Então era isso, o meu destino? Tive uma raiva mortal de Deus por ter me abandonado. Uma

---

* Mãezinha, termo popular e afetuoso entre os colombianos.

prisão, cercas de arame farpado? Eu sofria a cada respiração, incapaz de continuar. Mas devia continuar. Havia os outros, todos os outros, meus filhos, minha mãe. Fechei os punhos sobre os joelhos, furiosa comigo mesma e com Deus, e me ouvi dizendo:

— Nunca me deixes afastar-me de ti! Nunca!

Com a cabeça vazia, levantei-me como um autômato para anunciar a meus companheiros a pavorosa notícia.

Toda vez que íamos aos *chontos* espiávamos o avanço das obras. Como a gorda Martha tinha anunciado, instalaram uma rede de aço com fios de arame farpado em volta de todo o recinto, com quatro metros de altura. No que parecia ser um canto da obra tinham construído uma torre de vigilância no alto, dominando todo o conjunto. Dava para avistar entre as árvores três outras torrinhas que se elevavam, também com escadas. Era um campo de concentração em plena selva. Eu tinha pesadelos com isso e acordava sobressaltada, coberta de suor, no meio da noite. Devia gritar, pois uma noite Lucho me acordou pondo a mão em minha boca. Ele tinha medo de que houvesse represálias. Recomecei, portanto, a perder o sono e a me refugiar na insônia para não ser pega desprevenida. Lucho também não conseguia dormir. Sentávamo-nos em nossas *caletas* para conversar, na esperança de afastar os fantasmas da noite.

Ele me contava os natais de sua infância, quando a mãe cozinhava *tamales*, prato típico da região do Tolima, onde ela nascera. A receita incluía ovos cozidos que Lucho, em criança, roubava, para desespero da mãe. No dia seguinte ele a via de robe de chambre, contando os ovos e perguntando por que sempre faltava um! Lembrando-se disso, ele ria de chorar. De meu lado, eu voltava às Seychelles e às lembranças felizes do nascimento de minha filha. Voltava, portanto, ao essencial: antes de tudo, eu era mãe.

A construção da prisão me abalou profundamente. Era indispensável repetir para mim mesma que eu não era uma prisioneira, mas uma sequestrada. Que não tinha feito nada de mau, que não pagava por um delito. Que os que haviam me despossuído de minha liberdade não tinham nenhum direito sobre mim. Eu precisava disso para não me submeter. Para não esquecer que tinha o dever de me rebelar. Eles chamavam aquilo de "prisão". E, como num ato de prestidigitação, eu me tornava uma criminosa, e eles, a autoridade. Não, não me dobraria.

Apesar dos esforços, nosso cotidiano ficou sombrio. Observei o humor soturno de meus companheiros, todos nós estávamos deprimidos. Lucho pegara o hábito de tomar o lanche da manhã com Clara, numa plataforma de madeira que devia ter servido para armazenar mantimentos e agora, agarrada pelas águas do pântano, parecia uma ilha flutuante no lodaçal dos porcos. Lucho ia lá toda manhã, levando os biscoitos que recebera. Dividia-os sem se preocupar em guardá-los para mais tarde. Um dia, não voltou mais à plataforma e tomou o lanche sentado na *caleta*.

— O que houve, Lucho?

— Nada.

— Ande, me diga. Estou vendo que tem alguma coisa que está lhe fazendo mal.

— Nada.

— Bem, se não quer me dizer, certamente não é importante.

Quando voltei do rio depois de tomar banho, vi que Lucho tinha tido com Clara uma discussão acalorada por causa dos baldes de plástico que a guerrilha nos fornecera. Lucho se oferecera para encher os baldes no rio. Tratava-se de ter água limpa para lavar os dentes, as mãos e as tigelas depois de cada refeição. Era uma tarefa difícil, pois era preciso carregar os dois baldes cheios e subir com eles uma ladeira íngreme enlameada e escorregadia.

Era de tarde, a noite não custaria a cair, Lucho já fizera a tarefa daquele dia, já tinha tomado banho, estava limpo e pronto para dormir. Clara, porém, usara a água dos baldes para deixar de molho sua roupa suja. Não havia mais água para lavar as tigelas e lavar os dentes antes de dormir. Lucho estava exasperado.

Esses incidentes miúdos do dia a dia nos envenenavam a vida, provavelmente pelo fato de nosso universo ter se tornado tão pequeno. Observei Lucho irado e o compreendi muito bem. Eu também me irritara diversas vezes. Também tive as reações erradas e as atitudes erradas. Às vezes aquilo me surpreendia por eu ignorar as engrenagens de meu próprio temperamento. A comida, por exemplo, não me interessava. Mas, certa manhã, levantei-me e fiquei vergonhosamente chateada porque a maior parte da ração que nos trouxeram não tinha sido para mim. Era ridículo. Isso nunca me acontecera antes. Mas no cativeiro descobri que meu ego sofria se eu fosse despossuída do que desejava. Com a fome ajudando, era em torno da comida que se travavam os combates silenciosos entre os prisioneiros. Eu observava uma transformação em mim da qual não gostava. E gostava menos ainda à medida que não a suportava nos outros.

Essas pequenas coisas do cotidiano envenenavam nossa existência, provavelmente porque nosso universo encolhera. Despossuídos de tudo, de nossa vida, de nossos prazeres, de nossos próximos, tínhamos o reflexo errado de nos agarrar ao que restava, quase nada: um pouco de espaço, um pedaço de biscoito, um minuto a mais no sol.

28. A antena parabólica

Outubro de 2003

A prisão parecia pronta. Contávamos os dias em que ficaríamos no nosso barranco, como condenados à morte que tivessem recebido um *sursis*. Certa manhã, Sombra veio me ver. Tencionava instalar uma antena parabólica. Tinha uma televisão no acampamento. Parte das instruções era em inglês, precisava de minha ajuda.

Disse-lhe que não entendia nada daquilo. Mesmo assim ele fez questão que eu o acompanhasse para checar os equipamentos. Dois enormes alojamentos de madeira tinham sido construídos.

Havia uma terceira construção, menor que os dois conjuntos de barracas anteriores, com bancos e dezenas de cadeiras de plástico empilhadas nos lados. Estavam bem abastecidos, quanto a isso não havia a menor dúvida. As caixas de aparelhos eletrônicos reinavam no meio do salão, com os manuais de instrução bem arrumados ali em cima. Fui andando. Vi então, atrás da pilha das cadeiras, a prisão inteirinha. Era uma imagem sinistra, guarnecida de fios de arame farpado e cercada de lama.

Fingi que estava lendo os manuais de funcionamento, mexi em alguns botões e declarei, vencida:

— Não entendo nada, sinto muito.

Era incapaz de me concentrar em alguma coisa que não fosse o inferno que tinham construído. Voltei, mortificada, para descrevê-la a meus companheiros.

Sombra, de seu lado, não se declarou vencido. No dia seguinte, antes da hora do almoço, uma das barcas que percorriam o rio voltou trazendo um prisioneiro do acampamento que ficava mais acima do nosso.

Era um homenzinho magro, o cabelo cortado rente, os olhos enfiados nas órbitas, o rosto cadavérico. Nós três estávamos postados em nosso barranco, curiosos de saber quem era aquele sujeito que Sombra mandara buscar para instalar a antena. Ele foi até nós seguindo a trilha usada pela guerrilha, provavelmente ignorando que outros prisioneiros se alojavam no acampamento de Sombra. Teria sentido nossos olhares fixos nele? Virou-se e parou de repente. Por alguns segundos nos olhamos. Nós todos fizemos o mesmo caminho mental. Nossos rostos refletiam, sucessivamente, a surpresa, o horror e a compaixão. Cada um tinha em face de si um farrapo humano.

Lucho foi o primeiro a reagir.

— Alan? Alan Jara? É você, Alan?

— Claro! Claro! Desculpem, eu não os reconheceria. Vocês são muito diferentes nas fotos.

— Como vai? — perguntei depois de um silêncio.

— Bem, bem.

— E os outros?

— Bem, também.

O guarda enfiou-lhe o cano do fuzil nas costas. Alan sorriu tristemente, nos deu um adeuzinho e se dirigiu para as barracas.

Nós três nos olhamos, arrasados. Aquele homem era um cadáver ambulante. Usava uma camiseta toda esfarrapada e uma bermuda imunda. Suas pernas de extrema magreza boiavam dentro das botas de borracha grandes demais. Nós três nos olhávamos como se tivessem nos tirado uma venda dos olhos. Estávamos habituados a nos ver assim, mas não estávamos melhores que Alan. A não ser pelo fato de que acabávamos de receber mantimentos. Não hesitamos um segundo. Fomos buscar o que nos restava no estoque para enviar aos companheiros do outro acampamento.

Sobrava-nos também um pedaço de bolo que eu acabava de fazer para festejar o aniversário de Lorenzo e o dos filhos de Lucho.

— A gente deveria mandar isso para eles — disse-me Lucho —, é aniversário de Gloria Polanco e de Jorge Gechem.

— Como sabe que é aniversário deles?

— Nas mensagens do rádio, as famílias os felicitaram pelos aniversários, é dia 15 ou 17 de outubro, não lembro mais. Mas é daqui a uns dias.

— Quais mensagens pelo rádio?

— Meu Deus, não é possível, estou sonhando! Você não sabe que todo dia há um programa de rádio na RCN, *La Carrilera*, apresentado por Nelson Moreno, que transmite mensagens de todas as nossas famílias para cada um de nós?

— O quê?

— É! Sua família não chama por essa rádio. Mas sua mãe lhe manda mensagens todos os sábados pela Radio Caracol, *Las Voces del Secuestro*! Foi um jornalista, Herbin Hoyos, que teve a ideia de criar um programa de rádio para os sequestrados. Sua mãe lhe chama e fala com você, ouço-a todo fim de semana!

— Mas como! É só agora que você me diz?

— Escute aqui, sinto muito, pensei que você soubesse, estava convencido de que escutava o programa assim como eu!

— Luchini, é maravilhoso!... Vou poder escutar mamãe depois de amanhã!

Pulei no pescoço dele, que acabava de me dar o mais lindo presente! E ele queria se desculpar!

Preparamos um pacote com balas, biscoitos, e também o pedaço de bolo que reservamos para Gloria e Jorge Eduardo. Pedi ao guarda que transmitisse nossa solicitação a Sombra. A resposta não tardou:

— Ingrid, você tem meia hora para falar com Alan e entregar o pacote.

Não me fiz de rogada e segui o guerrilheiro até o salão das cadeiras empilhadas. Alan me esperava. Jogamo-nos nos braços um do outro como se nos conhecêssemos desde sempre.

— Viu a prisão?

— Vi... Acho que vou ficar no seu grupo.

— Como assim?

— Sombra vai pôr os militares de um lado e os civis do outro.

— Ah, bem! Como sabe?

— Os guardas... Há alguns que nos passam informações em troca de cigarros.

— Ah!...

— São quantos civis?

— Quatro, dois homens e duas mulheres. Prefiro ficar com os militares. Mas, bem, se ficar com você, vamos nos organizar. Tenho vontade de aprender francês.

— Pode contar comigo.

— Escute, Ingrid, não se sabe o que vai acontecer, com eles nunca se sabe. Mas aconteça o que acontecer, seja forte. E tome cuidado. A guerrilha tem dedos--duros por todo lado.

— O que quer dizer com isso?

— Quero dizer que convém desconfiar, mesmo entre os prisioneiros. Há uns que estão prontos para entregar os companheiros por um isqueiro ou uma lata de leite em pó. Não confie em ninguém. É meu melhor conselho.

— Ok. Obrigada.

— E obrigado pelas guloseimas. Vão agradar a todo mundo.

Deram-nos trinta minutos exatamente. Nem um a mais. Voltei, pensativa. As palavras de Alan me causaram forte impressão. Sentia que, de fato, precisava me preparar para viver uma experiência difícil. Eu via a cerca, o arame farpado, as guaritas. Mas ainda não podia imaginar o mundo dentro da prisão: a falta de espaço, a promiscuidade, a violência, as delações.

29. Na prisão

18 de outubro de 2003

De manhã, os guerrilheiros se aproximaram de nossa barraca. Havia um alto e magro, de bigode fino e olhar venenoso. Usava um chapéu de guarda-florestal, daqueles que estavam em voga entre os paramilitares. Pôs sua bota enlameada na minha *caleta* e latiu:

— Embrulhe as suas coisas! Tudo deve desaparecer em cinco minutos.

Ele não me intimidava, na verdade o achei ridículo com seu uniforme de caubói tropical, mas mesmo assim tremi. Era nervosismo, uma coisa meio esquizofrênica. Eu tinha uma cabeça fria e lúcida num corpo emotivo demais. Isso me irritava. Devia andar depressa, dobrar, enrolar, guardar, amarrar. Sabia por onde começar e por onde terminar, mas minhas mãos não seguiam. Os gestos que eu repetia todo dia e que só levavam um segundo não me voltavam, sob o olhar irritado do bigodudo. Sabia que ele devia estar pensando que eu era uma estabanada e por isso mesmo fui ficando ainda mais sem jeito. Obstinava-me em querer fazer as coisas com perfeição como para provar a mim mesma que essa aparência desastrada era transitória. Portanto, recomeçava a dobrar, enrolar, recolocar e reamarrar como uma maníaca. O bigodudo pensava que eu estava fazendo aquilo de propósito para atrasar a execução de sua ordem. Não precisou mais que isso para que ficasse zangado comigo.

Lucho observava e se alarmava, sentindo os problemas se acumularem sobre nossas cabeças. Eu não tinha acabado de amarrar meu pobre saco de provisões quando o bigodudo o arrancou de mim, visivelmente irritado, e me mandou segui-lo. Partimos em fila indiana num silêncio doloroso, enquadrados por homens armados de cara patibular. Eu gravava na memória cada passo, cada acidente de terreno, cada particularidade da vegetação que pudesse me servir de indicador para a futura evasão. Ia andando com o nariz cravado no chão. Foi talvez por isso que tive a impressão de que a prisão caiu em cima de mim. Quando a vi, eu estava prestes a me esmagar na grade e no arame farpado.

A surpresa foi tanto maior porque já havia gente lá dentro. Bestamente, eu presumira que, levando em conta que estávamos instalados tão perto da prisão, seríamos os primeiros a chegar. Sombra agira de sorte que outros estivessem lá dentro antes de nós, fosse para termos menos medo de entrar, fosse para indicar que já havia outros donos do local. O bigodudo nos mandou fazer um pequeno desvio inútil que nos permitiu compreender que a prisão estava dividida em dois: uma construção bem pequena e outra maior, encostadas uma na outra, separadas por um pequeno corredor largo o suficiente para permitir a passagem da ronda dos guardas. A entrada no prédio pequeno se fazia por um pátio de terra batida. Toda a vegetação fora eliminada, a não ser por umas poucas árvores pequenas, que jogavam sua sombra no telhado dos alojamentos para camuflar os tetos de zinco da observação dos aviões militares. Todo o espaço era fechado por grossas grades de aço. Uma pesada porta de metal, sem falar da corrente imponente e de um cadeado maciço, vedava o acesso ao local.

O bigodudo tirou da calça o molho de chaves, ficou mexendo no cadeado para nos deixar bem claro que a manobra não era simples e a porta se abriu com um rangido medieval. As quatro pessoas que já estavam ali deram uns passos atrás. Ele jogou minha trouxa lá dentro como se tivesse umas feras diante de si. Desde que aparecemos no campo de visão deles, os quatro reféns nos devoravam com os olhos. Todos estavam acabados fisicamente, os traços cansados, o rosto famélico, os cabelos brancos, as rugas profundas, os dentes amarelados. Porém, mais que com a aparência física, fiquei comovida com a atitude deles, apenas perceptível, a posição de seus corpos, o movimento do olhar, a inclinação da nuca. Quase se podia crer que tudo estava normal. No entanto, algo não era mais o mesmo. Como quando um novo perfume trazido pela brisa enche o ar e que ficamos em dúvida se realmente o percebemos, pois ele já nos escapa embora tenha se impregnado em nossa memória.

Eles estavam atrás das grades. Por alguns segundos, eu ainda estava fora. Era quase indecente olhar para eles, pois sua humilhação estava posta a nu e de nenhuma maneira podia novamente se esconder. Aquelas criaturas estavam despossuídas de si mesmas, à espera da boa vontade dos outros. Pensei naqueles cachorros sarnentos, rejeitados e perseguidos, que não enfrentam mais os golpes, na esperança de serem esquecidos pelos que os importunam. Havia algo disso em seus olhares. Eu conhecia dois deles, tínhamos compartilhado os bancos do Congresso. Agora os revia diante de mim, vestidos miseravelmente, mal barbeados, as mãos sujas, mantendo-se eretos, procurando salvar uma aparência e uma dignidade apesar do medo.

Doía-me vê-los assim e o fato de que soubessem estar sendo vistos. A eles, por sua vez, doía a minha situação, conscientes de que dentro de alguns minutos partilharíamos a mesma sorte, e doía o horror que liam em meu rosto.

A porta estava aberta. O bigodudo me empurrou para dentro. Jorge Eduardo Gechem foi o primeiro a se adiantar e me recebeu em seus braços. Ele tremia, os olhos banhados de lágrimas:

— Minha senhora querida, não sei se devo estar feliz de revê-la ou muito triste.

Gloria Polanco também me abraçou calorosamente. Era a primeira vez que nos encontrávamos, mas era como se fôssemos amigas há tempos.

Consuelo se aproximou, e Orlando também. Nós todos chorávamos, aliviados seguramente por estarmos juntos, saber que todos estavam vivos, porém mais arrasados ainda pela desgraça comum. Orlando pegou nossas trouxas e nos levou para o alojamento. Era uma construção de madeira com uma grade metálica que cobria todo o interior, do teto até as paredes. Havia quatro camas superpostas tão perto umas das outras que para chegar a elas tínhamos de nos esgueirar de banda.

Num dos lados, as tábuas de madeira da parede tinham sido parcialmente cortadas, o que abria uma espécie de janelão dando para fora da cerca, e também inteiramente gradeado. O lugar banhava na penumbra e as camas do fundo estavam pura e simplesmente afundadas no breu. Um cheiro de mofo entrava pelo nariz desde a entrada, e tudo estava coberto por uma serragem avermelhada que pairava no ar, prova de que as barracas tinham sido construídas recentemente.

— Ingrid, vamos encarregá-la de distribuir as camas. Escolha primeiro a sua!

A ideia me surpreendeu e me deixou de pé atrás. Era inconveniente atribuir um papel de chefe a quem quer que fosse. Lembrei-me das palavras de Alan e pensei que o melhor era me manter a distância.

— Não, não é meu papel. Pegarei a cama que sobrar depois que vocês tiverem escolhido as suas.

Foi um constrangimento imediato. O nervosismo de uns e a rigidez de outros nos fez compreender muito depressa que por trás das boas maneiras havia uma verdadeira guerra entre nossos companheiros. Terminamos, os três, colocados estrategicamente, de modo a servir de biombo entre nossos quatro companheiros. Clara no fundo do alojamento, entre Orlando e Consuelo, Lucho e eu entre os dois outros e eles. Isso parecia satisfazer a todos, e cada um de nós começou a se instalar.

Expliquei a Sombra que precisávamos de vassouras para varrer o alojamento e que seria desejável abrir uma grande janela na fachada para permitir que as camas do fundo recebessem mais luz. Sombra me ouviu, inspecionando o recinto, e foi embora me garantindo que mandaria um de seus homens com a vassoura e a serra.

Meus colegas se juntaram ao meu redor. Para eles a atitude de Sombra era inabitual:

— Ele sempre diz *não* a todos os nossos pedidos! É uma sorte que a escute. Ainda assim teremos de ver se vai cumprir a palavra.

Embalados com a ideia de uma nova janela, começamos a fazer projetos: construiríamos estantes com as tábuas que iam ser retiradas. Seria preciso pedir tábuas extras para fazer uma grande mesa onde poderíamos almoçar todos juntos e uma mesinha perto da porta de entrada para receber as marmitas das refeições.

A ideia de conceber projetos que poderíamos realizar em comum me entusiasmava. Criara-se um clima de fraternidade de que todos nós precisávamos. Mais relaxados, nos reunimos no pátio, sob as poucas árvores que tinham sido poupadas, dispostos a contarmos nossos diferentes percursos. Orlando tinha sido o primeiro a ser capturado e fora imediatamente colocado com os cinquenta oficiais e suboficiais que as Farc mantinham como reféns há anos. Consuelo fora a segunda capturada. Trancada com os militares e os policiais, guardava uma lembrança ingrata dos meses em que foi a única mulher no campo das Farc. Gloria tinha sido presa com os dois filhos, e depois subitamente separada deles e incluída no grupo dos "intercambiáveis". Jorge fora sequestrado dentro de um avião, três dias antes de minha captura. A guerrilha havia reunido Gloria e Jorge algumas semanas antes, e depois os trancara com o resto do grupo.

As tentativas de fuga e as traições haviam magoado uns e posto os outros a distância. A suspeição se infiltrara entre eles e reinava a desconfiança. As relações com a guerrilha eram arriscadas. Fazia mais de um ano que estavam nas mãos de Sombra. Eles o temiam e o detestavam mas não se atreviam sequer a dizer isso, temendo ser denunciados. O grupo de Sombra fazia reinar o terror entre os prisioneiros. Contavam que um dos suboficiais, depois de uma briga com outro prisioneiro, foi assassinado.

Meus companheiros estavam com vontade de falar, de se abrir, mas as experiências terríveis que tinham vivido os obrigavam a ficar em silêncio. Era fácil compreendê-los. No compartilhamento das lembranças produz-se uma evolução. Alguns fatos são dolorosos demais para ser contados: revelando-os, nós os revivemos de novo. Temos então a esperança de que, com o passar do tempo, a dor desaparecerá, e que em seguida será possível partilhar com outros aquilo que vivemos e nos aliviarmos do peso de nosso próprio silêncio. Mas, volta e meia, quando não há mais sofrimento na lembrança, é por respeito a si mesmo que a gente se cala. Já não sentimos a necessidade de desabafar, e sim a de não arrasar o outro com as lembranças de nossas próprias desgraças. Contar certas coisas é permitir-lhes ficar vivas no espírito dos outros, quando o que afinal nos parece mais conveniente é deixá-las morrer dentro de nós mesmos.

30. A chegada dos americanos

Fim de outubro de 2003

A vassoura chegou, como Sombra tinha prometido. Mas não a serra elétrica. Os guardas postados nas torrinhas nos eram inacessíveis. Para todos os pedidos, era preciso esperar a chegada do recepcionista, que, pela primeira vez, no meu caso, não era mais uma moça. Só os homens tinham autorização de se aproximar da prisão. E para simplificar as coisas, o grande bigodudo com chapéu de guarda--florestal, Rogelio, é que foi nomeado para o posto. Ele abria a pesada porta metálica de manhã e deixava a panela com a comida no chão, sem dizer uma palavra. Nossos camaradas pulavam em cima dele para conversar antes que desaparecesse, mas ele os empurrava violentamente para o interior, tornando a fechar a porta com toda pressa, gritando: "Depois, depois!".

Durante o dia, ele passava diversas vezes na frente de nossa tela, ignorando os pedidos urgentes e as solicitações dos meus camaradas. Rogelio ria, se afastando, satisfeito com as reações que provocava. Minha situação tinha mudado. No fim das contas, eu tivera até então um acesso facilitado ao comandante do acampamento, encarregado de resolver meus problemas. Ali, parecia que aquele jovem guerrilheiro é que ia garantir nosso contato com o exterior. Ele se tornou então o único homem a quem apresentar nossos pedidos. Meus camaradas se esforçavam para lhe serem agradáveis, mas ele reagia com desdém.

As relações humanas se transformaram no exato instante em que entramos na prisão. O torno fechou-se sobre nós, apertando ainda mais. Tínhamos nos transformado em mendigos. Eu me via pendurada na tela, miando para chamar atenção. Fazendo um esforço para lamber as botas daquele personagem à custa de falsos sorrisos ou de uma camaradagem hipócrita que me era francamente insuportável. Aquele homem adorava ser elogiado. Bem depressa estabeleceu relações hierarquizadas conosco. Havia aqueles que lhe eram simpáticos, a quem ele respondia mais depressa, que ele escutava com mais paciência e, às vezes, mesmo com interesse. E depois havia nós, os outros, com os quais ele achava ter a obrigação de ser descortês. Eu me via, então, pressionada de maneira grosseira diante dos meus camaradas cada vez que tinha necessidade de qualquer coisa, enquanto ele se apressava a satisfazer os pedidos dos que estavam do seu lado. Durante as horas que se seguiram a nosso confinamento, vi, consternada, como esse estrangulamento de relações complexas ia se colocando. Aqueles que tinham tido a presença de espírito de engolir toda vergonha e fazer o papel de cortesãos haviam conquistado ascendência sobre nós, porque através deles é que era possível obter certos favores que, em algum momento, pudessem nos parecer indispensáveis.

Essa situação produziu imediatamente uma grave e intensa divisão entre nós. No começo, não parecia mais que uma situação canhestra, porque ao se sentirem observados e julgados pelos outros, aqueles que tinham escolhido ser servis faziam o possível para atender aos pedidos dos outros. Todos se beneficiavam e, no fundo, cada um de nós não podia ter certeza de que não fosse agir da mesma forma em um ou outro momento.

Para Lucho e eu, foi a necessidade de nos prevenirmos contra nós mesmos e de tentar manter a união do grupo que nos levou a insistir com nossos camaradas para escrevermos uma carta de protesto aos membros do Secretariado. Eram poucas as chances de que nossa missiva chegasse às mãos de Marulanda. Mas contávamos abrir por essa via um canal para entrar em relação direta com os chefes, além de Sombra. Era preciso ultrapassar o recepcionista. E, depois, eu queria que houvesse uma declaração escrita, um testemunho de nossa revolta diante do tratamento a que estávamos submetidos.

Eles não tinham o direito de nos trancar num campo de concentração, mesmo em nome de sua doutrina revolucionária. Eu não queria que as Farc se acomodassem confortavelmente numa consciência tranquila. Eu temia que fôssemos terminar assim. Tínhamos discutido longamente com Lucho. Ele achava também que um de nós seria libertado em breve e que era preciso escrever uma carta secreta a Uribe, pedindo-lhe que autorizasse uma operação militar para a nossa libertação. Ele acreditava que eu seria a primeira a sair, graças ao empenho da França.

Reunimo-nos todos em conciliábulo dentro do barracão. Tinha começado a chover a cântaros: nossas vozes eram encobertas pelo barulho da chuva no teto de zinco. Os que estavam mais em contato com o recepcionista temiam que nossa carta fosse provocar represálias. Mas sentindo que podiam ser acusados de frouxidão ou de submissão ao inimigo, eles apresentaram objeções de forma e não de fundo. A mensagem secreta para Uribe criou menos problemas. Em princípio, todo mundo estava pronto a assinar, achando, provavelmente, que não havia nenhuma chance de a carta chegar a seu destinatário. Gloria foi a única a se abster. Ela havia sido sequestrada junto com os dois filhos mais velhos, e depois brutalmente separada deles. Não queria que sua autorização a uma operação militar de salvamento pudesse colocar em perigo a vida dos próprios filhos, ainda reféns nas mãos das Farc. Nós compreendemos suas razões.

A redação da carta ao Secretariado nos ocupou quase toda a tarde. Lucho, como bom negociador, agia como intermediário para acrescentar isto ou suprimir aquilo, de modo a satisfazer a todos. A chuva parou e vi um dos nossos falar com o recepcionista através da tela. Pensei notar uma atitude de delator, mas resolvi evitar toda emoção que pudesse comprometer a harmonia do grupo. Em seguida, vi essa mesma pessoa conversar longamente com Clara. À noite, quando nos apressávamos a assinar a carta aos comandantes, Clara anunciou que se recusava a assinar, porque não queria ter problemas com Sombra. Não insisti. Os que viam com frieza a ideia de nossa ação de protesto declararam, aproveitando essa abertura, que devíamos ficar todos unidos e que, não sendo esse o caso, eles também se abstinham. A carta ao Secretariado caiu por terra.

A carta para Uribe foi assinada secretamente por metade da nossa jovem sociedade, sem que os outros que se recusavam soubessem. Os que ficaram até o fim do projeto corriam o risco de que a carta caísse nas mãos das Farc e de serem punidos. A divisão do grupo parecia fatal. A missão de esconder a carta foi confiada a mim, coisa que fiz durante longos anos, guardando-a por muito tempo, mesmo depois que fomos todos separados e enviados para campos diferentes. Ninguém nunca a encontrou, apesar das incontáveis buscas. Eu a tinha dobrado, embrulhado em plástico e costurado por dentro do reforço do cotovelo de meu agasalho. Eu a lia de vez em quando, mesmo anos depois de a termos escrito e assinado, sempre com um aperto no coração: naquele momento, ainda éramos capazes de ter esperança.

No momento em que estávamos ainda machucados por nosso insucesso e pelas fissuras que haviam se instalado no grupo, a prisão acordou em sobressalto. Ouvimos barulho de motores. Muitas embarcações rápidas haviam chegado. Todos os guardas estavam envergando suas fardas de gala. Rogelio usava farda coberta de munições, boina de paraquedista inclinada sobre a orelha com o emblema das Farc. Estava tão orgulhoso! Não foi difícil obter dele a informação. Era Mono Jojoy que vinha fazer uma inspeção...

Rapidamente nos pusemos todos de acordo sobre o que era preciso dizer a ele quando viesse nos cumprimentar, pensando que seria a oportunidade de exprimir a indignação de nossa famosa carta inacabada. Instalamos as redes no pátio de acordo com a disposição que tínhamos combinado, porque na véspera o espaço fora distribuído milimetricamente entre nós e nos pusemos a esperar Mono Jojoy.

O espaço era talvez a única vantagem que os prisioneiros do acampamento "militar" tinham sobre nós e que nós invejávamos. No dia de nossa chegada à prisão, eu os vira pela primeira vez. Havia trocado as primeiras palavras com Gloria. Alertada por um ruído metálico e gritos agressivos atrás de mim, eu me virara. Por um instante, achei que os guerrilheiros estavam perseguindo porcos fugidos, como já os havia visto fazer.

Do mato surgiram uns quarenta homens esfarrapados, cabelo comprido, barba crescida, uma grossa corrente nos pescoços prendendo um ao outro. Ladeados por guardas armados, marchavam em fila indiana, levando pesados sacos às costas, com grandes panelas por cima, colchões embolorados e meio estripados enrolados na nuca, galinhas presas pelas patas balançando penduradas na cintura, pedaços de papelão e latas de óleo vazias enfiadas pelo meio de suas tralhas e rádios quebrados e remendados pendurados no pescoço como um jugo suplementar. Pareciam prisioneiros. Eu não conseguia acreditar em meus olhos.

Os guerrilheiros circulavam em torno deles, vociferando ordens estúpidas para mantê-los em marcha. Assisti a esse cortejo aterrorizador, agarrada às barras da porta metálica de minha prisão, sem ar, olhos arregalados, muda. Reconheci Alan. Ele se virou e ao me ver sorriu, pouco à vontade:

— Olá, Ingrid...

Os outros soldados todos se viraram para nós, uns depois dos outros:

— É Ingrid! É a *doctora*...

A marcha se deteve. Uns me cumprimentaram de longe com um gesto amigo, outros levantaram o punho em sinal de resistência, alguns me fizeram uma metralha de perguntas que eu não podia responder. Os mais ousados se aproximaram da porta para apertar minha mão através das barras. Eu os toquei, na esperança de que o contato com minhas mãos pudesse lhes transmitir minha ternura e trazer um pouco de conforto. Esses cabeludos da selva, perseguidos, supliciados, tinham a coragem de sorrir, de esquecer, de se comportar com uma dignidade e uma coragem que despertavam minha admiração. Sua única reação digna era esquecer de si mesmos.

Os guardas os insultaram e ameaçaram para que não falassem conosco. Eles logo foram trancados no barracão ao lado do nosso. Não podíamos vê-los, mas podíamos ouvi-los. De fato, já tinha havido conversas entre nossos dois grupos, falávamos em voz baixa, colando a boca nas fendas das tábuas que ficavam frente a frente e davam para o corredor de ronda dos guardas. A comunicação entre os dois barracões era proibida.

Assim descobrimos que Sombra tinha tido a generosidade de lhes atribuir um espaço para a prática de esportes, privilégio que nós não tínhamos. Na imensidão da selva, onde faltava tudo, menos espaço, a guerrilha resolvera nos confinar num lugar exíguo e insalubre que favorecia apenas a promiscuidade e o confronto. As poucas horas de coabitação que tínhamos vivido já haviam deixado bem claras as tensões que nascem da necessidade de cada um defender seu espaço. Como nas sociedades primitivas, o espaço passou a ser nossa propriedade essencial, aquela cujo valor fundamental era reconfortar nosso amor-próprio ferido. Quem tinha mais espaço se sentia mais importante.

Instalados em nossas redes como num posto de observação, acompanhamos a inspeção de proprietário de Mono Jojoy. Ele caminhava a uma distância prudente da tela, e fez o giro por nosso complexo de modo que nossas vozes não pudessem chegar a ele, evitando qualquer contato visual. Se estivesse fazendo uma inspeção de gado, não teria agido diferente. Depois, desapareceu.

Cerca de meia hora mais tarde, na ala norte da prisão, apareceu um grupo de desconhecidos. Três homens, dois loiros grandes e um jovem moreno, de bermudas, mochilas leves, ladeados por meia dúzia de guerrilheiros armados até os dentes, circundaram nossa jaula, andando pelo caminho de tábuas que a guerrilha tinha acabado de construir e que fazia o circuito completo da prisão, ao longo dos arames farpados. Eles olhavam à frente e continuaram assim até o barracão dos militares:

— *Hey, gringos! How are you? Do you speak English?*

Os militares estavam encantados de pôr em prática suas noções de inglês. Nós trocamos um olhar desconcertado. Claro! Só podiam ser os três americanos, aqueles que haviam sido capturados um ano antes e que também faziam parte do grupo dos "intercambiáveis".

Um de nossos companheiros, daqueles que mantinham boas relações com Rogelio, declarou, bem informado:

— É, são os americanos. Eles vão ficar conosco...

— Aqui?

— Não sei, com os militares ou conosco. Acho que conosco.

— Mas como? Não há mais lugar!

Meu companheiro me olhou com ar perverso. Depois, como se encontrasse um jeito de ferir, disse bem devagar:

— São prisioneiros como nós. Nós recebemos você bem quando chegou. Você tem de fazer a mesma coisa com os outros.

Eu me senti surpreendida em erro. Claro, evidentemente era preciso acolhê-los o melhor possível.

31. A grande disputa

Novembro de 2003

A porta metálica se abriu, os três americanos entraram, maxilares travados, olhar inquieto. Trocamos apertos de mãos, nos apresentamos e abrimos espaço para que pudessem se sentar. O companheiro que tinha me feito o sermão os tomou sob suas asas e mostrou as instalações. Todo mundo começou a especular sobre o que a guerrilha faria. A resposta veio na hora.

Brian, um dos guerrilheiros mais truculentos do grupo, fez sua aparição com a famosa serra elétrica às costas. Dois outros homens o seguiam, levando tábuas e uns caibros cortados grosseiramente. Pediram que tirássemos todas as coisas e saíssemos. Em poucos minutos, um dos beliches foi serrado de sua base e colocado de lado, colado à tela de aço debaixo da abertura que fazia as vezes de janela. No espaço restante, para nossa imensa surpresa, conseguiram engastar um novo beliche, enfiado entre os dois outros, com espaço suficiente para passar de um lado apenas. Observamos a manobra sem dizer uma palavra. O barracão ficou coberto por uma serragem avermelhada que grudava nas narinas. Brian virou-se para mim, banhado em suor:

— Bom, como é a janela que você quer que abra?

Fiquei pasma. Achava que Sombra tinha se esquecido de nossa solicitação.

— Acho que devia abrir aqui — respondi, tentando recuperar o controle.

Desenhei com o dedo um grande retângulo imaginário na parede de madeira que dava para nosso pátio interno. Keith, um dos três que haviam entrado primeiro na prisão, murmurou atrás de mim. Ele não parecia contente com o projeto e resmungou em seu canto. Um de nossos companheiros tratou de acalmá-lo, mas a comunicação não era tão simples, porque ele não falava bem espanhol. Conseguiu dar a entender que queria que a parede continuasse como estava. Tinha medo de sentir frio à noite.

— Então, resolvam! — Brian estava impaciente.

— Abra, abra! — exclamaram os outros, inquietos com a possibilidade de Brian dar meia-volta e nos deixar ali plantados.

O incidente deixou um incômodo no ar. Keith veio falar comigo depois, na esperança de aplainar as arestas. Disse, em inglês:

— Sabe que, quando foi sequestrada, nossa missão era procurar você? Passamos dias sobrevoando toda a região... Quem haveria de dizer que a gente acabaria por se encontrar? Mas desse jeito!

Era uma novidade. Eu ignorava que a embaixada americana tivesse contribuído na minha busca. Começamos a conversar com certa animação. Contei que Joaquín Gómez gabava-se de que as Farc tinham conseguido derrubar um avião.

— É mentira. Eles não nos derrubaram. Nós tivemos uma pane no motor. Só isso.

Depois, como se fizesse uma confissão, me disse, inclinando-se para perto do meu ouvido:

— Na verdade, eles tiveram muita sorte, porque nós somos os únicos prisioneiros que contam de verdade aqui, nós três e você. Nós somos as joias da coroa!

Eu fiquei quieta. Perturbou-me ouvir essa reflexão. Respondi, pesando as palavras:

— Nós somos todos prisioneiros, somos todos iguais.

O rosto do homem se transformou. Ele me encarou, irritado. Não recebeu bem o que tomou por uma repreensão. Eu, porém, não queria de forma nenhuma que parecesse que eu estava lhe dando uma lição. Abri um sorriso e acrescentei:

— Você tem de me contar em detalhes a sua história. Quero muito saber o que você viveu até agora.

Lucho estava atrás de mim, eu não tinha visto que ele chegara. Ele me puxou pelo braço e a conversa acabou aí. Íamos começar a construir as estantes. Orlando conseguira pregos e um martelo. Era preciso trabalhar depressa, o empréstimo só valia até o fim da tarde. Começamos a trabalhar.

Nessa noite, o barracão vibrou com o ronco de todos. Parecia o ruído de uma usina. O dia havia sido intenso e cada um de nós fora deitar extenuado. Eu olhava o teto e sobretudo a tela pregada a dois dedos do meu nariz. Tinham construído tudo tão às pressas que, para chegar aos beliches superiores, era preciso engatinhar e rolar sobre si mesmo para deitar, de tão reduzido era o espaço entre as camas e o teto. Era impossível sentar e, para descer do beliche, era preciso escorregar pouco a pouco no vazio, se agarrando à tela como um macaco para chegar à terra. Eu não me queixava muito. Pelo menos, era um lugar abrigado, com piso de madeira que nos mantinha secos. A janela nova tinha sido um sucesso. Uma brisa quente penetrava no barracão e limpava o ar pesado da respiração de dez pessoas empilhadas ali dentro. Um camundongo atravessou correndo a viga que eu tinha diante dos olhos. Quanto tempo precisaríamos viver uns em cima dos outros até recuperarmos nossa liberdade?

De manhã, ao me levantar, descobri, junto com Lucho, que as estantes que com tanto esforço tínhamos construído na véspera já estavam tomadas pelas coisas dos outros. Não tínhamos mais espaço! Ao nos ver, Orlando riu no seu canto:

— Vá! Não faça essa cara. É simples, vamos pedir mais tábuas e fazemos mais estantes naquele canto lá, atrás da porta. Vai ser melhor para vocês, na frente de seus beliches.

Gloria se aproximou. A ideia lhe pareceu excelente.

— E poderíamos fazer também uma outra estante do lado de cá da tela!

Eu não estava contente, simplesmente porque achava muito improvável que a guerrilha nos fornecesse mais tábuas. Sabia que seria preciso novas negociações, que só de pensar me deixavam cansada. Para minha grande surpresa, a pedido de Orlando, as tábuas chegaram naquele mesmo dia:

— Você vai ganhar uma bela estante, não é mesmo? Vou fazer uma escrivaninha para você, como para uma rainha!

Orlando continuava a caçoar de mim, mas eu estava aliviada e tinha recuperado o bom humor. Ele e Lucho puseram-se a construir um móvel que servisse ao mesmo tempo de mesa e estante. Contavam também fazer uma pequena biblioteca para guarnecer o canto de Gloria. Eu queria ajudar. Mas senti que atrapalhava os movimentos deles. Retirei-me para o pátio, com a intenção de instalar minha rede, enquanto eles terminavam de trabalhar.

O lugar que me tinha sido destinado estava ocupado por Keith, que ignorava que antes de eles chegarem já havia acordos para a distribuição dos lugares. Só havia uma árvore em que eu podia pendurar minha rede, mas, nesse caso, a outra ponta teria necessariamente de ficar presa à tela de aço da cerca. Isso levantava dois problemas. Um: que me recusassem a autorização de prendê-la na tela exterior. Dois: que a corda de minha rede não fosse grande o bastante. Por sorte, Sombra estava fazendo a ronda dos barracões e abordei a questão diretamente com ele. Ele concordou e me forneceu o pedaço de corda necessário. Meus companheiros ficaram me olhando de soslaio. Todos sabiam que, se eu tivesse dependido de Rogelio, não teria conseguido. Eram pequenas coisas. Mas nossas vidas eram feitas de pequenas coisas. Quando Rogelio veio trazer a comida da noite, vendo que eu estava instalada em uma rede pendurada na tela, uma sombra passou por seus olhos. Eu sabia que estava em sua lista negra.

Tom, um dos nossos novos companheiros, que havia se instalado perto de Keith, emigrara para o meu lado minutos depois. Estava visivelmente zangado com seu compatriota. Ao ver que Lucho se juntava a nós, levantou a voz, fazendo um comentário desagradável. Teriam de pendurar as três redes numa mesma árvore. Tentei lhe explicar que devíamos todos fazer um esforço para nos acomodar, uma vez que o espaço era restrito e não havia árvores suficientes. Exaltado, ele me respondeu com brutalidade. Lucho assumiu minha defesa e subiu de tom por sua vez. Tom vivia uma guerra fria com seu compatriota e se irritava com facilidade. Entendi que queria se afastar dele. Era também do interesse de Keith ver Tom se afastar. Ele se aproximou da tela enquanto Tom e Lucho se enfrentavam e cochichou alguma coisa para Rogelio.

A porta metálica se abriu com um golpe e Rogelio entrou, zangado:

— Ingrid, é você que está fodendo esta porra?! Aqui todo mundo é igual. Não tem isso de um prisioneiro ser mais importante que os outros.

Eu me calei imediatamente, entendendo que não se tratava apenas de um mal-entendido referente às redes.

— Não quero saber de nada. Você não é a rainha aqui. Você obedece e ponto final.

— ...

— Vou te acorrentar para você aprender. Você vai ver!

Meus companheiros, aqueles que tinham envenenado Rogelio, foram para os cantos, rindo.

Rogelio também estava adorando a situação. Seus camaradas nas torrinhas olhavam-no com admiração. Ele cuspiu no chão, pôs de volta o chapéu de guarda-florestal e saiu como um pavão.

Lucho me pegou pelo ombro e me sacudiu ternamente:

— Vamos, já vimos isso antes. Onde está seu sorriso?

Era verdade. Era preciso sorrir, mesmo que fosse duro. E ele acrescentou:

— Eles estão faturando em cima da gente. Eu ouvi o que você respondeu quando o cara falou que vocês eram as joias da coroa... Acho que você não fez um amigo.

Mas as coisas tinham começado bem. No início, cada um tentava dar o melhor de si. Repartíamos tudo, até mesmo as tarefas que distribuímos entre nós da maneira mais equilibrada possível. Tínhamos decidido varrer o barracão todos os dias, assim como a passarela de madeira que haviam terminado de fazer para acesso aos toaletes. O mais crítico, porém, era a limpeza das latrinas. Havíamos confeccionado esfregões usando pedaços de camisetas. A cada dia, a limpeza das instalações era feita em duplas.

Quando era nossa vez, Lucho e eu nos levantávamos ao amanhecer. Tínhamos discutido no começo, porque ele não queria absolutamente que eu fizesse a limpeza das latrinas. Ele fazia sozinho a lavagem do cubículo que nos servia de box de banho. Ora, era um trabalho que exigia muito vigor e eu não queria que o esforço lhe causasse uma crise de diabetes. Não havia nada a fazer, ele ficava sempre com cara de zangado e impedia minha passagem. Eu então me entrincheirava no barracão e arrumava tudo depressa, porque sabia que, quando terminasse sua tarefa, ele viria pegar a vassoura de minha mão para terminar o serviço em meu lugar. Essa história só divertia a Lucho e a mim. Era uma espécie de jogo para rivalizar nossos afetos.

Mais do que tudo, eu queria manter uma atmosfera harmoniosa no seio do nosso grupo. Era uma tarefa que ficava dia a dia mais trabalhosa. Cada um chegava com sua história de dor, de rancor ou de indignação. Não havia nada de muito grave. Apenas pequenas coisas que assumiam uma importância desmesurada porque estávamos todos em carne viva. Qualquer olhar atravessado ou palavra mal colocada era tomado por uma grave ofensa e se tornava fonte de rancor, perniciosamente ruminada.

A isso somava-se a percepção do comportamento de cada um diante da guerrilha. Havia aqueles que "se vendiam" e aqueles que "continuavam dignos". Essa percepção era especulativa, porque bastava que qualquer um falasse com o recepcionista para que fustigássemos seu comportamento e o acusássemos de compactuar com o inimigo, muitas vezes por ciúme, porque no fim das contas, num momento ou noutro, tínhamos todos de pedir aquilo que nos era necessário. O fato de "obter" aquilo que fora solicitado despertava nos outros uma cobiça patológica e alimentava o azedume de não ter a mesma coisa. Olhávamos todos com desconfiança, forçados a divisões absurdas, independente de nossa vontade. O ambiente tornou-se muito pesado.

Certa manhã, depois do desjejum, um dos novos companheiros veio me procurar com cara de poucos amigos.

Justamente naquele momento eu tinha acabado de entabular uma discussão animada com Lucho, Gloria e Jorge. Eles queriam que eu lhes desse aulas de francês e estávamos nos organizando. A interrupção irritou meus amigos, mas eu fui com ele, sabendo que teríamos muito tempo para continuar discutindo nosso projeto mais tarde.

Ele tinha "ouvido dizer" que, quando eles chegaram, eu não tinha querido que ficassem conosco. Era verdade?

— Quem disse isso?

— Não importa.

— Importa, sim, porque é uma versão maldosa e deturpada.

— Você disse isso, sim ou não?

— Quando vocês chegaram, perguntei como eles fariam para nos acomodar todos juntos. Nunca disse que não queria que vocês ficassem conosco. Então, a resposta é não, eu nunca disse uma coisa dessas.

— Bem, isso é importante, porque quando nós ficamos sabendo, nos sentimos muito mal.

— Não deem ouvido a tudo que falam. Acreditem mais no que veem. Vocês sabem que, quando chegaram, fizemos de tudo para acolhê-los bem. Quanto a mim, é um prazer falar com você. Aprecio a sua conversa e gostaria que fôssemos amigos.

Ele se levantou, mais tranquilo, me estendeu a mão num gesto de cordialidade e pediu desculpas a meus companheiros por ter me monopolizado durante alguns instantes.

— É assim que as coisas são: eles querem dividir para reinar — disse Jorge, o mais prudente de nós. Depois, deu um tapinha em minha mão. — Vamos lá, madame, vamos começar nosso curso de francês e isso vai obrigar todos nós a pensar em outra coisa!

32. A numeração

Eu começava meu dia com uma hora de ginástica no espaço compreendido entre as camas sobrepostas de Jorge e Lucho, aproveitando que elas ficavam na extremidade do barracão, onde eu não incomodaria ninguém. Em seguida, ia fazer minhas abluções no cubículo, na hora exata que me coubera no cronograma que havíamos estabelecido juntos para a utilização do "banheiro". A entrada era fechada por um plástico preto, único lugar onde podíamos nos despir sem ser vistos. Antes do desjejum nos reuníamos, Lucho, Jorge, Gloria e eu, sentávamos de pernas cruzadas em uma das camas de baixo, cheios de bom humor, trabalhando nossas lições de francês, jogando cartas, inventando projetos que realizaríamos quando fôssemos libertados.

Quando chegava a comida, era uma debandada. No começo, havia reflexos de cortesia. Nós nos aproximávamos com a tigela na mão e nos ajudávamos uns aos outros. Os homens cediam lugar às damas, havia formalidade. Mas as coisas mudaram imperceptivelmente. Um dia, alguém exigiu que fizéssemos fila. Em seguida, alguma outra pessoa, ao ouvir o clique do cadeado que se abria, precipitou-se para se servir antes dos outros. Quando um dos homens mais fortes insultou Gloria, acusando-a injustamente de dar cotoveladas para se servir, as relações entre todos já estavam bem deterioradas. Aquilo que devia ser um momento de relaxamento se transformou numa disputa perversa, um acusando o outro de querer pegar o melhor de uma comida infecta.

A guerrilha possuía dúzias de porcos. O cheiro de porco assado chegava frequentemente às nossas barracas, mas nunca tínhamos direito a ele. Quando mencionamos o fato para Rogelio, ele voltara satisfeito, balançando na mão a marmita contendo uma cabeça de porco disposta sobre um fundo de arroz. Eram tantos dentes naquela cabeça que ela parecia sorrir. "Um porco sorridente", pensei. Um enxame de moscas verdes, esvoaçando em volta da marmita, o acompanhava feito uma escolta pessoal. Era francamente repulsivo, e era por isso que estávamos lutando. Tínhamos fome, nos sentíamos mal, começamos a nos comportar como se fôssemos menos que nada.

Eu não queria participar desse estado de coisas. Era absolutamente penoso ser empurrada por uns e vigiada por outros como se estivessem prestes a morder uns aos outros cada vez que alguém se aproximava da comida! Eu observava as reações, os olhares de esguelha. Lucho concluiu que era mais sábio eu não me aproximar mais da comida.

Então, eu ficava no barracão e Lucho levava a minha tigela e trazia meu arroz com feijão. Eu observava de longe nosso comportamento e me perguntava por que reagíamos assim. Não havia mais regras de civilidade a orientar nossas relações. Tínhamos estabelecido uma outra ordem que, por baixo das aparências de um tratamento meticulosamente igualitário, permitia às personalidades mais belicosas e às constituições mais fortes se impor em detrimento dos outros. As mulheres eram presas fáceis. Nossos protestos, expressos sob forma de irritação e de dor, eram facilmente ridicularizados. E se por descuido havia lágrimas, a reação era instantânea: "Ela quer nos manipular!".

Jamais antes eu havia sido vítima da guerra dos sexos. Chegara à arena política no momento bom: era malvisto discriminar as mulheres e nossa ação era considerada como uma abordagem renovadora num mundo apodrecido pela corrupção. Essa agressividade contra as mulheres não me era familiar.

Era por um medo irracional do sexo oposto que eu explicava a mim mesma, por exemplo, por que a Inquisição havia queimado tantas mulheres na fogueira.

Certa manhã, ao amanhecer, quando ninguém tinha se levantado ainda, o recepcionista se colocou diante da janela lateral, na companhia de um outro guerrilheiro postado atrás dele, como para secundá-lo numa missão que, a julgar pela rigidez dos dois, devia ser difícil.

Rogelio trovejou com uma voz que sobressaltou todo o barracão:

— *Los prisioneros! Se numeren, rápido!**

---

* Prisioneiros! Digam seus números, rápido!

Eu não entendi. Dizer seu número? O que ele estava nos mandando fazer? Debrucei-me na direção de Gloria, que dormia embaixo, na esperança de obter dela uma explicação. Ela havia passado mais tempo que nós com o grupo de Sombra. E eu imaginava que devesse saber o que Rogelio estava ordenando.

— É para nos contar. Jorge, que está bem junto da tela, começa dizendo "um", depois é minha vez, eu digo "dois", Lucho é o terceiro, ele diz "três" e assim por diante — Gloria explicou, cochichando rápido, com medo de ser chamada à ordem pelos guardas.

Tínhamos de nos numerar! Achei aquilo monstruoso. Perdíamos nossa identidade, eles se recusavam a nos chamar por nosso nome. Não passávamos de uma carga, de um rebanho. O recepcionista e seu acólito se impacientaram com nossa confusão. Ninguém queria executar a ordem. Alguém no fundo do barracão gritou:

— Mas que merda! Comecem! Querem que eles fiquem fodendo com a gente o dia inteiro ou o quê?

Fez-se silêncio. Depois, com voz forte, como se estivesse num quartel de sentinela, alguém gritou: "Um". A pessoa ao lado desse gritou: "Dois". Os outros seguiram: "Três", "Quatro"... Quando finalmente chegou minha vez, com o coração batendo e a garganta seca, disse, com uma voz que me pareceu mais forte do que eu pretendia:

— Ingrid Betancourt.

E, diante do silêncio de pânico que se seguiu, acrescentei:

— Quando tiverem vontade de saber se ainda estou aqui, podem me chamar pelo meu nome, eu responderei.

— Vamos, continuem, não tenho tempo a perder — berrou o recepcionista, para intimidar os outros.

Ouvi um murmúrio ao fundo: alguns de meus companheiros protestavam contra mim. Minha atitude lhes era insuportável, achavam que se tratava de uma expressão de arrogância.

Não era nada disso. Eu não podia aceitar ser tratada como um objeto, ser denegrida aos olhos não apenas dos outros, mas de mim mesma. Para mim, as palavras tinham um poder mágico, sobrenatural, e eu temia por nossa saúde mental, por nosso equilíbrio, por nosso espírito. Já tinha ouvido guerrilheiros se referirem a nós como "a carga", "os pacotes", e estremecera. Não era uma expressão anódina. Muito ao contrário. Tinha a função de nos desumanizar. É mais fácil dar um tiro num pacote do que num ser humano. Isso lhes permitia viver sem culpa o horror que nos faziam sofrer. Já era bem difícil a guerrilha empregar esses termos para falar de nós. Mas que nós caíssemos na armadilha de utilizá-los nós mesmos me parecia horrível. Eu via nisso o começo de um processo de degradação que convinha a eles e ao qual eu queria me opor. Se a palavra "dignidade" tinha um sentido, então era impossível aceitar ser tratada como um número.

Sombra veio me ver durante a manhã. Tinha sido advertido do incidente.

Explicou que a numeração era um "procedimento de rotina", para verificar se ninguém havia escapado durante a noite. Mas ele disse que compreendia bem minha reação e tinha dado instruções para que fôssemos chamados por nossos nomes.

Fiquei aliviada. A ideia de travar essa mesma batalha todas as manhãs não me agradava. Mas alguns dos meus companheiros não gostaram. Não conseguiam admitir que havia valentia em não nos submetermos.

33. A miséria humana

Descobri em mim, então, uma necessidade de isolamento que me levava a me encerrar num mutismo quase absoluto. Eu entendia que meu mutismo pudesse exasperar às vezes meus companheiros, mas observei também que havia momentos em nossas discussões em que o racional não tinha mais lugar. Toda palavra era entendida de um jeito atravessado e deturpado.

No começo de meu cativeiro, eu tinha sido bastante prolixa. Mas recebera o troco de ter me imposto aos outros e isso me deixara mortificada. Era constantemente abordada, em particular, por um dos meus camaradas que dominava a arte de impor sua presença a mim nos momentos mais inoportunos, quando eu tinha maior necessidade de silêncio para encontrar uma paz interior.

Keith contava em voz bem alta, para os outros escutarem, que tinha amigos muito ricos e que passava as férias caçando com eles em lugares a que nós, mortais comuns, não teríamos acesso. Ele não conseguia se controlar para não falar da riqueza dos outros. Era uma espécie de obsessão. Ele pedira a mão de sua noiva porque, aparentemente, a moça tinha uma boa agenda de endereços. O assunto preferido de sua conversa era seu salário. Eu sentia vergonha. Em geral, eu o deixava no meio do discurso e me refugiava em minha mesa de trabalho. Não conseguia entender como, no meio de um drama como o nosso, alguém podia continuar vivendo dentro de sua bolha, convencido de que o valor das pessoas estava naquilo que possuíam. O destino que partilhávamos não era a melhor ocasão para provar o contrário? Não tínhamos mais nada. Às vezes, porém, eu perdia esse distanciamento. Um dia, quando os guardas puseram um toca-discos a pleno volume do qual saía uma voz anasalada cantando refrões revolucionários a uma música dissonante, eu reclamei. As Farc haviam desenvolvido uma cultura musical que acompanhasse sua revolução, como haviam feito os cubanos antes deles, com muito sucesso. Infelizmente, por não terem conseguido seduzir talentos verdadeiros, as canções das Farc eram sempre chatas e sem musicalidade.

Para minha grande surpresa, meus companheiros retorquiram, exasperados, que não eram obrigados a ouvir minhas lamentações. Fiquei ofendida. Eles me faziam suportar seus monólogos e me impediam de exprimir minhas próprias queixas.

Em condições normais, esse tipo de reação me faria rir. Mas na selva, a menor decepção produzia em mim dores inefáveis. Essas desilusões que se acumulavam em camadas, dia após dia, mês após mês, tinham me deixado cheia de fadiga.

Lucho me compreendia e sabia que eu era alvo de todo tipo de comentários. No rádio, meu nome aparecia sempre e isso não fazia senão alimentar a acrimônia de alguns de meus companheiros. Se eu me mantinha à parte, era porque os desprezava. Se eu participava, era porque estava tentando me impor. Em sua irritação contra mim, chegavam a baixar o som do rádio quando meu nome era pronunciado.

Uma noite, quando se falava de uma negociação do Quai d'Orsay para obter nossa libertação, alguém rugiu: "Estou com o saco cheio da França!". Desligou com um soco a *panela* que nos servia de rádio comunitário, pendurado num prego no centro do barracão. Todo mundo riu, menos eu.

Gloria aproximou-se e me abraçou dizendo:

— Eles estão com inveja. Tem de dar risada...

Eu não achava aquilo engraçado. Estava machucada demais para perceber que estávamos todos atravessando uma séria crise de identidade. Tínhamos perdido nossos parâmetros e já não sabíamos quem éramos, nem qual era o nosso lugar no mundo. Eu deveria ter entendido quão devastador era para eles o fato de não serem mencionados no rádio: vivenciavam aquilo como uma negação pura e simples de sua existência.

Eu sempre lutara contra a estratégia das Farc de fomentar divisões entre nós. Em relação a Sombra, meus reflexos continuaram os mesmos. Uma manhã, quando nosso grupo já estava completo, chegaram colchões de espuma: era um luxo que não dava para acreditar! Havia de todas as cores, com todas as estampas, e cada um tinha o direito de escolher o seu. Menos Clara. O guerrilheiro que os trouxe destinou a ela um colchão cinzento e sujo, que enfiou à força por um vão da porta metálica. Lucho e eu tínhamos assistido à cena de longe. Tentei interferir em favor de minha companheira. Ele estava para mudar sua decisão quando Rogelio apareceu. Acreditando que eu estava exigindo alguma coisa para mim, partiu para seu discurso preferido sempre que me via:

— Você não é a rainha aqui, você faz o que a gente manda.

A questão ficou, então, resolvida, sem apelação. Clara pegou seu colchão cinzento e girou nos calcanhares sem nem um olhar na minha direção. Partiu imediatamente para o alojamento, para tentar trocar de colchão com um de nossos companheiros. Lucho me pegou pelo braço para dizer:

— Você não devia ter interferido. Já tem problemas que bastem com a guerrilha. E ninguém vai te agradecer!

De fato, Orlando, que tinha acabado de ceder de má vontade à troca com Clara, virou-se contra mim:

— Se você estava com vontade de ajudar, bastava dar o seu para ela!

Lucho sorriu para mim, com um ar de quem tudo entendia:

— Viu? Eu não disse?

Levei tempo para aprender a me calar e isso me custou caro. Diante da injustiça, era penoso para mim me resignar. Então, certa manhã, entendi que era mais sábio não tentar resolver os problemas dos outros.

Sombra chegou lívido. Os militares enviaram mensagens a um dos nossos companheiros, em violação às regras que estavam estabelecidas. Com efeito, Consuelo recebera bolas de papel, enviadas do barracão ao lado do nosso. Nós todos participávamos da recepção das cartas, porque elas podiam cair em qualquer lugar e em particular sobre nossas cabeças quando estávamos do lado de fora, instalados em nossas redes. Éramos cúmplices e tomávamos o cuidado de pegar as bolinhas sem alertar os guardas postados no alto das torres de vigia.

Sombra interrogou Consuelo.

Vendo-a em dificuldades, pedi a ele para abrandar as regras que havia estabelecido, porque nós todos queríamos conversar com nossos camaradas do outro barracão.

Sombra se virou para mim com uma violência que me surpreendeu:

— Bem que me disseram que é você que arma confusão aqui!

Ele me preveniu que, se me pegasse trocando mensagens com meus camaradas do outro lado, me trancaria num buraco para acabar com minha vontade de ser malcomportada.

Ninguém veio em meu socorro. Esse episódio inaugurou um debate apaixonado durante nosso curso de francês:

— Não tente mais, só vai agravar sua situação! — Jorge declarou, opinião que era também de Lucho.

— Aqui é cada um por si — acrescentou Gloria. — Cada vez que você intervém, faz mais um inimigo.

Eles tinham razão, mas eu detestava aquilo em que estávamos nos transformando. Sentia que corríamos o risco de perder o melhor de nós mesmos, de nos dissolver na mesquinharia e na baixeza. Tudo isso não fazia senão aumentar minha necessidade de silêncio. Sob os céus mornos de nosso cotidiano, a guerrilha havia, além disso, semeado os germes de uma profunda cizânia. Os guardas fizeram correr o rumor de que os três recém-chegados estavam infectados por doenças venéreas. Enquanto se discutia essa informação entre nós, a guerrilha apartou de nós os três novos companheiros para alertá-los dos propósitos que devíamos ter, e que não eram outros senão as histórias que eles tinham feito circular. Os guerrilheiros os acusavam de serem mercenários e agentes secretos da CIA, fingindo ter encontrado transmissores microscópicos na sola de seus sapatos e chips de localização camuflados em seus dentes. Enfim, fizeram correr o boato de que nossos companheiros queriam negociar a liberação deles com Sombra ao preço do envio da carga de cocaína que eles se ofereciam para fazer entrar nos Estados Unidos utilizando os aviões do governo americano.

Não foi preciso mais nada para dar origem a uma desconfiança generalizada. Uma noite, explodiu a crise. Uma palavra atravessada e as acusações surgiram de todos os lados: uns eram acusados de espionagem, outros de traição. Lucho pediu que as mulheres do acampamento fossem respeitadas. Keith, por sua vez, acusou-o de querer matar com as facas de Mono Jojoy! Durante a noite, houve conciliábulos com o recepcionista junto à tela.

Na manhã seguinte, foi feita uma busca. Os que estavam na origem dessa inspeção aquiesceram com satisfação. Não eram as facas que os inquietavam. Essas nós tínhamos obtido "legalmente". Era o facão que tínhamos escondido na lama, debaixo do piso do barracão.

— É preciso mudar o facão de lugar hoje mesmo — me disse Lucho, uma vez terminada a busca. — Se nossos companheiros souberem onde ele está, vão nos denunciar imediatamente.

34. A doença de Lucho

Início de dezembro de 2003

Meu segundo Natal no cativeiro estava chegando. Eu não tinha perdido a esperança de um milagre. O pátio de nossa prisão, que no começo não era mais que uma poça de lama, começou a secar. Dezembro trazia, junto com a tristeza e a frustração de estar longe de casa, um céu azul imaculado e uma brisa quente de férias, que ampliavam a nossa melancolia. Era o tempo da lamentação.

Gloria conseguiu arrumar um baralho e nós nos habituamos, depois da toalete matinal, a nos instalar num canto do barracão para jogar bridge. Logo nas primeiras partidas, compreendemos que era imperativo deixar Gloria e eu ganharmos se quiséssemos garantir o bom humor do grupo. Uma regra tácita se instaurou, que consistia em Jorge e Lucho jogarem a nosso favor sem que nos déssemos conta disso. Nós nos dividimos em duas equipes, a das mulheres e a dos homens. Gloria e eu fazíamos de tudo para ganhar nossas partidas, Lucho e Jorge tudo para perder as deles. Essa situação incongruente revelava o melhor do caráter de cada um e muitas vezes achei que ia morrer de rir vendo as manobras geniais de nossos adversários para nos fazer ganhar. Lucho era um verdadeiro ator de comédia e ironia, chegando mesmo a fingir que desmaiava em cima das cartas para assim poder pedir uma nova rodada que nos favorecesse. Na lógica de que quem perde ganha, nós conseguimos brincar com nossos egos machucados, nos livrar de nossos reflexos de monopolizar e, acima de tudo, aceitar com mais tolerância nosso destino. Jorge se divertia acumulando erros sutis, cujos efeitos só notávamos dois ou três lances depois, e que provocavam da parte de Gloria e de mim, quando o resultado se revelava, danças e gritos de guerreiros sioux.

Desde o nosso sequestro o riso estivera ausente de minha vida e quanto — ah!, quanto — ele me fazia falta. Por causa disso, ao final de nossas partidas, eu sentia dor no maxilar, de tal forma os músculos de meu rosto estavam tensionados. Era o melhor tratamento contra depressão. Passei horas me olhando em um pequeno estojo de pó de arroz que tinha sobrevivido a todas as buscas. No espelho redondo da tampa, no qual eu não conseguia observar senão uma parte do rosto de cada vez, havia descoberto uma primeira ruga de amargura na comissura dos lábios. Sua existência havia me aterrorizado, assim como o amarelecimento dos dentes de que eu não tinha total certeza, porque a lembrança da cor original havia desaparecido. A metamorfose que se operava sub-repticiamente em mim não me agradava nada. Eu não queria sair da selva como uma velha murcha, devorada pela amargura e pelo ódio. Era preciso mudar, não para me adaptar, o que me pareceria uma traição, mas para me alçar acima daquele lodo espesso de mesquinharias e baixezas em que acabamos por chapinhar. Eu não sabia como enfrentar aquilo. Não conhecia nenhum "modo de usar" para obter um nível superior de humanidade e maior sabedoria. Mas sentia intuitivamente que rir era o *começo* da sabedoria que me era indispensável para sobreviver.

Nós nos instalamos então em nossas redes, nos lugares que não eram mais objeto de disputas, e nos escutamos uns aos outros com indulgência, pacientes quando um de nossos camaradas repetia pela vigésima vez a mesma história. Contar para os outros parte de nossa vida nos punha diante de nossas memórias como diante de uma tela de cinema.

Uma tarde, no rádio, as canções de Natal misturaram-se à música tropical adequada às festas de dezembro. Essas árias que escutávamos todos os anos na mesma época evocavam para cada um de nós lembranças nítidas.

Eu estava em Cartagena, tinha quinze anos, a lua se invertia, preguiçosa, na água da baía, fazendo cintilar as cristas das ondas que se sobrepunham. Estava com minha irmã, convidadas para uma festa de fim de ano. Tínhamos fugido, porque um Adônis bronzeado, com olhos verdes de gato, nos fizera propostas indecentes. Fomos embora, fugindo depressa, atravessando a cidade em festa como se tivéssemos o diabo em nosso encalço para nos atirar nos braços de papai até o Ano-Novo, rindo, ainda ofegantes por termos deixado lá o nosso galante e perigoso cavalheiro.

— Foram bobas de ir embora — declarou Lucho. — *Nadie le quita a uno ni lo comido, ni lo bailado!**

Dizendo isso, ele se pôs a dançar e nós o imitamos, porque não tínhamos nenhuma vontade de deixar que ele se divertisse sozinho.

Passamos o resto da tarde, como nos dias anteriores, em nossas redes. Lucho levantou-se para ir ao toalete e voltou coberto de suor. Estava cansado e queria voltar ao barracão para se deitar, disse. Eu não enxergava mais seu rosto, porque estava na sombra, mas alguma coisa em sua voz me pôs em alerta:

— Está se sentindo bem, Lucho?

— Estou, tudo bem — gemeu.

Depois, mudando de ideia, acrescentou:

— Venha na minha frente, eu me apoio nas suas costas, você me leva até minha cama, estou com dificuldade para andar.

Assim que passamos pela porta, Lucho deixou-se cair numa cadeira de plástico. Estava verde, o rosto encovado, banhado em suor, o olhar vidrado. Não conseguia mais articular as palavras e sentia dor para manter a cabeça ereta. Exatamente como havia me advertido, estava tendo uma crise de diabetes.

Lucho havia guardado uma reserva de balas e eu corri a procurá-las em seu *equipo.*** Nesse meio-tempo, afundou perigosamente e escorregou da cadeira, correndo o risco de cair de cabeça no chão.

— Me ajudem! — gritei, sem saber se era melhor ampará-lo, deitá-lo no chão ou lhe dar as balas que tinha encontrado.

Nesse momento Orlando chegou. Ele era grande e musculoso. Levantou Lucho nos braços e o pôs sentado no chão, enquanto eu tentava fazê-lo chupar as balas que tinha na mão. Mas Lucho não estava mais consciente. Tinha desmaiado e estava com os olhos brancos. Mastiguei eu mesma as balas, para colocá-las trituradas em sua boca.

— Lucho, Lucho, está me escutando?

Sua cabeça rodava para todos os lados, mas ele grunhiu sons que indicavam que em algum lugar na sua cabeça ainda ouvia minha voz.

Gloria e Jorge estenderam um colchão no chão para acomodá-lo. Tom veio também e, com um pedaço de papelão que desenterrara sabe Deus onde, começou a abanar com força o rosto de Lucho.

---

* Ninguém tira da gente o que se come e o que se dança!
** Espécie de mochila ou sacola.

— Preciso de açúcar, depressa, as balas não fazem efeito! — eu disse, alto, enquanto sentia as pulsações de Lucho, que estavam muito fracas.

— Temos de chamar o enfermeiro! Ele está correndo perigo — gritou Orlando, que também se pusera a ouvir os batimentos de seu coração.

Alguém trouxe um saquinho de plástico com uns dez gramas de açúcar. Era um tesouro, aquilo podia salvar uma vida! Pus um pouco de açúcar debaixo da língua dele e misturei o resto com um dedo de água, que fiz com que bebesse aos golinhos. A metade escorria pelos cantos da boca. Ele não tinha nenhuma reação.

O enfermeiro, Guillermo, nos gritou através da tela:

— Que confusão é essa aí?

— Lucho está com uma crise de diabetes, está em coma. Você precisa nos ajudar!

— Não posso entrar!

— Como assim, não pode entrar?

— Preciso de uma autorização.

— Vá buscar! Não está vendo que ele está quase morrendo? Merda! — Orlando praticamente rugiu.

O homem se afastou, sem pressa, dizendo de longe, com voz entediada:

— Parem de fazer barulho, vão chamar a atenção dos *chulos*, porra!

Com a cabeça de Lucho nos joelhos, senti medo e estava louca de raiva. Como aquele "enfermeiro" podia ir embora sem nem tentar nos ajudar? Eles o deixariam morrer sem mexer um dedo.

Meus companheiros tinham se reunido em torno de Lucho, querendo ser úteis de um jeito ou de outro. Uns tiraram suas botas, outros massagearam energicamente as solas dos pés, terceiros se alternavam para manter o ritmo da ventilação.

Das vinte balas que Lucho tinha guardadas, sobrou apenas uma. Fiz com que ele engolisse o resto. Ele tinha me dito que duas ou três seriam completamente suficientes para fazê-lo voltar a si.

Sacudi-o com força:

— Lucho, eu imploro, acorde! Não tem o direito de ir embora, não pode me deixar aqui, Lucho!

Um silêncio terrível instalou-se sobre nós. Lucho jazia como um cadáver em meus braços e meus companheiros tinham diminuído suas atividades para olhar para ele.

Orlando balançou a cabeça, consternado:

— São uns porcos! Não fizeram nada.

Jorge se aproximou e pôs a mão no peito de Lucho. Baixou a cabeça e disse:

— Coragem, *madame chérie*, enquanto o coração bater, há esperança!

Olhei a última bala que me restava. Azar, era nossa última chance. Triturei-a o melhor que pude e coloquei em sua boca.

Vi que Lucho a engoliu.

— Lucho, Lucho, está me ouvindo? Se estiver me ouvindo, mexa a mão, eu imploro.

Ele estava com os olhos fechados, a boca entreaberta. Eu não sentia mais sua respiração. Mas, depois de alguns segundos, mexeu um dedo.

Gloria deu um grito:

— Ele reagiu! Ele se mexeu! Lucho, Lucho, fale conosco! Diga alguma coisa!

Lucho fez um esforço sobre-humano para reagir. Fiz com que bebesse um pouco de água com açúcar. Ele fechou a boca e engoliu com dificuldade.

— Lucho, está me ouvindo?

Com uma voz rouca que fazia sair do limiar da morte, ele respondeu:

— Estou.

Fiz menção de lhe dar um pouco de água. Ele me deteve com um gesto:

— Espere.

Ao me preparar para enfrentar a possibilidade de um coma diabético, Lucho tinha me advertido de que o perigo maior era a lesão cerebral que podia surgir em seguida.

— Não me deixe entrar em coma, porque não vou conseguir voltar. E se eu desmaiar, é importante você me acordar e me manter acordado durante as doze horas seguintes. São as horas mais importantes para a minha recuperação, vocês precisam me obrigar a falar, me fazendo todo tipo de perguntas para que possam verificar se não perdi completamente a memória.

Eu comecei imediatamente a seguir as instruções que ele tinha me dado.

— Como está se sentindo?

Ele balançou a cabeça afirmativamente.

— Como está se sentindo? Responda!

— Bem.

Era difícil para ele falar.

— Como é o nome de sua filha?

— ...

— Como é o nome de sua filha, Lucho, faça um esforço!

— ... Carope.

— Onde nós estamos?

Lucho não respondeu.

— Onde nós estamos?

— ... Na casa.

— Sabe quem sou eu?

— Sei.

— Como é meu nome?

— ...

— Está com fome?

— Não.

— Abra os olhos, Lucho. Está vendo a gente?

Lucho abriu os olhos e sorriu. Nossos companheiros se debruçaram sobre ele para apertar sua mão, lhe dar as boas-vindas, perguntar como estava. Ele respondia com vagar, mas seu olhar estava sempre baço, como se ele não nos reconhecesse. Estava chegando de um outro mundo e envelhecera cem anos.

Meus companheiros se alternaram a noite inteira para manter com ele conversas artificiais que o conservassem num estado de consciência ativa. Até a meia-noite, Orlando tinha conseguido fazer Lucho lhe explicar tudo o que era preciso saber sobre a exportação de camarões.

Eu peguei o turno seguinte. Durante essas horas de conversa, descobri que Lucho tinha recuperado a memória de fatos relativamente recentes, sabia que nós tínhamos sido sequestrados. Mas perdera por completo a lembrança dos acontecimentos de sua infância e os do presente imediato. O dia anterior ao coma tinha se apagado totalmente. Quanto ao *tamal*, o prato que sua mãe costumava preparar no Natal, não existia mais. Quando eu lhe fazia a pergunta, sentindo que alguma coisa se perdia, ele me olhava com olhos medrosos de criança que não queria ser castigada e inventava respostas para me agradar.

Isso me fazia sofrer mais que tudo, porque o meu Lucho, aquele que eu conhecera, que me contava histórias para me fazer rir, meu companheiro, meu confidente, esse Lucho, estava ausente e me fazia uma falta terrível.

Durante meses tínhamos trabalhado num projeto político que nos fazia sonhar e que contávamos pôr em prática quando fôssemos libertados. Depois da crise, ele não sabia mais absolutamente nada do que eu falava. Talvez o mais atroz fosse que Lucho esquecia imediatamente aquilo que lhe dizíamos. Pior, ele se esquecia do que tinha acabado de fazer! Tendo já tomado sua ração de desjejum, ele se queixava porque achava que não havia comido desde o dia anterior e, de repente, sentia que estava morrendo de fome.

O Natal estava chegando. Estávamos todos à espera de mensagens de nossas famílias, porque, mais do que nunca, a separação deles nos torturava. Mas Lucho continuava ausente.

A única coisa que ele não esquecia era a existência de seus filhos. Curiosamente, mencionava três, embora eu só tivesse conhecimento da existência de dois. Ele queria saber se tinham vindo vê-lo. Eu expliquei que ninguém podia vir nos ver, mas que nós recebíamos suas mensagens pelo rádio. Ele ficava impaciente para sintonizar a transmissão e escutar as próximas mensagens, mas caía no sono e na manhã seguinte tinha esquecido tudo.

A transmissão de mensagens mais longa era à meia-noite dos sábados. Eu estava com o coração apertado: não se ouviam mensagens para ele. Eu não conseguia evitar e inventava:

— O que eles disseram?

— Que te amam e que pensam em você.

— Ótimo, mas me diga do que eles falaram.

— Falaram de você, do quanto sentem sua falta...

— Espere, mas Sergio, o que ele falou da escola?

— Disse que tem estudado bastante.

— Ah! muito bem, muito bem... E Carope, onde ela está?

— Ela não disse onde estava, mas disse que este será o último Natal sem você e...

— E o quê? Me diga exatamente!

— E que ela sonha estar com você no seu aniversário e que ela...

— Ela o quê?

— E que... ela vai mandar uma mensagem no dia do seu aniversário.

Meu Deus! Isso lhe dava tanto gosto que eu não tinha a menor vergonha de mentir!

"De qualquer jeito", eu dizia a mim mesma para não ficar com a consciência pesada, "dentro de dois segundos ele vai esquecer mesmo tudo o que eu disse."

Mas isso Lucho não esqueceu. Essa história que lhe contei o prendeu ao presente e além de tudo o fez sair de seu labirinto. Ele vivia à espera dessa transmissão. No dia de seu aniversário, estava de volta entre nós, e nos alegrou a todos com seu bom humor.

Keith, que tinha sido o responsável pelo caso das facas, parecia se esforçar para que o perdoássemos: veio abraçá-lo e explicou em detalhes o que tinha feito para tirá-lo do coma. Lucho olhou para ele e sorriu. Tinha perdido muito peso, parecia frágil, mas recuperara sua ironia.

— Sim, agora lembro que já tinha visto! É por isso que eu estava com tanto medo de voltar!

Um dos efeitos da prisão era nos fazer muitas vezes perder a perspectiva das coisas. As querelas de uns com os outros eram válvulas de escape para aliviar tensões mais fortes. Depois de um mês vivendo aglomerados na prisão de Sombra, havia entre nós alguma coisa como uma reunião de família para bater papo, como faziam Keith e Lucho.

Eu pensava muito em Clara nestes termos: "Somos como irmãs, porque, o que quer que me aconteça, somos obrigadas a trilhar juntas nosso caminho de vida". Não escolhemos uma à outra, fora uma fatalidade, tínhamos de aprender a nos suportar. Essa realidade era dura de aceitar. No começo, eu tinha tido a impressão de precisar dela. Mas o cativeiro tivera como efeito esvaziar até mesmo esse sentimento de ligação. No começo, eu procurara seu apoio, depois me submetera a seu peso. Paradoxalmente, era mais fácil para mim de longe tentar estabelecer novos contatos, uma vez que não esperava nada dela.

Era isso que eu via entre Lucho e Keith, e, de um modo geral, entre todos nós. A aceitação do outro nos dava a sensação de ser menos vulneráveis e, portanto, mais abertos. Tínhamos aprendido a moderar.

Fui procurar os presentes que tinha preparado para Lucho. Gloria e Jorge fizeram o mesmo: um maço extra de cigarros (grande sacrifício para Gloria, que tinha se tornado uma fumante insaciável) e um par de meias "quase novas" cedido por Jorge. Então, nos pusemos a cantar os três em torno de Lucho com nossos presentes nas mãos. Um a um, todos os outros chegaram, cada um com uma coisinha para oferecer.

O fato de ver que os demais se interessavam por ele, a sensação de ser importante para o resto do grupo, tudo alimentava a vontade de viver de Lucho. Ele recuperou inteiramente a memória e, com ela, a crescente ansiedade de ouvir as mensagens que sua família havia prometido. Eu continuava incapaz de desmentir minha pequena invenção.

No sábado, ele ficou acordado a noite inteira, ouvido colado ao seu rádio. Mas novamente, como no sábado anterior, não houve mensagem dirigida a ele. Ele foi buscar sua xícara de café preto matinal e voltou de cabeça baixa. Sentou-se perto de mim e me olhou longamente:

— Eu sabia — ele disse.

— Sabia o quê, Lucho?

— Sabia que eles não iam falar.

— Por que diz isso?

— Porque em geral é assim.

— Não entendo.

— É, olhe, quando você deseja muito alguma coisa, ela não acontece. Basta você não pensar mais e blam! A coisa cai na sua frente.

— Ah, sei...

— Bom, de qualquer modo, eles tinham me avisado que iam viajar para as festas... Não mandaram mensagem nenhuma, não é?

Eu não sabia o que responder. Ele me deu um sorriso artificial e acrescentou:

— Ah, eu não estou chateado. Estava com eles no meu coração, como num sonho. Foi o meu presente de aniversário mais bonito!

35. Um triste Natal

Dezembro de 2003

Alguns meses antes da minha captura, eu havia visitado a prisão do Bom Pastor, em Bogotá. É um centro de reclusão para mulheres. Fiquei perplexa com aquelas mulheres que se maquiavam e queriam viver normalmente em seu mundo enclausurado. Era um microcosmo, um pequeno planeta. Notei as cortinas atrás das grades e a roupa lavada secando em todos os andares da prisão. Senti pena delas, tocada pela angústia com que me pediam pequenas coisas como se me pedissem a lua: um batom, uma caneta Bic, um livro. Eu devo ter prometido e com certeza me esqueci. Vivia num outro mundo, pensava que fazia mais por elas acelerando seus processos judiciais. Como estava enganada. Era aquele batom, aquela Bic, que podiam mudar suas vidas.

Depois do aniversário de Lucho, prometi a mim mesma não deixar passar em branco os aniversários dos demais. Eu me sentia esmagada contra um muro de indiferença. Para o mês de dezembro, três outros estavam na lista de espera. Quando sugeri que comemorássemos o aniversário dos próximos, meus companheiros recusaram. Alguns porque não gostavam da pessoa, outros "porque não havia razão para isso" e os últimos ergueram os olhos com desconfiança: "Ela quer mandar na gente?".

Lucho riu de meu insucesso:

— Eu não disse?

Resolvi agir sozinha.

Uma semana depois da festa de Lucho, escutei, ao acordar, nos rádios que eram ligados ao mesmo tempo para escutar o mesmo programa, a voz da esposa de Orlando, que lhe dava os parabéns por seu aniversário. Foi impossível fingir não ter escutado. Fiquei penalizada de ver Orlando entrar na fila para pegar sua xícara de café enquanto os outros fingiam ignorar o acontecimento que podia mudar nossa rotina. Estava escrito como um letreiro em sua testa, ele esperava que alguém lhe desse os parabéns. Eu hesitei, na verdade, pois não era muito próxima de Orlando.

— Orlando? Quero lhe desejar um feliz aniversário.

Uma luz brilhou em seus olhos. Era um homem forte. Ele me abraçou como um urso e pela primeira vez me olhou de um jeito diferente. Os demais fizeram a mesma coisa.

Os dias que precederam o Natal foram diferentes. O "tijolo" ficava ligado o dia inteiro para nos permitir ouvir nossa música tradicional. Escutar os clássicos do momento era para nós uma verdadeira sessão de masoquismo.

Conhecíamos de cor todas as letras e melodias. Vi que Consuelo estava jogando cartas com Marc, um dos três recém-chegados, em cima da mesa grande e que enxugava lágrimas furtivas com uma ponta da camiseta. As notas de "La piragua" jorravam do rádio. Era a minha vez de ser sentimental. Lembrei de meus pais dançando ao lado da grande árvore de Natal na casa de minha tia Nancy. Seus pés deslizavam no mármore branco em perfeita sincronia. Eu tinha onze anos, queria fazer igual. Era impossível ignorar as lembranças que saltavam na nossa frente. Além disso, ninguém queria evitá-las. Aquela tristeza era a nossa única satisfação. Ela nos fazia lembrar que no passado tínhamos tido direito à felicidade.

Gloria e Jorge tinham instalado suas redes no canto que ninguém nunca disputou, entre dois arbustos sem sombra. Lucho e eu tentamos nos aproximar deles, prendendo uma rede para nós dois no canto da tela. Não era muito confortável, mas podíamos conversar durante horas. Uma noite, houve um ruído seco. Jorge e Gloria tinham caído de suas redes e estavam sentados no chão do jeito que haviam aterrissado, duros e doloridos, com toda a dignidade de que eram capazes para atenuar o ridículo. As risadas vieram de todos os lados. Acabamos por nos enrolar em nossas redes, deixando o espaço livre para esboçar alguns passos de dança, ao som daquela música que era um chamado irresistível à festa. Era por causa da brisa quente que soprava através das árvores, ou da lua esplêndida acima de nossas cabeças, ou da música tropical? Eu não enxergava mais os arames farpados, nem os guardas, apenas meus amigos, nossa alegria, nossos risos. Eu estava feliz.

Ouviu-se um ruído de botas, alguém se aproximou correndo, um vozerio, ameaças, o foco de lanternas sobre nós.

— Onde vocês pensam que estão? Desliguem essa merda de rádio, todo mundo para dentro do barracão, nenhum barulho, nenhuma luz, entendido?

Na manhã seguinte, ao amanhecer, o recepcionista veio nos avisar que Sombra queria falar com cada um de nós separadamente.

Orlando chegou perto de mim:

— Cuidado, há um complô contra você!

— Ah, é?

— É, eles vão dizer que você monopoliza o rádio e não deixa ninguém dormir.

— Não é verdade. Podem inventar o que quiserem. Pouco me importa.

Falei com Lucho e resolvemos prevenir Gloria e Jorge.

— Deixem que eles falem o que quiserem e se concentrem em pedir o que vocês precisam, não é todo dia que o velho Sombra resolve nos receber! — Como sempre, a voz de Jorge estava cheia de bom-senso.

Tom foi o primeiro a ser chamado. Voltou com um grande sorriso e declarou que Sombra tinha sido muito amável e lhe oferecera um caderno. Os outros foram em seguida. Todos voltaram encantados com sua entrevista com Sombra.

Eu o encontrei sentado em uma espécie de cadeira de balanço num canto do que ele chamava de seu escritório. Em cima de uma prancha que fazia as vezes de mesa, havia um computador e uma impressora, de um branco sujo. Sentei-me onde me indicou, na frente dele. Ele tirou um maço de cigarros e me ofereceu um. Eu ia recusar, porque não fumo, mas mudei de ideia. Podia guardá-lo para meus companheiros. Peguei-o e guardei no bolso do agasalho.

— Obrigada, vou fumar depois.

Sombra estourou numa risada e tirou de debaixo da mesa um pacote de cigarros fechado que estendeu para mim.

— Leve isto. Eu não sabia que você tinha começado a fumar!

Não respondi. A Boyaca estava ao lado dele. Ela me observava em silêncio. Eu tinha a impressão de que ela enxergava dentro de mim.

— Pegue alguma coisa para ela beber. O que você quer, uma Coca?

— Isso, obrigada, uma Coca-Cola.

Ao lado de seu escritório, Sombra tinha mandado construir um cômodo todo de grades, fechado com cadeado. Aparentemente, ali encerrava seus tesouros. Dava para ver garrafas de bebida alcoólica, cigarros, coisas de comer, papel higiênico e sabonete. No chão, ao lado dele, um grande cesto de vime continha uns trinta ovos. Eu desviei os olhos. Boyaca reapareceu com a Coca-Cola, que pôs na minha frente, e em seguida saiu.

— Ela queria dizer bom-dia — disse Sombra ao vê-la sair. — Gosta muito de você.

— Que bom. Muito obrigada por me dizer.

— São os outros que não gostam de você.

— Quais "outros"?

— Bom, seus companheiros de prisão!

— E por que eles não gostam de mim?

— Eles talvez tenham pensado que iam fazer a festa...

Disse isso com um ar malicioso.

— Estou brincando. Acho que eles ficam irritados de ouvir falar só de você no rádio.

Eu tinha tantas coisas no meu coração. Seu comentário disparou uma franqueza que eu não tinha previsto:

— Não sei, acho que há muitas explicações, mas acho sobretudo que são envenenados por Rogelio.

— O que ele tem a ver com tudo isso, o pobre Rogelio?

— Rogelio foi muito grosseiro, ele entrou na prisão e me insultou.

— Por quê?

— Porque defendi Lucho.

— Achei que era Lucho que defendia você.

— Também. Lucho me defende o tempo inteiro. E eu estou muito preocupada com ele. Quando ele teve a crise de diabetes, vocês se comportaram como monstros.

— O que você queria que eu fizesse? Nós estamos na selva!

— Ele precisa de insulina.

Sombra explicou que não tinha como refrigerá-la.

— Então, deem a ele uma alimentação diferente: peixe, atum em lata, salsichas, cebolas, qualquer legume, eu sei que vocês têm. Ovos, por exemplo!

— Não posso fazer distinções entre os prisioneiros.

— Vocês fazem isso o tempo inteiro. Se ele morrer, não haverá outro responsável senão vocês.

— Você ama Lucho, não é?

— Adoro, Sombra. A vida nessa prisão é infame. As únicas coisas boas do dia me vêm das palavras de Lucho, de sua companhia. Se acontecer alguma coisa com ele, eu não poderia nunca perdoar você.

Ele ficou em silêncio um longo momento, depois, como se tivesse tomado uma decisão, acrescentou:

— Bom, vou ver o que eu posso fazer.

Dei um sorriso e estendi a mão:

— Obrigada, Sombra...

Levantei para ir embora, mas num súbito impulso, perguntei:

— Realmente, por que você não me autorizou a fazer um bolo para Lucho? Foi aniversário dele, dias atrás.

— Você não tinha me avisado.

— Tinha, sim, mandei um recado por Rogelio.

Ele olhou para mim surpreso. Depois com súbita determinação, acrescentou:

— Ah, sim! Eu é que esqueci!

Imitei seu gesto, os lábios projetados num bico, os olhos bem apertados, e disse, ao sair:

— Claro, eu sei que você esquece de tudo!

Ele estourou numa risada e gritou:

— Rogelio! Acompanhe a *doctora*!

Rogelio saiu de trás da casa, me deu um olhar assassino e me intimou a me apressar.

Dois dias antes do Natal, Sombra fez entregarem a Lucho cinco latas de atum em conserva, cinco latas de salsichas em conserva e um saco de cebolas. Não foi Rogelio quem trouxe. Ele havia sido substituído por Arnoldo, um jovem guarda sorridente que deixava bem claro que tinha de manter distância de todo mundo.

Lucho pegou suas latas e chegou carregado ao barracão. Depositou tudo em cima da mesa e veio me abraçar, vermelho de prazer:

— Não sei o que você disse para ele, mas deu certo!

Eu estava tão contente quanto ele. Ele me afastou para me olhar melhor e acrescentou com um ar sedutor:

— De qualquer modo, sei que fez isso mais por si mesma que por mim, porque agora vou ser obrigado a repartir essas coisas com você!

Estouramos numa risada e nosso eco encheu todo o barracão. Eu me contive depressa, incomodada por estar tão contente na frente dos outros.

Incomodada sobretudo por causa de Clara. Era seu aniversário. Eu havia escutado as mensagens, não tinha vindo nenhuma para ela. Durante dois anos, sua família nunca lhe dirigira uma simples palavra. Mamãe a saudava quando me enviava mensagens e às vezes contava que tinha visto a mãe dela, ou que haviam conversado. Um dia, eu tinha perguntado a Clara por que ela não recebia mensagens da mãe. Ela me explicara que a mãe vivia no campo e que era difícil enviá-las.

Voltei-me para Lucho:

— É aniversário de Clara...

— Sei. Acha que ela vai ficar contente se a gente lhe der uma lata de salsichas?

— Tenho certeza que sim!

— Então, leve você.

Lucho queria limitar na medida do possível o contato com Clara. Ela havia tomado atitudes que o chocaram e ele era inflexível na decisão de não ter contato com ela. Mas Lucho era antes de tudo generoso e tinha bom coração. Clara ficou tocada com o gesto.

O dia de Natal enfim chegou. O clima estava muito quente e seco. Passávamos o dia cochilando, bom meio de passar o tempo. As mensagens de Natal nos chegaram adiantadas, porque a transmissão de rádio ia unicamente da meia-noite de sábado ao amanhecer de domingo. Ora, esse Natal caiu bem no meio da semana. O programa, gravado, tinha sido decepcionante, porque o presidente Uribe prometera enviar uma mensagem aos reféns e não o fizera. Os chefes das Forças Armadas e da polícia, ao contrário, tinham se dirigido aos oficiais e suboficiais, reféns como nós nas mãos das Farc, para pedir que resistissem. Nada mais deprimente. Quanto a nossas famílias, elas haviam passado horas esperando para poder se manifestar ao microfone, num programa organizado pelo jornalista Herbin Hoyos, que as reunira na praça Bolívar. Fazia uma noite glacial que não era difícil de imaginar, porque ouvíamos o vento nos microfones, e a voz distorcida daqueles que tentavam articular algumas palavras no frio de Bogotá. Tinha havido o apelo dos fiéis, em particular da família de Chikao Muramatsu, um industrial japonês sequestrado anos antes e que recebia religiosamente as mensagens da esposa, que lhe falava em japonês, sobre um fundo de música zen, o que punha ainda mais em destaque a dor de suas palavras, que, claro, eu não compreendia, mas que entendia perfeitamente. Havia também Beatriz, mãe de David Mejia Giraldo, um menino sequestrado aos treze anos e que devia ter quinze agora. Ela lhe pedia que rezasse, que não acreditasse no que a guerrilha dizia e que não se tornasse igual aos seus raptores. Mais recentemente, a família da pequena Daniela Vanegas viera se juntar aos fiéis. Sua mãe chorava, seu pai chorava, sua irmã chorava. E eu chorava o tempo todo. Uns após outros, escutava todos, durante toda a noite. Ouvi o apelo da noiva de Ramiro Carranza. A moça tinha nome de flor e suas mensagens eram, todas, poemas de amor. Ela nunca faltava a um encontro, e nesse Natal estava lá, como sempre, junto com todos nós. Também estavam ali os filhos de Gerardo e Carmenza Angulo, negando-se a acreditar que o idoso casal pudesse já não estar vivo. Havia, enfim, as famílias dos deputados de Valle del Cauca. Acompanhei com especial emoção as mensagens de Erika Serna, esposa de Carlos Barragán. Carlos tinha sido levado embora no dia de seu aniversário e também dia em que nascera seu filhinho, numa curiosa coincidência. O pequeno Andrés crescera através do rádio. Nós tínhamos escutado seus primeiros balbucios, e suas primeiras palavras. Erika era loucamente apaixonada pelo marido e tinha transmitido esse amor ao bebê, que aprendera a falar com um pai desconhecido, como se ele o tivesse abandonado. Havia também a pequena Daniela, filha de Juan Carlos Narvaez. Devia ter três anos quando o pai desapareceu de sua vida. Mas ela se apegava à sua lembrança com uma tenacidade desesperada. Eu ficava perplexa com aquela mienininha de quatro anos e meio que, pelo rádio, contava para si mesma as últimas conversas deles, como se seu papai fosse o único a escutá-la no outro lado das ondas.

E, depois, havia os nossos, as mensagens para nós, os reféns de Sombra. Já tinha me acontecido de adormecer durante as horas intermináveis dessa transmissão. Apagara um minuto ou quem sabe uma hora? Eu não sabia. Mas quando isso me acontecia, eu era tomada de angústia e de culpa ao pensar que podia ter perdido a mensagem de minha mãe. Era a única que falava comigo sem falta. Meus filhos me surpreendiam às vezes. Quando os escutava, ficava tremendo de choque. Anos depois, no Natal anterior à minha libertação, recebi uma mensagem dos três, Mélanie, Lorenzo e Sébastian, no meu aniversário, que era também em 25 de dezembro. Senti que tinha muita sorte de ainda estar viva, porque aqueles cujas mensagens eu escutava antes, os reféns de Valle del Cauca, o industrial japonês, a pequena Daniela Vanegas, Ramiro Carranza, os Angulo, tinham morrido no cativeiro. Meus filhos estavam então na França, com o pai. Eles cantaram para mim, cada um disse algumas palavras, primeiro Méla, depois Sébastien, Lorenzo por último. Eles souberam que eu estava ouvindo, mas só muitos anos depois.

Para esse Natal de 2003, eles não sabiam como eu podia ouvir, nem como entenderia. Recebi a mensagem de minha mãe, esperando estoicamente sua vez no frio sepulcral da praça Bolívar. Recebi a de minha irmã, Astrid, e de seus filhos. Recebi a de minha melhor amiga, Maria del Rosario, que tinha ido à praça Bolívar pessoalmente com o filhinho Marcos, que apesar da pouca idade não protestava contra o frio e a hora muito avançada, e Merelby, meu fiel amigo do partido Oxigênio. Não recebi mensagem de meu marido. Teria eu dormido por um instante sem me dar conta? Verifiquei com Lucho, que ficara acordado. Meus outros companheiros não teriam me contado. Essa atitude não era dirigida exclusivamente a mim. Eu via que, mesmo entre amigos, eles reagiam assim, fingindo não ter ouvido e se recusando a repetir para o interessado. A selva nos metamorfoseava em baratas e rastejávamos sob o peso de nossas frustrações. Eu tinha decidido ir contra essa tentação, aprendendo de cor as mensagens destinadas aos outros para me certificar de manhã de que eles as tinham recebido direito. Mas às vezes eu constatava que minha atitude exasperava o beneficiário, talvez porque ele não quisesse se sentir devedor. Eu não me importava. Queria romper os círculos viciosos da nossa estupidez humana.

Foi assim que, uma manhã, resolvi abordar Keith depois de ter ouvido uma mensagem em espanhol que lhe era destinada. Os americanos raramente recebiam notícias dos seus. Eles escutavam as transmissões em ondas curtas provenientes dos Estados Unidos, em particular *A Voz da América*, que, às vezes, gravava as mensagens de suas famílias e as transmitia em seu setor para a América Latina. Essa mensagem era de natureza diferente. Devia ser, eu imaginava, muito importante. A voz feminina anunciou o nascimento de dois meninos, Nicolas e Keith, dos quais ele era pai.

Ele também tinha ouvido a mensagem, mas não tinha certeza de ter entendido direito. Seu vocabulário do espanhol ainda era reduzido. Repeti o que tinha memorizado. Ele pareceu muito feliz e muito inquieto ao mesmo tempo. Por fim, sentou-se montado ao contrário numa das cadeiras de plástico e confessou:

— Eu sou noivo de outra mulher, entende? Me pegaram numa armadilha!

Eu era capaz de entender, sim. Eu também me sentia emaranhada em minhas obsessões: meu marido não tinha efetivamente entrado em contato, nem no dia do meu aniversário. De fato, nunca tinha me mandado mensagem nenhuma.

Depois que o recepcionista saiu com as vasilhas do café da manhã, fui me refugiar em meu beliche: ia comemorar mais um ano no vazio.

Na véspera de Natal, à meia-noite, acordei sobressaltada. Havia uma lanterna de bolso apontada para mim, eu estava ofuscada, não enxergava nada. Ouvi risos, alguém contou até três e vi todos eles, na frente da minha cama, de pé e alinhados como um coral: puseram-se a cantar. Era uma de minhas canções preferidas, um número do trio Martino, "Las noches de Bocagrande", com todos os efeitos de voz, os silêncios e os trinados. "Noites de Bocagrande, sob a lua prateada, e o mar bordando estrelas na beira da praia, eu te juraria amor eterno, no vaivém de nossa rede."

Como não adorar todos eles, de shorts e camiseta, cabelos despenteados, olhos inchados de sono, se dando cotoveladas para chamar a atenção dos que desafinavam? Era de tal forma ridículo que era magnífico. Eles eram minha nova família.

Alguém bateu nas tábuas do lado do dormitório dos militares:

— Calem a boca! Merda! Deixem a gente dormir!

Imediatamente, um guarda apareceu através da tela:

— O que foi? Estão doentes ou o quê?

Não, nós estávamos simplesmente nós mesmos.

36. As querelas

Clara tinha conseguido unanimidade contra ela. Seu comportamento crispava o nosso grupo bem mais do que me contrariava, provavelmente porque a presença dos outros agia como um filtro entre nós. Uma manhã, houve um problema porque, tendo utilizado o boxe de banho, ela o deixara num estado indescritível. Orlando reuniu todo mundo em conselho para decidirmos a "atitude a tomar".

Dei de ombros, porque não tinha nenhuma "atitude a tomar", a não ser ir me arrumar. Tinha vivido com ela o suficiente para saber que tentar fazer com que raciocinasse tinha o mesmo efeito de falar com uma parede. De fato, quando foram protestar, Clara os ignorou altivamente. Uma noite, Clara pegou o rádio comunitário, que ficava pendurado num prego, e levou para o seu canto. Às vezes acontecia de alguns de nós, particularmente interessados em alguma transmissão, se apropriarem dele por alguns minutos. Mas aí, novamente ela deixou "o tijolo" crepitar, captando apenas o chiado do nada. No começo, ninguém se deu ao trabalho de prestar atenção, o ruído fundia-se com as conversas. Quando todos foram se deitar e ficaram em silêncio, aquele incômodo se tornou insuportável. Havia sinais generalizados de desconforto, depois, sinais de impaciência. Uma voz solicitou que o rádio fosse desligado, seguida minutos depois por outro pedido, mais insistente, que ficou sem resposta. Depois, ouviu-se um grande ruído, seguido da voz rude de Keith, berrando:

— Da próxima vez que eu pegar você fazendo esse jogo, quebro o aparelho na sua cabeça.

Ele havia arrancado o aparelho de suas mãos e o desligara. Pendurou-o de volta no prego e o canto das cigarras passou a dominar.

O incidente nunca mais se repetiu. Lembro-me de um professor de francês no colegial que nos dizia que, às vezes, a reação mais adequada é o emprego da força, porque certas pessoas provocam um gesto de autoridade para permitirem a si mesmas ser controladas. Refleti sobre isso. Naquela coabitação forçada, todos os meus parâmetros de comportamento estavam em crise. Eu era instintivamente contra a brutalidade. Mas tinha de admitir que naquela circunstância a ameaça tinha sido útil.

Lucho chegou à conclusão de que o inferno eram os outros. Cogitou pedir a Sombra que o isolasse do grupo. Ele me contou que tinha sofrido muito de solidão, tendo passado dois anos como louco falando com um cachorro, com as árvores, com fantasmas. Aquilo não era nada, dizia ele, comparado ao suplício daquela coexistência obrigatória.

Cada um reagia aos demais de maneiras inesperadas. Havia, por exemplo, a questão da lavagem de roupa. Nós a fazíamos deixando nossas coisas de molho de um dia para outro e um de cada vez nos baldes plásticos que Mono Jojoy tinha nos enviado. Começou a correr um boato de que um de nossos companheiros mijava nos baldes só por maldade, com ciúmes por não ter um balde privativo. Em outro dia, encontraram o assento da privada coberto de excrementos. A indignação foi unânime.

Nos grupos que se formaram, cada um apontava o seu "culpado", cada um tinha o seu saco de pancadas. Era a ocasião de despejar as mágoas: "Acho que foi Fulana, que se levanta às três da manhã para se empanturrar com aquela comida podre que ela guarda numa tigela". Ou então: "O colchão da Sicrana está cheio de baratas", "A Beltrana está cada dia mais suja".

Nesse ambiente tenso com que começamos o ano, Clara um dia veio falar comigo. Eu estava deitada no chão entre dois beliches, fazendo meus exercícios abdominais. Tinha instalado uma espécie de cortina com a coberta que Lucho havia me dado. Ela a afastou e se manteve de pé diante de mim. Então levantou a camiseta e mostrou a barriga:

— O que você acha que é?

Era tão evidente que eu caí das nuvens. Engoli a saliva para me recompor da surpresa antes de responder:

— Era isso que você queria, não?

— Era, estou muito feliz! Acha que estou de quantas semanas?

— Acho que não são semanas, são meses. Deve estar por volta do quinto mês.

— Vou precisar falar com Sombra.

— Exija que levem você para um hospital. Peça para ver o médico jovem que nós vimos no acampamento de Andrés. Ele deve estar por lá. Senão, vai precisar ao menos da ajuda de uma parteira.

— Você é a primeira pessoa a saber... Posso lhe dar um abraço?

— Claro. Estou feliz por você. É o pior momento e o pior lugar, mas um filho é sempre uma bênção do céu.

Clara sentou-se ao meu lado, pegou minhas mãos e disse:

— Ela vai se chamar Raquel.

— Certo. Mas pense também em nomes de menino, no caso de...

Ela ficou sonhando, os olhos perdidos no nada:

— Vou ser pai e mãe ao mesmo tempo.

— Essa criança tem um pai, você precisa falar com ele.

— Não! Nunca!

Ela se levantou para ir embora, deu um passo e virou-se de novo:

— Ingrid?

— Diga.

— Estou com medo...

— Não tenha medo. Vai dar tudo certo.

— Eu estou bonita?

— Está, Clara, está bonita. Uma mulher grávida é sempre bonita...

Clara se retirou, foi dar a notícia aos outros. Sua história foi recebida com frieza. Um deles veio me ver:

— Como pode ter dito para ela que essa criança é uma bênção do céu? Você não se dá conta? Imagine como vai ficar isto aqui com os gritos de um bebê com fome neste inferno!

Quando nossos companheiros perguntavam quem era o pai, Clara se recusava a contar, deixando a questão no ar, o que os incomodava. Sua atitude foi considerada como uma ameaça pelos homens da prisão que achavam que ela queria esconder a identidade do guerrilheiro para atribuir a algum deles a paternidade da criança. Keith exigiu o nome do pai.

— Será dramático para nossas famílias se ouvirem dizer que um de nós poderia ser o pai.

— Não se preocupe. Ninguém vai achar que é você. Tenho certeza de que

Clara vai dizer que o filho é de um dos guardas. Mas ela não vai dar nomes se não quiser! Basta ela confirmar que o pai não é nenhum de vocês.

Minhas tentativas não conseguiram acalmá-lo. Sua história pessoal o tornava sensível demais à situação. Tinha acabado de ter filhos gêmeos que não havia programado e sentia que, no caso de um escândalo, todos os olhos se voltariam para ele. Foi ver Clara. Queria que ela revelasse o nome do pai, como garantia de suas boas intenções. Ela lhe deu as costas:

— Pouco me importam seus problemas de família, tenho os meus para enfrentar — ela declarou, encerrando definitivamente o assunto.

Alguns dias depois, Keith discutia com Clara a respeito de minúcias, quando explodiu:

— Você é uma puta, é a vagabunda da selva!

Clara recuou, lívida, e foi embora do pátio. Ele foi atrás, gritando insultos.

Lucho e Jorge me seguraram, pedindo que eu lhes desse ouvidos uma vez na vida e não interferisse. A cena nos imobilizou. Clara cambaleava pela lama, apoiando-se às cadeiras de plástico que ficavam na passagem.

No dia seguinte, tudo voltou ao normal. Clara falou com Keith como se nada tivesse acontecido. Tínhamos todos sido forçados a aprender na marra. Não fazia sentido continuar alimentando rancores. Estávamos fadados a viver juntos.

Depois disso, Sombra tomou uma atitude. Um guarda veio dar a ordem para Clara embalar suas coisas. Sua barriga tinha crescido de repente e quando ela saísse da prisão, não teria mais meios de escondê-la.

A vida continuou para nós como antes, com um pouco mais de espaço na prisão. As notícias que escutávamos no rádio eram objeto de grandes debates. Mas havia muito poucas informações sobre nós e sobre nossas famílias. As medidas que poderiam eventualmente nos afetar eram passadas no pente fino: o aumento do orçamento militar, a visita do presidente Uribe ao parlamento europeu, o aumento da ajuda dos Estados Unidos à guerra contra as drogas, o início do Plano Patriota.* Cada um interpretava as notícias segundo seu estado de ânimo, mais do que como resultado de uma análise racional dos dados.

Eu era sempre otimista. Mesmo diante da informação mais sombria, procurava uma luz de esperança. Queria acreditar que aqueles que lutavam por nós

---

* Plano posto em ação pelo presidente Uribe, para capturar os chefes das Farc.

encontrariam o meio de nos fazer sair dali. Minha disposição de espírito irritava Lucho:

— Cada dia que passamos neste buraco aumenta exponencialmente as nossas chances de continuar aqui. Quanto mais se prolonga nosso cativeiro, mais complicada fica a situação. Está tudo ruim para nós. Se os comitês na Europa lutarem por nós, as Farc vão se beneficiar com essa propaganda e não terão nenhum interesse em nos libertar; mas, se os comitês não batalharem por nós, seremos esquecidos e ficaremos mais dez anos trancados na selva.

Nas nossas controvérsias, eu sempre encontrava aliados inesperados. Nossos companheiros americanos procuravam, exatamente como eu, razões para manter a confiança. Surpreenderam-me um dia ao me explicar por que, segundo eles, Fidel Castro tinha todo interesse em acelerar nossa libertação, hipótese que aceitei sem questionar. Estávamos divididos quanto à estratégia a ser adotada para obter nossa liberdade. A França considerava nossa libertação sua maior prioridade nas relações diplomáticas com a Colômbia, ao passo que os Estados Unidos faziam questão de manter uma postura de discrição no caso dos reféns americanos, evitando assim transformá-los em troféus que as Farc se negariam a libertar. Uribe continuava atacando as Farc de frente, excluindo por princípio qualquer tipo de negociação por nossa liberdade, e apostando numa operação militar de resgate.

Muitas vezes, por causa de detalhes, de um nada, a polêmica se tornava áspera. A gente se separava antes que azedasse tudo, na esperança de que no dia seguinte alguma outra pequena informação pudesse consolidar nossa argumentação, para retomarmos em nosso campo a controvérsia que tínhamos abandonado na véspera: "É cabeçudo como uma mula", dizíamos um do outro, para evitar sermos acusados da mesma coisa.

Nós defendíamos, cada um a seu modo, uma atitude de sobrevivência: havia aqueles que queriam se preparar para o pior e aqueles que, como eu, queriam acreditar no melhor.

Soprou um vento de harmonia. Tínhamos aprendido talvez a nos calar, a deixar passar, a esperar. Voltou-nos a vontade de fazer as coisas juntos. Tiramos a poeira de projetos que tínhamos abandonado quando a confrontação estava em seu paroxismo. Marc e Consuelo passavam a vida a jogar cartas, Lucho e Orlando a falar de política, eu lia pela vigésima vez o romance de John Grisham, *O advogado*, que Tom havia me emprestado, em razão das aulas de inglês que ele recentemente tinha começado a me dar.

Certa manhã nos pusemos de acordo com Orlando para fazer xícaras de plástico, cortando potes de flocos de aveia Quaker, que era possível conseguir com os guardas. Eu tinha aprendido a técnica com Yiseth, que fizera uma para mim no Natal anterior, no acampamento de Andrés. Era fácil, mas precisávamos arrumar um facão para cortar o pote e revirá-lo, de modo a obter as asas da xícara.

Orlando conseguiu o que precisávamos: o pote de plástico e o facão. Já era toda uma performance. Instalamo-nos à grande mesa, ao ar livre, no pátio. Eu já estava sentada, o pote na mão, o facão na outra, quando nos sobressaltamos com uma grande gritaria atrás de nós.

Era Tom, que, deitado em sua rede, foi tomado por uma súbita crise de cólera. Continuei meu trabalho, sem entender que, de fato, era eu o objeto de sua fúria. Dei-me conta disso quando vi Lucho numa grande altercação com ele. Tom havia se irritado porque o guarda tinha me emprestado um facão, e ele considerava isso uma prova de favoritismo. Impossível fazer com que raciocinasse. Ele estava deliciado com o barulho a que havia dado início, esperando talvez que o recepcionista de plantão entrasse para me insultar.

A porta da prisão efetivamente se abriu. Dois grandes guardas entraram e me pegaram pelo braço:

— Embale suas coisas, você vai embora!

Aquilo foi tão súbito que só tive tempo de olhar para Lucho, na esperança de uma explicação.

— Pediram que você fosse separada do grupo. Eu não queria contar, achava que eles não iam conseguir.

Eu não entendia nada do que estava acontecendo comigo, ainda mais quando todos os meus companheiros se levantaram um a um para me abraçar, comovidos, antes de minha partida.

37. O galinheiro

Março de 2004

Por um instante, ao sentir aquela porta de aço se fechar atrás de mim, tive um momento de esperança: "E se fosse...". Levava minha bagagem às costas, acompanhando um guarda por um caminho de terra que contornava o acampamento. Já me imaginava num barco, viajando pelo rio. Mas, antes de chegar ao rio, o guarda virou à esquerda, atravessou uma ponte construída sobre o fosso e me fez entrar em um galinheiro.

Nos fundos do galinheiro, num canto, saiu de uma cabana com teto de plástico uma mulher. Ela se assustou tanto quanto eu ao me ver. Era Clara.

— Vão estar entre amigas — disse o guarda, com ar de gozação.

Nós nos olhamos, sem saber o que dizer. Estávamos chateadas por nos revermos, mas, no fundo, talvez não. Ela estava instalada em sua pequena cabana, com apenas uma cama e uma mesinha. O espaço era muito reduzido. Eu não sabia o que eles queriam fazer comigo e, sobretudo, não queria incomodá-la em seu espaço. Ela me convidou a deixar minhas coisas num canto. As fórmulas de cortesia que surgiram espontaneamente nos puseram à vontade. Eu reencontrava a Clara de antes da selva. Estava surpresa de saber que ela ainda estava no acampamento, imaginara que eles a tinham levado embora, para onde tivesse acesso a tratamento. Estava a um mês do parto.

— Vou dar à luz aqui, nessa cama — ela me disse, inspecionando o lugar pela centésima vez. — Uma moça vem todo dia me fazer massagem na barriga. Acho que o bebê está mal posicionado.

Era, evidentemente, um parto de risco. Não adiantava dizer nada, o melhor era criar um clima de confiança, para não acrescentar angústia à longa lista de elementos perturbadores.

— Recebi as roupinhas que você fez para o bebê. Adorei. Vou guardar sempre comigo, obrigada!

Ao falar, ela tirou de uma bolsa as pequenas peças que eu tinha feito para o bebê. Um pequeno saco de dormir, uma camisinha de gola redonda, luvinhas minúsculas, vários sapatinhos e, a coisa de que eu mais me orgulhava, uma bolsa canguru para levar o bebê e deixar as mãos livres.

O tecido azul-celeste que usei pertencia a um de meus companheiros. Lucho tinha me ajudado a adquiri-lo me fornecendo a moeda de troca necessária ao escambo. O tecido era uma verdadeira bênção em plena selva. Eu havia cortado a peça o melhor possível para não haver muita perda e consegui com Orlando a linha e a agulha necessárias para pôr mãos à obra. Quando o trabalho ficou pronto, mostrei a Gloria, antes de mandar. Ela havia me dado conselhos judiciosos para encontrar botõezinhos e zíperes, e eu finalizei com um debrum de fio branco com a intenção de enfeitar o conjunto. Por intermédio de Orlando, mandara entregar a minha companheira. Imaginava que ela estava longe, num hospital de campanha, e que meu presente viajaria horas de canoa antes de chegar até ela.

Passamos o resto do dia conversando, sem sentir o tempo passar. Foi para mim a ocasião de falar com ela sobre sua maternidade e de prepará-la para o que estava por vir. Disse-lhe que era importante conversar com o bebê para que ele tivesse com ela uma relação entremeada por palavras, antes do nascimento. Na verdade, procurei iniciá-la nas reflexões de Françoise Dolto, que tinham sido fundamentais para mim. Tentei narrar de memória os casos clínicos que mais tinham me impressionado ao ler seus livros e que melhor ilustravam, a meu ver, a importância daquela relação de palavras entre mãe e filho. Também a encorajei a escutar música para estimular o despertar de seu bebê. E, sobretudo, a ficar feliz.

No dia seguinte, eu a vi sentar para ler em voz alta, à sombra de uma grande paineira, acariciando o ventre proeminente e tive a sensação de ter conseguido uma coisa boa. Como na véspera, instalei minha rede entre uma das vigas de canto da cabana e uma árvore do exterior. Ficava com metade do corpo para fora, mas não chovia havia dias, eu tinha chance de passar uma noite normal. Clara se aproximou de mim e, de maneira muito formal, disse:

— Pensei muito e quero que você seja a madrinha do meu filho. Se acontecer alguma coisa comigo, quero que você cuide dele.

Essas palavras me pegaram desprevenida. Tinha acontecido tanta coisa entre nós. Não era um compromisso que eu pudesse assumir levianamente.

— Deixe-me pensar. É uma decisão que quero amadurecer, porque é importante.

Pensei a noite toda. Aceitar seria estar ligada a ela e ao filho por toda a vida. Mas recusar era fugir à responsabilidade. Eu podia assumir esse papel? Tinha amor suficiente para dar a essa criança que ia nascer? Poderia adotá-lo plenamente se a situação assim exigisse?

De manhãzinha, uma ideia me assaltou: eu era a única que sabia quem era o pai da criança. Isso constituiria uma obrigação moral?

— Então, tomou sua decisão? — ela me perguntou.

Fez-se um silêncio. Respirei fundo para responder.

— Tomei minha decisão, sim. Eu aceito.

Ela me abraçou.

Clara tinha direito a uma sopa de peixe no desjejum. Ela riu ao me contar que todos os dias seu recepcionista ia pescar por ordem expressa do comandante. O galinheiro era, de fato, o meio que Sombra tinha encontrado para melhorar a situação de minha companheira, sem ser acusado de favoritismo. Mas isso não proporcionava o acesso a cuidados médicos, que eram indispensáveis. Eu esperava que chamassem o enfermeiro, que fazia parte do grupo dos outros prisioneiros.

Ouvi um barulho atrás de nós. Era Sombra, que passava furtivamente atrás das moitas, um fuzil de caçador pendurado no ombro. Acenei para ele.

— Sh! — ele respondeu, olhando apavorado à sua volta. — Não diga que me viu!

Afastou-se sem que eu pudesse lhe falar. Minutos depois, Shirley, uma alegre guerrilheira que fazia o papel de enfermeira, passou pelo mesmo lugar, com a mesma expressão de aventureira. Ela se aproximou e me perguntou:

— Viu Sombra? — E, vendo que eu tinha entendido tudo, acrescentou, rindo: — Tenho um encontro com ele, mas se a Boyaca nos vê, ela nos mata! — E afastou-se, deliciada.

Fiquei lá, vendo a moça deslizar como uma corça pela vegetação, me perguntando como podiam viver com tamanha despreocupação quando, ao mesmo tempo, tinham nas mãos os dramas de nossas vidas.

Estava perdida em divagações quando ouvi alguém me chamar. Assustei-me e olhei: era a voz de Lucho. Vi que vinha com um grande sorriso, o rosto iluminado, trazendo um saco muito cheio nas costas e, atrás dele, o guarda, com cara de mau.

— Houve uma briga quando você saiu, eu também fui transferido!

Veio sentar-se comigo e com Clara e fez uma narrativa detalhada dos últimos acontecimentos no interior da prisão.

— Não quero voltar para aquela prisão — disse Clara.

— Nem eu — Lucho e eu respondemos em coro.

Morremos de rir e depois, à guisa de reflexão, Lucho concluiu:

— Cá estamos, como no começo, só nós três, é melhor assim.

Enquanto conversávamos, uma equipe de guerrilheiros veio e se empenhou em montar com zelo uma cabana idêntica à de Clara. Em menos de duas horas, tínhamos todos uma cama e um teto para passar a noite. A linda Shirley veio no fim da tarde, enviada por Sombra para inspecionar as instalações. Fora nomeada recepcionista do galinheiro. Era a única guerrilheira autorizada a entrar na área fechada. Olhou nossa cabana e fez uma careta:

— Isso aqui está muito triste, deixem comigo — disse, e girou nos calcanhares.

Dez minutos depois, reapareceu, carregando uma mesa redonda e duas cadeirinhas de madeira. Fez outra viagem e trouxe estantes. Eu lhe dei um abraço, de tal forma fiquei contente. Ela havia transformado nossas cabanas em casinhas de boneca.

Sentamo-nos nas cadeiras, cotovelos nas mesas, como velhas amigas. Shirley me contou sua vida em dez minutos e seus amores com Sombra durante horas.

— Como você pode gostar desse velho feio e barrigudo? Não me diga que você também é uma *ranguera*.

Ranguera era o termo pejorativo usado pelos guerrilheiros para indicar a moça que vai para a cama com um comandante para obter vantagens devidas à "patente".

Shirley morreu de rir.

— A Boyaca é *ranguera*, é ela que fica com a melhor parte do bolo. Eu não tenho direito a nada. Mas amo o velho. De vez em quando, ele faz uma cara tão perdida que me enternece. Adoro estar com ele.

— Espere, você está apaixonada por ele?

— Acho que sim.

— E... o que você faz com o seu *socio*, ainda estão juntos?

— Claro que sim, ele não sabe de nada!

— Ele é tão legal. Por que o engana?

— Engano porque ele é muito ciumento!

— Ah, você está exagerando!

— Bom, quer saber de tudo? Fui eu que salvei a vida do velho Sombra. Durante um bombardeio, ele estava com a cara na lama, caído no chão. Completamente bêbado. As pessoas corriam em volta dele, ninguém ajudava. Eu o pus nas costas e o carreguei comigo. Um minuto depois, uma bomba caiu bem no lugar onde ele estava antes. Depois, nós ficamos muito chegados. Ele me ama muito, sabe? É carinhoso comigo, e me faz dar risada também.

Passamos juntas boa parte da noite. Shirley tinha ido à escola, terminara toda a graduação, por isso era tão orgulhosa, e estivera a dois passos de se formar. Mas se apaixonara por um rapaz que a convenceu a se incorporar às Farc. Era uma exceção. Em geral, o nível escolar dos guerrilheiros era baixo. Poucos sabiam ler e escrever. Quando lhe pedi que me explicasse as bases de seu engajamento revolucionário, ela mudou habilmente de assunto. Ficou então muito desconfiada e manteve-se distante. Por que uma moça como Shirley acabara se integrando às Farc? Havia nela uma necessidade de aventura, de intensidade na vida, que eu não encontrava entre seus pares. Os outros tinham entrado para as fileiras da subversão porque tinham fome.

No dia seguinte, Shirley apareceu cedo, com uma televisão nos braços. Colocou-a em cima da mesa, ligou o leitor de DVD e nos fez assistir *Como água para chocolate*, baseado no romance de Laura Esquivel.

— Sei que é aniversário da morte de seu pai — ela me disse. — Isso vai fazer você pensar em outra coisa.

Aquilo me fez pensar em minha mãe, que tinha me suplicado, meses antes de minha captura, que a acompanhasse àquele filme. Eu havia recusado. Não tinha tempo. Agora, tempo era o que eu mais tinha. Não tinha mamãe e nunca mais teria papai. Assistindo ao filme, fiz a mim mesma duas promessas: se algum dia eu saísse dali, aprenderia a cozinhar para aqueles que amo. E teria tempo, todo o tempo, para consagrar a eles.

Lucho estava felicíssimo de ficar no galinheiro. A ausência de tensão tinha lhe devolvido todas as suas capacidades. Armou-se com uma pá para fazer *chontos* tão grandes que serviriam para uso durante um mês! Acabou com grandes bolhas nas mãos.

— Não quero nem pensar em voltar para a prisão! — disse ele.

— Fique quieto. Não verbalize seus medos!

Como para fazer eco às minhas queixas, Shirley veio me ver:

— Seus companheiros de prisão reclamaram porque um dos guardas contou que você tem melhores condições que eles. Querem que volte para lá.

Fiquei boquiaberta.

Nessa noite, tive a impressão de ter acabado de fechar os olhos quando senti que alguém pulava em cima de mim. Uma Shirley nervosa me sacudia vigorosamente.

— Os helicópteros estão nos atacando. Temos de sair do acampamento. Pegue suas coisas e vamos embora!

Obedeci. Enfiei as botas, peguei minha sacola voando. Shirley arrancou-a de minhas mãos:

— Venha atrás de mim. Eu levo suas coisas, vamos mais depressa.

Avançamos na escuridão, os helicópteros em voo rasante junto às árvores acima de nossas cabeças. Como eu pudera dormir sem escutá-los? Eles iam e vinham ao longo do rio, fazendo um barulho infernal. Chegamos perto do *economato*, um hangar com telhado de zinco, todo envolto por grades de aço, com os sacos de provisões empilhados até o alto. Lucho e Clara já estavam lá, com uma expressão mista de angústia e de aborrecimento.

Obrigaram-nos a seguir uma fila de guerrilheiros que mergulhavam na selva.

— Acha que vamos andar a noite inteira?

— Com eles, tudo é possível! — Lucho garantiu.

Shirley ia na nossa frente, em silêncio. Durante um momento, a ideia de propor a ela que fugisse conosco me aflorou ao espírito. Era impossível, tínhamos uma mulher grávida conosco. Como pude sequer pensar nisso?

Era preciso aceitar nossas tribulações com paciência. Depois de uma hora de marcha, paramos. Fizeram-nos esperar sentados em nossas bagagens até o amanhecer. Com o dia, os helicópteros foram embora e eles nos levaram de volta ao galinheiro.

Depois da primeira refeição matinal, uma equipe de guarda apareceu. Em quinze minutos, desmantelaram nossa cabana. Ficamos olhando, mortificados. Sabíamos o que isso significava.

Clara me pegou pelo braço:

— Quero pedir uma coisa. Não diga a ninguém que estou aqui. Não conte que nos vimos. Prefiro que acreditem que me levaram para um hospital... entende?

— Não se preocupe. Não vou dizer nada. E Lucho também não.

Dei-lhe um abraço antes de ir embora, o coração apertado.

38. Volta à prisão

Março de 2004

As coisas estavam acontecendo muito depressa. Ao sair do galinheiro, vi Shirley de passagem: ela queria me tranquilizar, dizer que ia dar tudo certo.

A porta de aço rangeu ao se abrir e tive a impressão física de estar às portas do inferno. Tomei coragem e entrei. A satisfação mórbida no rosto de um dos meus companheiros foi como uma bofetada.

— Não ficou muito lá — sibilou ele, com maldade.

— Deve ter sentido a nossa falta — Lucho respondeu secamente. — Não foi você que insistiu para a gente voltar logo?

O homem riu:

— Nós também temos nossas influências...

Seu riso amargou quando ele viu que os guardas arrumavam o espaço ao lado dos toaletes. Foi instalado um teto de plástico. Shirley tinha mandado a mesinha redonda, as duas cadeiras e a estante. Estavam construindo uma cabana igual àquela do galinheiro, ali no pátio da prisão.

Brian e Arnoldo comandavam a operação. Fiquei olhando, em silêncio. Quando terminaram o trabalho, pegaram as ferramentas e foram embora. Brian virou-se para mim e falou alto, para que todos ouvissem:

— O comandante não quer mais problemas aqui. Você vai dormir aqui, ninguém vai te amolar. A menor falta de cortesia e você chama o recepcionista.

Comecei a organizar minhas coisinhas, para não ter de enfrentar os olhares agressivos. Ouvi um sussurro:

— Está ótimo assim! Ela que viva com aquele cheiro de merda.

Eu me sentia culpada. Por que isso continuava a me machucar? Eu devia estar calejada. Senti que um braço me segurava pelos ombros. Era Gloria:

— Ah, não! Você não vai chorar agora. Não vai dar essa alegria a eles! Vamos, eu ajudo. Sabe, estou triste por você, por terem feito você voltar. Mas estou contente por mim, você fez muita falta! E depois, sem Lucho, não se dava mais risada nesta prisão!

Jorge também veio, sempre cortês, beijou minha mão e usou algumas palavras que tinha aprendido em francês para me desejar boas-vindas. Depois, acrescentou:

— Agora não tenho mais lugar para pendurar minha rede. Espero que me convide para a sua casa, *madame chérie*.

Marc aproximou-se, tímido. Conversávamos raramente ele e eu, e sempre em inglês. Eu o observava, porque ele estava sempre à parte do grupo e era o único entre nós a não ter tido nunca nenhum confronto com quem quer que fosse. Tinha observado também que seus dois companheiros o respeitavam e escutavam. Estavam constantemente em conflito entre eles, passando de um silêncio rancoroso às explosões verbais, curtas e ferinas. Marc ficava na posição de intermediário, procurando apaziguar os ânimos. Eu sentia que ele mantinha distância, principalmente em relação a mim. Não era difícil de imaginar o que deviam ter lhe falado e eu esperava que com o tempo ele pudesse fazer uma outra ideia.

Fiquei surpresa ao vê-lo plantado ali, enquanto nós conversávamos, Lucho, Jorge, Gloria e eu, muito animados. Os gestos de todo mundo eram bem calculados na prisão. Ninguém queria dar a impressão de estar suplicando o que quer que fosse, ou de esperar alguma coisa, porque isso poderia ser interpretado como uma posição de inferioridade. Ele estava ali, então, à espera de um espaço para participar de nossa conversa. Nós todos nos viramos. Ele esboçou um sorriso triste, e nos disse em espanhol balbuciante, com os verbos todos no infinitivo, que estava contente de nos ver de volta, a Lucho e a mim.

Suas palavras me tocaram diretamente no coração. Não consegui emitir nada mais que um agradecimento protocolar, premida pelas emoções muito intensas que tive de esconder. De certa forma, seu gesto me relembrava cruelmente a animosidade dos outros, e senti pena de mim mesma. Estava muito vulnerável e me sentia ridícula. No inferno, não temos o direito de demonstrar sofrimento.

— Mas eu estou sonhando ou você está falando espanhol? Basta a gente sair três semanas e você apronta uma surpresa pelas nossas costas.

Lucho tinha se encarregado da situação.

Todo mundo riu, porque Marc respondia ao pé da letra com as três palavras de espanhol que tinha dominado. Ele traduzia literalmente as expressões americanas, que por milagre assumiam ao passar para o espanhol um humor que era a nossa alegria. Depois, despediu-se de nós polidamente e voltou para o barracão.

No dia seguinte, aconteceu uma coisa inesperada. Os prisioneiros do campo dos militares nos mandaram um pacote de livros. Fiquei sabendo então que, enquanto eles estavam detidos na zona de detenção, durante as negociações com o governo Pastrana, as famílias tinham conseguido fazer chegar a eles bibliotecas inteiras. Uma vez abortado o processo de paz, no momento de fuga diante das Forças Armadas, cada um levara dois ou três livros em sua mochila, e os trocavam entre eles. As marchas tinham sido difíceis e com certeza, por causa do peso, tiveram de aliviar a bagagem do menos necessário. Os livros haviam sido os primeiros a ir embora. Os que chegaram para nós foram os sobreviventes. Eram verdadeiros tesouros. Havia de tudo: romances, clássicos, livros de psicologia, testemunhos do Holocausto, ensaios filosóficos, livros espirituais, manuais de esoterismo, histórias para crianças. Deram-nos o prazo de duas semanas para lê-los, depois teriam de ser devolvidos.

Nossa vida mudou. Ficávamos, cada um em seu canto, devorando todos os livros possíveis. Eu comecei com *Crime e castigo*, que não tinha feito muito sucesso entre meus companheiros, enquanto Lucho lia *A mãe*, de Maksim Górki.

Descobri mais tarde que alguém estava lendo *O rei de ferro*, de Maurice Druon, e junto com Gloria nos inscrevemos numa lista de espera para ter uma chance de lê-lo antes da data limite. Para conseguir que a circulação do livro fosse mais rápida, propusemos fazer uma estante atrás da porta do barracão, de modo que os livros fossem ali colocados quando seus leitores não os quisessem mais.

Isso nos permitiu folhear a maior parte deles para estabelecer nossas prioridades. Havia livros impossíveis de ler porque todo mundo esperava por eles. Lembro-me particularmente de *A noiva escura*, de Laura Restrepo, e *L'Alcaravan*, de Castro Caycedo. Mas o que eu queria ler e não consegui nem tocar foi *A festa do bode*, de Mario Vargas Llosa.

Uma manhã, Arnoldo apareceu e levou tudo embora. Foi alguns dias antes da data limite. Um dos nossos tinha resolvido mandar tudo de volta para o outro campo, sem consultar os outros. Fiquei particularmente frustrada, me sentindo traída. Queria que ele morresse.

Falei com Orlando, que tinha adquirido o hábito de conversar com Lucho e comigo, à noite, perto de se apagarem as luzes. Orlando era muito hábil para arrancar informações dos guardas. Era, de fato, o mais bem informado de nós, o que percebia aquilo que nós não víamos.

Eu tinha me afeiçoado a ele porque entendera que, por trás de seu ar simplório, havia lugar para um grande coração, que ele não revelava senão em determinados momentos, como se tivesse vergonha. Mas era sobretudo seu senso de humor que o tornava uma companhia particularmente agradável. Quando ele se sentava à mesinha redonda e juntos escutávamos o rádio, sabíamos, Lucho e eu, que nosso senso de argumentação seria posto à prova e esperávamos, encantados, que ele lançasse os primeiros dardos.

Ele nunca era terno em seus comentários, nem sobre nós, nem sobre nossos companheiros, mas fazia uma exposição tão lúcida de nossa situação, de nossas atitudes e de nossos defeitos, que só podíamos mesmo rir e lhe dar razão.

Alguns companheiros ficaram inquietos por causa de nossa amizade com Orlando. Desconfiavam dele e atribuíam-lhe todos os defeitos do mundo. Alguns, particularmente, que tinham sido próximos dele desde o começo, vinham me prevenir a seu respeito.

Mas eu não tinha mais a menor vontade de escutar esse tipo de comentário. Cada um tinha suas próprias intenções. Eu queria deixar as portas abertas para todos e chegar a minhas próprias conclusões.

A volta à prisão tinha me obrigado a fazer uma introspecção. Eu me olhava no espelho dos outros, vendo ali todos os defeitos da humanidade: a raiva, o ciúme, a avareza, a inveja, o egoísmo. Mas era em mim que eu os observava. Fiquei chocada ao me dar conta disso e não gostei de ver no que eu havia me transformado.

Quando escutava os comentários e as críticas contra os outros, eu me calava. Eu também tinha corrido para a comida na esperança de conseguir um pedaço melhor, também havia esperado de propósito que os outros se servissem para que me coubesse a *cancharina* maior, também tinha invejado um par de meias mais bonito ou uma tigela maior e também tinha juntado estoques de comida para alimentar minha avareza.

Um dia, a provisão de latas de conserva de Gloria explodiu. As latas estavam muito velhas e a temperatura subira muito. Todo mundo deu risada. A maioria ficou deliciada por ela ter perdido o que eles já tinham consumido e que ela guardara pacientemente. Éramos todos iguais, emaranhados em nossas pequenas feiuras.

Tomei a decisão de me controlar. Para não fazer igual. O exercício me pareceu difícil. Às vezes, minha razão me puxava para um lado, meu estômago para outro.

Eu tinha fome. Ainda estava em busca de boas resoluções. Dizia a mim mesma que pelo menos tinha conseguido tomar consciência disso.

Observava também, consternada, nosso comportamento em relação a nossas famílias, particularmente as críticas acerbas e os comentários maldosos que alguns de meus companheiros faziam sobre os membros de suas próprias famílias. Havia, na psicologia do prisioneiro, uma tendência masoquista a acreditar que aqueles que lutavam por nossa liberdade o faziam por razões oportunistas: nós não podíamos acreditar que ainda éramos dignos de ser amados.

Eu me recusava a acreditar que meus parceiros de vida tivessem feito de nosso drama um modo de subsistência. Os homens sofriam pensando que suas esposas gastavam seus salários. De nossa parte, nós, mulheres, vivíamos na angústia de não encontrar um lar quando voltássemos. O silêncio prolongado de meu marido despertava comentários dolorosos: "Ele só chama quando tem jornalistas em volta", diziam.

A atitude de Orlando também mudou. Ele se abrandou, procurando mais e mais se tornar útil. Era muito hábil em encontrar solução rápida para pequenos problemas.

Quando expus a Orlando a frustração que sentira quando levaram embora os livros, ele me tranquilizou:

— Tenho amigos no outro acampamento. Vou pedir que nos mandem outros livros. Acho que eles têm toda a série de *Harry Potter*.

Os livros chegaram quando eu estava fazendo minha toalete. Tinham sido todos distribuídos, os da série Harry Potter em primeiro lugar. Foi Marc quem leu *A câmara secreta*. Eu não resisti à tentação de dar uma olhada na capa do livro. Ele sorriu ao ver o estado de excitação em que me encontrava. Fiquei envergonhada e tentei não reter muito tempo o livro em minhas mãos.

— Não se preocupe, eu também estou impaciente para ler.

— Na verdade, estou emocionada porque foram os primeiros livros que meu filho Lorenzo leu! Parece que fico mais próxima dele — eu disse, para me desculpar. — E, depois, a verdade é que eu devorei o primeiro da série — acabei confessando.

— Bom, é o primeiro livro em espanhol que eu vou ler! Tem palavras difíceis, mas já está apaixonante... Escute, se quiser, podemos ler juntos: eu leio de manhã, passo o livro para você ao meio-dia e você me devolve à noite.

— Verdade mesmo? Faria isso?

— Claro, mas com uma condição... Às seis horas em ponto você põe o livro na minha estante. Não quero ter de pedir para você todos os dias.

— Combinado!

39. O confisco dos rádios

Abril de 2004

O arranjo que fizemos me encantou. Eu programava meus dias de modo a consagrar todas as minhas tardes à leitura e tomava um cuidado particular em depositar o livro às seis da tarde em ponto em sua estante. Tinha aprendido que era sobretudo por esses pequenos detalhes que nos julgávamos entre nós, e, mais ainda, que sobre eles se baseavam as amizades e eclodiam os conflitos. A promiscuidade a que éramos forçados nos expunha ao olhar incessante do outro. Estávamos sob a vigilância dos guardas, claro, mas sobretudo sob a vigilância impiedosa de nossos companheiros de prisão.

Se eu atrasasse um minuto, sabia que Marc ficaria procurando com os olhos no pátio para descobrir a razão de meu atraso. Se o motivo fosse trivial, ele ficaria ofendido e uma tensão se instalaria entre nós. Funcionávamos todos assim. Ao meio-dia em ponto, eu levantava o olhar. Tinha tido tempo de fazer minha ginástica, de me lavar e esperava pacientemente que ele saísse do barracão com o livro. Era o meu momento de gratificação, ia mergulhar no universo de Hogwarts, durante algumas horas escaparia daquela prisão cercada de arames farpados, de guaritas e de lama, e encontraria a despreocupação de minha infância. Mas minha evasão gerava ciúmes. Eu sentia que algumas pessoas tinham vontade de me arrancar o livro das mãos. Eu não tinha permissão para nenhum erro.

Uma tarde, os guardas trouxeram o aparelho de televisão que Shirley tinha levado ao galinheiro. Estávamos todos entusiasmados com a ideia de assistir a um filme. Mas o que nos apresentaram não tinha nada a ver com um momento de lazer: era a prova de sobrevivência dos três companheiros americanos, filmada meses antes de sua chegada à nossa prisão. O auditório ficou mudo ao assistir a suas mensagens e aquelas que seus familiares tinham gravado em resposta e que faziam parte de uma transmissão de televisão realizada nos Estados Unidos alguns meses antes. Nossos companheiros grudaram na tela, como se isso lhes permitisse tocar aqueles que amavam. Pouco a pouco recuaram, aquela proximidade queimava. Nós ficamos atrás, de pé, observando dolorosamente na televisão aquelas famílias que, como as nossas, estavam dilaceradas de dor e de angústia. Mas eu observava sobretudo meus companheiros, as reações de esfolados vivos, sem pudor, como numa praça pública.

Havia algo de voyeurismo em contemplar a nudez de seu drama. Mas eu não conseguia desviar os olhos daquele espetáculo de haraquiri coletivo que me remetia àquilo que eu própria vivia.

Havia enfim associado rostos aos nomes desses desconhecidos que tinham se tornado familiares para mim à custa de ouvir falar deles. Tinha acompanhado suas expressões na televisão, os olhares que desviavam da câmera, o tremor dos lábios, as palavras sempre reveladoras. Tinha ficado apavorada com o poder da imagem e com a ideia de que somos todos tão absolutamente previsíveis. Eu os vira apenas dois segundos e tinha a impressão de ter entendido tudo. Eles tudo revelavam, incapazes de mascarar diante da câmera o melhor ou o pior de seus sentimentos. Fiquei envergonhada, mas afinal tínhamos, acima de tudo, direito à intimidade.

Observei meus companheiros americanos. Os comportamentos eram tão diferentes, as reações, tão opostas. Um entre eles comentava em voz alta cada imagem e olhava para trás para ter certeza de que o grupo acompanhava suas explicações. Ele fez um comentário que não passou desapercebido, a respeito de sua noiva:

— Eu sei, ela não é muito bonita, mas é inteligente.

Todos os olhares se voltaram na sua direção. Ele ficou vermelho, e acreditei adivinhar que não era por lamentar o que tinha dito. Na verdade, acrescentou:

— O anel que dei a ela custou 10 mil dólares.

Um outro estava escondido em seu canto, coçando dolorosamente o queixo barbudo. Seus olhos azuis imensos se encheram de lágrimas e ele repetiu em voz baixa:

— Meu Deus, como eu fui idiota!

Ela se descompusera em um segundo. Sua dor me era insuportável, suas palavras eram as que eu ouvia em mim, porque eu carregava, como ele, uma cruz feita de arrependimentos.

Senti vontade de abraçá-lo. Mas não podia. Fazia muito tempo que não nos falávamos mais. Marc estava ao meu lado. Eu não ousava me virar para olhar para ele, porque imaginava que não seria muito delicado. Sentia que ele estava imóvel. Então, quando terminou a projeção e fiz meia-volta para sair do barracão, vi sua expressão, que me deixou gelada. Uma dor interna tomara conta dele. Tinha o olhar vazio, a cabeça baixa, o hálito quente, sem poder se mexer, como se tomado por uma doença súbita, que lhe inchava as articulações e apertava o coração. Não houve nenhum pensamento dentro de mim, nenhuma discussão interior sobre a conveniência ou inconveniência de meu gesto. Eu me vi tomando-o nos braços, como se pudesse compensar a maldição que lhe havia sido lançada. Ele caiu em prantos, lágrimas que tentava controlar apertando a base do nariz e repetindo, escondendo o rosto contra mim:

— Tudo bem, tudo bem.

Tudo bem mesmo. Não tínhamos escolha.

Algumas horas depois, ele veio me agradecer. Era surpreendente. Eu imaginara um homem frio, talvez mesmo insensível. Tinha um grande domínio de si mesmo, e dava quase sempre a impressão de estar ausente. Eu agora o via com novos olhos, intrigada, procurando entender quem era ele.

Ele vinha de quando em quando conversar com Lucho, Orlando e eu ao cair da noite e nos fazia rir com seu espanhol que melhorava dia a dia, mas não exatamente com as palavras mais recomendáveis. Pedia-me pequenos serviços, eu os pedia a ele também. Tinha começado a bordar o nome de seus filhos e da mulher na farda de camuflagem. Estava obcecado com seu trabalho, aplicado em preencher com linha preta as letras que havia desenhado caprichosamente no tecido. Dava a impressão de não progredir com essa tapeçaria de Penélope. Quis ver o que estava fazendo e fiquei surpresa com a perfeição de seu bordado.

Certa manhã, quando eu tentava cansar meu corpo subindo e descendo uma escada, ouvi seus companheiros americanos lhe dando os parabéns por seu aniversário. Achei que todo mundo tinha ouvido, como eu. Mas ninguém mais foi cumprimentá-lo. Estávamos endurecidos, tentando provavelmente nos isolar de tudo para sofrer menos com a vida. Resolvi que eu iria, sim. Ele ficou surpreso e contente com minha atitude e acreditei que tínhamos ficado amigos.

Até o dia em que Sombra ordenou o confisco de todos os aparelhos de rádio. Fomos todos pegos de surpresa, menos Orlando, que suspeitava de uma operação por ter escutado o que diziam no barracão dos militares. Ele havia colado o ouvido nas tábuas que ficavam em frente ao alojamento deles e ouvira que se tratava de um confisco geral dos rádios. Procurou todos os prisioneiros e avisou um a um do que nos esperava.

Senti meu coração parar. Lucho ficou tão abalado quanto eu. Entregar a eles nossos rádios era nos cortar definitivamente o contato com nossas famílias.

— Você entrega o seu e eu escondo o meu.

— Mas, Ingrid, você está louca, eles vão perceber.

— Não. O meu eles nunca viram. Usamos sempre o seu porque funciona melhor, é disso que eles lembram.

— Mas eles sabem que você tem um rádio.

— Eu digo que joguei fora faz tempo porque não funcionava mais.

Arnoldo irrompeu na prisão com quatro de seus acólitos. Mal tive tempo de jogar meu pequeno aparelho, dado por Joaquín Gómez, debaixo do piso do box de banho e de tornar a me sentar como se nada tivesse acontecido. Eu tremia. Lucho estava verde, o suor porejando na testa. Não havia como voltar atrás.

— Eles vão nos pegar — Lucho repetia, cheio de angústia.

Arnoldo plantou-se no meio do pátio, enquanto os outros quatro guardas tomavam conta do lugar.

Para um prisioneiro, não havia nada mais importante do que seu aparelho de rádio. O rádio era tudo: a voz da família, a janela para o mundo, nossa noitada de espetáculo, nossa terapia contra insônia, o preenchimento de nossa solidão. Vi meus companheiros entregarem seus rádios nas mãos de Arnoldo. Lucho entregou o seu, resmungando:

— Não tem mais pilhas. — Eu o adorava ao menos por isso. Ele devolvia minhas forças.

Arnoldo contou os aparelhos.

— Está faltando um — declarou. Então, notando minha presença, gritou para mim: — O seu.

— Eu não tenho rádio.

— Tem, sim.

— Não tenho mais.

— Como assim?

— Não estava funcionando, joguei fora.

Arnoldo levantou uma sobrancelha. Tive a impressão de que ele enxergava até minhas entranhas.

— Tem certeza?

Mamãe sempre dizia que era incapaz de mentir e que isso aparecia em seu rosto. Eu achava que se tratava de uma espécie de tara familiar providencial, que

286

nos obrigava geneticamente a ser honestas. Isso chegava a tal ponto que eu ficava vermelha dizendo a verdade, pela simples ideia de poderem achar que eu mentia, de forma que me ocorreu que eu precisava aprender a mentir para ser capaz de dizer a verdade sem ficar vermelha. Na vida "civil", a coisa ainda ia bem. Mas, ali, eu sabia que tinha de olhar nos olhos dele. Era preciso não desviar os olhos. Era preciso de uma vez por todas que eu aprendesse a mentir por uma boa causa. Essa ideia me salvou. Eu fui a única a esconder o rádio. Não tinha o direito de fraquejar.

— Tenho certeza, sim — disse, sustentando seu olhar.

Ele deu o assunto por encerrado, recolheu aquele monte de rádios e pilhas à sua frente e foi embora satisfeito.

Fiquei petrificada, sem conseguir dar um passo, apoiada na mesa, a dois segundos de cair no chão, banhada em suor frio.

— Lucho, dava para perceber que eu estava mentindo?

— Não, ninguém viu nada. Por favor, fale normalmente, estão observando você das guaritas. Vamos sentar na mesinha redonda.

Ele me pegou pela cintura, como se estivéssemos conversando casualmente, e me ajudou a dar os quatro passos que nos separavam das cadeirinhas.

— Lucho?

— O quê?

— Meu coração vai sair pela boca.

— Tudo bem, eu saio correndo atrás dele! — disse, rindo, e acrescentou: — Bom, agora a gente está em maus lençóis. Pode ir se preparando porque um dos nossos tagarelas vai dar com a língua nos dentes. Vão nos picar em pedacinhos se um deles nos trair.

Tive a impressão de que a morte me acariciava a espinha. Os guardas podiam entrar a qualquer momento para revistar minha cabana. Mil vezes mudei o rádio de esconderijo. Orlando, que estava de guarda, me disse, na porta do barracão:

— Você ficou com seu rádio, não é verdade?

— Não, eu não fiquei com nada.

Respondi instintivamente. As palavras de Alan Jara ecoaram na minha cabeça, era preciso não confiar em ninguém. Lucho veio me ver:

— Jorge e Gloria perguntaram se nós ficamos com um rádio.

— O que você disse a eles?

— Eu não respondi, virei as costas e saí.

— Orlando me fez a mesma pergunta. Eu disse que não.

— Precisamos esperar alguns dias para ouvir. Todo mundo está alerta, é muito arriscado.

Gloria e Jorge chegaram nesse momento.

— Precisamos falar com vocês. O clima está muito pesado no barracão. Os outros sabem que vocês não entregaram um dos rádios, e vão denunciá-los.

No dia seguinte, Marc chamou Lucho. Eu podia imaginar facilmente o assunto da conversa, quando mais não fosse pelo ar importante que os dois assumiram de repente. Quando Lucho voltou, estava num paroxismo de nervoso:

— Escute, temos de nos livrar desse rádio. Estão fazendo uma chantagem monstruosa: ou damos o rádio a eles, ou nos denunciam. Querem fazer uma reunião no barracão dentro de dez minutos.

Quando chegamos ao barracão, as cadeiras já estavam dispostas em semicírculo, e eu tive a sensação de ser acossada ao banco dos réus. Imaginava que iria passar uns difíceis 45 minutos, mas estava decidida a não ceder à chantagem.

Orlando abriu a discussão. Seu tom sereno e benevolente me surpreendeu:

— Ingrid, nós achamos que você ficou com um aparelho de rádio. Se for esse o caso, queremos nós também ter a possibilidade de escutar as notícias e, sobretudo, as mensagens de nossas famílias.

Isso mudava tudo. Evidentemente, era o ideal. Se não havia ameaças, se não havia chantagem, se podíamos ter confiança uns nos outros... Refleti intensamente: aquilo podia também ser uma armadilha. Na hora em que eu revelasse que efetivamente havia escondido o rádio, eles podiam me denunciar.

— Orlando, eu gostaria de poder responder. Mas não posso falar com confiança absoluta. Nós todos sabemos que há entre nós companheiros ou "um" companheiro apenas que é um delator a serviço da guerrilha.

Olhei o rosto de meus companheiros, um a um. Alguns baixaram os olhos, Lucho, Gloria e Jorge assentiram com a cabeça. Prossegui:

— Todas as vezes que tentamos agir em grupo, algum de nós foi avisar a guerrilha, como no dia em que quisemos escrever uma carta aos comandantes, ou no dia em que pensamos fazer uma greve de fome. Entre nós há "sapos".* Que garantia podemos ter de que aquilo que vai ser dito nesta reunião não seja informado a Sombra dentro de meia hora?

Meus companheiros estavam de olhos baixos, maxilares contraídos. Continuei:

— Suponhamos que um de nós tenha ficado com o rádio. Que garantia existe de que não haverá uma nova busca patrocinada por um alcaguete?

---

* Delator, na gíria de estudantes e jovens colombianos.

Consuelo se agitou e interveio, dizendo:

— Pode ser verdade, sim, com certeza há "sapos" aqui, mas quero dizer imediatamente que não sou eu.

Virei-me para ela.

— Você entregou seu rádio, deu-o nas mãos de Arnoldo, está sossegada. Mas se alguém entre nós tivesse um rádio que servisse para você receber as mensagens de suas filhas e houvesse uma busca, você estaria pronta a assumir uma responsabilidade coletiva por esse rádio clandestino?

— Não! Por que eu deveria assumir responsabilidades? Não fui eu que escondi o rádio.

— Admitamos que, nessa busca hipotética, o rádio fosse confiscado definitivamente. Você estaria disposta a dar o seu, se fosse devolvido a você, para substituir esse que foi confiscado?

— Por que eu? Não, fora de questão! Eu não tenho de pagar pelos erros dos outros.

— Bem, eu queria simplesmente ilustrar como "todo mundo" está disposto a se beneficiar de ter um rádio clandestino sem precisar correr o risco. A questão é a seguinte: se vocês querem um rádio, é preciso partilhar os riscos!

Outro de meus companheiros interveio:

— Nós não temos de ir atrás dos seus jogos. Você é da política e acha que vai nos enganar com seus belos discursos. Nós fizemos uma pergunta simples, queremos uma resposta simples: sim ou não, você tem um rádio escondido em sua *caleta*?

Suas palavras me atingiram como um insulto. Eu queria me livrar do sangue que fervia dentro de mim. Pedi um cigarro a Lucho. Era o primeiro que eu fumava em cativeiro. Azar, queria me acalmar e achava que aspirando aquela fumaça que me raspava a garganta ia conseguir me controlar. Fechei-me como uma ostra e respondi:

— Virem-se sozinhos. Eu não tenho de me submeter às suas pressões, aos seus insultos e ao seu cinismo.

— Ingrid, é muito simples: você nos dá o rádio, do contrário eu juro que eu mesmo vou denunciar você agora mesmo. — Keith havia se levantado e me ameaçava, sacudindo um dedo na minha frente.

Eu também me levantei, tremendo, lívida:

— Você não me conhece. Eu nunca cedi a chantagens. Para mim, é uma questão de princípios. Você não teve coragem de esconder seu rádio. Não venha me dar lições. Pode ir, diga para a guerrilha o que quiser. Não tenho mais nada a fazer aqui.

— Vamos, vamos embora — disse Keith se dirigindo ao seu grupo. — Vamos agora mesmo falar com Arnoldo.

Marc se levantou, me olhando com raiva:

— Pior para você, você quis assim.

Eu respondi, em inglês:

— Do que você está falando? Você não entendeu nada, nem fala espanhol!

— Você nos toma a todos por imbecis, para mim já basta.

Se eles iam nos entregar, tínhamos de nos preparar. Lucho estava tão pálido quanto eu, Jorge e Gloria pareciam inquietos.

— Nós avisamos, eles são monstros! — disse Gloria. — O que você vai fazer agora?

Orlando se levantou antes que eu pudesse sair do alojamento, impediu minha passagem, puxando Keith pelo braço:

— Pare, não faça nenhuma besteira. Se você denunciar Ingrid, ninguém vai ter notícias do que quer que seja!

E, virando-se para mim, disse:

— Não vá embora, venha, vamos conversar.

Ele me levou para o outro extremo do barracão e nos sentamos:

— Escute, entendo perfeitamente sua preocupação. E você tem razão. Existe entre nós alguém que conta tudo para a guerrilha. Só que esse babaca, seja quem for, precisa muito de você neste momento, porque você é a única que pode lhe dar acesso às mensagens. É isso. Ninguém vai trair você, eu garanto. Proponho um pacto: de manhã, eu passo para pegar seu rádio. Escuto as mensagens para todo mundo e informo o grupo. Devolvo o rádio às sete da manhã, depois do programa de mensagens e dos boletins de informações. Ao menor problema com a guerrilha, eu assumo tudo com você. Concorda?

— Tudo bem, concordo.

— Obrigado — ele disse, apertando minha mão com um grande sorriso. — Agora, preciso ir até lá, convencer esses caras!

Informei Lucho sobre o nosso pacto. Ele não gostou:

— Pode ter certeza, ao menor problema acontecerá uma debandada!

Gloria e Jorge também não estavam com uma expressão muito satisfeita.

— Por que é Orlando que vai escutar as mensagens? Por que não nós?

Eu me dei conta de que seria impossível contentar todo mundo. Então, pensei que a proposta de Orlando tinha o mérito de destravar a situação. Olhei para o pátio. Ele e os demais estavam sentados em torno da mesa grande. Keith fuzilava:

— Fora de cogitação! Nós damos duas horas para ela nos entregar o rádio.

Se não puser o rádio em nossas mãos ao meio-dia em ponto, eu informo o recepcionista!

Prevendo uma possível busca, procurei um esconderijo melhor. Imaginei que, em caso de delação, seria nas minhas coisas que eles concentrariam a inspeção. Mas o meio-dia chegou e ninguém se levantou. E tampouco Marc. O dia passou lentamente, em uma grande tensão, sem que houvesse, por sorte, nem represálias, nem movimentos suspeitos da parte dos guardas. Eu respirei aliviada, Lucho também.

Orlando chegou ao cair da noite e sentou-se à mesinha entre Lucho e eu, como sempre.

— Precisamos arrumar fones de ouvido — disse ele —, senão corremos o risco de ser pegos.

— A recepção do meu rádio é execrável — eu disse. — Acho que temos de tentar fazer uma antena, do contrário terá sido tudo em vão. Neste momento, nem fones de ouvido iam adiantar.

— Bom, então, vai pegar seu rádio ou não?

— Nem pense nisso, não é o momento.

— Mas é, sim: Lucho e eu, a gente conversa normalmente. Nossas vozes cobrem o barulho do rádio. Você gruda no ouvido, no volume mais baixo, e vamos testar para saber do que ele precisa!

Os dias correram, nós nos concentramos em melhorar a qualidade da recepção, fazendo todo o possível para não levantar suspeitas. Claro que nossos companheiros não iam cumprir suas ameaças. O resto do grupo considerou que a chantagem havia sido vergonhosa. Eu lamentei que mais uma vez nossas querelas tivessem criado barreiras permanentes entre nós.

Apesar de tudo, a rotina se instalou. Nós escutávamos rádio todas as noites e comentávamos todas as informações que recebíamos. Orlando havia instalado um polo terra enterrando uma pilha velha enrolada em um arame de ferro tão grosso como a tela da cerca, ligado a um fio metálico mais fino, que entrava no buraco dos fones de ouvido do aparelho. Foi surpreendente: o volume e a clareza de escuta ficaram quase perfeitos. Durante a manhã, era preciso trocar a conexão e ligar o aparelho a um fio de alumínio tão fino que ficava quase invisível, enrolado nos galhos de uma das árvores do pátio à guisa de antena aérea. De madrugada, a partir das quatro da madrugada, a recepção era excelente, mas logo caía, para ficar francamente ruim às oito horas da manhã.

Havia apenas dois momentos em que a escuta era confortável: ao anoitecer e ao amanhecer. Orlando me esperava à primeira luz, impaciente, em pé no barracão. Tínhamos finalmente estabelecido um procedimento: eu escutava as mensagens até que mamãe entrasse no ar e depois passava o aparelho para ele.

Durante anos, minha mãe me chamou apenas nos fins de semana, na transmissão de Herbin Hoyos com mensagens para os reféns, durante toda a noite do sábado até o domingo de manhã. Ela acabara de descobrir *La Carrilera*, de Nelson Moreno, um caloroso apresentador de Valle del Cauca, que ocorria todos os dias da semana, das cinco às seis da manhã. Passara a ser a mais fiel das participantes e tinha como obrigação ser pontual, na primeira leva.

Isso servia a todos, porque, quando eu entregava o rádio a Orlando, as mensagens de nossos outros companheiros ainda não tinham sido transmitidas. Nossos companheiros estrangeiros e Clara recebiam pouquíssimas mensagens.

Aqueles, porém, que esperavam cotidianamente suas mensagens tinham se organizado para se alternar no posto e cada um por sua vez escutava uma parte da transmissão. Isso teve como efeito acabar por nos relaxar, porque ficou claro que estávamos todos ligados pelo mesmo segredo.

Orlando veio me ver certa manhã, perguntando se podia dar o rádio a nossos demais companheiros. Eles queriam ouvir os boletins de informações.

— Empreste, sim, mas é preciso garantir que ele não vai entregar o rádio nas mãos de Arnoldo — respondi, em dúvida.

Nem tinha terminado de fazer o comentário e já me arrependera. A ferida ainda não estava cicatrizada. Eu ainda estava ressentida com eles. O que era ainda mais indigno era a sensação de conseguir perdoar com mais facilidade àqueles que me mantinham fechada numa prisão (porque deles, de certa forma, eu não esperava nada) do que a meus próprios irmãos de cativeiro, meus camaradas de infortúnio, porque deles eu sempre esperei tudo.

A divisão do acampamento reapareceu com uma nova intensidade. Mas eu não estava mais isolada, não tinha mais vontade de sê-lo. Continuamos com nosso curso de francês, jogávamos xadrez e mudávamos o mundo todas as noites. Eu escutava religiosamente os boletins de informações que começavam ao anoitecer e meus companheiros assumiam o posto e me substituíam na escuta durante uma boa parte da noite. Quando alguma informação ou comentário chamava nossa atenção, informávamos os demais e o rumo da conversa mudava imediatamente, para que o último tópico que nos chegara fosse posto em discussão.

40. A libertação dos filhos de Gloria

13 de julho de 2004

Uma noite, quando eu estava escutando o rádio distraída, tentando ao mesmo tempo acompanhar a conversa entre Lucho e Orlando, meu coração deu um pulo: falavam de Jaime Felipe e de Juan Sebastián, os filhos de Gloria. Eu me afastei e me agachei num canto de minha cabana, com as mãos em concha no ouvido. Queria ter certeza de ter ouvido direito. Os filhos de Gloria haviam sido sequestrados junto com a mãe. A guerrilha lhes tomara a casa de assalto e fizera todos saírem de pijamas. O caçula, que não acordara, havia sido poupado do ataque, assim como o pai, que estava viajando. A guerrilha pediu um resgate grotesco para sua libertação. O pai, acreditando fazer uma coisa boa, tinha conseguido, em sua ausência, eleger a esposa deputada de sua região. Naquele momento, a impressão geral era de que os prisioneiros ditos "políticos" tinham mais chance de sair do que os sequestrados "econômicos", e sobretudo mais depressa, porque a guerrilha estava envolvida nas conversas de paz com o governo colombiano e a "zona de distensão" fora finalmente cedida às Farc. Sua providência revelou-se nefasta, uma vez que o processo de paz resultou um fracasso. Gloria fora então separada dos filhos. Deram a entender que ela os reencontraria logo mais, mas ela nunca mais os vira. Durante todos esses meses de coabitação, mais de mil vezes aninhei Gloria nos braços, porque a ideia dos filhos nas mãos das Farc, longe dela, a deixava enlouquecida. Adquirimos o costume de rezar juntas todos os dias. Ela é que me explicou como fazê-lo corretamente, usando meu terço, com suas estações e devoções de cada dia.

Era uma mulher maravilhosa, de grande coração e personalidade forte, que não permitia que lhe pisassem nos calos e punha as pessoas em seu devido lugar. Eu a tinha visto enfrentar certos companheiros nossos que a insultavam. Não recuava, mesmo que depois eu a visse chorar de raiva escondida em seu beliche.

A locutora repetiu a notícia. Na verdade, essa era a manchete de todas as estações: os filhos de Gloria tinham sido libertados. O pai já estava com eles. Tinham sido liberados em San Vicente del Caguán, lugar onde eu me encontrava quando fui tomada como refém.

Meu coração disparou. A jornalista anunciou que os meninos tinham feito suas declarações à imprensa nos minutos seguintes. Saí correndo até o barracão para procurá-la. Lucho e Orlando olharam para mim como se eu estivesse louca e, querendo explicar minha agitação, eu só conseguia dizer: "Gloria, Gloria!", retorcendo as mãos, o que fez com que eles entrassem em pânico também:

— O que tem Gloria? O quê? Fale, pelo amor de Deus!

Impossível dizer mais. Saí correndo, tropeçando, tentando calçar as sandálias no caminho, correndo o risco de cair a cada passo.

Gloria estava sentada no escuro e eu não a vi. Cheguei ofegante, o rádio escondido embaixo da camiseta. Ela veio até mim, apavorada:

— O que aconteceu com você?

Eu me curvei e cochichei em seu ouvido:

— Os meninos, os meninos, foram libertados.

Ela fez menção de dar um grito, que abafei com as duas mãos, e chorei junto com ela, tentando, como ela, dissimular nossas emoções descontroladas. Colei o rádio ao seu ouvido, levando-a para o canto mais escuro do barracão. E lá, escondidas no escuro, escutamos seus filhos falando. Acocoradas uma junto à outra, insensíveis à dor das unhas cravadas na pele até sangrar. Eu ainda estava chorando quando ela já havia parado, transtornada pela felicidade de escutar suas vozes e as doces palavras que os dois haviam preparado especialmente para ela. Eu acariciava seus cabelos, repetindo:

— Acabou, acabou.

Procuramos a voz dos meninos em todas as estações até não haver mais nada. Gloria me pegou pelo braço, colou-se em mim para me dizer:

— Não posso demonstrar que estou feliz. Tenho de fingir que não sei de nada! Ah, meu Deus, se eles vierem me informar amanhã, como eu vou fazer para dissimular minha emoção?

Dei-lhe um abraço antes de voltar para meu alojamento, com cuidado para não despertar a curiosidade dos guardas.

— Espere, está esquecendo do rádio.

— Você precisa ficar escutando a noite inteira. Com certeza vão transmitir as entrevistas com os meninos continuamente e amanhã de manhã as notícias a respeito deles vão estar em *La Carrilera*. Fique com ele.

Estranhamente, a felicidade de uns parecia afligir outros. O sofrimento de um companheiro podia aplacar o de outro que parecia se alegrar com a ideia de ter sido beneficiado pelo destino. Da mesma forma, a felicidade de Gloria parecia incomodar alguns de nós.

No dia seguinte, foi Guillermo, o enfermeiro, que veio lhe dar a notícia. Gloria fez o que pôde para demonstrar surpresa. Mas ficou aliviada sobretudo por poder falar do acontecimento em voz alta e exprimir sua alegria sem restrições.

41. As pequenas coisas do inferno

Depois da libertação de seus filhos, Gloria tornou-se o foco de pequenos ataques mesquinhos. Caçoavam dela, a imitavam grosseiramente quando ela virava as costas, punham-se contra ela porque fumava demais. Os cigarros chegavam de quando em quando e cada um recebia um pacote que podia usar livremente. Nós, os "não fumantes", dávamos nossa provisão aos fumantes. Em todo caso, foi assim no começo. Pouco a pouco a atitude mudou e notei que, às vezes, os que não fumavam guardavam seus cigarros como moeda de escambo para conseguir coisas junto aos guardas, ou obter serviços de seus companheiros. A ideia me era repugnante. Assim que era feita a distribuição, eu entregava o meu pacote nas mãos de Gloria e Lucho. Eles eram os que mais consumiam.

Certa ocasião um de nossos companheiros teve a ideia de pedir que a guerrilha *não* desse cigarros aos não fumantes. Ele sentiu que havia um favoritismo no fato de alguns terem o dobro de outros. Gloria e Lucho foram diretamente visados. O recepcionista adotou a sugestão: os pacotes ficariam para ele! Na repartição seguinte, ele ordenou que só os fumantes se aproximassem. Pedi o meu pacote, ele recusou. Fui obrigada a fumar na frente dele para consegui-lo. Ele me ameaçou com represálias se descobrisse que eu o tinha enganado. Combinei com Gloria e Lucho que, de vez em quando, fumaria um cigarro no pátio de forma ostensiva, para evitar polêmicas. O resultado foi absurdo. Ao fim de poucas semanas, eu estava fumando no mesmo ritmo. Em vez de ser uma fonte de cigarros para eles, passei a ser uma concorrente incômoda!

As latas de conservas que Lucho recebia para compensar seu diabetes também gerava ciumeira. Uma posta de atum era um luxo invejável. Lucho tinha resolvido repartir cada lata que abrisse com um de nossos companheiros, estabelecendo um rodízio para que todos comessem um pouco de quando em quando. Ele privilegiava Jorge, que estava doente. Quanto a mim, ele nunca se esquecia.

Alguns ficavam revoltados. Nós os víamos sair do barracão com raiva quando Lucho pegava o cortador de unhas para abrir a lata de conservas. A atitude deles contrastava com a de Marc. Durante os últimos meses de nossa estada na prisão de Sombra, provavelmente antecipando uma certa libertação (uma vez que o Plano Patriota já havia sido lançado), houve uma série de abates de frangos. A panela nos chegava com o animal cortado em pedaços, espalhados sobre o arroz, ou boiando num caldo de gordura duvidosa, a cabeça e as patas saindo da panela. Era um espetáculo repugnante, ainda mais porque no geral o pescoço havia sido mal depenado e a ave mantinha os olhos abertos, ainda perplexa pelo súbito assalto da morte. De qualquer modo, para nós era o equivalente a uma bacanal e fazíamos fila para receber nossa ração. O curioso era que Marc recebia invariavelmente a cabeça e o pescoço do frango. No começo, ninguém prestou atenção nisso. Mas, como o fato se repetia, na terceira vez começamos a fazer apostas. Quer ficasse no começo ou no fim da fila, fosse Arnoldo ou outro a servir, Marc sempre recebia a cabeça do animal, com a crista roxa tremendo e os olhos abertos. Ele olhava seu prato com perplexidade, e suspirava, dizendo "Outra vez eu", e ia se sentar. Eu admirava sua resignação e achava nobre seu distanciamento. Sabia que todos os outros, inclusive eu mesma, tentaríamos conseguir uma compensação.

Essa ideia ajudou a abrandar meu ressentimento contra ele. Eu ficara muito zangada por causa da história do rádio. Depois disso, fizera questão de manter distância dele. Mas eu não escondia mais os sentimentos que incomodavam minha existência.

Quando soube, por uma mensagem de minha mãe, que a mãe de Marc estava em Bogotá, que ela tentaria lhe mandar mensagens durante a semana, deixei de lado meus ressentimentos. Considerei sagrada essa informação e que era preciso fazer de tudo para que ele conseguisse ouvir a voz da mãe. Eu pensava também na ocorrência dessas situações em que a vida nos põe diante de nós mesmos, num piscar de olhos do destino: sem meu aparelho de rádio, ele não teria sabido que sua mãe viera até a Colômbia para lutar por ele.

Dei-lhe a notícia. Ele não fez nenhum comentário, mas pegou o rádio depois da ronda de mensagens dos demais. Efetivamente, a presença de Jo Rosano havia sido confirmada. Ela contava falar com as autoridades, sobretudo o embaixador dos Estados Unidos na Colômbia. Considerava que o filho havia sido abandonado por seu governo, que fazia de tudo, dizia ela, para que ele fosse condenado ao esquecimento. Marc ficou incomodado com essas declarações. Achava que as autoridades americanas trabalhavam discretamente para obter sua libertação. No entanto, os indícios que nos chegavam não eram favoráveis. O governo dos Estados Unidos havia reafirmado sua recusa em entrar em contato com os terroristas: a resposta ao sequestro de seus cidadãos havia sido o aumento da ajuda militar à Colômbia. No início do sequestro deles, eu achava que sua presença ia acelerar a libertação de todos os reféns, como sugerido por Joaquín Gómez. Reagi como meus companheiros tinham reagido quando fui capturada. Mas, com o tempo, nos rendemos à evidência de que a captura deles tornava a situação dos reféns ainda mais complicada. Sentíamos todos que eles seriam os últimos a recuperar a liberdade, e cada um de nós queria pensar que seu destino não estava ligado ao deles. Essa ideia penetrara nos espíritos. De vez em quando, um de meus companheiros americanos comentava:

— Você, pelo menos, tem a França para lutar por você. Mas na nossa terra todo mundo ignora o que aconteceu conosco.

A visita de Jo Rosano à Colômbia lhe deu coragem. Ouvimos dizer que ela era a única que fazia as coisas andarem do lado dos americanos. Minha mãe e Jo haviam se encontrado e as duas caíram imediatamente uma nos braços da outra. Entendiam-se sem saber bem como, porque Jo não falava espanhol e o inglês de minha mãe era uma lembrança de uma estada em Washington no começo de seu casamento. Mas eram ambas de origem italiana. Isso explicava tudo.

Marc veio durante a semana, ao amanhecer, e ficamos sentados juntos para escutar as mensagens de *La Carrilera*, na esperança de ouvir Jo, mas foi em vão. Os retalhos de informação nos chegavam por minha mãe. As duas tinham almoçado juntas. Encontraram-se para planejar ações conjuntas. Jo voltara frustrada da conversa com o embaixador americano. Ele tinha sido duro e grosseiro, dissera ela. Minha mãe me contou em sua mensagem que isso não a surpreendera: "Quando fui vê-lo para pedir que apoiasse o acordo humanitário,* ele me respondeu que não era uma prioridade de seu governo, que ele considerava os reféns como doentes terminais e que não havia nada a fazer, senão esperar!". Mamãe estava indignada.

---

* Negociações com as Farc visando uma troca de prisioneiros.

Marc estava ao meu lado. Tínhamos colado o ouvido ao aparelho e escutávamos juntos o que mamãe dizia. Mas ele não entendia tudo, porque minha mãe falava depressa e o espanhol de Marc ainda era rudimentar. Fiquei aliviada com isso porque não queria que ele entendesse tudo o que eu própria havia entendido:

— Minha mãe diz que a sua foi jantar com ela, as duas vão tomar ações conjuntas. Sua mãe esteve com o embaixador americano.

— E então?

— Então, nada. Ela vai falar amanhã de novo com certeza, no *Las Voces del Secuestro*. É muito longo. Se tivermos sorte, elas entram no ar cedo e não teremos de ficar escutando a noite inteira.

Eu acabava sempre cochilando entre dez horas e meia-noite. Ficava com muito medo de não acordar a tempo. Sem relógio, adquiri o hábito de me orientar escutando os programas precedentes. Reconhecia o que vinha logo antes de nossa transmissão. Era uma hora dedicada a tangos. Eu sabia então que precisava ficar à escuta e me beliscava com força para não dormir.

Nessa noite, acordei de um sono inquieto, como acontecia todos os sábados. Liguei o rádio e procurei os tangos no escuro. Marc não tinha chegado ainda. Eu me sentia bem desperta. Erro: caí num sono pesado sem me dar conta.

Marc chegou um pouco mais tarde. Escutou o chiado do rádio e pensou que eu estava escutando a transmissão deitada em minha cama e que passaria o rádio a ele se sua mãe chamasse. Esperou assim, sentado no escuro, durante horas.

Acordei sobressaltada. O rádio tinha acabado de anunciar as horas. Duas da manhã. Eu havia perdido metade do programa! Levantei-me depressa e dei um grito ao ver Marc no escuro, esperando calmamente. Fiquei confusa.

— Por que não me acordou?

— Achei que você estava escutando o programa!

— Devemos ter perdido as mensagens.

Fiquei muito zangada comigo mesma. Instalamo-nos de ambos os lados do radinho, as cabeças coladas. As mensagens se sucediam a cada dois minutos. Eu escutava atentamente na esperança de alguma pista para saber se minha mãe já teria chamado. O programa era longo e os participantes protestavam porque certas famílias monopolizavam o tempo de transmissão. Herbin Hoyos, o diretor do programa, se desculpava de todas as maneiras e pedia àqueles que estavam esperando que preparassem mensagens telegráficas para acelerar o programa. Enumerou quem estava na lista: minha mãe e Jo eram as primeiras!

Marc cochilava. A espera havia sido longa demais e seus olhos fechavam contra a sua vontade. Apertei o braço dele:

— Agora, elas vão falar dentro de alguns minutos.

De fato, a voz de minha mãe chegou com muita interferência, mas ainda compreensível. Ela estava emocionada. Anunciou uma viagem próxima à Holanda, onde receberia um prêmio em meu nome. A mensagem foi interrompida e outra pessoa tomou a palavra. Houve ainda uma grande espera antes de chegar a vez de Jo. Marc estava praticamente dormindo na cadeira. Eu o acordei no momento em que sua mãe entrou no ar. A emoção tomou conta dele, agarrado ao aparelho de rádio. Peguei sua outra mão e a acariciei. Era um gesto de minha mãe. Eu o reproduzi instintivamente para tranquilizá-lo, para fazê-lo entender que eu estava ali com ele, para repartir aquele instante que sabia ser tão intenso. Esse gesto, que eu tinha também com meus filhos, ajudou a me concentrar nas palavras de Jo, a memorizá-las. Na intensidade de nossa escuta, estávamos ligados, Marc e eu. Nossas querelas não tinham mais nenhuma importância. Eu sabia exatamente aquilo que ele estava para viver. Lembrava-me do efeito que a primeira mensagem de minha mãe tivera sobre mim. A voz aveludada que eu tanto amava, o timbre, o calor, todo o prazer que tive ao reencontrar sua entonação, a sensação de segurança e bem-estar que havia me invadido. Quando ela terminou de falar comigo, eu ainda naquela bolha mágica que sua voz construíra em torno de mim, me dei conta de que não era capaz de lembrar o que ela acabara de me dizer.

Enquanto a mãe de Marc falava, reconheci a expressão dele, aquela dor da ausência que se transformava em beatitude, aquela necessidade de absorver cada palavra como um alimento essencial, aquela rendição final para mergulhar sem reservas na felicidade efêmera. Quando a voz dela desapareceu, Marc olhou para mim com um olhar de criança. Entendi de imediato que ele havia feito a mesma viagem que eu. Depois, como se despertasse de repente, me perguntou:

— Espere, o que minha mãe disse?

Relembrei, um a um, cada momento da mensagem, a forma que ela havia utilizado para se dirigir a ele a distância, os nomes amorosos com que cobrira o filho, o apelo à força e à coragem diante da adversidade, a certeza de que ele era resistente e vital, e sua fé absoluta em Deus, pedindo que ele aceitasse Sua vontade como prova de fé espiritual. Deus é que faria com que ele voltasse para casa, ela dissera. Marc não me escutava, escutava a voz de sua mãe dentro dele, em sua cabeça, como uma gravação a que tinha acesso através de mim. Depois de alguns instantes, novamente ele fez a mesma viagem. Quando terminei, estava de novo iluminado e a memória de novo ausente.

— Desculpe, eu sei que devo parecer idiota, mas pode repetir a mensagem mais uma vez?

Eu estava pronta para repetir cem vezes, se ele pedisse. Via-me diante de uma experiência fundamental, porque as palavras de uma mãe são mágicas e penetram na nossa intimidade, apesar de nós mesmos. Ah! Se eu tivesse entendido isso antes! Como teria sido menos exigente, mais paciente, mais tranquilizadora na relação com meus próprios filhos... A ideia de que as palavras ditas a meus filhos deviam tê-los tocado de uma forma tão intensa quanto aquela me tranquilizou. No decorrer da semana, Marc me pediu para repetir a mensagem de Jo e eu o fiz todas as vezes de boa vontade. Notei, depois disso, que seu olhar se abrandou: não somente o olhar com que via o mundo, mas o olhar com que via a mim.

42. O dicionário

Guillermo, o enfermeiro, chegou uma manhã com o grande dicionário enciclopédico Larousse ilustrado com que eu sonhava. Ele me chamou, pôs o dicionário em minhas mãos e disse:

— Sombra mandou isto aqui para você.

Virou-se e foi embora.

Fiquei boquiaberta. Eu pedira incessantemente o dicionário. Meu melhor argumento tinha sido que Mono Jojoy prometera mandá-lo. Achava que, afinal, não iam mais enviá-lo. Imaginava que estávamos escondidos nos confins da terra e que era impensável me mandarem um dicionário. Portanto, não consegui conter minha alegria e excitação de tê-lo enfim entre as mãos. A chegada do dicionário transformou minha vida, expulsou o tédio e me permitiu utilizar de forma produtiva o tempo que me sobrava e com o qual não sabia o que fazer.

Tinha guardado meus cadernos do acampamento de Andrés e queria continuar minhas pesquisas, encontrar informações perdidas e aprender. Se pudesse "aprender", então não estaria perdendo meu tempo. Era isso que mais me angustiava em meu estado de detenção. A perda de tempo era para mim o mais cruel dos castigos. Ouvia a voz de meu pai a me perseguir: "Nosso capital de vida se conta em segundos. Quando esses segundos se escoam, não se recuperam mais!".

Quando estava em campanha presidencial, ele se sentara comigo um dia para me ajudar a fazer um planejamento e traçar as grandes linhas de transformação que eu sonhava realizar. Ele pegara um caderno, rabiscara alguma coisa e dissera: "Você terá apenas 126 144 000 segundos durante seu mandato. Pense bem, não terá nem um segundo a mais!".

Essa reflexão me perseguia. Quando me privaram de minha liberdade, eu ficara privada sobretudo do direito de dispor do meu tempo. Era um crime irreparável. Seria impossível para mim recuperar os milhões de segundos perdidos para sempre. O dicionário era, portanto, para mim, o melhor paliativo. Ele passou a ser uma espécie de universidade resumida. Eu passeava por ele à vontade e encontrava respostas para todas as perguntas que havia colocado em lista de espera na minha vida. Aquele livro me era vital, porque permitia que tivesse um objetivo a curto prazo e me distraía daquela culpa subjacente ao meu estado, de estar dilapidando os melhores anos de minha existência.

Mas minha felicidade gerou ciúmes. Assim que o recebi, um de meus companheiros veio me dizer que, como tinha sido fornecido pela guerrilha, aquele dicionário não pertencia a mim e que eu tinha de colocá-lo à disposição de todos. Eu estava de acordo com ele em princípio. No momento em que estávamos reunidos para esperar a comida, convidei os demais camaradas a usar o dicionário:

— Ele estará disponível durante a manhã. Eu o uso à tarde. Basta pegar e colocar de volta no lugar.

Lucho me advertiu:

— Pode esperar que vão fazer todo o possível para tirar o dicionário de você.

Ao longo dos dias seguintes, a tensão diminuiu. Todos usavam o dicionário. Orlando teve a ideia de confeccionar uma capa impermeável para o volume. Gloria me forneceu o tecido encerado de uma mochila velha que ela estava disposta a reciclar e o dicionário servia a uns e outros. Foi nesse momento que Guillermo reapareceu.

— Me dê o dicionário, preciso dele.

O tom com que disse isso me deixou perplexa.

— Tudo bem, claro, quanto tempo vai precisar dele?

— Uma semana.

— Escute, estou trabalhando com ele. Pegue durante o fim de semana, se quiser.

Ele me olhou de alto a baixo com um olhar maldoso, mas acabou por ceder. Trouxe o livro na segunda-feira seguinte, dizendo:

— Não estrague o livro. Venho pegar de novo na sexta-feira.

Na semana seguinte, veio com uma tática nova.

— Os militares precisam do dicionário.

— Tudo bem, sem problemas. Leve e peça para me mandarem de volta pelo recepcionista, por favor.

Mas dessa vez não me devolveram.

Havia um comandante novo no acampamento. Era um homem maduro, com mais de quarenta anos, cabelos grisalhos e olhar severo. Chamava-se Alfredo. Todo mundo achava que Sombra ia ser afastado, mas eles acabaram se instalando em uma coabitação que dava a impressão de que seria duradoura, apesar das evidentes tensões entre ambos.

O comandante Alfredo queria se encontrar com os prisioneiros. Eles nos receberam juntos, Sombra e ele, durante toda uma tarde, no lugar que Sombra chamava de seu "escritório". Eu toquei no assunto imediatamente:

— Olhe, eu queria saber se posso dispor do dicionário como eu quiser. Guillermo deu a entender que não. De fato, o livro está com ele, e ele não me devolveu.

Sombra pareceu incomodado. Alfredo olhou para ele com severidade, como uma ave de rapina sobrevoando a presa.

— Esse dicionário é seu — Sombra declarou, para encerrar o assunto. Deduzi que ele não queria dar motivos para Alfredo fazer um relatório a Mono Jojoy.

Aquilo bastou. No dia seguinte, Guillermo me trouxe o dicionário. Ele sorriu ao me entregar o livro:

— *El que rie de ultimas, rie mejor.**

Seu alerta não conseguiu comprometer minha satisfação. Mergulhei em horas de leitura fascinante, procurando conhecer, compreender, encontrar, como num jogo de enigmas.

* Quem ri por último ri melhor.

43. Meu amigo Lucho

Agosto de 2004

Lucho e eu nos tornamos inseparáveis. Quanto mais o conhecia, mais o amava. Era um ser sensível, dotado de grande sagacidade e senso de humor a toda prova. Sua inteligência e seu espírito eram para mim tão vitais quanto o oxigênio. Além disso, ele era o ser humano mais generoso que existe, o que fazia dele uma pérola rara na prisão de Sombra. Eu depositava nele toda a minha confiança e nós dois nunca parávamos de cogitar uma maneira de fugir.

Orlando nos colocou a questão certa noite. Propôs fugirmos juntos. Sabíamos, Lucho e eu, que isso era impossível. Estávamos convencidos de que ele jamais ousaria e tínhamos mais certeza ainda de que nós próprios não ousaríamos. Mas, além disso, Orlando era um homem grande e pesado. Não conseguíamos imaginá-lo passando despercebido por baixo da tela de aço e dos fios de arame farpado.

Enquanto isso, de tanto falar no assunto, nos pusemos a analisar as hipóteses e a fazer planos. Tínhamos chegado à conclusão de que precisaríamos de meses, anos mesmo, para sair daquela selva, e que era preciso aprender a viver nela sem outros recursos além de nossa engenhosidade.

Passamos então a fabricar *equipos* iguais aos de Lucho. Sombra tinha instalado no acampamento uma oficina de trabalhos com couro voltada para a fabricação e reparo de mochilas e equipamentos para a tropa. Quando fizemos nosso pedido, ele caiu em terreno fértil: por um lado, havia material e, por outro, em caso de evacuação, não sabíamos como transportar nossas coisas.

Nossa ideia era de fabricar duas para cada um. Uma de tamanho normal, para levar tudo em caso de evacuação. E uma de tamanho menor, que Orlando batizou de "minicruzeiro", para a nossa fuga. Orlando, que tinha noções de trabalho com couro, nos orientou na técnica básica. Bem depressa, toda a prisão se pôs a trabalhar. Não só porque sentíamos que um dia ou outro teríamos de partir (aviões sobrevoavam diariamente o acampamento), como também porque a possibilidade de confeccionar boas mochilas era atraente para todos.

À noite, Orlando vinha se sentar em minha cama com um fio de ferro que tinha recuperado num canto da tela e uma lima grossa que eu havia arranjado num momento de distração de um dos recepcionistas. Ele queria confeccionar anzóis.

— Assim a gente não morre de fome! — disse bravamente, brandindo um anzol torto, feito a mão.

— Com isso aí você só pesca baleia — Lucho brincou, carinhoso.

Eu tinha conseguido com Sombra uma reserva de açúcar para fazer frente às crises de Lucho. Isso poderia nos ser útil em caso de fuga. A falta de açúcar me preocupava, porque eu tinha muito pouco e a intervalos cada vez mais curtos era obrigada a lançar mão dele, já que Lucho estava sempre à beira de uma reação pancreática. Eu havia aprendido a reconhecer os sintomas, antes mesmo que ele os sentisse. Acontecia sempre à tarde. Seu rosto de repente ficava encovado e a cor da pele tendia a acinzentar. Eu lhe recomendava que ingerisse um pouco de açúcar. Em geral, ele me censurava, carinhoso, dizia que preferia deitar, que já ia passar. Mas quando reagia bruscamente, gritando que eu era uma chata e que não ia tomar açúcar nenhum, eu sabia que nos segundos seguintes entraria em convulsões. Então, era uma verdadeira batalha. Eu usava de todos os estratagemas para conseguir que tomasse sua dose de açúcar. Inevitavelmente, a um determinado momento, ele oscilava da agressividade para a apatia. Perdia toda a resistência e eu podia então pôr o açúcar em sua boca. Ficava sentado, abobado, durante minutos, depois voltava a ser Lucho e pedia desculpas por não ter me dado ouvidos.

Essa dependência mútua era nossa força, mas também nossa vulnerabilidade. De fato, sofríamos duplamente, primeiro por nossas próprias penas e, depois, com a mesma intensidade, pelas aflições um do outro.

Foi num dia de manhã. Mas já não tenho certeza, talvez tenha sido ao amanhecer, porque a tristeza caiu em cima de nós como um eclipse e eu guardei no espírito a ideia de um longo dia de trevas.

306

Estávamos sentados lado a lado, em silêncio, escutando juntos nosso radinho. Devia ser um dia como os outros, mas não foi. Esperávamos a mensagem de minha mãe e mensagens para ele, porque sua mulher o chamava toda quarta-feira em outra frequência e não estávamos numa quarta-feira. Quando ele ouviu a voz da irmã, Estela, seu rosto se iluminou. Ele a adorava. Retorceu-se de contentamento na cadeira, como se quisesse se instalar mais confortavelmente, enquanto a irmã, com voz doce e infinita ternura, disse: "Lucho, seja forte, nossa mãezinha morreu". O sufocamento que eu tinha sentido ao descobrir num jornal velho a morte de meu pai voltou com violência. Lucho sentiu a mesma suspensão opressiva do tempo, a respiração suspensa. Seu sofrimento reativou o meu e me retorci sobre mim mesma. Não podia ajudá-lo. Ele tentou chorar, para recuperar o fôlego, para se livrar da tristeza, deixar que ela escapasse do corpo, para tirá-la de si. Mas chorou a seco, e isso foi ainda mais atroz. Ele não tinha nada a fazer, nada a dizer. Esse eclipse durou dias, até que a porta da prisão se abriu e a voz de Arnoldo se fez ouvir:

— Peguem apenas o indispensável, rede, mosquiteiro, escova de dentes. A gente vai se mandar. Vocês têm dois minutos.

Mandaram que fizéssemos fila e saímos. Eu tinha pego meu dicionário, não estava nervosa. Despertei daquela longa tristeza, daquele silêncio sem pensamentos. Desejava sair, desejava palavras:

— Isso vai nos fazer bem.

— É, vai nos fazer bem.

— Ela já estava morta.

— É, ela já tinha ido embora. Esqueceu que eu não estava lá.

— Eu esperava por isso.

— A gente espera, mas nunca está pronto.

Caminhamos lentamente para atravessar a área externa da prisão. À nossa frente, os reféns militares seguiam acorrentados, dois a dois. Eles nos viram e nos saudaram com grandes sorrisos em seus semblantes cadavéricos.

— Acha que somos iguais?

— Acho que nós somos piores.

Saímos do acampamento, seguimos para além dos fossos, vinte minutos pela trilhazinha que tínhamos seguido no escuro com Shirley, na noite do raide.

Instalamo-nos entre as árvores, sentados na terra em cima de nossos plásticos pretos, longe dos militares que não víamos mais, só escutávamos entre as árvores.

— Orlando, você pegou o rádio?

— Peguei, está comigo, não se preocupe.

Gloria foi instalar sua rede. A espera prometia ser longa. Ela se deitou e caiu como uma fruta madura. O que dessa vez não a fez rir, mas a nós, sim. Precisávamos nos sentir leves e bobos. Fui abraçá-la.

— Me deixe, estou de mau humor.

— Ora!

— Me deixe. Não gosto que você caçoe de mim. Tenho certeza que foi o Tom que desmanchou os nós para eu cair.

— Não foi, não! Não seja boba. O pobre Tom não fez nada!

— Me deixe.

Ordenaram que montássemos as barracas. Íamos dormir três em cada uma. Fomos montar a nossa, Lucho, Orlando e eu.

— Quero avisar que eu ronco horrivelmente — disse Orlando.

Nesse momento, um rugido crescente nos fez ficar de orelha em pé. Paramos todos.

— São os helicópteros — disse um.

— Pelo menos três — disse outro.

— Estão em voo rasante, vão passar em cima da gente.

A floresta se pôs a tremer. Nós todos olhando para cima. Eu sentia o bater dos motores no peito.

— Estão muito perto!

O céu se tornou sombrio. Os pássaros mecânicos passaram, imensos, por cima de nossas cabeças.

Orlando, Lucho e eu pensamos a mesma coisa ao mesmo tempo. Pusemos nossos "minicruzeiros" nas costas. Segurei a mão de Lucho. Com ele, eu podia enfrentar qualquer coisa.

44. A criança

Os guardas carregaram os fuzis e se aproximaram. Estávamos cercados. Eu rezei por um milagre, um acontecimento imprevisto. Um bombardeio que criasse pânico e nos permitisse fugir. Um desembarque de tropas, mesmo que isso significasse a morte. Eu sabia. A ordem era de me matar. Antes de todas as manobras e deslocamentos, um guerrilheiro era destacado para essa missão. Tinha ordem de me proteger e me salvar em caso de troca de tiros, e de me executar se eu corresse o risco de cair nas mãos dos *chulos*.

Anos depois, durante uma das longas marchas que foram nosso calvário nas mãos das Farc, uma jovem guerrilheira me explicou cruamente a situação.

Ela se chamava "Peluche" e na verdade, miúda e bonitinha como era, o cognome lhe caía muito bem. Eu gostava dela. Tinha um grande coração. Para mim era um grande sofrimento acompanhar o ritmo dos outros. Ela havia sido destacada como minha guarda, para meu grande alívio. Mas nesse dia, quando fizemos uma parada para beber água, ao ouvir um movimento no mato, ela armou o revólver e o apontou para mim. Seu olhar se transformara, eu mal a reconhecia. Ficara muito feia e fria:

— O que aconteceu com você?

— Faça o que eu digo, senão eu atiro. Passe na minha frente. Direto, sem parar, na minha frente até eu falar.

Eu me pus a trotar na frente dela, atrapalhada com uma mochila pesada demais para mim.

— Acelerado! — disse ela, irritada.

Empurrou-me brutalmente para trás das pedras e ficamos escondidas assim durante alguns minutos. Um *cajuche** passou correndo, de cabeça baixa, a poucos metros de nós. Um rebanho inteiro veio atrás, uns vinte animais, visivelmente maiores que o primeiro. Peluche se posicionou, mirou, atirou e acertou um dos caititus. O bicho caiu na nossa frente, um sangue escuro borbulhando da parte de trás da cabeça.

— Sorte nossa que eram *cajuches*! Mas podia ser o Exército e, nesse caso, eu teria de executar você. São as ordens.

Ela me explicara que se os *chulos* nos vissem, eles não fariam diferença entre ela e mim, e atirariam em mim. E que, se eu não corresse para valer, ela atiraria em mim do mesmo jeito.

— Então, você não tem escolha, ou melhor, sua única escolha sou eu!

Permaneci atrás de Lucho. Os helicópteros passaram acima de nós em voo rasante, se distanciaram, voltaram outra vez sobre nós, fizeram uma volta e passaram de novo em cima de nossas cabeças sem nos ver. Afastaram-se e desapareceram ao longe.

O dia chegava ao fim, restavam ainda alguns minutos de luz pela frente. Tínhamos o tempo exato para montar nossa barraca, estender nossos plásticos, instalar os mosquiteiros e nos deitar para a noite.

Orlando me passou o rádio.

— Escute você as notícias esta noite. Cuidado, eles estão perto da gente, vou conversar em voz alta com Lucho para encobrir o ruído.

No dia seguinte, com a primeira luz da manhã, devolvi o rádio a ele, depois de ouvir mensagens de minha mãe e de Angela, a esposa de Lucho. Fui escovar os dentes e esticar as pernas, enquanto esperava a refeição matinal. Orlando saiu da barraca por último, bem perto de nós. Seu rosto estava branco. Parecia um cadáver ambulante. Lucho segurou no meu braço:

— Meu Deus, aconteceu alguma coisa!

Orlando olhou para nós sem nos ver e foi buscar água no rio como um autômato. Voltou com os olhos vermelhos e inchados, o rosto sem nenhuma expressão.

— Orlando? O que foi?

---

* Javali ou porco do mato, cuja carne era muito apreciada pela guerrilha.

Após um longo silêncio, ele abriu a boca.

— Minha mãe morreu — disse num suspiro, evitando olhar para nós.

— Merda! Merda! — Lucho vociferou, batendo o pé na terra. — Odeio esta selva, odeio as Farc! Até quando o Senhor vai estar contra nós? — gritou, olhando para o céu.

No começo de dezembro, a mãe de Jorge tinha nos deixado, depois fora a de Lucho, e agora a de Orlando. A morte nos perseguia. Sem mães, meus companheiros sentiam-se à deriva, como se tivessem perdido o arquivo de suas vidas, projetados num espaço onde ser esquecido pelos outros se tornava a pior das prisões. Eu tremia à ideia de que pudesse ser a próxima vítima dessa maldição.

Como se o destino quisesse zombar de nós, a vida, como a morte, também estava presente naquele acampamento do acaso. Pelo menos era o que eu pensava. À noite, no silêncio das árvores, eu ouvira um choro de bebê e concluí que Clara tinha dado à luz. Acordei para falar com meus companheiros, mas ninguém tinha ouvido nada. Lucho caçoou de mim:

— Não foi um bebê que você ouviu, foram gatos. Os militares têm muitos, vi que estavam levando gatos quando passaram na nossa frente.

Os helicópteros não voltaram. Voltamos à prisão de Sombra para retomar nossos espaços. Durante os poucos dias de nossa ausência, eles tinham sido colonizados pelas formigas e cupins, e, para confirmar as palavras de Lucho, os gatos também haviam aparecido. Um macho grande com pelagem bege e olhos amarelo-fogo que atraiu nossos olhares, sem dúvida um híbrido de gato e jaguar, era o rei do bando, com gatas tão excepcionais como ele e bem mais belicosas. Foi adotado imediatamente por nosso grupo, cada um tomando como obrigação contribuir para o seu bem-estar. Era um animal magnífico, com peito e patas brancas, o que lhe dava a aparência de estar elegantemente enluvado.

— Vou levar esse bicho para a minha casa — disse um de meus companheiros. — Já pensou o que eu posso vender de gatinhos? Vai render uma fortuna!

Mas Tigre — foi esse o nome que lhe demos — era um ser livre. Não tinha dono nenhum e nos tratava a todos com indiferença, desaparecia durante o dia. Uma das gatas de seu harém, muito tímida, tinha resolvido vir morar conosco. Lucho, desde o primeiro instante, conquistara seu coração. Ela trepou em seus joelhos e se instalou, ronronando, e arranhava sem compaixão quem tentasse se aproximar. Lucho, intimidado, resolvera esperar que ela decidisse descer para poder se levantar da cadeira. Nos dias seguintes, ela fez a mesma coisa. A gata é que mandava em Lucho, e não o contrário. Era uma gata mal-amada, sem nome, com um olho doente. Vinha à noite, miando, nos procurar: ele abria suas latas de conserva, não mais para se alimentar, ou reparti-las conosco, mas para alimentar sua gata, que chamamos de Sabba.

Sabba realmente miava igual a um bebê chorando. Durante algum tempo, achei que tinha me enganado, e que o choro de bebê que eu tinha ouvido na floresta era o seu miado. Mas uma noite, com a gata dormindo ao meu lado, ouvi de novo os vagidos. Não havia mais dúvidas. Quando Arnoldo chegou na manhã seguinte com a comida, eu o assaltei com perguntas. Ele me respondeu que Clara ainda não tinha dado à luz e que não estava mais no acampamento.

Eu sabia que era mentira e minha imaginação se inflamou. Tive um sonho atroz essa noite, imaginando Clara morta e o bebê perdido.

De manhã, contei o sonho aos meus camaradas, garantindo-lhes que ela devia estar em perigo. Interrogamos nossos guardas, um de cada vez, mas a orientação era não nos dizer nada. Sombra e Alfredo apareceram uma tarde. Ficaram do outro lado da tela, falando conosco como se estivéssemos empesteados. A discussão acabou se tornando ácida e o ambiente ficou extremamente tenso, porque Alfredo disse que nossos companheiros americanos eram mercenários e agentes da CIA.

Antes de ir embora, Alfredo declarou:

— De fato, sua amiga deu à luz. É um menino e se chama Emmanuel. Ela voltará dentro de alguns dias.

Fiquei aliviada, ao contrário de meus companheiros.

— Vai ser terrível ter um bebê aqui nesta prisão, berrando a noite inteira! — disse-me aquele mesmo que tinha me ensinado uma lição quando da chegada de nossos companheiros americanos.

— Respondo com suas próprias palavras: é preciso dar as boas-vindas a todo mundo.

Alguns dias depois, Guillermo nos contou sobre o parto de Clara. Ele havia se preparado para a intervenção assistindo à descrição dos procedimentos no computador. Disse que salvara a vida da criança, que estava quase morta quando ele interviera e a reanimara. Explicou depois que tinha dado pontos em Clara e que ela já estava de pé.

De fato, Clara chegou uma manhã, andando, com o bebezinho embrulhado entre os braços. Nós os recebemos com emoção, enternecidos por aquele pequeno ser nascido em nossa selva, em nossa prisão, em nossa infelicidade. Ele dormia de olhos apertados, ignorando inteiramente o mundo pavoroso em que havia aterrissado.

Clara pôs o bebê em minha cama e nos sentamos para olhar para ele. Ela me contou em detalhes como tinha sido sua vida depois que fomos removidos do galinheiro, acrescentando:

— Passei dias inteiros muito mal depois do parto. Os guerrilheiros é que cuidaram do bebê. Eu nunca lhe dei de mamar, ele só vinha uma vez por dia, eu não tinha condições de cuidar dele. Nunca lhe dei um banho.

— Tudo bem, melhor, vamos fazer isso juntas, você vai ver, é um momento maravilhoso.

Peguei o bebê para despir e descobri que seu braço esquerdo estava enfaixado.

— O que aconteceu?

— Quando estava nascendo, puxaram um pouco forte demais e quebraram o braço dele.

— Meu Deus, isso deve doer muito!

— Ele quase não chora. Não deve sentir nada.

Eu estava profundamente emocionada.

O dia estava bonito, o ar quente. Enchemos de água uma bacia que Lucho havia recuperado quando estávamos no chiqueiro. Ao despir o bebê, revivi o momento em que mamãe tinha me iniciado com Mélanie. Imitei um a um seus passos e gestos, repousando o bebê no antebraço, sustentando sua cabeça com a mão, e mergulhei o corpinho delicadamente na água, conversando com ele, olhando em seus olhos, cantarolando uma melodia alegre para que o seu primeiro contato com a água viesse a ser para ele uma referência de prazer, como eu a tinha visto fazer. Peguei a água na concha da outra mão:

— Está vendo? Assim, você despeja a água na cabeça dele com cuidado para não cair nos olhos, porque ele pode assustar. E fala com ele, acaricia seu corpo, porque é um momento especial, e cada vez deve ser um instante de harmonia entre você e ele.

As palavras de mamãe voltaram à minha mente. Inclinada sobre a bacia, com o bebê nos braços, compreendi todo o significado que possuíam: eu estava vivendo com Clara o que eu sabia que sua mãe teria gostado de partilhar com ela. Clara ficou fascinada, como eu devo ter ficado ao acompanhar os gestos seguros e experimentados de minha mãe. Na verdade, eu não estava transmitindo nada a ela. Meu papel era libertá-la de seus medos e apreensões, para que ela descobrisse em si mesma seu modo particular de comunicação com o filho.

45. A greve

Eu tinha pedido que instalassem outra cabana ao lado da minha, colada à tela, para Clara e o bebê. Queria ficar perto dela, sobretudo à noite, para ajudá-la a cuidar da criança sem incomodar ninguém. Tentei apresentar meu pedido, no momento certo, com as palavras certas, num tom que não deixasse espaço para nenhuma suspeita. Mas a resposta foi negativa e Clara retomou seu lugar no fundo do barracão, com o bebê.

Isso me deixou ainda mais desolada porque, quase imediatamente, Clara recusou minha ajuda e não aceitou que eu tivesse qualquer contato com a criança. Meus companheiros se alternavam na mobilização em torno dela, mas ela recusava a ajuda. Observamos abatidos a falta de jeito daquela mãe marinheira de primeira viagem que recusava qualquer conselho. De imediato, o bebê chorou o dia inteiro e o recepcionista veio pegá-lo para levar a uma guerrilheira qualquer, fora da prisão.

— Você não sabe cuidar dele — disse o homem olhando para ela, enfezado.

Ouvi meus companheiros protestando com ela:

— A mamadeira estava muito quente, precisa experimentar antes de dar para ele!

— Vai irritar ainda mais a bundinha dele se continuar limpando com papel higiênico! Para ele, é como uma lixa!

— Precisa dar banho todos os dias, mas não pode mexer seu bracinho, senão não vai sarar.

Quando o bebê voltou da guerrilheira, parecia mais calmo, de fato. Calmo demais. Observei isso de longe. Comentei com Gloria e Consuelo. Elas também tinham notado que alguma coisa estava errada. O bebê não acompanhava os objetos com o olhar. Reagia a sons, mas não à luz.

Nós apenas observávamos, compungidos. Não valia a pena falar com a mãe. Estávamos em dúvida, achávamos que o bebê estava doente, mas dizer isso não ia ajudar em nada. Se não tinham levado Clara para dar à luz num hospital, com certeza nada fariam para providenciar qualquer cuidado médico ao bebê. Estávamos plenamente conscientes de que nos deixariam morrer dentro da prisão sem nos estender a mão e isso valia também para o recém-nascido.

Eu me lembrava do enfermeiro impassível enquanto Lucho sofria convulsões no chão e de sua atitude diante dos sucessivos ataques cardíacos de que Jorge tinha sido vítima. Lucho o reanimara fazendo massagens no peito que aprendera com sua irmã médica. Tínhamos suplicado que nos fornecessem aspirinas para fluidificar seu sangue e diminuir o risco de infarto, sem sucesso. Acabaram por tirá-lo da prisão, acusando-nos de tê-lo sufocado e contribuído para sua recaída com nossos cuidados. Ele passara uma semana no ateliê de trabalho com couro, sozinho, deitado no chão.

Achávamos que iria receber cuidados médicos, mas ao voltar Jorge nos revelou que tinha tido outros infartos em série, sem que o guarda fizesse qualquer coisa para socorrê-lo. Estar vivo, para qualquer um de nós, era cada vez mais parecido com um milagre. Mergulhados nesse mundo governado pelo cinismo, onde a vida que nos tinham roubado não valia nada, assistíamos a uma inversão de valores à qual nunca me resignei.

À noite, deitada em meu beliche, eu acompanhava com tristeza o comércio que alguns de meus companheiros tinham estabelecido junto à tela de aço que nos circundava. Tudo o que podia ser objeto de uma transação era usado, com a finalidade de obter um medicamento ou um pouco de alimento. Surpreendi toques ousados, porque alguns guardas, valendo-se da confusão e da carência em que vivíamos, pressionavam sempre um pouco mais nas suas exigências, com o fim de aumentar nossa humilhação.

Eu ficava abalada com o comportamento dos detentos que tinham feito das concessões um sistema de vida. Eles justificavam isso como uma tática para ganhar a confiança dos guerrilheiros com o objetivo de melhorar suas chances de sobrevivência. Fosse qual fosse a verdadeira razão, tinham escolhido ser amigos de nossos carrascos. Então se esforçavam para dar provas de submissão cada vez que se apresentava a oportunidade.

Quando acontecia a chegada de uma leva de roupas — o que era raro, uma vez por ano, talvez duas, com um pouco de sorte —, um de nossos companheiros recebia o que devia ser o artigo mais cobiçado do lote. Ele declarava então que não queria aquilo e, em vez de oferecer a um dos nossos, sempre necessitados, dava de presente ao guerrilheiro que queria agradar. Seu gesto era apreciado e ele recebia em troca favores de toda espécie: alimentação mais generosa e melhor, medicamentos etc.

Essa atitude foi se espalhando e o resultado foi um condicionamento mental que via nos guerrilheiros figuras de autoridade e lhes desculpava todas as crueldades e abusos que se permitiam contra nossos companheiros. As relações tinham se invertido, e os detentos viam os prisioneiros como rivais, pelos quais alimentavam aversão e animosidade.

Começamos a nos portar como vassalos diante de grandes senhores, aos quais tentávamos agradar para obter um favor, ou diante dos quais tremíamos porque não víamos senão a superioridade do cargo e não a realidade humana da pessoa. Nós imitávamos a obsequiosidade de cortesãos.

O sofrimento do filho de Clara teve um efeito catalisador de revolta em nossa pequena comunidade. O bebê passou da apatia que lhe causava a dor insuportável do braço quebrado para a apatia sob o efeito de sedativos fortes que a guerrilha lhe aplicava sem parar. Tom, que antes havia recusado fazer uma greve de fome para protestar contra o tratamento que a guerrilha nos impunha, dessa vez aceitou exigir junto conosco que o bebê recebesse cuidados pediátricos. Nós nos declaramos todos em greve. Lucho fez para si um chapéu com orelhas de burro e uma placa na qual escreveu: "Abaixo as Farc!". Seguimos atrás dele em fila indiana, gritando slogans de protesto, circulando pelo pátio. Orlando teve a boa ideia de deixar fermentar a *panela*, um pedaço de rapadura de cana que mantinha guardado havia muito tempo, para fabricar a bebida alcoólica doméstica chamada *chicha*.

— Não vamos sentir fome e vai nos dar energia.

O efeito não se fez esperar: diarreia generalizada e preguiça total! Nossos slogans degeneraram. Passamos da exigência de tratamento para o filho de Clara ao protesto contra a falta de alimentação:

— Abaixo as Farc, estamos com fome, queremos comida!

O espetáculo era tão grotesco e nós, tão lamentáveis, que acabamos por rolar no chão, sem conseguir controlar uma crise de louco riso cada vez que um dos nossos corria à privada para se aliviar.

Os guardas nos olhavam de fora, consternados. Ouvíamos os comentários de nossos vizinhos: os prisioneiros militares queriam fazer como nós, também queriam entrar em greve.

A porta da prisão se abriu. Esperávamos todas as represálias. Arnoldo entrou, seguido de dois outros guardas que arrastavam um saco de estopa negro de poeira.

Alguém se aproximou para se desculpar, para não cair em desgraça.

— Arnoldo, eu sinto muito, você tem de entender.

O guerrilheiro o deteve com um gesto de mão.

— O comandante Sombra mandou dizer que os prisioneiros têm o direito de protestar e que as Farc garantem esse direito a vocês. Mandou protestarem em voz baixa, porque os seus gritos podem chamar a atenção dos *chulos*, se houver algum por estes lados. Aqui tem latas de atum para distribuir entre vocês. O comandante Sombra ordena que o bebê seja evacuado da prisão, porque ele não é prisioneiro. Vai viver em liberdade entre nós e virá ver a mãe de vez em quando. Vamos cuidar dele e alimentá-lo direito. Vocês vão ver.

Pôs o saco de estopa em cima da mesa, pegou o bebê com todos os seus pertences e foi embora fechando a porta, nos deixando mudos.

O menino cresceu e engordou a olhos vistos. Clara o recebia, brincava com ele por alguns instantes e o devolvia aos braços do recepcionista quando o bebê se punha a chorar. Uma noite, foi Guillermo, o enfermeiro, quem o trouxe. Perguntamos como eles pensavam tratar o bracinho dele. Ele afirmou que o menino estava curado, quando sabíamos que não era verdade. Clara encerrou a discussão. Agradeceu a Guillermo tudo o que ele havia feito pelo menino e declarou:

— Queria que você fosse o pai.

Eu pensava sempre no menino. De certa maneira, aceitando ser sua madrinha, particularmente naquela selva, eu me sentia ligada a ele. Quando Arnoldo vinha, eu passava alguns minutos lhe perguntando coisas. Queria saber como tratavam a irritação do bumbum do bebê, as bolhas de calor que cobriam seu corpo e, acima de tudo, me informei sobre a dieta alimentar que dedicavam a ele.

— Vamos fazer dele um homem — Arnoldo me respondeu uma vez. — De manhã, lhe damos bom café preto, e ele adora.

Senti um arrepio. Sabia que esse era um costume bastante difundido na Colômbia. As famílias mais pobres, não podendo comprar leite em pó para seus bebês, enchiam as mamadeiras com café.

Lembrei-me da menininha que eu tinha encontrado dentro de uma caixa de papelão numa lixeira no norte de Bogotá. Estava voltando do Congresso. Olhei distraidamente pelo vidro do carro quando vi uma mãozinha sair de uma pilha de lixo. Desci do carro e encontrei aquela coisinha, enrolada numa manta imunda que cheirava a urina. Ela havia adormecido com uma mamadeira na boca cheia de café preto.

Seu irmão mais velho brincava ao lado dela, e me disse que a irmãzinha se chamava Ingrid. Bastaria bem menos para eu ver naquilo um sinal do destino. Liguei imediatamente para minha mãe, a fim de saber se ela tinha lugar para crianças, para duas crianças pequenas que dormiam na rua...

Uma mamadeira de café preto para um bebê era o resultado de miséria extrema, claro, mas também de ignorância. Expliquei a Arnoldo que o café era uma substância forte, inadequada para um bebê, e que era preciso encontrar leite. Ele me olhou com um ar ofendido e retrucou:

— Isso é frescura da burguesia! Nós todos fomos criados assim e nos demos muito bem.

Arnoldo fez daquilo uma questão política: em minha posição, eu sabia que era inútil insistir. Para as coisas pequenas, assim como as grandes, eu dependia do humor dos guardas. Ferney tinha me alertado: é preciso encontrar o melhor momento, o melhor tom, a melhor palavra.

Eu havia fracassado lamentavelmente.

46. Os aniversários

Setembro já se aproximava. Um ciclo penoso começava de novo. No rádio, a música tropical já anunciava a chegada das festas de Natal. Eu não conseguia me resignar ao horror de passar um terceiro aniversário de meus filhos longe deles.

Queria comemorar os dezenove anos de minha filha, e temia cometer outros erros. Queria, como das vezes anteriores, fazer um bolo para Mélanie. Observava o humor de Arnoldo, esperando assim ter mais chance de que minha mensagem chegasse a Sombra. Mas Arnoldo ficava dia a dia mais despótico e humilhante, recusando-se mesmo a parar um segundo para trocar duas palavras. Então senti de uma maneira irracional que, se eu conseguisse comemorar mais uma vez o aniversário de minha filha, isso seria um bom presságio. Essa ideia tomou conta de mim. Eu contava com isso.

Então, houve um alívio à minha frustração. Sombra ordenou uma revisão de nossos dentes. Shirley, que tinha feito um curso de enfermagem, foi nomeada dentista. Aproveitei para pedir sua ajuda.

— Não prometo nada. Mas vou tentar vender a ideia de você ir cozinhar com a gente uma tarde. Quando é o aniversário de sua filha?

Mas os dias passaram e não me chamaram à *rancha*.

Acordei no dia 6 de setembro de 2004 e tinha diante dos olhos a imagem de minha filha que eu havia beijado em sonho. Felicitei-me por não ter comentado com ninguém minha ideia, para evitar as gozações de sempre. "Aprenda a não desejar nada", repeti a mim mesma por causa de minha decepção.

Depois do café da manhã, o chacoalhar de correntes me alertou.

Atrás de Arnoldo, vinha a Boyaca, com expressão fechada. Trazia nos braços um bolo enorme. Arnoldo berrou meu nome:

— É para você. O comandante Sombra mandou.

O bolo era decorado, com a frase costumeira: "Feliz aniversário, Mélanie. Da parte das Farc-EP". Dei pulos de alegria como uma menina e me virei para repartir a emoção com meus companheiros. Keith tinha dado meia-volta, furioso. Lembro-me de uma conversa que tivera com ele meses antes: nossas filhas haviam nascido com dois dias de diferença. Todo mundo trouxe as tigelas e eu o chamei insistentemente.

Ainda tínhamos *chicha* que sobrara de nossa greve, tão forte que dava medo. Era a ocasião sonhada para termos algum prazer.

Antes de cortar o bolo, ergui meu copo e disse:

— Hoje festejamos dois acontecimentos importantes: o nascimento de Lauren e o nascimento de Mélanie. Que Deus lhes dê coragem de serem felizes em nossa ausência.

Quando nossa pequena comemoração terminou, Keith me abraçou. Olhou para mim, os olhos úmidos, e com a voz cheia de emoção disse:

— Jamais esquecerei o que você acaba de fazer.

No rádio, as notícias sobre deslocamento de tropas na Amazônia dentro do Plano Patriótico eram manchete. Os generais procuravam Mono Jojoy, estavam no seu encalço, ele se encontrava doente e tinha dificuldades para acompanhar o ritmo. Mamãe foi entrevistada. Ela pediu ao presidente Uribe que suspendesse as operações e aceitasse negociar com a guerrilha. Tinha medo de que eles pudessem nos massacrar.

Ouvi também meu ex-marido na Radio France Internationale. Fiquei contente. Fabrice sempre foi o melhor dos pais. Eu sabia que sua obstinação ajudava a cuidar de nossos filhos. Então, esse dia me pareceu bem triste. Ele reclamava seu direito de nos defender, num momento em que um pedido como o seu podia parecer uma ingerência nos negócios colombianos. Queria se dirigir a mim. Queria me dar esperança, mas no momento de falar caiu em prantos. Fiquei com o coração apertado. Entendi naquele momento que nossa situação era pior do que eu podia imaginar.

Cada prisioneiro começou a separar e escolher seus pertences. Com o Plano Patriota, se os militares se aproximassem, nos fariam marchar pela selva para escapar deles.

Eu não tinha feito marchas de verdade ainda. Orlando já havia marchado durante semanas. Contava que tinham sido obrigados a caminhar, acorrentados pelo pescoço, dois a dois. Quando um caía pelo peso e pela fadiga, levava o outro junto na queda. Os *equipos* que carregavam ao partir eram muito pesados, e aos poucos eles iam jogando fora seus tesouros para se aliviar. A maior fonte de angústia era atravessar por cima dos troncos de árvores que serviam de pontes, porque se um desse um passo em falso, os dois corriam o risco de morrer estrangulados ou afogados.

Por causa de Lucho, nós resolvemos nos preparar da melhor maneira possível, e sobretudo estar em forma para fugir, no caso de sermos colhidos no fogo cruzado de militares e guerrilheiros. Combinamos sinais para sair correndo juntos ao menor sinal de alerta, na esperança de nos juntarmos ao Exército, se a ocasião se apresentasse.

Passei a manhã subindo e descendo a escada, levando nas costas o *equipo* cheio com as coisas que pensava levar comigo. Não tinha privilegiado o que eu precisava porque sabia que tudo me era necessário. Ao contrário, tinha feito a lista de tudo o que tinha um grande valor afetivo, dos objetos que me ajudavam a resistir. Havia vários aos quais eu me apegava como à própria vida.

O primeiro era um envelope com uma série de cartas que Sombra trouxera, pelo intermediário da igreja. Em meu pacote, havia uma longa carta de minha mãe, que eu relia diariamente.

Mamãe tinha escrito precipitadamente, depois de um telefonema de monsenhor Castro, que anunciava a possibilidade de um contato com as Farc. Ela contava: "Eu estava chateada com a Virgem Santa porque não me escutava e tinha dito para ela: se não me der notícias de minha filha até sábado, acabou-se, não rezo mais".

O telefonema avisara que as provas de sobrevivência tinham chegado no sábado, antes do meio-dia. Ao ouvir o vídeo que lhe foi entregue, ela se sobressaltou porque nele eu lhe pedia justamente que rezasse comigo o terço, todos os sábados, ao meio-dia em ponto! Ela viu nessas coincidências um sinal, uma resposta, uma presença protetora e atuante. De minha parte, eu passara a fazer do terço do sábado ao meio-dia o momento culminante de minha semana. Consuelo e Gloria nunca deixavam de me chamar.

A leitura da carta de mamãe ocorrera naquela rotina quase mística com a qual eu tentava afastar os demônios que haviam invadido meu espaço. Com a leitura, eu entrava no universo do bem, do repouso, da paz. Podia então ouvir sua voz, que ressoava em minha cabeça à medida que eu percorria as palavras formadas em sua bela caligrafia. Podia acompanhar as pausas de seu pensamento, a entonação da voz, os suspiros, os sorrisos, e ela me aparecia, ali, na minha frente, eu podia vê-la, no esplendor de sua personalidade generosa, sempre linda, sempre alegre. Naquele pedaço de papel, ela conseguira aprisionar o tempo. Eu a tinha para mim, só para mim, a cada releitura.

Eu prezava essa carta mais do que tudo. Guardava-a envelopada num plástico que recuperara da última entrega de doações, depois de uma luta furiosa e ridícula com uma de minhas camaradas, que também o queria. Eu a tinha selado com etiquetas autocolantes de desodorante, para mantê-la protegida no caso de eu cair num rio. Fizera a mesma coisa com as fotos de meus filhos, que ela havia mandado com a carta e com os desenhos de meu sobrinho de quatro anos, Stanislas. Ele havia imaginado meu salvamento pelo Exército colombiano em um helicóptero que me levava enquanto eu dormia e que, evidentemente, ele pilotava. Havia também um poema de Anastasia, a filha mais velha de minha irmã Astrid, com sua ortografia criativa de criança, no qual pedia à avó que não chorasse, que enxugasse as lágrimas, porque sua filha voltaria um dia "por um ato de loucura, por um ato de magia, por um ato de Deus, daqui a um dia ou daqui a três anos, isso não importa!".

Sentada de pernas cruzadas em minha cama, espalhei meus tesouros na minha frente. Fiquei olhando longamente cada foto dos meus filhos. Observava seus rostos, a expressão dos olhos, o corte dos cabelos, os traços que às vezes pareciam com os do pai, às vezes tão parecidos com os meus. Analisei o instante que ficara fixado e foi muito difícil desviar os olhos. Aquilo machucava, dilacerava. Esse luxo não pesava nada. Eu o dobrara de maneira que assumisse a forma do bolso de meu casaco: "Se algum dia eu tiver de ir embora correndo, deixando minha mochila, terei salvado minhas cartas. E, se me matarem, ao menos saberão que era eu".

Havia também o jeans de Mélanie, pesado demais, mas que eu resistia em deixar para trás. Quando o vestia, eu voltava a ser eu mesma. Através dele, era o amor de minha filha que eu retinha. Não podia me desfazer dele. Pior, havia também o casaco! Era leve, claro, mas tão desajeitado. Enfim, havia o dicionário. Que pesava uma tonelada.

Lucho resolvera levar meu paletó para que eu tivesse lugar para o dicionário. Orlando aceitou levar o jeans. Marc se encarregou da Bíblia.

Eu estava pronta. Então, as semanas se sucederam sem novidades. Os boatos pareciam não ser nada mais que boatos. Pouco a pouco, nos reinstalamos em nosso tédio, que agora nos parecia uma espécie de felicidade, diante da perspectiva angustiante de uma marcha.

O aniversário de meu filho chegou. No dia 1º de outubro de 2004, a porta da prisão se abriu, eu avancei prontamente, convencida de que Arnoldo tinha vindo me buscar para me levar à *rancha*. Mas tratava-se de outra coisa.

Ele mandou que preparássemos a bagagem mais leve possível e nos informou que íamos nos deslocar até o Natal... Devíamos levar provisões: não haveria muito o que comer.

— Sombra envia estas garrafas de vodca. Aproveitem, é a última vez que vão ver uma coisa dessas. Bebam antes de partir, vai dar um impulso para começar a marcha. Estou avisando: tudo indica que será uma marcha dura. Vamos andar depressa e durante muito tempo. Como consolo, uma boa notícia: vai ter carne de porco ao meio-dia. Vocês vão se regalar antes de partir.

Ao longe, ouvi os porcos grunhindo. Pobres animais! Eles preferiam nos fartar a deixá-los para os militares.

47. A grande partida

1º de outubro de 2004

Eu achava que estava pronta, mas no momento de partir coloquei em xeque todas as minhas decisões. Não estava sozinha nisso. A desordem dominava. No último momento, cada um acrescentou novos objetos à bagagem. A ideia de levar os colchões se generalizou. Lucho me convenceu a levar o meu debaixo do braço, enrolado e amarrado, inconsciente do fardo que eu levava.

Refiz minha bagagem de alto a baixo e, uma vez fechada a mochila, Lucho a levantou para avaliar o peso:

— Está muito pesada. Você vai se esgotar.

Tarde demais, Arnoldo já estava lá com uma panela regurgitando de alimento.

— Têm meia hora para comer, lavar suas coisas e fechar as mochilas, prontos para partir.

Nós não comemos, nós nos empanturramos. Obcecados com a ideia de encher a barriga, era impossível saborear o que engolíamos. Bebemos as garrafas de vodca do mesmo jeito, para encher de calorias nosso sistema, sem nos darmos tempo de saborear nem por um instante a bebida que descia queimando a garganta.

Eu tive a sensação imediata de receber um golpe no meio das costas. Enquanto lavava minha tigela, sentia arrepios na coluna vertebral. "Vou ficar doente", tive tempo de pensar.

Lucho pusera o chapéu na cabeça, o *equipo* nas costas. Os outros já estavam em formação lá fora. Ouvi Orlando dizer:

— Vão nos acorrentar, esses bandidos, você vai ver!

Lucho olhou para mim, angustiado:

— Tudo bem? Vamos embora imediatamente! Venha que eu ajudo você a pôr a mochila nas costas.

Quando o peso da mochila finalmente caiu sobre meus ombros, achei que Lucho tinha pendurado um elefante em meu pescoço.

Curvei-me instintivamente para a frente, numa posição difícil de manter numa marcha:

— Eu disse, seu *equipo* está pesado demais.

Claro, ele tinha razão, mas já era tarde, os outros estavam partindo.

— Não se preocupe, estou bem treinada, aguento o tranco.

Arnoldo deu a ordem de partida. Os guardas se puseram entre cada um deles, armados até os dentes, levando nas costas mochilas duas vezes maiores que aquelas que eu tinha visto com os sujeitos do Bloco Sul. Eu parti por último, depois de dar uma olhada à minha volta. A prisão estava juncada de objetos sem vida, detritos diversos. Parecia uma favela de Bogotá: roupas sujas penduradas em cordas esquecidas entre as árvores, pedaços de papelão, latas vazias rolando na terra.

"É isto que os militares vão encontrar quando chegarem aqui. Um campo de concentração tropical", pensei. O guarda que tinha ficado para me escoltar deve ter lido meus pensamentos, porque exclamou:

— Tem uma equipe que fica para catar tudo. Vai ser tudo enterrado, para o caso de vocês terem deixado seus nomes escritos nas tábuas.

Eu devia ter pensado nisso, claro, devia ter deixado indícios para orientar as buscas do Exército. Ele entendeu que, achando que tinha me descoberto, ele é que se revelara. Mordeu os lábios e com voz rouca, arrumando o chapéu na cabeça, vociferou:

— Vá, em frente! Já estamos andando!

Eu me sobressaltei e obedeci com um esforço sobre-humano para dar dez passos. Não entendia o que estava acontecendo comigo. Estava bem treinada, em boa forma física. O orgulho me forçou a continuar como se nada estivesse acontecendo. Passei na frente do grupo que ainda não tinha saído. "Sem dúvida, a equipe de limpeza", pensei. Uma das moças estava apoiada em uma espécie de balaustrada que provavelmente tinham instalado recentemente. Brincava com um dos gatinhos de Sabba, fruto de seus amores com Tigre.

— O que vai fazer com os gatos? — perguntei à moça ao passar.

— Vou levar os pequenos — ela me respondeu erguendo o chapéu para me mostrar o esconderijo do segundo gatinho.

— E os pais?

— Eles vão se virar sozinhos por aqui. São caçadores.

Olhei os gatinhos com tristeza: não iam sobreviver.

À minha direita, vi o chiqueiro e o local de nossas primeiras *caletas* presas na encosta. Adiante, havia o rio que tinha engrossado com as águas da chuva e cuja corrente estava extremamente acelerada. Tinham construído também uma ponte que não existia antes. Sombra estava ali apoiado e me viu chegar:

— Você está muito carregada. Vamos acampar a poucos metros daqui. Precisa esvaziar sua mochila. Nem pense em levar esse colchão!

Eu tinha posto o colchão debaixo do braço, maquinalmente. Senti-me ridícula. Transpirava demais. Sentia-me tomada por uma febre pegajosa.

Atravessei a ponte titubeando. O guarda me mandou parar, pegou minha mochila e pôs em cima da dele, atrás da nuca, como se levantasse uma pena.

— Venha comigo. Vamos apressar o passo, a noite já vai cair.

Depois de uns quinze minutos, a trote acelerado, avistei meus companheiros. Estavam todos sentados lado a lado com seus *equipos*. Alguns metros para a direita, os militares já tinham instalado seu acampamento, tendas, redes e mosquiteiros ocupavam o espaço.

Meu guarda jogou no chão meu *equipo* e foi embora sem dizer nada. Lucho estava à minha espera:

— O que aconteceu com você?

— Estou doente, Lucho. Acho que é uma crise de fígado. Tive os mesmos sintomas depois de uma hepatite aguda, faz alguns anos.

— Não é possível, não agora, você não vai fazer isso comigo!

— Acho que foi a carne de porco e a vodca. Era exatamente o que eu não devia comer.

A notícia do meu estado se espalhou. Guillermo ficou preocupado. Decididamente, não era o momento de cair doente. Ele me deu uma caixa de silimarina e tomei os comprimidos imediatamente.

— Amanhã venho inspecionar seu *equipo* — ele me disse num tom ameaçador. — Ninguém vai levar isso aí para você!

Quase desmaiei. Antes de sair, eu escondera em meu *equipo* o facão que havia escondido debaixo das tábuas do barracão.

48. A crise de fígado

Guillermo nos reuniu para informar que durante a marcha ele ficaria encarregado do nosso grupo. Usou seu novo poder para tornar nossa vida impossível. Começou por nos amontoar uns contra os outros, distribuindo o espaço com avareza. Naquela selva imensa, encontrara um meio de nos atormentar. Em seguida, fez todo o possível para me afastar de Lucho. Nossa reação foi imediata e, diante de nossos protestos, ele aceitou voltar atrás. Um argumento de Lucho o convenceu:

— Se ela estiver doente, eu cuido dela!

Com efeito, foi ele que instalou minha tenda, minha rede e meu mosquiteiro. Quando nos chamaram para o banho, esforcei-me para me levantar e trocar de roupa. A noite já estava caindo. O guarda iluminava o caminho com uma única lanterna para todo mundo. Eu era a última, avançamos às cegas. Tínhamos de tomar banho os dez juntos num fio de água que corria por uma garganta estreita e profunda. A margem era muito íngreme. Era preciso escorregar por bem ou por mal agarrada aos espinheiros para tornar mais lenta a descida. Quando aterrissei perto do fio de água, já estava coberta de lama. Meus camaradas já tinham se colocado todos rio acima. A água límpida no começo me chegava cheia de lama. Tive a sensação de me sujar mais do que me lavar com ela. Além disso, era a hora dos mosquitos.

Guillermo vociferou, ordenando que terminássemos quando eu mal havia começado. O que devia ser um momento de relaxamento se transformou em calvário. A volta foi ainda pior. Cheguei à minha *caleta* mais suja do que tinha saído, tomada por coceiras e tremendo de febre. A noite estava negra, nós estávamos todos ocupados em tirar da mochila nossa troca de roupa, em pendurar as peças que tínhamos tirado e que estavam molhadas de suor e pesadas de lama, e em torcer os maiôs e shorts usados para tomar banho. Aproveitei a confusão para fazer escorregar o facão debaixo da toalha e fui ver Lucho:

— Guillermo disse que vai revistar minha mochila antes de partir amanhã.

— É, eu sei. Como você está?

— Mal. Escute: antes de sair, eu escondi o facão nas minhas coisas.

— É uma loucura, tem de se desfazer dele imediatamente, não pode guardar isso no seu *equipo*!

— Não posso simplesmente jogar fora, há guardas por todo lado. E, além disso, pode ser útil.

— Não, eu não vou ficar com isso aí!

— Por favor. Você eles não vão revistar, depois você me devolve.

— Não, não, não!

— O que você quer que eu faça então?

— Não sei, jogue em qualquer lugar.

— Bom, vou ver como eu me viro.

— ... Ah! Que chatice! Me dê aqui, eu cuido disso. Vá dormir. Amanhã você tem de estar em forma.

Quando abri os olhos, vi o rosto de Guillermo colado ao mosquiteiro. O dia já estava claro. Levei um susto, sabia que tínhamos de levantar acampamento ao amanhecer.

— Vamos embora? — perguntei, angustiada.

— Não, a partida ficou para amanhã. Vou pôr você no soro. Sente.

Ele de fato tinha na mão um conjunto de agulha, cânula e compressas. Pediu para eu segurar o saco de soro acima da cabeça, enquanto picava meu braço na curva do cotovelo em busca de uma veia. Cerrei os dentes, olhando com repugnância as mãos de Guillermo, as unhas compridas e pretas. Ele fez várias tentativas até encontrar uma veia que o satisfizesse, deixando-me com o braço coberto de manchas roxas que se alinhavam desde o pulso.

— Mostre a mochila, vamos aliviar esse negócio!

Estendeu um plástico preto no chão, esvaziou em cima dele o conteúdo e estacou ao ver o dicionário. Seus olhos brilharam, perversos. Virou-se para mim e, em tom autoritário, declarou:

— O dicionário fica!

— Não, prefiro deixar tudo. Menos o dicionário!

Respondi com firmeza, surpresa com o próprio tom sem apelação que tinha utilizado. Ele se pôs então a remexer conscienciosamente o monte de objetos espalhados no chão. Todos os livros passaram, menos a Bíblia, o livro de Gabriel García Márquez que Tom se recusara a deixar e meu dicionário. Orlando me devolveu o jeans de Méla:

— Sinto muito, estou carregado demais. Agora você tem lugar na sua mochila.

Eu esperava que Marc fosse fazer a mesma coisa. Mas ele arrumou seu *equipo* e pôs minha Bíblia entre suas coisas. Lucho, por sua vez, estava muito angustiado:

— Se resolverem me revistar, me matam. É muito perigoso levar isto aqui.

Mesmo assim, continuou levando meu facão em sua mochila.

A minha continuava muito pesada. Ou era eu que estava muito fraca. No momento de pôr nas costas a mochila para partir, minhas pernas se dobraram com o peso. Caí de joelhos, sem forças.

Guillermo fez sua aparição, ar triunfante. Pôs-se no meio do grupo e gritou:

— Venham comigo, em silêncio, um a um, cada um com seu guarda. Vocês têm sorte, não tem correntes para vocês. O primeiro que fizer uma bobagem, eu mato. Ingrid, você vai por último. Largue a mochila, vamos levar para você.

Fiquei aliviada de eles levarem minha mochila, mas alguma coisa me dizia que isso não era bom sinal. Estava com o terço na mão fechada. Tomei o lugar que me foi destinado e me pus a seguir aquele que ia na frente, rezando mecanicamente.

A hora de marcha pela selva tinha sido muito penosa. Eu enrolava o pé em todas as raízes, em todas as trepadeiras. Tropeçava a cada dois passos e fazia um esforço inaudito para abrir passagem na vegetação. Estava atrasada em relação ao grupo, sem ninguém na minha frente, não conseguia encontrar o caminho, que era preciso adivinhar olhando a linha de arbustos cortados aqui e ali, de um lado e outro de uma pista imaginária.

Meu guarda, nervoso, resolvera passar na minha frente, violando a orientação que recebera. Eu não tinha nenhuma intenção de fugir. Meu cérebro estava bloqueado. Já era bem difícil pôr um pé na frente do outro e seguir atrás dele. Eu me esforçava para ficar perto, a fim de evitar o esforço de ter de alcançá-lo. Bastava que o guarda se afastasse dois passos de mim para se tornar invisível entre a vegetação. Se eu ficasse muito perto, receberia em pleno rosto os galhos que ele afastava e que voltavam como um chicote à sua passagem:

— Aprenda a manter distância! — tinham berrado para mim.

Eu tinha a sensação de ter emburrecido. Meu corpo estava em desequilíbrio constante e eu não pensava direito. Acabara de perder a pouca confiança que me restava. Sentia-me à mercê deles.

Ao fim de meia hora, reencontrei o restante dos companheiros sentados em círculo numa pequena clareira. Um ruído de serra elétrica veio de bem perto. Mas a folhagem à nossa volta era muito densa, tornando impossível ver o que quer que fosse.

A pausa foi breve e eu me sentia exaurida. Gloria veio me ver, passou o braço pelos meus ombros, me abraçou:

— Você está abatida — disse ela.

Depois, em segredo, acrescentou:

— Nossos companheiros estão loucos de raiva, dizem que você está fingindo. Enciumados porque estão levando seu *equipo*. Pode esperar que eles vão infernizar sua vida.

Não respondi.

A ordem de partir não surpreendeu ninguém. Todo mundo se levantou e cada um se pôs silenciosamente na ordem de marcha que lhe correspondia. Avançamos lentamente, até que, depois de uma volta, o rio nos apareceu borbulhante, correndo por uma garganta profunda a toda velocidade. Tinham cortado uma árvore imensa que, caída de uma margem à outra, se tornara uma ponte majestosa. Vi os guerrilheiros atravessarem por ela e senti vertigem só de olhar. Lucho estava bem na minha frente, virou-se, apertou minha mão e sussurrou:

— Eu jamais vou conseguir fazer isso.

Vi uma das guerrilheiras atravessar, braços esticados para os lados, procurando o equilíbrio como uma dançarina na corda, com seu enorme *equipo* nas costas.

— Vai, sim, vamos juntos, bem devagarinho, um passo depois do outro, chegamos lá.

Todo mundo passou. Os guerrilheiros transportaram de uma margem a outra as mochilas dos que tinham mais dificuldade para atravessar. Brian veio para perto de nós quando chegou nossa vez. Pegou minha mão e me orientou a não olhar para baixo. Passei numa névoa de náusea, o fígado cada vez mais inchado, enceguecida.

Olhei para trás e vi Lucho com o corpo todo trêmulo, paralisado no meio do tronco, levando ele mesmo a mochila que se recusara a entregar à guerrilha, temendo que tivessem a ideia de revistá-la. Em certo momento, com o pé mal colocado sobre um galho do tronco, ele perdeu o equilíbrio e caiu para trás com o peso do *equipo*, como em câmera lenta. Sentindo a bile na garganta, murmurei:

— Ele vai quebrar o pescoço.

Nossos olhares se encontraram nesse preciso momento e ele projetou-se para a frente num esforço desesperado para manter o equilíbrio. Brian pulou em cima da árvore como um felino e correu para pegar seu braço e ajudá-lo a terminar a travessia.

Meus músculos pareciam estar enrolados e retorcidos, como sob o efeito de uma cãibra. Senti uma massa que subia de baixo da caixa torácica. Se aquilo era meu fígado, tinha praticamente dobrado de volume. Senti que ia morrer. O menor gesto produzia grandes dores. Escutei a voz de mamãe. Seria uma mensagem que ela havia pronunciado no rádio e que me voltava como uma gravação? Teria eu mesma inventado aquela frase como uma forma de divagação? "Não faça nada que a coloque em perigo. Nós queremos você viva."

Esforcei-me para caminhar durante dez minutos. O grosso da tropa só esperava por nós para retomar a marcha. Cheguei dobrada em dois, uma mão no peito para manter a bola lá dentro.

Um de meus companheiros olhou para mim:

— Pare de nos fazer de bobos. Você não está doente, nem está amarela!

Ouvi Lucho atrás de mim, que respondia:

— Ela não está amarela, está verde. Deixe-a em paz!

Sombra havia se colocado bem à frente do grupo. Eu o vi, ele tinha observado tudo. Aproximou-se mancando. Eu nunca havia notado que ele mancava.

— O que está acontecendo? — perguntou-me com ar incrédulo.

— Nada.

— Vamos, seja corajosa, precisamos ir agora.

— ...

— Olhe para mim — ele ordenou.

Virei o rosto.

Sombra chamou com voz forte um dos guerrilheiros que seguia à frente.

— Índio! Venha cá.

O homem se pôs a trotar até nós, com sua enorme mochila às costas, como se não pesasse nada.

— Deixe seu *equipo* aqui.

Era um rapaz jovem, menor que eu, mais largo do que alto, com um torso enorme e braços superdimensionados. Tinha o porte de um búfalo.

— Você leva ela nas costas. Mando alguém para pegar seu *equipo*.

O Índio abriu um sorriso de belos dentes brancos e me disse:

— Não vai ser confortável, mas vamos lá.

Parti nas costas daquele homem que corria através da floresta, pulando como um cabrito, a toda velocidade. Agarrei-me a seu pescoço, sentindo a transpiração de seu corpo atravessar minhas roupas, tentando me segurar e não escorregar, dizendo a cada sacudida:

— Meu fígado não vai explodir, amanhã eu melhoro.

49. A pilhagem de Guillermo

Meu fígado não explodiu, mas no dia seguinte eu não estava melhor. Eu chegara ao local do acampamento antes dos outros, mas meu *equipo* só chegou quando já era noite. Eu tinha acabado de amarrar minha barraca em uma das árvores quando o dilúvio se abateu sobre nós. Mal tive tempo de pular para dentro para não ficar encharcada. Vi uma torrente de água se formar em poucos minutos e descer velozmente, levando tudo à sua passagem, inclusive a *caleta* de Gloria e a de Jorge. Meus companheiros tiveram de passar parte da noite em pé, com seus pertences nos braços, debaixo de uma das tendas que se encontrava próxima, esperando que a chuva parasse e a inundação diminuísse.

No dia seguinte de manhã, com a aurora, me dei conta de que Guillermo tinha revistado meu *equipo* à vontade, o que explicava que a tivesse trazido tão tarde da noite. Levara meu dicionário e o jeans de Méla. Fiquei arrasada. Ele tinha conseguido meter a mão naquilo que sempre cobiçara. Quando reclamei, ele nem me deu tempo de explicar.

— Vá reclamar com Sombra — respondeu com arrogância, depois de ter me dito que tinha jogado tudo na natureza. Eu sabia que não era verdade. Os cintos que eu fizera para a minha família foram distribuídos pela tropa. Vi Shirley usando o de minha mãe. Ele me enganara. Eu me censurei por não ter tomado precauções. Mas me dei conta também de que, no estado em que eu estava, tinha perdido antes de começar. Ninguém pensaria em arrastar um dicionário de 2 mil páginas pela selva. A não ser ele e eu que gostávamos do dicionário mais que tudo. Isso ajudou a conter a raiva que eu alimentava contra ele. De certa forma, se Guillermo usasse o dicionário com a mesma paixão que eu, então era melhor que ficasse com ele, que conseguia transportá-lo, do que comigo.

Desliguei-me com menos facilidade do jeans de Méla. Tive um cruel sentimento de culpa, como se aceitar que levassem minha mochila tivesse sido equivalente a trair o amor de minha filha. Então, pouco a pouco, o tempo operou seu trabalho. Também essa ferida se fechou. Resolvi que o importante não era conseguir conservar a calça comigo, mas entender como o gesto de minha filha (porque eu a imaginava procurando o que me dar no último Natal) havia me acompanhado nos meus anos de aflição e me rendera um sorriso.

Na manhã seguinte, não foi o Índio que veio me buscar. Sombra ordenou que Brian me transportasse. Ele era considerado por todos como o mais forte da tropa. Eu gostava de Brian, que era sempre amável com todo mundo. Imaginava que com ele as coisas pudessem melhorar.

Ele me pôs montada em suas costas e seguiu a passo, deixando o resto de meu grupo para trás. Desde os primeiros minutos percebi que alguma coisa não ia bem. Seu caminhar era brusco e a cada passo meu fígado se ressentia intensamente das sacudidas. Eu escorregava. Para evitar cair, precisava me agarrar a seu pescoço, com o risco de sufocá-lo. Ao fim de uma hora o pobre Brian ficara exausto. Estava tão surpreso quanto eu, sem entender como na véspera o Índio havia conseguido correr durante horas sem se fatigar, enquanto ele mal conseguia recomeçar.

Seu orgulho estava ferido, sua falta de resistência seria objeto de sarcasmos. Ele então se zangou comigo, reclamando de minha falta de colaboração, fazendo o possível para me humilhar cada vez que cruzávamos com outro guerrilheiro no caminho.

— Me espere aqui — disse, abandonando-me no meio da floresta. Partiu correndo para buscar sua mochila, que tivera de deixar onde estávamos antes. Fiquei sozinha no meio do nada. Brian tinha me jogado ali sabendo que eu não ia me mexer. O transporte nas costas de homem tinha se tornado um calvário. Ele me fez pagar por seu esforço me sacudindo muito. Senti que ia morrer e me estendi no chão esperando sua volta. Estava deitada na terra. Abelhas negras, atraídas pelo suor, tomaram de assalto minhas roupas e me cobriram inteira. Achei que ia morrer de medo e, prostrada de fadiga e de terror, perdi os sentidos. Em minha inconsciência ou meu sono, ouvi o zunido daqueles milhares de insetos se transformar na imagem de um caminhão-tanque que corria a toda velocidade para me atropelar. Acordei sobressaltada, e abri os olhos para uma nuvem de insetos. Levantei aos berros, o que excitou ainda mais as abelhas. Estavam em toda parte, enroscadas no meu cabelo, dentro de minha roupa de baixo, enfiadas por baixo das meias no fundo das botas, procurando entrar em minhas narinas e meus olhos. Fiquei como louca, tentando escapar, me debatendo no vazio, batendo pés e mãos com toda a força, sem conseguir fazer que fugissem. Matei muitas, deixei muitas tontas. O chão estava coberto delas, e não tinham me picado. Exausta, acabei me conformando em coabitar com elas, e me deitei de novo, abatida pela febre e pelo calor.

Depois, a companhia das abelhas negras passou a ser habitual. Meu cheiro as atraía num raio de quilômetros e, uma vez que Brian me deixava em qualquer lugar, elas acabavam sempre por me reencontrar. Transformaram em perfume o cheiro horrível que me impregnava. Levavam o sal, deixavam o mel em minhas roupas. Era como uma etapa em uma lavanderia. Eu tinha também a esperança de que a presença maciça delas inibisse outros insetos menos amigáveis e que sua companhia me permitisse cochilar enquanto eu esperava que viessem me buscar.

50. Uma ajuda inesperada

Numa dessas etapas, eu tinha desmoronado como um mendigo debaixo da ponte. Cheirava muito mal, estava suja, com as roupas de vários dias, úmidas do suor da ansiedade e emporcalhadas. Eu tinha sede, a febre me desidratava tanto quanto o calor e o esforço que eu fazia para não cair das costas do homem que me carregava. Senti que minha cabeça estava me fazendo ver coisas. Quando vi a fila de homens algemados uns aos outros vindo em minha direção, achei que era um sonho. Deitada no chão, primeiro eu sentira a vibração de seus passos. Parecia que um bando de animais selvagens se aproximava de mim e eu mal tive tempo de me erguer, apoiando-me nos cotovelos para os ver surgir atrás de mim. Eles se aproximavam afastando a vegetação que me separava deles. Eu achava que não tinham me visto e iam me pisar. Ao pensar nisso, tive vergonha de que me vissem daquele jeito, os cabelos desgrenhados, e com um cheiro horrível, até mesmo para mim. Deixei muito depressa de pensar assim quando os vi mais de perto, a pele acinzentada, de homens bafejados pela morte, com a cadência dos passos dos condenados, curvados sob o peso do cansaço. Tive vontade de chorar.

Quando me descobriram, um após o outro, praticamente tropeçando em mim, o rosto deles se iluminou:

— *Doctora* Ingrid? É a senhora? Fique calma, vamos sair dessa!

Eles me deram a mão, me acariciaram os cabelos, me enviaram beijos com os dedos, me fizeram sinal de vitória e de encorajamento. Aqueles homens, mil vezes mais desgraçados do que eu, com muito mais anos de cativeiro, acorrentados pelo pescoço, doentes, famintos, abandonados pelo mundo, aqueles policiais e soldados colombianos ainda conseguiam pensar no outro.

A lembrança daquele instante ficou gravada em minha mente. Eles tinham transformado aquele inferno verde e úmido num jardim cheio de humanidade.

Passamos pelo Índio, que estava no caminho e me sorriu, como se pudesse ler os pensamentos de todos nós. Com humildade, quase com timidez, ofereceu-se para me transportar durante uma parte do caminho. Brian hesitou. Ele não queria se dar por vencido. Mas a oferta era por demais tentadora, pois tínhamos chegado a uma zona de geografia assustadora. Eles a chamavam de *cansa perros*, "mata-cachorros". Era uma série de subidas e descidas de dar medo, com desníveis de cerca de trinta metros, como se uma mão gigante tivesse arregaçado o tecido da terra, produzindo pregas em série, costuradas umas às outras. Eu pensava que a selva amazônica fosse uma longa planície. Era assim que ela aparecia em meus livros de geografia. Nada mais distante da realidade. O relevo daquele mundo era como o próprio mundo: imprevisível. No fundo de cada declive, naquele espaço espremido entre duas pregas do relevo, corria um regato. Nós o atravessamos com um pulo só, para logo alcançar o outro aclive. Uma vez chegados ao cume, os rapazes desciam o declive para ir beber água na próxima fonte. Mas as alterações climáticas pregavam suas peças. A metade das fontes estava seca, não havia mais como matar a sede.

Brian tinha sofrido muito me carregando nas costas. Eu tentava caminhar para aliviá-lo um pouco, mas na descida caí sentada. A tropa que ia à nossa frente transformara o caminho num tobogã lamacento. Caí violentamente no rego cheio d'água. Estava coberta de lama. Havia à nossa frente uma subida íngreme, que teríamos de escalar agarrrando-nos com as mãos e os pés ao paredão. Brian tirou a camiseta, mergulhou-a na água, ao mesmo tempo que lavava o rosto. Antes de vesti-la, lançou um olhar de lado para o Índio e disse:

— Me dê seu *equipo* e leve a moça nas costas.

O Índio fez um movimento com os ombros e deixou cair sua enorme mochila.

— *Tengo todo el parque.*

— *No interesa, camarada, paselo!**

---

* Todas as munições estão aí.
Não tem problema, camarada, me dê!

Brian preferia carregar uma mochila cheia de munições a me carregar. Ele enfiou as alças e as ajustou, depois começou a escalada sem olhar para trás, levando a bagagem do Índio sem esforço. Cinco minutos depois, chegou ao cume, nos lançou um olhadela, visivelmente admirado, e desapareceu na natureza.

— Suba aí — me disse o Índio.

Pulei em suas costas, tentando me fazer o mais leve possível. Ele escalou o paredão tão depressa quanto Brian e partiu num passo rápido, descendo o declive num segundo. Ele voltava a subir, saltava de um terreno desnivelado a outro, descia mais uma vez, de forma que eu tinha a impressão de estar dando pulos no ar, os pés dele mal tocavam o chão.

Brian nos esperava, encostado numa árvore, fumando um cigarro, o ar altivo. Estávamos a dois passos do nosso destino.

— Somos os primeiros — disse, oferecendo um cigarro a seu companheiro.

Ele nem me olhou. O Índio pegou o cigarro, acendeu, deu uma boa tragada e o passou para mim, sem dizer nada.

Eu não sentia nenhuma vontade de fumar, mas o gesto do Índio me tocou. Brian tinha encontrado seu superior. Ele se virou para mim e ladrou:

— *Cucha, tirese alla, detras de los que estan cortando varas. No se mueva hasta que le den la orden.* *

Essas palavras foram como uma bofetada. Meus olhos estavam úmidos quando cruzaram com os do Índio. Ele esboçou um sorriso, depois virou a cabeça depressa; já estava às voltas com as alças de seu *equipo*. Eu me sentia uma idiota ao reagir daquele jeito, devia ser culpa do cansaço. Já estava habituada a ser tratada daquele jeito. Era a regra. Se eu estivesse sozinha com Brian, teria engolido seu desprezo sem nenhum problema. Mas, com o Índio, eu voltava a ser uma pessoa: sua compaixão tocou fundo em mim. Eu ficava cada vez mais fraca, mais frágil.

Nós tínhamos nos adiantado ao grupo dos militares. O tinir de suas correntes me fez voltar a cabeça. Berraram-lhes ordens num tom podre de arrogância. Eles ficaram esperando de bom humor, uns vinte metros mais adiante, falando animadamente em pequenos grupos, sempre acorrentados uns aos outros.

Um deles se apercebeu de minha presença. Conversaram baixinho. Dois deles se aproximaram e se acocoraram para me falar por detrás de um arbusto que os escondia.

---

* Velha, vá para lá, para detrás dos rapazes que estão cortando as varas. Fique lá até que digam que saia.

— Tudo bem? — cochichou um deles.

— Tudo bem.

— Meu nome é Forero. Ele é Luis Beltran.

Luis me fez um cumprimento tirando o chapéu.

— *Doctora*, temos um presentinho para a senhora. Fizemos um *ponche*. Mas a senhora tem de vir até aqui. Não se preocupe! O guarda está sob controle.

Da última vez que eu tinha ouvido falar em *ponche*, eu devia ter cinco anos. Foi na cozinha de minha avó. Ela anunciara que estava preparado um e todos os meus primos tinham pulado de alegria. Eu não sabia o que era. A cozinha dava para um pátio interno. A mais velha de minhas primas estava sentada no chão, com uma tigela cheia de gemas, que ela batia com força. Mama Nina tinha jogado umas coisas dentro com um ar de quem sabia o que estava fazendo, enquanto minha prima continuava a bater. A ideia me fez salivar. Mas, claro, o *ponche* deles devia ser outra coisa, não havia ovos naquela selva! Para minha grande surpresa, eles me estenderam uma gamela cheia de gemas recém-batidas.

— Onde vocês encontraram isso? — perguntei, estupefata.

— É difícil de carregar, mas a gente consegue. Não temos mais muitos, comemos tudo durante a caminhada. Tínhamos quatro galinhas na prisão, elas foram generosas, nos deram muitos ovos. Nós as carregamos um dia inteiro. Mas tivemos de comê-las logo na primeira noite. Elas não conseguiriam sobreviver aos *cansa perros*!

Eu os escutava boquiaberta. Como? Galinhas na prisão? Ovos?

Durante uma fração de segundo, uma ideia me transpassou o espírito: aqueles ovos poderiam me fazer mal. Afastei esse pensamento na hora: "Se eu não tiver nojo, não podem me fazer mal". Engoli fechando os olhos. Eu voltava a ter cinco anos, estava sentada ao lado da minha cozinha, minha avó presente. Abri os olhos com alegria. Forero me observava com um grande sorriso e cutucou Luis Beltran. O soldado chamado Luis puxou de sua camiseta um saco de leite em pó.

— Esconda depressa — ele me disse. — Se virem, vão confiscar. Misture com açúcar, é bom para sua hepatite.

Peguei as mãos de Forero e de Luis e as beijei, apertando-as fortemente entre as minhas. Depois voltei a me agachar no meu lugar, feliz de contar a Lucho o que acabava de acontecer.

Guillermo ia na frente, meus companheiros atrás. Quando o vi, o sorriso que eu trazia no rosto se apagou.

— É proibido falar com os militares. Quem eu pegar tramando, prendo — ameaçou ele.

Tive de esperar que o acampamento fosse instalado para poder trocar três palavrinhas com Lucho. Preparamo-nos apressadamente para o banho. Os militares já tinham terminado todas as suas tarefas. Mandaram chamar Sombra, e ele veio imediatamente.

Um jovem rapaz falou em nome de todos.

— É o tenente Bermeo — explicou-me Gloria.

Acompanhamos toda a cena, com os olhos voltados para Sombra. Os militares tinham empilhado um monte de provisões, que haviam sacado de suas mochilas.

— Não temos mais nada — declarou Bermeo.

Ouvíamos pedaços de conversa. Mas a atitude de Sombra era muito clara. Ele queria acalmar a rebelião.

— Deveríamos fazer a mesma coisa — disse Lucho. — Estamos mal alimentados, eles nos tratam como cachorros, e além do mais temos de carregar seus mantimentos!

Keith interveio:

— Eu tenho o que comer. Carregarei o que eles me pedirem para carregar.

Ele olhou ostensivamente o guarda que acompanhava nossa conversa com grande interesse, depois foi se recostar na árvore de sua barraca, cruzando os braços.

— Deveríamos fazer igual aos militares por solidariedade — disse Tom, e começou a tirar os sacos de arroz que levava em sua mochila. Os outros fizeram o mesmo. Fez-se um grande silêncio para acompanhar o que se passava entre os militares.

Bermeo continuava falando:

— Vocês não podem carregá-la desse jeito. Vão acabar matando-a. Se fosse um de vocês, iriam carregá-la numa rede.

Eu não podia acreditar no que ouvia. Aqueles homens estavam tomando minha defesa! Olhei para trás, a garganta apertada, procurando o olhar de Lucho.

51. A rede

Não soubemos qual tinha sido o resultado do boicote dos militares. Uma cobra tinha entrado em nosso acampamento e, aos gritos de Gloria, todo mundo partiu para caçá-la. Ela havia sumido atrás das bagagens postas no chão e podia reaparecer à noite, enrodilhada em alguma delas. Eu não gostava daquelas caçadas. Exceto as aranhas caranguejeiras, das quais não tinha a menor pena, eu sempre ficava do lado dos animais que eram objeto de nossas perseguições. Torcia para que os animais lhes escapassem, da mesma forma que eu gostaria de fugir deles. Diante das cobras, eu tinha uma reação que me espantava. Estava longe de ter os sentimentos de aversão que via nos outros, aquela necessidade de aniquilá-las, de matá-las. Palavra de honra, devo admitir que as achava belas. No acampamento de Andrés, eu tinha visto uma coral vermelha, branco e preto no chão, ao pé de um dos esteios da barraca. Quando fui pegá-lo, Yiseth gritara:

— Não toque! É uma vinte e quatro horas.

— O que é uma vinte e quatro horas?

— Ela mata a pessoa em 24 horas.

As Farc sempre tinham antídotos à mão, mas nem sempre eram eficazes. Eles faziam também antídotos caseiros, pondo para secar a vesícula biliar de um roedor que eles chamavam de *lapa*. Achavam que esse remédio tinha melhor efeito do que os soros fabricados em laboratório. Talvez porque me sentisse protegida com seus antídotos, talvez porque me achasse protegida de uma forma sobrenatural, eu me aproximava desses animais sem nenhum medo. Até a cobra monstruosa que os guardas tinham matado no acampamento de Andrés, capturada quando eles espreitavam uma das guerrilheiras na hora do banho, me parecera fascinante. Depois de tê-la matado, os jovens haviam estendido a enorme pele para secar, esticada entre varas. Ela fizera a alegria de milhares de moscas varejeiras que giravam à sua volta, atraídas pelo cheiro imundo que ela emanava. A pele ficara ao relento, enfrentando as intempéries durante semanas. Apodrecera, e eles terminaram jogando-a no buraco do lixo. Eu tinha pensado em todas as bolsas de luxo que haviam se perdido naquela operação. Eu não parava de pensar nisso e achei até obsceno ter pensado assim.

A cobra que Gloria vira era uma *casadora*, uma "caçadora". Era longa e fina, de um verde-maçã atraente. Veio certeira para cima de mim, desnorteada. Sem pensar duas vezes, fiz de tudo para pegá-la e levá-la para bem longe, fora da visão de meus companheiros. Eu sabia que ela não era venenosa. Surpreendida ao contato de minha mão, ela me olhou em posição de ataque, escancarando a boca com um ruído rouco para me manter afastada. Minha intenção não era assustá-la. Fiquei imóvel para que ela readquirisse confiança, o que de fato aconteceu, e ela se voltou para enfrentar meus companheiros, que se atropelavam à sua volta, como se tivesse sentido que eu não era uma ameaça para ela. O guarda ria na sua guarita, observando a cena. Eu a coloquei nos galhos mais baixos de uma árvore imensa e a vimos desaparecer subindo de um galho para outro até chegar lá no alto.

Voltei para minha *caleta* para preparar leite em pó com um pouco de água, o suficiente para obter duas colheradas, uma para Lucho e outra para mim. A caminhada tinha sido muito difícil para ele, que estava só pele e osso. Eu tinha medo de que ele tivesse um coma diabético.

No dia seguinte, de manhã, chegaram dois novos rapazes com uma vara bem longa. Entendi que a intervenção do jovem tenente tinha surtido efeito. Fui lhes devolver minha rede, para que eles a instalassem, mas Lucho interveio:

— Fique com a minha, é mais resistente. E também a sua está cheia de poeira. Você não vai conseguir mais dormir nela.

— E você?

— Vou dormir no chão, me fará bem, estou começando a sentir dores nas costas.

Ele estava mentindo.

Os guardas pegaram a vara e nela penduraram a rede que ele me dera. Depois a colocaram no chão, para que eu entrasse. Num segundo, a vara já estava em seus ombros e eles partiram correndo, como se tivessem visto o diabo.

O entusiasmo inicial de meus carregadores foi posto à prova na travessia de uma série de pântanos profundos onde a água lhes chegava às coxas. Milagrosamente, atravessei sem me molhar, o que teve como efeito deixar todo mundo irritado. Os carregadores, em primeiro lugar, enfurecidos pelo meu conforto, tinham se esquecido de que eu estava doente. Sentiam-se humilhados por me transportar como uma princesa. Meus companheiros, molhados até os ossos, os pés cheios de bolhas, mortos por dias de caminhadas cada vez mais longas, me olhavam de banda. Isso envenenava as relações. Ouvi um deles discutindo com os guardas, alegando que era uma estratégia minha para atrasar todo o grupo; ele sustentava que eu tinha dito isso a Orlando. Fora ele quem lhe contara.

As intrigas de meus companheiros tiveram o efeito de um veneno destilado com precisão. Todos os dias, uma nova dupla de homens era designada para me transportar, e todos os dias eles demonstravam estar mais rabugentos em relação a mim. Finalmente, chegou a vez de Rogelio e do jovem guerrilheiro do qual nós todos zombávamos porque ele lembrava o Zorro, com seu chapéu achatado amarrado com um cordão e as calças muito acinturadas.

— Hoje a coisa vai pegar! — eles disseram, com uma piscadela.

Eu sentia que eles não tinham a menor consideração para comigo e isso estava bem visível antes da partida. Esperei o pior.

A floresta voltava a ficar intrincada e a vegetação mudara. Em lugar dos fetos e dos arbúsculos à sombra das ceibas gigantescas, atravessávamos agora espaços sombrios e úmidos, cheios de palmeiras e bananeiras. Estas eram tão próximas umas das outras que ficava difícil passar entre elas. A vara muito comprida tornava impossível fazer as curvas que o terreno obrigava. Os carregadores precisavam retroceder um pouco para encontrar a posição adequada para enfrentar ou vencer uma curva. Cada passo era uma negociação entre o homem da frente e o detrás, e eles discutiam para ver quem impunha ao outro sua vontade. Irritados, eles suavam, e se cansavam. Os troncos das bananeiras eram cobertos de formigas de todos os tipos, grandes ou minúsculas, vermelhas, amarelas ou pretas. A presença do homem em seu território as deixava enlouquecidas. Como éramos obrigados a passar roçando as bananeiras, elas pulavam sobre nós para nos atacar, ou se agarravam a nossas roupas para nos picar ou urinar sobre nós. Sua urina era, de longe, o que havia de pior. Elas secretavam um ácido forte que queimava a pele e criava bolhas aquosas. Sufocada em minha rede, como se estivesse dentro de uma cápsula, eu não podia me mexer. Tinha de deixar os braços estendidos ao longo do corpo, sofrendo estoicamente o assalto daqueles bichos que invadiam as zonas mais íntimas de meu corpo. Eu não podia dizer nada: os rapazes sofriam mais do que eu, pois estavam sem camisa e ainda carregavam aquele peso que lhes vergava os ombros.

Depois das bananeiras, vieram as silvas. Atravessávamos uma densa floresta de palmeiras cerradas que se protegiam do mundo exterior com seus espinhos retorcidos em volta do tronco. De novo, elas eram tão próximas umas das outras que era difícil não tocar nas pontas aceradas que as cobriam. Rogelio fazia de propósito. Ele se vingava, balançando a rede mais do que o necessário, de forma que a cada balanço eu fosse jogada contra os espinhos, que primeiro atravessavam a roupa e depois penetravam profundamente em meu corpo. Eu saíra daquela floresta de palmeiras como um ouriço, coberta de espinhos.

Isso não foi tudo. Vieram outros pântanos, ainda mais profundos que os anteriores, no meio dos quais sobrevivia uma vegetação bastante espinhosa. Meus transportadores iam em frente com um humor de cão, encharcados, durante várias horas, tateando o caminho, sem saber o que seus pés encontrariam no fundo daquela água escura. De vez em quando, perdiam o equilíbrio, e eu emborcava naquelas águas tépidas, me fazendo mais pesada. Sempre que eles se desequilibravam, o primeiro reflexo era se apoiar na árvore mais próxima. No fim do dia, as mãos deles sangravam.

Naquele dia, a caminhada foi longa, e também nos dias seguintes, e nas semanas que estavam por vir. Todos nós terminamos por perder a conta das horas que tínhamos vagado por aquela selva sem fim, obrigados a ir em frente de qualquer jeito. Não havia mais nada para comer, ou quase. Guillermo trazia uma vasilha de arroz, cada dia menos cheia. A ração devia nos sustentar até a noite, quando, uma vez instalado o acampamento, os *rancheros* inventavam sopas de água quente com o que tinham encontrado pelo caminho. Sempre parávamos por volta das cinco da tarde. Cada um de nós louco para ter o seu cantinho para passar a noite e cuidar de seus ferimentos. Tínhamos apenas uma hora para montar as barracas, instalar as redes, tomar um banho, lavar a roupa, que voltávamos a vestir no outro dia de manhã ainda molhada, e nos meter debaixo dos mosquiteiros antes de a noite chegar.

Ao amanhecer, quando ainda estava escuro e frio, tornávamos a vestir os uniformes pesados e molhados. Isso, para mim, era um verdadeiro calvário. Se tinha de escolher entre roupas sujas e molhadas e roupas limpas e molhadas, preferia lavar meu uniforme todo dia. Mesmo que o esforço para tanto me deixasse esgotada.

344

Não havia tempo para pensar no outro, era cada um por si. A exceção era Lucho, que se achava na obrigação de me ajudar nos menores detalhes, para que eu não tivesse problemas. Meu estado só piorara. Supliquei a Guillermo que me desse silimarina, e ele me respondeu:

— Para a senhora não temos remédios.

52. Venda de esperança

Sempre nos acordavam quando ainda estava escuro, antes de o dia nascer. Certa manhã demoraram a nos dar a ordem de partida. Fizemos todos os tipos de especulação sobre nosso destino. Alguns diziam que nosso grupo ia ser dividido. Ordenaram que caminhássemos em direção a uma clareira, onde as árvores eram mais espaçadas, um tapete grosso de folhas mortas cobria o chão. O dia estava cinzento. O lugar era sinistro. Mandaram-nos sentar em círculo. Os guardas se colocaram à nossa volta, apontando-nos os fuzis.

— Vão nos matar — me disse Lucho.

— É verdade — respondi —, vão nos assassinar!

Meu coração batia acelerado. Eu suava demais, como todos os meus companheiros, apesar de estarmos quietos, sentados sobre nossas bagagens, de costas para os guardas. Mudei de posição.

— Não se mexa! — gritou um dos guardas para mim.

— Se vocês vão nos matar, quero olhar a morte de frente!

O guarda deu de ombros e acendeu um cigarro. A espera se prolongou. Não tínhamos nenhuma ideia do que estava acontecendo. Era quase meio-dia. Eu já via nossos corpos ensanguentados sobre aquele leito de folhas. Diziam que, antes de morrer, a vida se passa diante de nossos olhos. Nada se passava diante dos meus. Eu estava com vontade de ir ao "banheiro".

346

— Guarda! Os *chontos.* — Agora eu falava como eles, cheirava tão mal quanto eles, e estava ficando tão insensível quanto eles.

Consegui permissão para ir. Quando voltei, Sombra estava lá. Ele perguntou quem entre nós sabia nadar. Levantei a mão, Lucho também, Orlando não. Será que ele estava mentindo? Talvez Orlando soubesse alguma coisa. Talvez fosse melhor dizer que não sabíamos nadar.

Ordenaram que fôssemos na frente, e voltamos a caminhar. Vinte minutos depois, chegamos às margens de um rio imenso. Ordenaram que tirássemos a roupa e ficássemos só com as de baixo e de botas. Esticaram uma corda de um lado a outro das margens. Diante de mim, uma jovem guerrilheira apressava-se a se jogar na água com sua bagagem muito bem embalada num plástico preto. Olhei à volta. O rio fazia uma curva exata mais adiante e ficava umas três vezes mais largo. Ali onde estávamos, ele tinha duzentos metros de largura.

A guerrilheira se agarrou na corda e se foi, colocando uma mão depois da outra. Logo seria minha vez. A entrada na água me pareceu vivificante. Seu frescor era capaz de revigorar o corpo. A dez metros, a correnteza estava muito forte. Era preciso prestar atenção para que ela não nos arrastasse. Eu deixava meu corpo flutuar sem resistência e avançava somente deslocando as mãos na corda. Minha técnica era boa. Chegando à outra margem, fiquei aguardando minhas roupas e minha mochila, cercada por uma nuvem de mosquitos. Os guerrilheiros tinham um barco para atravessar o gordo Sombra e também o bebê, mas o barco quase afundou com o peso de todas as bagagens. Passei o resto da tarde a secar minhas coisas, tentando preservar as únicas roupas mais ou menos secas que me restavam para a noite. Agradeci aos céus que Sombra tivesse decidido instalar o acampamento ali e nos poupar de mais horas de caminhada.

Cada um aproveitou para reorganizar sua mochila, para se livrar de tudo o que podia, para aliviá-la. Marc veio me ver. Queria devolver minha Bíblia, ele estava muito carregado. Clara também apareceu. Ela queria vir para minha *caleta* com seu bebê. Concederam-lhe uma hora. Instalei depressa um plástico no chão e minha toalha para poder acomodá-la ali. Uma guerrilheira de seios enormes trouxe a criança amarrada na barriga, no canguru que eu havia feito quando ele nasceu. O bebê chegou, sorrindo. Estava bem desperto, acompanhava nossos dedos com os olhos, escutava atentamente as canções que cantávamos para ele. Aparentava estar bem, mas seu braço ainda não estava curado. Clara brincou um pouco com ele. Ao fim de algum tempo, a criança se pôs a chorar. A guerrilheira de seios enormes apareceu de novo e o levou, sem uma palavra. Foi última vez que vi o filho de Clara na selva.

A noite caiu de repente. Nem tive tempo de apanhar a rede que Lucho tinha emprestado para que me transportassem e que eu dobrava normalmente sobre minha mochila durante a noite. Dormi escutando um barulhinho de chuva fina. "Amanhã de manhã tudo que é meu estará encharcado", pensei. "Paciência, estou muito cansada para ir ver."

Por volta de meia-noite, o acampamento foi acordado pelos berros de Clara. O guarda acendeu a lanterna. A *caleta* dela fora invadida por formigas. As *arrieras* devoravam tudo por onde passavam. Sua rede estava em farrapos, assim como as roupas da caminhada que ela tinha estendido numa corda. Um mar de formigas cobria seu mosqueteiro. O guarda fez o que pôde para afugentá-las, mas muitas tinham entrado. Clara queria descer da rede para se livrar delas, mas o chão fervilhava de insetos e ela estava sem as botas. Só depois foi que me dei conta de que o barulho de chuva fina não era senão o som das *arrieras* caminhando. Elas tinham invadido o acampamento e já estavam na minha rede.

A luz do dia nos fez constatar que todos nós tínhamos sofrido prejuízos. A rede que Lucho tinha me emprestado tinha virado uma peneira. As alças de minha mochila tinham sumido. Do casaco de Orlando só tinha sobrado o colarinho, e as barracas estavam todas furadas. Tivemos de remendar tudo rapidamente. Eu remendei minha mochila da melhor forma possível, ajeitei a rede como pude. Tínhamos de partir.

Uma tropa de guerrilheiros chegara trazendo provisões de um acampamento vizinho. Foram eles também que levaram o barco de Sombra e do bebê. Soubemos que estes tinham atravessado o rio num barco a motor. Rostos desconhecidos apareceram. Esperávamos que o fim da caminhada estivesse próximo. Apesar de mais bem alimentados, caminhávamos devagar. Os guerrilheiros se queixavam. Todo mundo estava com dificuldade para continuar a caminhada. Naquele dia, fizemos uma parada depois de duas horas. Sombra estava furioso. Aproximou-se de mim esbravejando:

— Diga a esses americanos para não pensarem que eu sou um idiota. Entendo tudo o que eles falam. Se pensam que vão bagunçar isso aqui, vou acorrentar os três!

Olhei para ele, assustada. Uma meia hora depois, eu via chegar Orlando e Keith, um acorrentado ao outro pelo pescoço. Jorge caminhava atrás, com Lucho. Os demais vinham se arrastando. Guillermo adiantou-se assim que me viu.

— Sente-se ali — ladrou, para evitar que eu falasse com meus companheiros.

Keith estava muito nervoso, segurando com as duas mãos a corrente que trazia no pescoço. Orlando veio se sentar ao meu lado, empurrado pelos outros, que

348

tinham se sentado no espaço que Guillermo nos tinha indicado. Orlando fingia brincar com os pés:

— Aquele idiota se pôs a dar pontapés em sua mochila. Guillermo achou que ele não queria mais carregar as coisas dele… Ele disse a Sombra que queríamos atrapalhar a caminhada… Agora sou eu que pago por isso.

Enquanto ele falava comigo, Keith se levantou e foi conversar com Sombra, de costas para nós. Sombra se pôs a sorrir e lhe tirou a corrente, jogando-a sobre Orlando:

— Você vai ficar com ela vários dias! Assim, vai aprender a não querer bancar o engraçadinho comigo.

Keith se afastou esfregando o pescoço, sem coragem de olhar para Orlando. Guillermo voltou com um grande vasilhame cheio de água. Ele a dividiu com todos, nos deixou beber, depois berrou:

— Quando ouvirem "marchar!", vão em frente!

Meus companheiros pularam como autômatos, colocaram as mochilas nas costas e se embrenharam na selva, em fila indiana. Eu teria de esperar a volta dos carregadores. Ficaria sozinha. Sombra hesitou. Depois, ao decidir me deixar, falou:

— Não se preocupe com o dicionário. Lá para onde você vai não será difícil encontrar outro.

— Sombra, você devia tirar as correntes de Orlando.

— Isso não é da sua conta. Melhor pensar no que lhe disse. Os franceses estão negociando. Você estará livre muito antes do que muitos pensam.

— Não estou sabendo de nada disso. O que sei é que Orlando está com uma corrente no pescoço e você devia tirá-la.

— Vamos lá, aguente firme! Isso vai acabar logo — me disse ele, sem conseguir dissimular sua irritação. Afastou-se aos pulos e desapareceu.

Meus carregadores chegaram. Apareceu um de cara nova, porque o que me carregara durante a manhã tinha tido uma luxação no ombro. Tinha sido substituído pelo Índio, sempre tão sorridente e amável. Assim que ficamos sozinhos por um segundo, ele me disse:

— Vão libertar alguém. Nós achamos que é você.

Olhei para ele, incrédula, sem acreditar numa palavra do que ele dissera.

— Libertar como? Você está querendo dizer o quê?

— É, alguns vão para Macarena,* outros vão partir com o primeiro front. Mas você vai com os chefes.

---

* Elevação em meio aos Llanos, entre os Andes e a selva.

— Que chefes? O que é que você está me dizendo?

— Se quiser mais informações, me dê sua corrente de ouro.

Caí na risada:

— Minha corrente de ouro?

— Sim, é uma garantia!

— Uma garantia de quê?

— Que você não vai me dedurar. Se algum deles souber que lhe contei, vou para o conselho de guerra e serei fuzilado.

— Não tenho corrente de ouro.

— Tem, sim! Aquela que está na sua mochila.

Fiquei admirada.

— Ela está quebrada.

— Me dê a corrente e lhe contarei tudo.

Seu ajudante chegou. Entrei de novo na rede. A corrente tinha sido de minha avó. Eu a tinha quebrado, a tinha perdido, voltara a encontrá-la milagrosamente e a tinha colocado com todo cuidado entre as páginas de minha Bíblia. A procura, então, tinha sido minuciosa. Ao chegar ao novo acampamento, enquanto montávamos as barracas para a noite, falei para Lucho:

— Eles mexem em tudo... Você não pode continuar carregando o facão.

— O que vamos fazer? — ele me perguntou, nervoso.

— Espere, tenho uma ideia.

O acampamento dos militares estava de novo colado ao nosso. Procurei meus amigos. Eles continuavam acorrentados dois a dois e deviam entrar em acordo para se deslocar. Estavam felizes de me ver e me ofereceram leite e açúcar.

— Venho com uma missão delicada. Preciso de sua ajuda.

Eles se posicionaram para me escutar atentamente, agachados ao meu lado.

— Eu tenho um facão, porque quero ver se fujo. Provavelmente, vai haver uma revista amanhã. Não quero jogá-lo fora. Será que vocês podiam escondê-lo em sua bagagem por uns dois dias, o tempo da revista?

Os homens se olharam em silêncio, lívidos.

— É perigoso — disse um.

— Muito perigoso — disse o outro.

Um guarda berrou. Eles precisavam ir. Eu os olhei com angústia, tínhamos alguns segundos apenas.

— Paciência, não podemos deixá-la em apuros. Conte conosco — disse um deles.

— Pegue essa toalha. Enrole nela depois do banho. Você a passa para nós quando escurecer. Diga que eu lhe emprestei minha toalha e está devolvendo — completou o outro.

Eu estava com os olhos cheios de lágrimas. Eu mal os conhecia e, no entanto, tinha total confiança neles.

Voltei para contar tudo a Lucho.

— Deixe que eu vou entregar. Vou agradecer a eles pessoalmente — ele me disse, profundamente emocionado. Sabíamos bem demais o risco que eles corriam.

No outro dia, bem cedo, houve a revista. Nossos amigos retomaram a caminhada e nos fizeram sinal com a mão antes de se distanciarem. Podíamos ficar tranquilos. Quando chegou a minha vez, Guillermo abriu minha Bíblia. Pegou a correntinha, brincou com ela um pouco, depois a recolocou entre as páginas e puxou cuidadosamente o fecho da capa de couro que a protegia. "Ele não ousará!", pensei.

O Índio tinha sido de novo designado para mim. Dava para sentir que ele queria falar comigo e procurava o momento propício. De minha parte, eu estava intrigadíssima com sua história. Eu tinha sede de boas notícias. Mesmo que não fosse verdade, eu precisava me agarrar a um bom sonho. Achava que, de qualquer forma, se Guillermo tinha posto o olho na correntinha de minha avó, ele encontraria facilmente um jeito de ficar com ela. Assim, quando o Índio se aproximou, eu estava pronta para aceitar suas mentiras.

O Índio se sentou ao meu lado, dizendo que eu não devia ficar sozinha, porque nos aproximávamos das zonas patrulhadas pelos militares. Seu companheiro de equipe não pensou duas vezes e se mandou para "rebocar" a bagagem.

— Eu vou lhe contar tudo, deixo o resto com a sua consciência — disse ele, à guisa de introdução.

E me explicou que eu ia ser levada a um outro comandante, que teria como missão me entregar a Marulanda, e que eu ia ser posta em liberdade.

— Mono Jojoy pensa em fazer uma grande cerimônia com todos os embaixadores e um monte de jornalistas. Ele vai entregar a senhora aos emissários europeus. Sua companheira será entregue no front do primeiro Bloco Oriental. Emmanuel vai ficar com uma família de milicianos, que cuidará dele até ele crescer.

Ele disse que, quando o garoto ficasse maior, se tornaria guerrilheiro. Seria enviado a um hospital para ser operado do braço. Depois, acrescentou:

— Os três americanos vão para Macarena. Os outros serão divididos em grupos e irão para a Amazônia. É isso, agora a senhora está a par de tudo. Espero que mantenha a palavra.

— Eu não lhe prometi nada.

— A senhora escutou tudo, lhe contei tudo. Agora, é a senhora com a sua consciência.

Eu sabia que o Índio estava mentindo. Eu sabia que, entre eles, mentir era considerada uma das qualidades do guerreiro. Isso fazia parte de sua aprendizagem, era um instrumento de guerra que eles eram encorajados a dominar. Sabiam fazer isso. Tinham conquistado a sabedoria das trevas que se utiliza para fazer o mal.

Mas o Índio me deixara sonhando. Ao pronunciar a palavra "liberdade", ele abrira a caixa que eu mantinha fechada com duas voltas da chave. Não conseguia mais conter a onda de divagações que me submergia. Eu via meus filhos, meu quarto, meu cão, minha bandeja do café da manhã, as roupas passadas, o cheiro de perfume, mamãe. Eu abria a geladeira, fechava a porta dos banheiros, acendia a luz de cabeceira, usava salto alto. Como jogar tudo isso de novo para o esquecimento? Eu tinha um desejo enorme de voltar a ser eu mesma.

A dúvida era para mim uma fonte de esperança. Sem aquilo, eu tinha a eternidade diante de mim no cativeiro. De modo que, sim, a dúvida era uma trégua, um momento de descanso. Eu lhe era grata por isso. Tomei a decisão de lhe entregar a corrente, não como recompensa por suas informações, mas porque ele me destinara um sorriso, uma palavra, um olhar. Eu queria dar uma aparência louvável à minha fraqueza.

Eu adorava minha avó. Era um anjo que tinha partido desta terra. Eu nunca ouvira de sua boca um comentário maldoso sobre ninguém. Era por isso que todos nós íamos lhe contar nossas querelas familiares. Ela escutava rindo e terminava sempre dizendo: "Não ligue pra isso, esqueça!". Ela possuía o dom de cuidar de nosso ego machucado, tínhamos sempre a impressão de que ela tomava nosso partido. Mas ela facilitava o perdão, porque nos dava uma perspectiva e anulava a importância de nosso ressentimento. Tínhamos uma grande cumplicidade, ela conhecia todos os meus segredos. Sempre fora importante em minha vida e seu amor havia sido construtivo. Não era exigente em seu amor, e isso era provavelmente uma das mais belas lições de vida que ela nos deixara. Não exigia nada em troca, dava sem esperar nada de volta. Não havia manipulação nem culpabilização em seu amor. Ela perdoava tudo. Éramos uma miríade de criancinhas, todas convencidas de que éramos suas preferidas. Mamãe me dera a corrente de herança. Minha avó sempre a carregara até morrer, e eu desde então a usava, até que se quebrou.

Ao entregá-la a um homem que tinha tido compaixão por mim, eu tinha a impressão de honrar a bondade de minha avó. Eu sabia que, de lá de cima, ela concordava comigo. Eu achava também que alguém já vira minha corrente e que tinha grandes chances de perdê-la antes do fim da caminhada. Mas eu não era idiota. O Índio me vendera uma falsa esperança. Durante dias, eu iria viver daquilo. A espera da felicidade era mais deliciosa que a própria felicidade.

Depois de um dia particularmente difícil, com uma série de "mata-cachorros", o Índio veio, como quem não quer nada, flanar em nosso acampamento. Ele vinha pegar a recompensa. Eu a tirei da caixinha e a coloquei furtivamente em sua grande mão calosa. Ele fechou rapidamente a mão e sumiu como um ladrão.

Ele me evitou nos dias seguintes. Mas eu o encontrei uma noite; ele viera ajudar Gloria a construir sua *caleta*. Eu o chamei de longe. Ele baixou os olhos, incapaz de sustentar meu olhar.

Eu não havia contado nada dessa história a Lucho. O que me doeu mais, finalmente, não foi o fato de a libertação não passar de uma pura e simples quimera. Foi que o Índio deixou de me ajudar, não me sorria mais e se tornou igual a todos os outros.

53. O grupo dos dez

Uma tarde Milton* me obrigou a caminhar e mandou meus carregadores para o final da tropa. Eu me arrastava naquela selva como um zumbi, com Milton ao meu lado. Ele tentava ser firme e elevava o tom da voz na esperança de que me faria caminhar mais rápido. Mas minha vontade parecia estar longe dali. Meu corpo não respondia. Quando a noite começou a cair, eu ainda estava muito longe do acampamento.

Um grupo de moças nos alcançou. Elas tinham partido com muito atraso do acampamento anterior. Sua missão era ir apagando as marcas de nossa passagem. Tinham de enterrar todo tipo de sinal que os prisioneiros deixavam na esperança de que o Exército colombiano descobrisse. Elas vinham felizes. Com as bagagens nas costas, levaram cinco horas caminhando num passo miúdo, para percorrer uma distância que nos exigira nove horas.

Eu tinha me sentado no chão e posto a cabeça entre os joelhos para tentar reunir minhas forças. Sem que lhes dissessem nada, elas decidiram me carregar.

A jovem que tinha tomado a iniciativa se agachou atrás de mim, passou a cabeça entre minhas pernas e me levantou de uma vez, a cavalo, em seus ombros.

— Ela é levinha.

---

* Aquele que acompanhava Sombra no violão durante a serenata, o terceiro no comando depois de Alfredo e Sombra.

A moça saiu correndo como uma flecha. Elas se revezavam a cada vinte minutos. Duas horas depois, chegamos perto de um riacho que corria silencioso entre as árvores. Um vapor parecia subir da superfície da água que refletia ainda os últimos raios de luz. Já ouvíamos o ruído dos facões. O acampamento devia estar bem perto.

Sombra estava sentado um pouco mais adiante, cercado por uma meia dúzia de jovens, que o bajulavam. A jovem que me carregava se aproximou trotando e me colocou aos pés dele. Ela não fez nenhum comentário e o olhou demoradamente. O grupo estava em estado de choque e eu não sabia bem por quê. Foi Sombra quem me deu a resposta.

— Você está com uma cara terrível — ele me disse.

Guillermo estava no grupo. Ele compreendeu, de imediato, que não podia deixar a situação fugir a seu controle.

Tentou me pegar por debaixo do braço, mas não deixei.

Todos voltavam do banho. Lucho me recebeu, preocupado.

— Você precisa se cuidar. Sem remédios, vai terminar morrendo, e a culpa será deles! — disse ele, bem alto, para ter certeza de que Guillermo o ouvira.

Orlando se aproximou também. Ele me abraçou, ainda estava acorrentado pelo pescoço.

— São uns porcos. Você não vai dar a eles o gostinho de morrer. Venha, vou ajudá-la.

Eu já estava sob o mosquiteiro quando Guillermo reapareceu. Ele carregava um monte de caixas. Acendeu a lanterna bem no meu rosto.

— Pare! — protestei.

— Estou lhe trazendo silimarina. Tome duas depois de cada refeição.

— Que refeição? — perguntei, achando que ele estava zombando de mim.

— Tome sempre que comer alguma coisa. Isso vai fazer você aguentar mais um mês.

Ele se foi. Eu disse em voz alta:

— Meu Deus, faça com que eu esteja em minha casa daqui a um mês.

Na manhã seguinte, houve um tumulto indescritível do lado dos guerrilheiros. Eram seis da manhã e não havia nenhum sinal de partida. Eu tinha chegado muito tarde para notar que os militares tinham acampado bem atrás de nós. Meus companheiros aproveitavam para falar com eles de forma animada, e os guardas permitiam. Lucho voltou muito pálido de sua conversa com nossos dois novos amigos.

— Vão nos separar — contou Lucho. — Acho que nós dois vamos partir com um outro grupo.

Era o que o Índio tinha me dito. Meu coração deu um pulo.

— Como você sabe?

— Os militares são bem informados. Alguns têm amigos nas fileiras de Sombra... Veja!

Eu me voltei para ver um rapaz alto, jovem, de pele acobreada, bigode fininho, uniforme impecável, que vinha em nossa direção.

Antes de ele chegar perto de nós, Gloria já estava ao seu lado, bombardeando-o com perguntas. O homem sorria, envaidecido pela importância que estávamos lhe dando.

— Venham todos! — ele gritou num tom meio amável, meio autoritário.

Lucho se aproximou desconfiado, e eu fui atrás.

— É você a Betancourt? Você está com uma cara terrível. Me disseram que você esteve muito doente!

Hesitei, não sabendo bem o que responder. Gloria interveio:

— É o nosso novo comandante. Ele vai nos dar novos aparelhos de rádio!

O grupo se aproximou dele, todos queriam saber mais, e sobretudo tentavam causar boa impressão.

O homem retomou a palavra com o ar de quem sabe medir o peso do que diz:

— Não para todo mundo. Serei o comandante de uma parte deste grupo. A *doctora* Ingrid e o *doctor* Pérez irão em outro.

Senti uma contração na altura do fígado. Por orgulho, não quis fazer as mil e uma perguntas que me passavam pelo espírito. Felizmente Gloria as fez no meu lugar, no espaço de um minuto. Estava claro, Lucho e eu íamos ser separados dos demais. Provavelmente para sempre.

Jorge atravessou toda a nossa seção para me tomar nos braços. Abraçou-me bem forte, me tirando o fôlego. Ele tinha os olhos marejados, e com uma voz entrecortada, tentando esconder ainda seu rosto no meu ombro, me disse:

— Minha querida senhora, cuide-se. Você vai nos fazer muita falta.

Gloria chegou atrás dele e o repreendeu.

— Não aqui. Não diante deles!

Jorge voltou a se sentar e foi abraçar Lucho. Eu também fiz o possível para engolir minhas lágrimas. Gloria tomou meu rosto entre as mãos e me olhou direto nos olhos.

— Tudo vai dar certo. Rezarei o terço completo por você. Fique tranquila.

Clara se aproximou.

— Eu queria ficar com você!

Depois, como para atenuar a carga dramática de suas palavras, ela se pôs a rir e concluiu:

— Certamente eles vão nos entregar juntas daqui a alguns meses!

Guillermo tinha voltado para nos pegar.

Atravessamos nossa seção, depois uma parte do acampamento da guerrilha. Margeamos o riacho durante dois minutos para chegar a um lugar coberto pela serragem, onde eles tinham instalado uma serraria provisória, abertamente. Sentei-me num tronco assim que Guillermo nos deu ordem para esperar. Um guerrilheiro fazia a vigilância.

Eu pensava. O que significava aquilo?

Não tive tempo de responder. Um grupo de oito militares acorrentados dois a dois vinha em nossa direção. Ordenaram que parassem. Levantei-me para lhes desejar boas-vindas, e os beijei um a um. Eles estavam sorridentes e gentis, e nos olhavam com curiosidade.

— Imagino que vamos fazer parte do mesmo grupo agora! — disse Lucho, à guisa de apresentação.

A discussão começou na mesma hora. Cada um tinha sua tese, sua opinião, sua maneira de ver. Eles falavam com cuidado, escutando uns aos outros educadamente, e prestavam atenção às palavras que empregavam para evitar contradições.

— Quanto tempo vocês estão prisioneiros? — perguntei.

— Eu tenho mais tempo nas Farc que a maioria desses garotos — respondeu um rapaz simpático e, virando-se para o guarda, disse: — Você aí, amigo, quanto tempo faz que entrou nessa?

— Três anos e meio — respondeu o adolescente, todo orgulhoso.

— Estão vendo? — ele replicou —, é o que eu estava dizendo! Vai fazer cinco anos que estou apodrecendo aqui.

Ao dizer isso, seus olhos se tornaram vermelhos e brilhantes. Ele engoliu a emoção, caiu na risada e se pôs a cantar: "*La vida es una tombola, tombola*".* Era uma musiquinha que o rádio tocava constantemente. Depois, voltando a ficar sério, acrescentou:

---

* A vida é uma loteria, loteria.

— Meu nome é Armando Castellanos, às suas ordens, sou o intendente da Polícia Nacional.

Nosso novo grupo tinha mais oito homens. Jhon Pinchao, também da polícia, estava acorrentado a um oficial do Exército, o tenente Bermeo, aquele que tinha pedido para eu ser levada na rede. Castellanos estava acorrentado ao tenente Malagon. O cabo Arteaga a Florez, ele também cabo do Exército. Por último, o enfermeiro cabo William Perez estava acorrentado ao sargento José Ricardo Marulanda, que era visivelmente o mais velho de todos.

A presença deles me tranquilizou. Eu via agora a separação dos meus antigos companheiros como um mal menor. Decidi esperar pelo tempo para criar relações com eles, sem intermediários, e evitar toda situação que pudesse gerar tensão entre nós. Eles estavam abertos e curiosos para nos conhecer. Também tinham passado por momentos difíceis e tinham aprendido suas lições. A atitude deles em relação a mim e a Lucho era radicalmente diferente da dos nossos antigos companheiros.

Lucho continuava desconfiado.

— Nós não os conhecemos, precisamos esperar.

— Eu me sentiria melhor se pudéssemos também mudar de comandante — cochichei a Lucho.

Foi Sombra quem veio a nosso encontro. Ele se plantou na nossa frente, as pernas afastadas, as mãos nos quadris. Eu não tinha visto que o guarda tinha se aproximado e estava bem atrás de mim e de Lucho. Ele tinha ouvido minha observação porque nos disse, como em segredo:

— Não tem jeito, você vai ficar com Sombra por muito tempo! — E caiu na gargalhada.

Acordamos no outro dia sob uma chuva torrencial. Tivemos de reempacotar nossas tralhas sob a tempestade e começar a marcha encharcados. Tínhamos uma ladeira íngrime para subir.

Eu estava muito lenta e, sobretudo, muito fraca. Depois da primeira meia hora, meus guardas decidiram que era preferível me carregar a me esperar. Voltei a ficar presa durante horas numa rede que ia se enchendo com a água da chuva e, quando os guerrilheiros a despejavam, eu também ia junto, quando o terreno permitia. Depois voltavam a me colocar dentro, o da frente me puxando e o de trás me empurrando. As mãos deles escorregavam da vara com frequência, e numa dessas vezes escorreguei perigosamente, na maior velocidade, indo bater contra uma árvore que me amparou na queda. Puxei as abas da rede sobre os olhos para

358

não ver mais nada. Eu estava encharcada, o corpo moído. Repetia orações que nem entendia mais, mas pelo menos não me deixavam pensar em outras coisas e entrar em pânico. Se alguém pudesse escutar meu coração, saberia que eu estava pedindo socorro.

Na descida, meus carregadores pulavam como se aterrissassem sobre as raízes das árvores, que os faziam recuperar o equilíbrio, com meu peso nos ombros. Minha rede balançava demais e ia de encontro às árvores que eles nem se preocupavam em evitar.

No dia seguinte, meus companheiros deixaram o acampamento antes do amanhecer. Fiquei só, aguardando as instruções específicas para mim. Os carregadores tinham partido na frente para levar suas bagagens e voltariam para me pegar de manhã. Sombra designara uma jovem para me vigiar. Ela se chamava Rosita.

Eu a tinha observado durante a caminhada. Era alta, porte elegante, e um rosto de uma beleza refinada. Tinha os olhos pretos, radiantes, a pele acobreada e um sorriso perfeito.

Enquanto esperava, me pus a organizar algumas coisas que me restavam, sob uma chuva fininha e irritante. Rosita me observava em silêncio. Eu não estava com vontade de falar. Ela se aproximou de mim, se abaixou e começou a me ajudar.

— Tudo bem, Ingrid?

— Não, de jeito nenhum.

— Comigo também não.

Levantei os olhos. Ela estava tomada por uma viva emoção.

Ela queria que eu lhe perguntasse por quê. Eu não estava segura de querer fazer isso. Terminei de arrumar minha mochila em silêncio. Ela se levantou, fez um abrigo sob um tronco de árvore que apodrecia no chão. Arriou as mochilas, convidando-me a me sentar com ela, sob aquela cobertura.

— Você quer conversar? — terminei por lhe perguntar.

Ela me olhou com os olhos marejados, me sorriu e disse:

— Quero, sim, acho que se não falar com você vou morrer.

Peguei a mão dela e disse baixinho:

— Fale, estou escutando.

Ela falava devagar, evitando me olhar, mergulhada em suas lembranças. Nascera de uma mãe *paisa*, habitantes de origem espanhola da região da Antioquia, e de um pai do Llanos. Seus pais trabalhavam duro e não conseguiam satisfazer as necessidades de todos os seus filhos. Como os mais velhos, ela havia saído de casa assim que alcançou a idade de trabalhar. Tinha se envolvido com as Farc para não ter de terminar num prostíbulo.

Desde que fora integrada, um chefezinho chamado Obdulio havia cismado que ela seria sua companheira. Ela resistira, pois não estava apaixonada por ele. Eu conhecia Obdulio. Era um homem na casa dos trinta anos, com correntes de prata no pescoço e pulseiras nos braços, já calvo e semidesdentado. Eu o tinha visto uma só vez, mas me lembrava dele porque achei que ele tinha cara de um homem cruel.

Obdulio tinha sido enviado para ajudar Sombra em suas unidades. Fazia parte de outro front e recebia ordens de outro comandante. No grupo que ele tinha constituído para servir de apoio a Sombra, havia incluído Rosita, na esperança de vencer sua resistência.

Ela terminara aceitando ir para a cama com ele. Nas Farc, recusar os avanços de um chefe pegava muito mal. Era preciso dar prova de camaradagem e de espírito revolucionário. Esperava-se das mulheres fardadas que elas estivessem preparadas para saciar os desejos sexuais dos companheiros de armas. Na prática, havia dois dias na semana em que os guerrilheiros podiam pedir para dividir sua *caleta* com quem bem entendessem: quarta-feira e domingo, os jovens apresentavam seus pedidos ao comandante. As moças podiam recusar uma ou duas vezes, mas não três. Seriam repreendidas por falta de solidariedade revolucionária. O único meio de escapar a isso era a mulher se declarar oficialmente comprometida com alguém ou obter permissão para viver junto, sob o mesmo teto. Mas, se o chefe pusesse os olhos numa das jovens, havia poucas chances de outro guerrilheiro vir a cortejá-la.

Rosita então tinha cedido. Tornara-se uma *ranguera*, isto é, uma moça que se "juntava" com um suboficial — alguém que tinha "posição". Ela alcançava assim os luxos versão Farc: alimentação melhor, joias simples, pequenos aparelhos eletrônicos e roupas mais bonitas. Rosita pouco ligava para tudo isso. Era infeliz com Obdulio. Ele era violento, ciumento e mesquinho.

Ao entrar para o pelotão de Sombra, Rosita encontrara um jovem que se chamava Javier, bonito e corajoso, e logo se apaixonaram. Javier pediu para dividir sua *caleta* com Rosita. Sombra atendeu o pedido deles e isso deixara Obdulio furioso. Como ele não era o chefe de Javier, seu poder recaía apenas sobre Rosita. Por isso, ele a sufocava com os piores trabalhos. Tudo o que era cansativo, difícil e desgastante ele passava sistematicamente para ela. Mas Rosita estava cada vez mais apaixonada por Javier. Assim que ele terminava de fazer seu trabalho, corria para ajudar a companheira a concluir suas tarefas.

Durante a marcha, eu vira Javier correr como um louco para chegar primeiro ao acampamento. Ele havia largado ali sua mochila e partira correndo para pegar a de Rosita. Ele colocou a mochila dela nas costas, pegou Rosita pela mão e se foram rindo para o acampamento.

No dia seguinte, os prisioneiros foram divididos em grupos. Javier partiu com sua unidade e Obdulio recuperou Rosita. Ele queria forçá-la a voltar com ele.

— Nas Farc, é assim! Pertenço a um front diferente do dele, nunca mais vamos nos ver — dizia Rosita, chorando.

— Fujam, abandonem as Farc.

— Não temos o direito de largar as Farc. Se fizermos isso, vão matar nossas famílias.

Nós nem nos demos conta da chegada dos carregadores. Eles já estavam diante de nós quando os vimos. O olhar deles era venenoso.

— Caia fora — tartamudeou um deles para Rosita.

— Vá, entre na rede, não podemos perder tempo! — me disse o segundo, cheio de ódio.

Eu me voltei para Rosita. Ela já estava em pé, o fuzil no ombro.

— Direto para o acampamento. E não faça corpo mole, se não quiser terminar com uma bala na testa.

Depois, virando-se para mim:

— E você também, cuidado, não estou para brincadeira e vou ter o maior prazer de lhe meter uma bala entre os olhos.

Chorei durante todo o resto do dia por causa de Rosita. Ela tinha a idade de minha filha. Eu gostaria de tê-la confortado, de dar-lhe ternura, esperança. Ao contrário, eu a deixara imersa no medo das represálias. No entanto, ainda penso muito nela, e uma de suas frases me ficou para sempre no coração: "Sabe, o que me dá mais medo é saber que ele vai me esquecer".

Eu não tive presença de espírito suficiente para lhe dizer que isso nunca aconteceria, porque ela era uma pessoa impossível de esquecer.

54. A marcha interminável

28 de outubro de 2004

Tínhamos partido por último e fomos os primeiros a chegar ao local do acampamento, na frente de Lucho e dos outros novos companheiros. Disseram que tinham se perdido, mas, ouvindo as conversas, ou pelo menos o que eu podia ouvir de suas conversas de pé de ouvido, soube que eles tinham se livrado, por pouco, de uma catástrofe. Tinham ficado a poucos metros de um esquadrão do Exército.

Chovia, uma chuva fininha e teimosa que não parava nunca. Fazia frio. Era uma chuvinha irritante, mas não o suficiente para me obrigar a me secar. Ali o tempo se estendia ao infinito, diante de mim não havia nada.

Escutei um barulho no alto das árvores. Um grupo de uns cinquenta macacos cruzou o espaço. Era uma colônia bem significativa, os machos maiores iam na frente, e atrás as mães carregando os bebês. Eles me tinham visto do alto e me olhavam com curiosidade. Alguns machos se mostravam agressivos, gritavam e desciam até bem perto de mim, dependurados nos galhos pela cauda, me fazendo caretas. Sorri. Esses raros momentos em que eu podia entrar em contato com os animais eram os que me davam vontade de viver. Eu sabia que era um privilégio estar ali entre eles, poder observá-los de igual para igual, sem que seu comportamento pudesse ser afetado pela barbárie dos homens. Quando a guerrilha puxasse seus fuzis, o encantamento desapareceria. A história da pequena Cristina se reproduziria. Eles urinavam em cima de mim, me bombardeavam com galhos quebrados, na inocência de sua ignorância.

Os guardas os tinham visto também. Através dos arbustos, eu observava a movimentação deles, ouvia a ordem de carregar as espingardas. Eu não via mais nada, ouvia apenas as vozes, e os gritos dos macacos. E, depois, o primeiro tiro, um segundo, e mais um terceiro. O ruído seco dos galhos que se quebram e o pluf sobre o tapete de folhas. Contei três. Teriam eles matado as mães para capturar os filhotes? Essa satisfação perversa de destruir tudo me enojava. Eu sabia que eles sempre tinham boas desculpas para ficar em paz com a consciência. Estávamos com fome, não comíamos nada havia semanas. Tudo isso era verdade, mas não era razão suficiente. Eu não conseguia aceitar a caça. Será que sempre tivera esse sentimento? Não estava mais tão certa disso. Eu tinha sido tocada profundamente pela história da *guacamaya* que Andrés tinha abatido por prazer, e pela morte da mãe de Cristina. Ela caíra de sua árvore, a bala tinha lhe atravessado a barriga. Ela punha o dedo na ferida e olhava o sangue que corria. "Ela chorava, tenho certeza de que chorava", me dissera William, rindo. "Ela me mostrava o sangue com seus dedos, como se estivesse pedindo para eu fazer alguma coisa, voltava a colocar o dedo no ferimento e tornava a me mostrar. Ela fez isso várias vezes e morreu. Esses animais são como os humanos", ele concluíra. Como matar um ser que nos olha nos olhos, com o qual você estabelece um contato? Claro, isso não tem mais nenhuma importância quando já se matou um ser humano. Eu também poderia matar? Oh! Sim, poderia! Tinha todas as razões para me convencer de que tinha esse direito. Eu estava cheia de ódio contra os que me humilhavam e que tinham tanto prazer em me causar sofrimento. A cada palavra, a cada ordem, a cada ultraje, eu os apunhalava com meu silêncio. Oh, sim! Eu também poderia matar! E poderia sentir prazer ao vê-los colocar os dedos na ferida, olhar seu sangue, ter consciência de sua morte, enquanto eles esperavam que eu fizesse alguma coisa, e eu não faria, deixando-os morrer. Naquela tarde, sob aquela chuva maldita, mastigando minha desgraça, entendi que eu podia ser igual a eles.

Meus companheiros chegaram extenuados. Tinham dado uma longa volta, o que os fizera atravessar um pântano infestado de mosquitos e um desfiladeiro de escarpas medonhas para virem se encontrar conosco. Disseram-lhes que estavam perdidos, mas eles ouviam tiros que se cruzavam a pouca distância. Houvera confronto com o Exército. A guerrilha tinha conseguido salvá-los do esconderijo.

Ali onde estávamos, as árvores se abriam em círculos acima de nossas cabeças, mostrando uma abóbada celeste com as constelações que eu conhecia. Ficamos todos do lado de fora, sobre nossos plásticos, a esperar que nos trouxessem comida. A conversa voltou a se centrar depressa sobre a preocupação que nos era comum. Alguns cochichavam para evitar que os guardas escutassem. Eles tinham recebido informações como a de que íamos ser entregues a um outro front.

Começamos a procurar um lugar para montar nossas barracas.

— Não se preocupe, *doctora* — disse um dos militares entre Florez e mim —, vamos armar sua barraca em dois minutos. — Era Miguel Arteaga, o jovem cabo de sorriso afável. — Nós já temos nossa técnica, Florez corta as estacas e eu as enterro — explicou.

Realmente, eles tinham desenvolvido uma extraordinária destreza naquilo. Observando, tinha-se a impressão de que era fácil. Eu só podia admirar-lhes a habilidade e a generosidade. Eles ajudaram a montar minha barraca durante os quatro anos que estivemos juntos.

O guarda chegou carregando duas grandes panelas.

— Os pratos! — mugiu ele. — Hoje vocês vão passar bem, vão comer arroz e macaco!

— Deixe de mentira — disse Arteaga. — Invente algo melhor, ninguém vai engolir essa história de macaco!

Debrucei-me sobre a panela. Era mesmo macaco. Eles o tinham pelado e cortado em pedaços, mas dava para identificar os membros, braços, antebraços, coxas etc. Os músculos estavam colados aos ossos, de tanto tempo que ficaram assando, provavelmente em carvão de madeira.

Não consegui comer. Eu achava que estaria me submetendo a uma experiência antropofágica.

Falei que não comeria e ouvi uma saraivada de protestos.

— Você nos irrita com esse seu lado Greenpeace! — disse Lucho. — Antes de pensar nos animais em vias de extinção, seria melhor se preocupar conosco, para quem ninguém liga mais.

— Não acho que isso seja macaco — disse um outro —, está muito magro. Acho que é um dos nossos. — E fingiu que ia começar a nos contar um por um.

A carne era uma dessas raras coisas que pareciam ter caído do céu. Ninguém queria saber de sua procedência e muito menos se envolver com questões existenciais sobre a conveniência ou inconveniência de consumi-la.

Mas minha situação era diferente. Eu estava assustada com minhas pulsões criminosas. Se eu era capaz de agir como eles, então corria o risco de me tornar igual a eles.

O mais grave não era morrer. O pior era me tornar aquilo que eu mais abominava. Eu queria minha liberdade, agarrava-me à minha vida, decidi que não ia me transformar numa assassina. Eu não mataria, nem mesmo para fugir. Tampouco comeria carne de macaco. Eu não sabia por que aquilo se grudara ao meu espírito, mas tinha um sentido. Desde aquele 1º de outubro, quando saíramos da prisão de Sombra, era nosso primeiro dia de descanso. Os homens passaram o dia costurando e consertando suas coisas. Passei o meu a dormir. Guillermo se aproximou. Não tive nenhum prazer em vê-lo, embora ele me tivesse trazido novas caixas de remédio. Fiz uma lista de meus objetos. Ele levou tudo. Só me deixou a Bíblia.

Para mim, havia sido mais fácil me separar de meus objetos queridos do que me livrar da raiva que eu tinha dele. Pensara que nunca mais iria revê-lo, que ele tivesse ficado com o outro grupo. Ele sentiu o desprazer que sua presença me causava e ficou ofendido em seu orgulho. Curiosamente, sua reação não foi o desprezo e a insolência com que habitualmente me tratava. Ao contrário, foi gentil e atencioso, e se sentou ao pé de minha rede para contar sua vida. Ele tinha trabalhado longos anos para a máfia encarregada das finanças de um narcotraficante que agia em algum lugar dos Llanos colombianos. E me descreveu o luxo em que vivera, as mulheres e o dinheiro que haviam passado por suas mãos.

Eu o escutei sem dizer nada. Ele continuou me explicando que tinha perdido uma soma importante de dinheiro e que seu chefe pusera sua cabeça a prêmio. Havia entrado nas Farc para fugir dele. Tornara-se enfermeiro por necessidade, para preencher as exigências de estudos das Farc. Fizera um curso de formação e o resto tinha aprendido sozinho, lendo ou pesquisando na internet.

Nada do que dizia mudava minha opinião sobre ele. Para mim, era um bárbaro. Eu sabia que ele apontaria a arma para a minha testa e apertaria o gatilho sem hesitar.

Não consegui reprimir o prazer de lhe recitar a lista detalhada do que ele havia tirado de mim. Vi que ele estava se sentindo um nada, surpreso que eu tivesse feito minha lista tão depressa.

— Fique com tudo — eu disse —, porque decididamente você não sabe mandar.

Ele se foi irritado, e pela primeira vez, desde muito tempo, eu ria dele. Na prisão de Sombra, a pressão do grupo tinha sido tão forte que eu resvalara para uma prudência que beirava, às vezes, a obsequiosidade. Eu não gostava de ver isso nos outros, muito menos em mim. Frequentemente, eu tinha medo de Guillermo, de sua capacidade de adivinhar minhas necessidades, meus desejos e minhas fraquezas, e utilizar seu poder para me fazer o mal. Quando eu devia enfrentá-lo, minha voz tremia, e eu me recriminava por não me dominar. Eu chegava a planejar, dias inteiros, a frase com que lhe pediria um remédio ou um pouco de algodão. Esse exercício me colocava numa atitude que suscitava em Guillermo reações de impaciência, de abuso e de dominação.

A roda da vida tinha girado. Eu me lembrava de Maria, uma secretária que tinha trabalhado comigo durante anos. Eu a intimidava, e sua voz se partia quando ela queria me falar. Eu sentia estar ficando igual a Maria, perturbada pelo poder, paralisada pela consciência que eu tinha da necessidade de agradar ao outro para conseguir o que, num certo momento, me parecia essencial. Quantas vezes eu tinha sido um Guillermo? Tinha eu também respondido com impaciência, incomodada com o medo do outro, acreditando que eu era verdadeiramente superior porque alguém precisava de mim?

Meu coração endurecia quando Guillermo falava comigo, porque eu condenava nele o que não gostava em mim. Eu abria os olhos para a importância de nos exercitarmos para continuar humildes onde quer que nos situemos na roda da fortuna. Precisei descer na escala humana para compreender isso.

No dia seguinte, Sombra veio ter comigo. Parecia querer falar, estar com tempo disponível. Sentou-se num tronco de árvore e me convidou para sentar com ele.

— Eu era pequeno quando sua mãe era rainha da beleza. Me lembro muito bem dela, era magnífica. Era um outro tempo. Antigamente as rainhas eram mesmo rainhas…

— Sim, mamãe era muito bonita. Ela continua bonita — eu lhe respondi, mais por polidez que por vontade de tocar no assunto.

— Sua mãe é de Tolina, como eu.

— Ah, é?

— Sim, é por isso que ela tem aquele temperamento forte. Eu a escuto todas as manhãs no rádio, ela tem razão no que lhe diz, o governo não faz nada para sua libertação. Na verdade, para Uribe, o melhor é que você não seja libertada.

— …

— Ela continua a cuidar dos órfãos?

— Sim, claro, é a vida dela…

— Eu também fui órfão. Meus pais foram massacrados durante La Violencia. Eu saí de casa para virar uma serpente. Com oito anos, eu já era assassino. Foi Marulanda quem me recolheu, e não larguei mais dele, até hoje.

366

— …

— Sempre fui o homem de confiança de Marulanda. Durante muito tempo, fui eu que guardei o tesouro das Farc. Está escondido numa caverna em Tolima. Há apenas um acesso, mas só eu conheço. É impossível vê-lo de fora, ele dá para um barranco. Chegamos lá pelos rochedos. As Farc acumularam montanhas de ouro, uma fábula.

Eu me perguntava se ele era louco, ou se a história que me contava era uma história inventada para mim. Ele estava muito excitado e seus olhos brilhavam mais que o habitual.

— Há um castelo bem perto. É um lugar muito conhecido, estou certo de que sua mãe já esteve lá. Aquelas terras pertenciam a um homem riquíssimo. Ele foi morto, dizem. Tudo isso está abandonado hoje. Ninguém vai mais lá…

Ele acreditava em sua história. Talvez a tivesse inventado havia muito e, de tanto repeti-la, não sabia mais se era verdade ou mentira. Eu também tinha a impressão de que aquela história era tecida de lembranças da infância. Ele a teria escutado quando pequeno, tornando-a sua agora? Eu estava fascinada de vê-lo perdido naquele mundo mítico que lhe pertencia. Eu aprendera quando era jovem na Colômbia. O real e nunca está circunscrito ao possível. Havia barreiras intransponíveis entre o real e o imaginário, mas tudo coabitava da forma mais natural possível.

A história de Sombra, suas montanhas de ouro, suas passagens secretas, a maldição que ele garantia se abater sobre quem tentasse roubar uma parte do tesouro, tudo me levava para aquele imaginário coletivo do folclore colombiano. Eu lhe fiz então perguntas estapafúrdias e ele me respondia, encantado com meu interesse, esquecendo, tanto um quanto o outro, que ele era meu carcereiro e eu, sua vítima.

Eu preferia tê-lo odiado. Sabia que ele era capaz do pior, que podia ser cruel e cínico, e que os prisioneiros o odiavam.

Mas eu também tinha visto através das fendas de sua personalidade uma sensibilidade que me tocava. Eu soubera, por exemplo, no amontoado de fofocas que chegavam à prisão, que a Boyaca estava grávida. Quando ele voltara de sua curta viagem trazendo as cartas de minha mãe, eu o tinha felicitado, imaginando que ele devia estar feliz de ser pai. Ele recebeu minhas palavras como um punhal e eu pedi desculpas, assustada pela dor que tinha lhe causado:

— É que… — ele hesitou. — Os comandantes não acharam bom a Boyaca continuar grávida. Os militares estão por todo canto… ela foi obrigada a abortar.

— É terrível — respondi. Ele concordou, em silêncio.

O filho de Clara nascera alguns meses depois. Eu o via muitas vezes brincar com o garoto e passear com ele nos braços, em torno do acampamento, feliz de estar mimando um bebê.

Eu tinha acumulado contra ele muitas mágoas, mas, quando nos encontrávamos, era difícil manter qualquer animosidade. Eu devia dizer a mim mesma que aquele ser grosseiro e despótico me era no fundo simpático. Suspeitava que ele devia viver esse mesmo conflito em relação a mim. Eu devia ser a representação de tudo o que ele tinha odiado e combatido toda a sua vida, os guardas o tinham alimentado de todas as fofocas possíveis e imagináveis, e ele devia desconfiar de mim tanto quanto eu dele. Eu sentia, no entanto, que sempre que voltávamos a nos falar, nossa bússola nos mostrava um rumo diferente.

Estávamos nisso quando um guarda o chamou. Ele olhou. Dois homens que eu nunca tinha visto o esperavam. Ele se entreteve um longo momento com eles, depois voltou mancando em nossa direção:

— O nosso tempo acabou. Estes são seus novos comandantes, de agora em diante vocês devem obedecer a eles. Vocês conhecem as regras, não tive problemas com vocês, espero que eles também não tenham.

Acho que havia alegria em minha voz quando estendi a mão a Sombra para lhe dizer:

— Acho que não nos veremos nunca mais.

Ele se voltou como uma cobra em que pisamos e sibilou:

— Não se iluda, daqui a três anos serei de novo seu comandante.

O veneno agiu rápido. Eu nunca considerei a hipótese de ficar cinco anos nas mãos das Farc. Quando Armando revelou que fazia um lustro que ele estava no cativeiro, eu o olhei como se ele fosse uma vítima de Chernobyl, com uma sensação ao mesmo tempo de horror, comiseração e alívio, ao pensar que eu teria um destino melhor que o dele. As palavras de Sombra foram um detonador poderoso de angústia. Durante toda a caminhada, ele me dera esperanças de que eu seria libertada. Quando falou dos franceses e das negociações que tinham entabulado com as Farc, não tinha sido nada mais que um estratagema para que eu suportasse o golpe, que meu estado não se agravasse e eu fosse em frente. Num segundo, revi o filme daquela caminhada sem fim, os pântanos invadidos por nuvens de mosquitos, as montanhas-russas dos "mata-cachorros", os barrancos, os rios infestados de piranhas que tínhamos de atravessar, os dias inteiros sob um sol inclemente, sob tempestades diluvianas, a fome, a doença. Sombra tinha me enganado com muita habilidade e saíra ganhando.

368

Dois homens foram encarregados do revezamento para assegurar meu transporte. Sombra e o novo comandante acompanhavam a operação. Fiquei em pé diante deles:

— Não, não quero ser levada na rede. A partir de agora, vou caminhando.

Os olhos de Sombra só faltaram pular de susto. Ele tinha previsto tudo, menos isso. Seu olhar era de raiva, tanto mais porque eu estava contrariando sua ordem. Ele decidiu finalmente se calar. A tropa de Sombra se colocara no caminho para nos ver partir. Eu estava orgulhosa de sair caminhando e de deixá-los para trás, e, com eles, a prisão, as humilhações, o ódio e tudo o que tinha envenenado nossa existência durante aquele ano. Eu estava revidando: eram eles que ficavam. Eu não tinha força para levar minha mochila, e até o fato de colocar um pé diante do outro ainda me deixava tonta. Mas eu me sentia como se tivesse asas, porque era eu mesma que estava partindo.

55. As correntes

Início de novembro de 2004

Desde os primeiros minutos de contato com Jeiner, o jovem comandante que tinha substituído Sombra, eu me senti num outro mundo. Desde o começo, ele caminhou ao meu lado, pegando minha mão para atravessar o mais simples riacho e parando todo o grupo para que eu pudesse recuperar o fôlego. Antes do fim do segundo dia, Jeiner destacou um contingente de jovens para providenciar alimentos. Eles nos esperavam no caminho com *cuajada* fresca e *arepas*.* Mastiguei religiosamente cada pedaço, para aproveitar todo o suco e toda a substância. Fazia muito tempo que só comíamos pequenas porções de arroz. Tive a sensação de descobrir de novo o gosto dos alimentos. O prazer com esse contato foi como um fogo de artifício. O efeito se prolongou durante horas, as papilas gustativas incendiadas e as tripas enlouquecidas, gemendo como uma engrenagem que fosse posta a funcionar sem a devida lubrificação.

O tempo estava bom e a selva aparecia em toda a sua grandeza. Atravessávamos um novo mundo. A luz transpassava a folhagem e se dispersava em feixes coloridos, como se estivéssemos dentro de um arco-íris. As cascatas de água cristalina saltando nos rochedos polidos e brilhantes se sucediam uma após outra. As quedas-d'água jogavam no caminho peixes que voavam da torrente e caíam

---

* *Cuajada*: queijo camponês fresco; *arepas*: biscoitos de farinha sem fermento.

se mexendo a nossos pés. A água serpenteava, abrindo caminho entre as árvores sobre leitos de espuma verde-esmeralda, onde afundávamos até os joelhos. Avançávamos sem pressa, quase passeando. Acampamos alguns dias à beira de uma piscina natural de água azul-turquesa, cujo fundo era de uma areia fina e dourada. Ele se formara sob a queda-d'água de uma torrente que desaparecia logo depois em zigue-zague para se perder misteriosamente na floresta. Eu gostaria de ter ficado ali para sempre.

A equipe que Jeiner comandava era composta de crianças, em que os mais jovens tinham apenas dez anos. Eles carregavam seus fuzis como se brincassem de guerra. A mais velha das meninas, Katerina, uma negra ainda na adolescência, tinha sido instruída de como preparar minhas refeições, conforme recomendações precisas de Jeiner, para acelerar minha recuperação. Eu estava proibida de comer sal, e tudo devia ser cozido com umas ervas de gosto horrível, cuja propriedade mais evidente era a de estragar o gosto dos alimentos. Katerina foi repreendida uma noite porque eu não tinha comido as massas que ela tinha feito. Senti-me culpada. Entendi logo que o subcomandante, um jovenzinho que eles chamavam "o Asno", lhe dava o troco por ela não ter correspondido às suas investidas. Suas companheiras foram extremamente duras com ela, pedindo para que alguém a substituísse imediatamente. O mundo das crianças podia ser às vezes mais cruel que o dos adultos. Eu a vi chorar num canto. Esforçava-me para lhe sorrir e lhe falar, sempre que passava por ela durante a caminhada.

Chegamos, assim, perto de uma casa enfurnada no meio da mata virgem, onde árvores frutíferas enormes enlaçavam seus galhos aos de uma floresta conservada a distância, bem cuidada pela mão do homem. Num dos lados da casa, havia uma enorme antena parabólica, semelhante a um grande cogumelo azul que teria crescido ali sob o efeito de uma radiação ionizante.

Foi quando conheci Arturo, um dos comandantes do primeiro front do Bloco Oriental, e chefe de Jeiner. Era um gigante negro de olhar inteligente e passo firme. Quando me viu, se lançou sobre mim e me sufocou em seus braços para me dizer:

— Você deixou a gente de cabeça quente! Meus rapazes estão lhe dando o tratamento correto?

Arturo distribuía ordens precisas e ele mesmo fazia a metade do trabalho. Sua tropa de meninos se aglomerara à sua volta, e ele os abraçava como se fossem seus filhos. "Se esses meninos procurassem um pai, certamente o teriam encontrado", pensei, imaginando o que poderia ter acontecido em suas vidas para que eles terminassem como carne de canhão nas fileiras das Farc.

— Não se engane — me dissera o tenente Bermeo. — Esses meninos têm mais chance de sobreviver na guerra que os adultos. Eles são mais audaciosos, mais hábeis, às vezes mais cruéis. Não conhecem nada além das Farc. Para eles, não existe diferença entre a brincadeira e a realidade. É depois que a coisa se complica, quando eles se dão conta de que perderam a liberdade e querem fugir. Mas aí é tarde demais.

Meus novos companheiros observavam a guerrilha e não eram nada tolos. Quando comentei o quanto me sentia mal com a história de Katerina, Bermeo me pusera de sobreaviso:

— Não exteriorize seus sentimentos. Quanto mais eles conhecerem você, mais a manipularão. Eles conseguiram fazer pressão sobre você e você começou a caminhar. Era o que eles queriam, que você se sentisse culpada de ser carregada numa rede, quando isso era o trabalho deles. Eles fazem reféns e ainda querem que lhes agradeçam!

Alguns dias depois me aproximei de Arturo. Ele parecia estar feliz por conversar comigo. Sentamos um ao lado do outro sobre uma árvore caída e falamos de nossas vidas, "a vida civil". Ele me contou sua infância, lá para os lados do Pacífico, nos *esteros** do rio Timbiquí. A selva lá é tão fechada quanto aqui. Eu conhecia bem a região. Arturo chegou a falar de suas origens africanas. Séculos antes, homens como ele tinham sido trazidos como escravos para trabalhar nas minas e nas plantações de açúcar do país.

— Meus antepassados fugiram. Preferiam a selva à corrente no pescoço. Eu sou parecido com eles, escolhi a selva para não ser vítima da miséria.

Eu nem pensei, a coisa saiu sem eu querer:

— Você nunca carregou uma corrente no pescoço, mas ainda fala das que seus antepassados carregaram. Como pode ver soldados tendo o mesmo destino por culpa sua?

Ele ficou quieto, imóvel, sem resposta. Meus companheiros estavam na nossa frente, mas longe o suficiente para não nos ouvirem. Eles se arrastavam com suas correntes, limitados em seus movimentos, obrigados a fazer toda espécie de manobra para evitarem o estrangulamento sempre que um se afastava um pouco mais do outro. Arturo parecia que estava vendo aquilo pela primeira vez, quando já fazia alguns dias que estávamos juntos.

Aproveitei a abertura que ele me dera:

* Estuários.

— Não entendo como uma organização revolucionária pode terminar se comportando de maneira pior do que aqueles que ela combate.

Arturo se levantou esfregando os joelhos. Seus músculos perfeitamente delineados lhe davam um ar felino. Apertou minha mão para encerrar nossa conversa e se afastou.

Depois da refeição da noite, Jeiner chegou com uma penca de chaves, as que Sombra lhe entregara. Ele abriu os cadeados um a um, até todas as correntes serem tiradas. Elas eram tão pesadas que ele precisou da ajuda de dois homens para carregá-las. Elas foram entregues a Arturo.

56. A lua de mel

Sem as correntes, nós nos sentíamos todos mais leves. O ambiente no acampamento era bom. Arturo caminhava na frente e os garotos se comportavam como crianças. Brincavam, lutavam uns com os outros, corriam uns atrás dos outros, rolavam no chão, se abraçando. Parecíamos uma tribo de nômades.

Eu conversava muito com Lucho. Nas horas mais tranquilas, quando suspendiam nossa caminhada, discutíamos reformas e projetos que sonhávamos para a Colômbia.

Eu estava obcecada com a ideia de um trem de alta velocidade, uma daquelas máquinas supersônicas que cortaria o espaço como um bólido, enfiando-se pelas montanhas de meu país, correndo por um trilho aéreo, desafiando as leis da gravidade. Eu queria que ele interligasse a costa norte da Colômbia e se embrenhasse pelos Páramos e vales para servir àqueles lugares inacessíveis e esquecidos que morriam de solidão, serpenteando para o oeste, procurando uma saída, para terminar se abrindo para uma estrada sobre Valle del Cauca e alcançar aquele Pacífico grandioso e abandonado. Eu queria transformá-lo num meio de transporte de todos, ricos e pobres, tornar o país acessível a todos, convencida de que somente com um espírito de união e de partilha era possível ser grande. Lucho me dizia que eu era louca. Eu lhe respondia que estava livre para sonhar:

— Imagine, nem que seja por um instante, se você pudesse pegar um trem num minuto e estar, duas horas depois, dançando salsa nas praias de Juanchaco. Com toda segurança.

— Num país infestado pela guerrilha, é impossível!

— Por que impossível? A conquista do Oeste nos Estados Unidos se fez com bandidos salteadores por toda parte, o que não os assustou. Isso é tão importante que poderíamos nos dar ao luxo de ter homens armados a cada quinhentos metros. Você queria trabalho para desmobilizar a guerrilha, por que não esse?

— A Colômbia está superendividada, não consegue nem pagar o metrô de Bogotá! E você quer agora um trem de alta velocidade. É loucura. Mas é genial! — disse Lucho.

— Seria um canteiro enorme, que daria trabalho a muitos trabalhadores, engenheiros e outras profissões, mas também a essa juventude que não tem outra saída senão ficar à disposição do crime organizado.

— E a corrupção? — perguntou Lucho.

— Os cidadãos têm de se organizar e ficar atentos, isso em todos os níveis, há uma lei que os protege.

Era a hora do banho. Fomos para um grande pântano na parte em que o rio transbordava. Eles tinham instalado duas tábuas na altura da água, postas entre os galhos de árvores meio submersas, numa extensão de uns cinquenta metros. Tínhamos de caminhar em cima, nos equilibrando, para alcançar o lugar que nos haviam indicado para tomar banho e lavar nossas roupas. Cada um procurou seu espaço ao lado daquelas tábuas para tomar o seu banho, guerrilheiros e prisioneiros misturados.

Era a hora preferida de meus companheiros, porque as moças se lavavam de calcinha e sutiã e desfilavam na passarela para ir se vestir em terra firme. A companheira de Jeiner, Claudia, era a mais admirada de todas. Ela era loura, de olhos verdes, com uma pele nacarada, luminosa. Tinha, digamos, de uma coqueteria espontânea que se tornava mais evidente quando sentia que a observavam. O dia em que o chefe do front veio, ninguém se apressou em voltar para o acampamento. Arturo, ao entender por quê, mandou que Claudia saísse e fosse se vestir em outro canto.

O nome de guerra do comandante do Primeiro Front era, de novo, César.* Ele estava em pé, usava um uniforme cáqui, boina caída à Chavez, e o grande sor-

---

* Encontrei três comandantes que se chamavam César: o Mocho César, que assistiu à minha captura; o jovem César, o primeiro comandante que nos foi designado, e este.

riso branco químico que deu inveja em muitos. Quando ele nos perguntou, como chefe principal, o que mais queríamos, respondemos em coro que queríamos um dentista. Ele prometeu que iria ver isso, tanto mais que o gordo sargento Marulanda lhe mostrou os estragos feitos pelos cinco anos de cativeiro, escancarando a boca na cara dele. Marulanda mostrou o enorme vazio deixado por uma prótese perdida durante uma caminhada e César achou a ilustração suficiente.

César autorizou também que fizéssemos uma lista de alimentos. Recitou de memória aquela que eu tinha feito alguns anos antes para Mono Jojoy, acrescentando um aparelho de rádio para todos, porque precisávamos muito de um. Desde que passamos a ser um só grupo, havíamos ficado inteiramente dependentes do meu radiozinho estropiado, que agora funcionava de acordo com seus caprichos, com sua boa vontade, sem nos dar nenhuma certeza.

A excitação dos militares se preparando para nos dar uma ordem contrastou com o abatimento de Lucho.

— Eles não vão nos libertar — disse-me com a morte na alma, confessando, assim, que ele tinha se alimentado um pouco de minha esperança.

— Os soldados me contaram que, quando os recrutas foram libertados,* as Farc deram para eles roupas novas, da cabeça aos pés — retruquei, obstinada.

— Preciso ir embora, Ingrid. Não posso mais ficar aqui. Vou morrer.

— Não, você não vai morrer.

— Me escute. Me prometa uma coisa.

— Prometo.

— Se não nos libertarem daqui até o fim do ano, a gente foge.

— ...

— Sim ou não?

— É muito difícil...

— Sim ou não, responda.

— ... Sim.

César mandara erguer uma barraca e, sob ela, mandara colocar uma mesa feita de troncos de árvores. Depois puxou de sua mochila um laptop metálico e ultraleve. Era o primeiro VAIO que eu via em minha vida. Fiquei maravilhada como uma criança diante da bolsa aberta de Mary Poppins. A cena me parecia incongruente e fascinante. Tínhamos uma pequena maravilha tecnológica diante de nós, um instrumento de vanguarda, uma inovação de ponta, em cima de uma

---

*As Farc libertaram um grupo em junho de 2001.

mesa digna do Neolítico. Como para fazer eco a meu pensamento, improvisaram uns bancos também de troncos para nos sentarmos. César tivera a amabilidade de trazer um filme, a sessão ia começar. Ele queria que nos sentássemos todos diante da telinha, o que fizemos sem nenhum constrangimento. Ele se pôs a mexer no aparelho com um certo nervosismo.

Bermeo verbalizou meus pensamentos mais depressa do que eu seria capaz. Cutucando-me, ele cochichou no meu ouvido:

— Cuidado, ele está tentando nos filmar!

O alerta se propagou como pólvora. Nós nos dispersamos no mesmo instante e só aceitamos voltar depois que o filme tivesse começado. César ria como bom perdedor, mas agora estávamos todos desconfiados. Nada do que ele nos perguntou depois foi respondido espontaneamente. O que me ficara daquele diálogo de surdos era fruto de uma informação distante, que eu tinha conseguido pegar por alto. César era o comandante do Primeiro Front. Era um homem rico, seus negócios iam muito bem. A produção de cocaína abarrotava seu caixa. "Temos de financiar a revolução", ele dissera, rindo. Sua companheira se ocupava das finanças, era ela quem ordenava as despesas e autorizava, entre outras coisas, a compra de instrumentos como aquele laptop, do qual César tanto se orgulhava. Como ele não a deixava em paz, achei que devia estar muito apaixonado.

Não fui a única a pensar assim. Pinchao tinha me cochichado, com ar travesso:

— Espero que Adriana esteja de bom humor quando receber nossa lista!

Dois dias depois (um tempo recorde), recebemos nosso pedido. Tudo menos meu dicionário.

Naquela noite, Arturo nos apresentou um outro comandante.

— Jeiner foi chamado para outra missão. É Mauricio quem cuidará de vocês a partir de hoje.

Mauricio era um rapaz esbelto, olhar de águia, bigodinho cuidadosamente aparado sobre os lábios finos, e vestia um poncho leve de algodão, como o de Marulanda. Mauricio usava o seu de lado, para disfarçar o braço que lhe faltava.

Diferentemente de Jeiner, ele chegara como um gato, fazendo a vistoria das *caletas* com uma cara de suspeita. Os soldados desceram das redes para falar com ele e nos chamaram para nos juntarmos a eles:

— O que é que você acha dele? — me perguntou Lucho quando Mauricio se foi.

— Prefiro Jeiner — respondi.

— Sim, com eles as boas coisas nunca duram.

Pela manhã, tivemos a visita de um grupo de jovens guerrilheiras muito marotas. No mesmo estilo de Mauricio, elas rodaram em torno das *caletas*, rindo entre si, olhando os prisioneiros de esguelha. Terminaram botando a cabeça em minha barraca. Uma delas, jovem voluptuosa, de seios proeminentes sob uma camiseta bem decotada, com longos cabelos negros em trança até a cintura, olhos amendoados, de cílios grossos e longos, me perguntou com uma voz de criança:

— Você é Ingrid?

Eu sorri e, querendo deixá-las logo à vontade, chamei meus companheiros para apresentá-los.

Zamaidy era a companheira de Mauricio. Ela o chamava Pata Grande ("Perna Longa"), e aproveitava claramente a promoção de seu namoradinho para reinar sobre uma corte de adolescentes que a bajulavam continuamente. A camiseta fluorescente que valorizava suas curvas causava inveja em suas companheiras. Dava para ver que elas queriam se vestir como ela, sem conseguir o mesmo resultado, cujo efeito maior era afirmar o poder de Zamaidy sobre o resto do grupo. Se Zamaidy caminhava, elas a seguiam, se ela se sentava, elas faziam a mesma coisa, e se Zamaidy falava, elas se calavam.

O aparecimento de Zamaidy tinha paralisado nosso acampamento. Os soldados se acotovelavam para poder falar com ela. Ela não se cansava de repetir seu nome, explicando que se escrevia com um "z". Aquilo lhe permitia deixar bem claro que ela sabia ler e escrever.

Quando o enfermeiro, aquele que acabava de ser designado, entrou para se apresentar, só havia Lucho e eu para recebê-lo. Camilo era um jovem, inteligente e rápido, com um rosto simpático que o ajudava a se fazer amar. Ele nos agradou de cara, sobretudo quando nos confessou que não gostava de combater e que sua vocação tinha sido sempre a de aliviar a dor dos outros.

À meia-noite, depois de ter caminhado alguns minutos na escuridão e no silêncio mais completo, o rio nos apareceu em toda a sua magnitude. Uma bruma fina flutuava sobre a superfície e deixava entrever uma embarcação enorme que esperava ancorada na margem. Íamos fazer uma interminável viagem nas entranhas da selva. A lua se escondeu e os vapores de água se adensaram. Camilo soltou as amarras e o *bongo** estremeceu em todos os seus ferros, com um ruído de velho submarino, que nos fez pensar nas profundezas abissais das águas que percorreríamos.

Cada um foi se instalar num canto para terminar a noite, enquanto o *bongo*

---

* Espécie de barcaça típica da Amazônia.

se engolfava nas entranhas de uma floresta cada vez mais densa, com sua carga de crianças armadas brincando no deque e prisioneiros cansados, envolvidos com suas lembranças. Mauricio tinha se instalado na proa, com um projetor enorme entre os joelhos, iluminando o túnel de água e árvores que tinha à sua frente. Com seu único braço, ele dava instruções ao capitão, que se achava em pé na popa, e não pude me impedir de pensar que estávamos nas mãos de piratas de uma nova espécie.

Depois de uma hora, Camilo pegou um balde de ferro que estava rolando no deque, virou-o e o colocou entre os joelhos, transformando-o num timbal. Seu ritmo endiabrado acordou os espíritos e deflagrou a festa. As canções revolucionárias se misturaram às populares. Era simplesmente impossível não participar da embriaguez coletiva. As moças improvisavam *cumbias** endiabradas e giravam sobre si mesmas como se tomadas pela vertigem de viver. As vozes subiam às alturas e as mãos ritmavam a cadência. Camilo tinha espantado o frio e o tédio, assim como o medo. Olhei o céu sem estrelas, aquele rio sem fim e aquela carga de homens e mulheres sem futuro e cantei com toda a força, procurando na aparência da alegria um travo de felicidade.

Quando atracamos durante a noite perto de um antigo acampamento fantasmagórico, uma voz fanhosa nos chamou de longe, do alto das árvores:

— Bom dia, gordo beta, que come só, morre só, rá, rá.

E mais perto:

— Eu estou te vendo, mas você, não, rá, rá.

Era um papagaio famoso, que não tinha esquecido o que aprendera. Ele aceitou que lhe dessem de comer, mas guardou distância. Resguardava sua liberdade. Eu pensei, observando-o, que ele tinha compreendido tudo. No momento de partir, o papagaio desapareceu. Nada o fez descer do alto da árvore.

Descendo mais o rio, Pata Grande tomou as providências para construir um acampamento permanente. O lugar ficava numa curva do rio, entre casas camponesas que tínhamos avistado do *bongo*. De novo, tratava-se de um acampamento abandonado. Chegamos ali em plena noite, sob uma tempestade violenta. Os jovens montaram nossas barracas num piscar de olhos, utilizando uma parte das velhas instalações que continuavam em pé.

Quando parou de chover, reparei num rapazinho, bem louro, os cabelos cortados à escovinha, com um ar de querubim, desconfortável com um fuzil nas mãos.

---

* Dança folclórica das regiões andinas da Colômbia.

— Como você se chama? — perguntei educadamente.

— Mono Liso — ele murmurou.

— Mono Liso? É seu apelido?

— Estou de guarda, não posso falar.

Katerina, que passava por ali, zombou dele e disse em minha direção:

— Não dê atenção a Mono Liso, é uma verdadeira cobra.

Meu desejo de estabelecer relações com meus sequestradores desapareceu. Fazia dias que eu pensava na questão. A partida de Jeiner tinha afetado a convivência tranquila que predominara durante alguns dias. A atitude da tropa estava calcada no comportamento do chefe. Eu estava convencida de que, com o tempo, terminavam caindo no abuso. Alguns meses antes de meu sequestro, eu tinha ligado a televisão e visto um documentário apaixonante. Nos anos 1970, a Universidade Stanford tinha levado a cabo uma simulação de uma situação carcerária para estudar o comportamento das pessoas comuns. O resultado assustador da experiência tinha revelado que jovens equilibrados, normais, que se disfarçavam de guardas, que tinham o poder de fechar e abrir portas, podiam se transformar em monstros. Outros jovens, tão equilibrados e normais quanto eles, colocados no papel de prisioneiros, se deixavam maltratar. Um guarda tinha colocado um prisioneiro num armário no qual ele não conseguia ficar de pé. Ele o deixara lá durante horas até desmaiar. Era uma simulação. No entanto, diante da pressão do grupo, só uma pessoa tinha conseguido abandonar seu papel e pedido para interromper a experiência.

Eu sabia que as Farc brincavam com fogo. Estávamos num mundo fechado, sem câmeras, sem testemunhas, à mercê de nossos carcereiros. Durante as últimas semanas, eu tinha observado o comportamento daqueles meninos forçados a se comportar como adultos com um fuzil nas mãos. Eu via naquilo todos os sintomas de uma relação que podia se deteriorar e apodrecer. Achava que era possível lutar contra, preservando nossa identidade. Mas eu sabia também que a pressão do grupo podia fazer daqueles meninos os guardiões do inferno.

Eu estava perdida em minhas elucubrações quando vi um rapazinho de óculos bem enterrados no nariz e os cabelos cortados curtos. Ele caminhava como Napoleão, os braços cruzados nas costas. Sua presença me incomodou. Havia algo sombrio em torno dele. Ele se aproximou de mim por trás para me dizer, com uma voz sussurrante:

— Bom dia, eu sou Enrique, seu novo comandante.

57. Nas portas do inferno

Tornou-se evidente para todos que a chegada de Enrique mudaria muitas coisas. Ele tinha sido enviado para controlar Pata Grande, que estava visivelmente ressentido. Dava para ver a guerra fria que havia entre eles. Eles se evitavam e a comunicação entre os dois se limitava ao necessário. Mauricio passava muito tempo com os reféns militares. Ele era admirado por meus companheiros. Tínhamos recebido um radiozinho com várias frequências, depois uma grande *panela* oferecida por César. Finalmente, uma terceira *panela* tinha chegado com grandes alto-falantes, que Mauricio nos emprestava para colocar *vallenatos* a todo volume, ao longo do dia. Ele sabia que agradava aos soldados. Ele aproveitava a ocasião para semear nos outros a antipatia que sentia em relação a Enrique.

Enrique fazia tudo para ser detestado. Sua primeira medida foi proibir as jovens de falar com os prisioneiros. Castigava aquela que se aproximasse de nós. A segunda ordem era obrigar os guardas a contar aos chefes a mais simples conversa que tivessem conosco. Todos os nossos pedidos passavam por ele. Em algumas semanas, as crianças tinham adquirido ar de adultos. Estavam mais tristes. Eu não as via mais rolar no musgo se abraçando. Não havia mais risadas. Zamaidy tinha perdido seu séquito de adolescentes. Foi Lili, a *socia* de Enrique, quem deu um basta naquilo.

No próprio dia de sua chegada ao acampamento, Enrique a levara para sua cama. Lili era uma bela planta, sem dúvida alguma. Sua pele levemente acobreada realçava um sorriso de dentes perfeitos. Era morena, cabelos lisos e sedosos, que ela sacudia ao vento com graça. Era coquete e travessa, e seus olhos brilhavam quando falava com os soldados, para deixar bem claro que não se sentia obrigada a seguir as ordens de Enrique, que ela chamava de "Gafas", com uma familiaridade ostensiva. Ela assumira logo depois, com alegria, seu papel de *ranguera*.

A rivalidade dos homens tinha se espalhado também entre as moças. Zamaidy mantinha-se a distância, evitando proximidades com sua concorrente. Esta se transformou, de um dia para outro, numa tiranazinha, e tinha prazer de dar ordens para todo mundo. Rapidamente, o tratamento que nos era dado começou a se deteriorar. Os guardas, que sempre nos falaram com respeito, vinham agora com certas liberdades que não me agradavam. Os soldados não viam naquilo nada de errado, gostavam de ser tratados com as brincadeiras pesadas de velhos amigos. Eu temia que a perda de algumas fórmulas de cortesia abrisse a porta para os maus-tratos, como os que eram infligidos na prisão de Sombra. Meus temores se revelaram corretos. Muito depressa, o tom passou da brincadeira para os xingamentos. Os garotos sentiam que ganhavam poder sobre seus pares se nos dessem ordens a cada instante. Eles sabiam muito bem que havia uma rivalidade mortal entre Gafas e Pata Grande. A aproximação de Pata Grande dos soldados dera a Enrique a oportunidade de traçar novas diretivas, jogando a culpa no rival. Os meninos eram suficientemente inteligentes para perceber que teriam o apoio de Enrique se fossem severos com os prisioneiros.

Pata Grande, por sua vez, queria desempenhar o papel de mediador. Acreditava que, mantendo o controle sobre os prisioneiros, podia convencer César de que a presença de Enrique era desnecessária. Ele pressionara para que fôssemos convidados para as "horas culturais". Os jovens adoravam isso e nossa presença os estimulava. Mandavam-nos sentar em troncos recém-descascados. Havia adivinhações, recitações, canções, imitações, e nós éramos todos chamados, um por um, para participar. Eu não tinha nenhuma vontade de ir.

Eu me via com meus primos, preparando um espetáculo para nossos pais, na velha casa de minha avó. Subíamos correndo a velha escadaria de madeira que levava ao sótão, o que fazia um barulho enorme. Eu ouvia minha avó lá embaixo, berrando porque nós íamos derrubar a casa. Havia no sótão um baú onde mamãe guardava seus vestidos de baile e as coroas do tempo em que fora rainha, e os usávamos como fantasias. Recitávamos, cantávamos e dançávamos, tal como estavam fazendo ali na selva. Um de meus primos sempre gritava: "Um rato, um rato", e então a debandada era em sentido inverso, para nos jogar nos braços de minha avó antes que ela ralhasse conosco. Essa *madeleine* de Proust estava ali para me lembrar do que eu havia perdido. Aquele tempo que eles me roubavam longe dos meus não podia ser maquiado em hora cultural. Meus companheiros achavam que minha atitude era de desprezo e que eu impedia o mundo de girar. O único que compreendia era Lucho.

— Nós não somos obrigados a participar — ele me disse, dando um tapinha em minha mão. Depois, com uma ponta de humor, acrescentou: — É, vamos ficar aqui nos aborrecendo. Podemos até fazer um concurso para saber quem vai se aborrecer mais.

Não fui irredutível, mas meu comportamento foi levado ao conhecimento da guerrilha. Pata Grande veio nos avisar:

— Ou todo mundo participa, ou ninguém.

Certo dia, um carregamento excepcional de salada de frutas veio de uma aldeia vizinha. Então havia uma estrada que levava ao acampamento e eu me senti aliviada ao pensar que a civilização não estava assim tão distante. A salada de frutas foi dividida entre os componentes da guerrilha com exclusividade, mas Gafas autorizou que me dessem um pouco, porque eu estava convalescendo. Eu nunca tinha comido algo tão bom em minha vida. As frutas eram frescas e bem maduras. Havia manga, damascos, ameixas, melancia, bananas e nêsperas. A polpa delas era firme e suculenta, tenra, e derretia na boca, com um creme açucarado e untuoso, que colava no céu da boca. Perdi a palavra na primeira colherada e, na segunda, me concentrei em movimentar a língua na boca para sentir todos os sabores. Eu ia para a terceira, quando fui obrigada a parar, a boca ainda aberta: "Não, o resto é para Lucho".

Um dos meus companheiros viu quando eu entreguei o copinho. Ele deu um pulo da rede, como se impulsionado por uma mola, e chamou Mauricio. Foi se queixar a ele do tratamento especial que estavam me dando. Éramos todos prisioneiros, eu não podia comer mais do que eles. No outro dia, senti que estavam mais rígidos comigo. Desde Jeiner, tínhamos como hábito ir aos *chontos* sem pedir permissão. Eu estava me dirigindo para lá quando o guarda me interpelou secamente:

— Aonde você vai?

— O que você acha?

— Você tem de pedir autorização, entendeu?

Não respondi, sentindo que as coisas podiam se deteriorar. Foi o que aconteceu, mas por outras razões. Uma esquadrilha de helicópteros deu um rasante sobre o acampamento, fez meia-volta a alguns quilômetros e passou de novo sobre nossas cabeças, cobrindo-nos com sua sombra, por alguns instantes.

Na mesma hora, Mauricio deu ordens para levantar acampamento e nos escondermos com nossas bagagens na *manigua*.* Aguardamos, agachados no mato. Do fim da tarde até a meia-noite, fui devorada por carrapatos microscópicos que se apossaram de cada poro de minha pele. Eu não conseguia pensar, às voltas com uma coceira que estava me deixando atordoada.

Ángel, um jovem guerrilheiro, queria conversar comigo a todo custo. Era um belo rapaz, não era mau, eu achava, embora um tanto lento de inteligência. Ele ouvia o rádio, apoiado sobre os calcanhares, com ar impaciente.

— Você escutou a notícia? — ele me perguntou, arregalando os olhos, para me fisgar.

Eu continuava a me coçar desesperadamente, sem entender o que me atacava.

— São carrapatos. Pare de se coçar, assim você dá comida a eles mais depressa. Tem de arrancar um por um com um alfinete.

— Carrapatos! Que horror! Mas eles estão por todo canto!

— Eles são minúsculos.

Ele acendeu a lanterna e iluminou seu braço.

— Veja, esse ponto que se mexe é um. — Meteu a unha na pele até sair sangue e disse: — Fugiu!

Uma voz lá na frente gritou:

— Apaguem as luzes, droga! Querem que nos bombardeiem? Passem a ordem adiante....

A voz se repetia em eco, cada guerrilheiro a reproduzia de forma idêntica, um depois do outro, ao longo da coluna, até ela chegar a Ángel, que a enunciou com o mesmo tom de reprimenda a seu vizinho, como se aquela ordem não fosse também dirigida a ele. Ángel tinha apagado a lanterna e ria como uma criança pega em flagrante.

Ele falou baixinho:

— Então! Você ouviu a notícia?

— Que notícia?

— Vão extraditar Simon Trinidad.

Simon Trinidad estivera na reunião em Pozos Colorados,** quando os candidatos à presidência e os chefes das Farc haviam se encontrado. Eu me lembrava bem dele, ele não tinha aberto a boca, limitando-se a tomar notas e a passar bi-

---

* Sobosque.
** Perto de San Vicente del Caguán.

384

lhetinhos a Raúl Reyes, que desempenhava o papel de chefe do grupo. Ele tinha declarado durante as negociações de paz que o Direito Internacional Humanitário era um conceito "burguês". Seu discurso se tornava ainda mais espantoso pelo fato de ser ele mesmo oriundo de uma família burguesa da costa, o que lhe tinha permitido fazer estudos na escola suíça de Bogotá, e de fazer curso de economia em Harvard. Eu tinha me levantado antes do fim da conferência para tomar ar. A sessão tinha sido interminável e fazia calor. Simon Trinidad havia se levantado atrás de mim e me acompanhado. Ele tinha tido a gentileza de abrir a porta para mim e segurá-la enquanto eu passava. Eu lhe agradecera e tínhamos trocado três palavrinhas. Eu tinha achado que o homem tinha algo de áspero, de contundente. Depois eu o esquecera.

Até o dia em que ele foi capturado num centro comercial de Quito, no Equador. Ele estava sem documentos. As Farc tinham reagido na mesma hora num tom ameaçador. A captura de Trinidad significava, segundo a organização, o fracasso das negociações com a Europa para minha libertação. As Farc sustentavam que ele estava em Quito para reencontrar os representantes do governo francês.

Eu estava convencida de que tinha havido negociações secretas. Mas, sempre que o rádio anunciava a chegada de emissários europeus, o governo colombiano tirava do armário as negociações do acordo humanitário, e as Farc se desinteressavam do contato com o estrangeiro. Aquele entusiasmo terminava sempre em fracasso, por causa da incapacidade deles de iniciar as conversações.

A captura de Trinidad era, segundo Lucho, o dado que impedia nossa libertação. Já eu via nisso um novo ingrediente que abria a possibilidade de futuras negociações. As Farc tinham anunciado bem depressa que precisaria incluir Simon Trinidad na lista dos prisioneiros contra os quais eles pretendiam nos trocar... Assim, a revelação de sua possível extradição materializava nosso maior medo. "Se Trinidad for mandado para os Estados Unidos, os americanos nunca serão libertados. Nem você!", Lucho havia me dito meses antes, na prisão de Sombra, quando analisávamos todos os casos semelhantes.

Estávamos sentados, uns grudados aos outros, na escuridão. Dois outros guerrilheiros tinham se espremido entre mim e Lucho. Gafas dera instrução para que os guardas ficassem entre um e outro prisioneiro. Quando Ángel me comunicou a notícia da extradição de Trinidad, voltei instintivamente para falar a Lucho:

— Você ouviu?

— Não, você está falando de quê?

— Eles vão extraditar Simon Trinidad.

— Oh! Merda! — ele exclamou sem querer, profundamente perturbado.

O guerrilheiro que estava entre nós interveio:

— O companheiro Trinidad é um dos nossos melhores comandantes. Guarde seus insultos com você. Aqui não gostamos de palavras grosseiras.

— Mas você está enganado. Ninguém está insultando Simon Trinidad — eu disse.

— Ele disse que era uma merda — replicou Ángel.

58. A descida aos infernos

O imenso *bongo* chegou por volta da meia-noite. Ordenaram que descêssemos em silêncio. Os guerrilheiros prenderam suas redes nas barras metálicas que sustentavam o teto do *bongo* e adormeceram. Um pouco depois das quatro da manhã, o *bongo* estremeceu e o barulho do atracamento acordou a tropa. A voz de Enrique anunciou o desembarque. Uma enorme casa que dava para o rio parecia estar à nossa espera. Eu rogava a Deus para que nos fizessem passar o resto da noite ali e eu tivesse tempo de instalar minha antena. Queria escutar a voz de mamãe. Só mesmo ela para me tranquilizar. Meu radiozinho funcionava muito mal. Precisava de uma antena que só podia ser instalada num lugar fixo. Os outros rádios tinham sido guardados e estavam inacessíveis.

Mochilas nas costas, fizeram-nos seguir em fila indiana por um caminho que costeava a casa, depois se afastava e ia por campos imensos, muito bem cercados por moirões impecavelmente pintados de branco. Já eram 4h45. Onde estávamos? Aonde íamos?

O céu tinha adquirido uma cor ocre, anunciando o dia. A ideia de que mamãe ia me falar dentro de alguns minutos me paralisou. Achei que não podia mais caminhar, tropeçando num terreno plano que não apresentava nenhuma dificuldade, a não ser pela lama que se grudava às botas e pelas sombras alongadas que modificavam o aspecto do relevo. Ángel caminhava ao meu lado e me dirigiu um gracejo:

— Você parece um pato!

Isso foi o bastante para que eu escorregasse e terminasse estendida na lama. Ele me ajudou a levantar, com um riso forçado e excessivo, olhando em torno, como se temesse que alguém nos tivesse visto.

Fiz que ia ajeitar minhas roupas cobertas de lama, enxuguei as mãos na calça e puxei o rádio. Eram 4h57.

Ángel me olhou, exasperado:

— Ah, não! Temos de avançar, estamos atrasados.

— Mamãe vai me falar em três minutos.

Agarrei-me ao meu radiozinho, sacudindo-o freneticamente. Ele pegou seu fuzil, apontou-o para mim e, com a voz alterada, deu um berro:

— Ou você caminha ou eu te mato.

Caminhamos o dia todo sob um sol torturador. Refugiei-me em meu silêncio, atravessando fazendas muito bem cuidadas, que se sucediam umas às outras com gado a perder de vista, delimitadas pela floresta virgem.

— Tudo isso pertence às Farc — comentou Ángel com arrogância, antes de entrar no sobosque.

Ele se deteve debaixo de uma árvore imensa para juntar umas frutas estranhas, cinzentas e aveludadas, espalhadas pelo chão. Ofereceu-me uma.

— Isso é o chiclete da selva — declarou, enquanto tirava a casca com os dentes e chupava a polpa esponjosa chamada *juausoco*. O gosto era doce e azedo ao mesmo tempo e, na boca, a polpa ficava resinosa e agradável de se mastigar. Foi, para nós, uma fonte de energia que chegou na hora certa.

Penetramos numa verdadeira muralha vegetal, com lianas do diâmetro de um homem, enroscadas umas nas outras, formando uma cerca impenetrável. Horas antes, os batedores tinham passado para abrir uma passagem com o facão. Levamos um bom tempo para reencontrar seus passos para sair do labirinto, o que só foi possível graças à concentração de Ángel, que reconhecia os lugares por onde já tínhamos passado, pois as plantas eram entrelaçadas de tal modo que não nos permitiam tomar algum ponto como referência.

Terminamos estupefatos numa verdadeira autoestrada, bastante larga para permitir a circulação de três grandes caminhões de guerra, e nós a seguimos sem parar hora nenhuma até o anoitecer, atravessando enormes pontes, construídas com árvores milenares, que eles tinham retalhado com a serra.

— Isso é obra das Farc — disse Ángel, com orgulho.

Sete horas depois, vi os outros sentados bem lá na frente. Bebiam Coca-Cola e comiam pão. Lucho tinha tirado as botas e as meias, que secavam em cima de sua mochila, cobertas de varejeiras. Os dedos de seus pés estavam roxos, e a pele da planta dos pés, lacerada. Eu não disse nada. Tremia diante da possibilidade de uma amputação, muito frequente por causa do diabetes.

Apareceu um jipe branco, que nos transportou por quilômetros de lama e poeira durante horas. Atravessamos uma aldeia fantasma, com belas casas desocupadas, formando um círculo em torno de uma pequena arena, com uma arquibancada de madeira e uma área de chão batido para as *corridas*. Os faróis do veículo iluminaram um outdoor na entrada da aldeia. Estava escrito: "Bienvenidos a La Libertad". Eu sabia que aquela aldeia estava situada no departamento do Guaviare.

Os milicianos que dirigiam tinham entrado em La Libertad com a mesma alegria de El Mocho César ao entrar em Unión-Penilla. Lucho estava sentado ao meu lado. Ele me sorriu tristemente para me cochichar:

— A Liberdade... O destino está rindo de nós.

Ao que eu respondi:

— Acho que não, é um bom presságio!

O jipe parou num embarcadouro à margem de um rio imenso. A guerrilha já tinha instalado suas barracas por todo canto. Fazia frio e havia prenúncio de tempestade. Gafas não permitiu que armássemos nossas redes. Esperamos até o amanhecer sob uma chuva fina, exaustos a ponto de nem espantar as moscas, vendo os guerrilheiros se dirigir para seus abrigos e dormir.

Com os primeiros raios do sol, um *bongo* encostou. Tivemos de nos amontoar na popa, num espaço muito exíguo para nós, uns apertados contra os outros, asfixiados pelas emanações de óleo que vinham direto do motor. Os guerrilheiros ocupavam a maior parte do espaço. Pelo menos, dava para dormir.

A travessia durou quase duas semanas, cada vez mais em direção à selva profunda. Navegávamos durante a noite. Ao amanhecer, o *motorista*,* que não era o capitão, procurava um lugar para acostar, conforme as indicações precisas de Gafas. Podíamos, então, armar nossas redes, tomar um banho e lavar nossas roupas. Eu vinha escutando mamãe religiosamente. Ela não tinha feito nenhum comentário sobre Simon Trinidad. Estava se preparando para viajar, para passar o Natal com meus filhos.

Uma noite, o *bongo* parou e nos mandou descer. Na outra margem, as luzes de um grande povoado surgiram como algo mágico. O rio estava semeado de estrelas. Tudo nos era inacessível.

---

* Mecânico encarregado do motor.

Caminhamos ao longo da margem, pulando sobre os rochedos, bem depois das corredeiras que acabávamos de descobrir e que agora deixavam bem claro o porquê daquela operação. Um outro *bongo* nos esperava mais adiante. Conduziu--nos na mesma hora para longe do povoado, distante das luzes e dos homens.

Mais adiante, novas *cachiveras** interrompiam o rio. Eram impressionantes. Prolongavam-se por centenas de metros, as águas numa fúria assustadora. Fizeram mais uma operação.

Crianças brincavam na outra margem. Havia uma casinha de camponês de frente para o rio, com um barco para além das *cachiveras*. Um cachorro corria em volta das crianças, latindo. Elas não tinham nos visto. Estávamos escondidos atrás das árvores.

Ouvimos um barulho de motor: um barco.

Ele apareceu à nossa direita, subindo a corrente, a toda velocidade. Era conduzido por um rapaz fardado, com duas outras pessoas encostadas na popa, uma com trajes civis, a outra de roupa cáqui. Eles foram em frente, como se a ideia de subir as *cachiveras* não os assustasse. O barco saltou a primeira barreira de rochedos, saltou a segunda e explodiu ao bater na terceira. Os ocupantes voaram, impulsionados como projéteis, e desapareceram no tumulto das águas escumosas.

Gafas estava sentado à minha frente. Não esboçou a menor reação. Eu e Lucho corremos ao mesmo tempo para a beira do rio. As crianças já tinham pulado em seu barco e remavam com toda força para pegar os fragmentos do outro, expulsos pelo rio. O cão latia na proa, em pé, excitadíssimo pelos gritos das crianças.

Uma cabeça apareceu à superfície. O cão pulou na água e lutou desesperado contra a corrente. A cabeça desapareceu nos redemoinhos do rio. As crianças gritavam bem alto chamando o cão, que, desorientado, girou sobre si mesmo, depois, levado pela corrente, nadou corajosamente de volta ao barco. Gafas não se mexeu. Mauricio já caminhava pela margem com uma vara que ele tinha cortado com o facão, com a destreza de maneta, escrutando o rio atentamente. A tropa observava em silêncio. Finalmente, Gafas disse:

— Assim vão aprender a deixar de ser idiotas. — Depois acrescentou: — Encontrem o motor!

Lucho pôs a cabeça entre as mãos, meus companheiros olhavam o rio horrorizados. À nossa volta, a vida continuou como sempre. Apareceu uma *rancha* improvisada e cada um de nós correu para pegar sua tigela e sua colher.

---

* Cascatas, corredeiras.

Partimos à noite num barco igual ao dos meninos, onde instalaram o motor encontrado. Deixaram que a corrente nos levasse durante horas até o amanhecer. Não se viam mais casas, nem luzes, nem cães.

Na manhã seguinte, quando o sol já estava alto e navegávamos sem parar, Gafas mandou que parassem e, de repente, correu para a frente do barco feito um louco.

— Meu fuzil! — ele gritou para Lili.

Era um tapir.

— Atire nas orelhas — disse alguém.

Era um animal belíssimo. Era maior que um touro e nadava com força, atravessando o rio. Sua pele achocolatada brilhava ao sol. Colocou o focinho para fora da água, mostrando os lábios rosa-fúcsia, de uma coqueteria muito feminina. O animal se aproximou da embarcação, inconsciente do perigo, nos olhando tranquilamente sob seus longos cílios, quase sorrindo em sua curiosidade ingênua.

— Por favor, não o mate — supliquei. — São animais em vias de extinção. É uma chance única termos um diante de nós.

— Há muitos desses por aí — gritou Lili.

— É o bife de vocês — disse Enrique, dando de ombros. Depois, se dirigindo aos companheiros: — Se vocês não estão com fome...

Todos nós estávamos com fome. No entanto, ninguém abriu a boca e Enrique interpretou aquilo como uma desaprovação.

— Muito bem — disse ele, guardando a arma. — Sabemos proteger a natureza.

Ele sorria de orelha a orelha, mas seu olhar era de assassino.

59. O diabo

Chegamos a um trecho do rio em que a margem formava um paredão abrupto. Estávamos na estação da seca e o nível da água estava muito baixo. Encontrávamo-nos numa interseção. Do lado direito, havia um afluente que fazia um ângulo reto com o rio, onde este se lançava. Não víamos senão a garganta de um curso d'água secundário, profundo e estreito, com um filete de água serpenteando. Aquilo se tornara uma constante. Por onde quer que fôssemos, a vazão de água tinha se reduzido vertiginosamente. Perguntei aos índios da tropa se sempre tinha sido assim. "É a mudança climática!", respondiam.

Gafas anunciou que ali seria nosso acampamento permanente. Tremi. Viver como nômade era odioso, mas pelo menos eu podia me alimentar da ilusão que caminhávamos para a liberdade.

Nossos *cambuches** foram construídos à beira do rio, mas a quinhentos metros da margem e bem perto de um *caño*** onde tinha sido feita uma minibarragem para facilitar nossa toalete e a lavagem de nossas roupas. Lucho e eu pedimos galhos de palmeira para usar como colchão em nossas *caletas*, e Tito, um homenzinho com um olhar nada amistoso, nos ensinou a tecê-las.

---

* *Cambuche*: habitação (barraca mais cama); *caleta*: cama fixada no chão. Às vezes se emprega uma palavra pela outra.
** Pequeno curso d'água.

Enquanto ele trabalhava, escutávamos a *panela* suspensa num prego, na *caleta* de Armando. Ouvimos o presidente Uribe fazer uma proposta às Farc, que, na mesma hora, mandou que fossem suspensos os trabalhos de instalação. Ele se dizia pronto para sustar a extradição de Simon Trinidad para os Estados Unidos, se a organização libertasse os 63 reféns que estavam em seu poder, antes de 30 de dezembro. Uma excitação tomou conta de todo o acampamento, sem distinção entre carcereiros e reféns. A proposta era audaciosa e os guerrilheiros a acharam atraente. Todos sentiam que a extradição de Trinidad seria um golpe doloroso para a organização.

Pata Grande foi discutir com os reféns militares. Ele achava que os chefes das Farc consideravam positiva a proposta de Uribe. Meses antes, as Farc tinham declarado, por meio de um comunicado à imprensa, que "a hora de negociar tinha chegado", mas pediam uma zona desmilitarizada para iniciar as negociações. Uribe se mantivera inflexível. Durante as negociações de paz com o governo anterior, as Farc tinham conseguido um enorme território, sob o pretexto de ter sua segurança garantida. Elas o tinham transformado em santuário para realizar ali suas operações criminosas.

A cartada de Uribe podia ter como efeito desbloquear as coisas. Até então eu achava que a guerrilha tinha se esforçado para negociar nossa libertação e que o governo de Uribe tomara como missão abortar qualquer tentativa nesse sentido. Mesmo a captura de Simon Trinidad me parecera guiada pela vontade de contrariar uma eventual negociação. Mas a oferta de não extraditar Trinidad mudou meu ponto de vista. Eu me perguntava, agora, se não eram as Farc que nunca tiveram a intenção de nos libertar. De certa forma, nós tínhamos nos transformado em seu cartão de visita. Eles precisavam nos ter como prisioneiros, porque éramos mais úteis como troféu do que como moeda de troca.

A tensão no acampamento aumentou. A rivalidade entre Mauricio e Gafas chegara ao auge. Eu tinha pedido açúcar para Lucho e isso criou toda uma história. Mauricio veio me ver com um grande pacote, que me entregou diante de todos:

— Tirei esse açúcar da minha reserva, porque Gafas se recusa a lhe fornecer. Você deve falar com César!

A relação com os guardas também tinha ficado tensa. Gafas endurecera para o nosso lado. Quanto mais rigorosos conosco, mais eram aplaudidos.

O lugar onde ficaríamos estava cercado de guaritas. Mono Liso, o jovem de rosto angelical, era o sentinela da manhã, revólver na mão, levando muito a sério sua função de vigilante. Um de meus companheiros tinha ido aos *chontos* e se esquecera de avisá-lo. De certa forma, não era mesmo preciso, os *chontos* eram visíveis da guarita.

— Aonde você vai? — berrou Mono Liso de seu poleiro.

Meu companheiro se voltou, pensou que ele se dirigia a outra pessoa e continuou. Mono Liso puxou o revólver, visou e atirou três vezes nas pernas dele.

Um silêncio trágico se abateu sobre o acampamento. Mono Liso era um bom atirador. As balas tinham raspado as botas, mas não o tinham ferido.

— Da próxima vez, atiro na sua coxa para você saber respeitar as ordens.

Todos nós ficamos lívidos.

— Temos de sair daqui — soprou Lucho em meu ouvido.

Alguns guerrilheiros se ofereciam para nos prover do que nos faltava em troca de cigarros, de trabalhos de costura, de consertos de aparelhos de rádio. Sempre que tínhamos necessidade de qualquer coisa, e isso acontecia diariamente, éramos obrigados a dar algo em troca. Os guardas, que no começo se mostraram dispostos a nos ajudar, tinham tomado consciência de que detinham sobre nós um poder absoluto e se tornavam, a cada dia, mais grosseiros e irritáveis.

Lucho e eu sofríamos mais do que os outros. A ordem tinha como objetivo nos marginalizar e nos humilhar. Qualquer pedido nosso era sistematicamente negado.

— É porque nos recusamos a trabalhar para eles — me advertira Lucho.

Apareceram casos de leishmaniose entre os guerrilheiros, e depois entre nós. Eu nunca tinha visto os efeitos da doença com meus próprios olhos. Embora falássemos sempre dela em nossas conversas, eu não sabia que era tão grave. Chamavam-na também de a lepra da selva, porque primeiro produzia uma degeneração da pele, depois dos outros órgãos que fosse atingindo, como se eles fossem apodrecendo. Começava com uma pequena espinha, a que geralmente não se dava atenção. Mas a doença continuava a avançar, implacável. Eu vira os estragos numa perna e num antebraço de Armando. Era um buraco bem grande de pele amolecida, como se houvessem jogado um ácido no local. Dava para enfiar um dedo inteiro sem que o doente sentisse dor. Quando Lucho me mostrou uma pequena espinha em sua testa, eu não liguei, longe de imaginar que era o famoso *pito.**

Quando Pata Grande veio nos dizer que haveria uma festa de Natal, Lucho e eu achamos que estavam nos preparando uma armadilha. Falamos isso para Ber-

---

* Leishmaniose.

meo e os outros. Nossos companheiros estavam também cheios de desconfiança. Tínhamos medo de que a guerrilha criasse um jogo de cena para nos filmar escondido com o objetivo de mostrar ao mundo quão bem cuidavam de nós, mas a ideia de uma festa era por demais atraente para ser recusada.

A guerrilha tinha construído um espaço retangular delimitado por troncos de árvore. O chão estava perfeitamente aplainado e com a terra batida. Tinham colocado uma caixa de cerveja num canto e todas as jovens da tropa estavam sentadas, umas ao lado das outras, à nossa espera. Não havia rapazes em volta do que parecia ser uma pista de dança.

Logo que chegamos, mandaram que sentássemos diante das jovens, e as cervejas começaram a circular. Mal tomei um gole e senti minha cabeça rodar. Apesar disso, não perdi o espírito e me mantive atenta.

Às vezes acontece de a gente fazer o contrário do que pensa. Foi o meu caso naquela noite. O som estava muito alto. A música fazia as árvores tremerem à nossa volta. Todas as moças se levantaram ao mesmo tempo e convidaram os soldados para dançar. Era-lhes impossível recusar. Quando Ángel atravessou o acampamento, entrou na pista e me deu o braço, eu me senti uma idiota. Procurei Lucho com os olhos. Estava sentado com uma cerveja na mão e me observava. Ele deu de ombros e balançou a cabeça. Achava que, se eu recusasse, pegaria muito mal para todos. Todos os olhos estavam voltados para mim. Senti brutalmente a pressão e hesitei por alguns segundos. Finalmente me levantei e aceitei a dança. Eu tinha dado duas voltas na pista quando o vi. Enrique tinha uma câmera digital, ultraleve, apontada para mim. Ele estava escondido atrás de uma árvore. A luzinha vermelha que se acendia para indicar que a câmera estava em funcionamento o tinha traído. Meu coração deu um pulo e eu parei na hora. Larguei Ángel e o deixei sozinho na pista para ir me sentar, dando as costas para Enrique. Estava com raiva de mim mesma por ter sido tão idiota. Ángel já tinha ido embora, rindo, satisfeito de ter cumprido tão bem sua missão.

Na selva, a educação que eu tinha recebido não me ajudava. Eu me segurava antes de dizer ou fazer qualquer coisa, com medo de ferir a suscetibilidade de uns ou de outros. Eu me repetia frequentemente que precisava esquecer os códigos de cortesia, porque ali ninguém lhe dava a vez para passar, ninguém cedia seu lugar, ninguém lhe estendia a mão. Depois de assistir a uma cena de falta de educação, eu retornava a mim mesma. Não, eu não devia fazer igual, eu tinha de ser cada vez mais educada.

A armadilha de Gafas me fez questionar todas as minhas boas intenções. Eu não podia continuar pensando que era possível transportar os rituais e os códigos do mundo exterior para a minha vida atual. Eu estava sequestrada. Não podia achar que aquelas mulheres e aqueles homens se comportariam de forma diferente. Eles viviam num mundo onde o mal era o bem. Matar, mentir, trair fazia parte do mundo deles. Aproximei-me de Lucho, que estava fora de si:

— Devemos falar com Enrique. Ele não tem o direito de nos filmar sem o nosso consentimento.

A música foi interrompida. As moças desapareceram e os guardas armaram seus fuzis. Empurraram-nos para o nosso canto. Nosso Natal acabava ali.

Enrique veio falar conosco no dia seguinte. Lucho tinha insistido para que ele viesse nos ver. A discussão azedou. Enrique negou, no começo, que se tratasse de uma encenação, mas terminou dizendo que a guerrilha fazia o que bem entendesse, o que era evidentemente uma confissão. Quando Lucho exprimiu sua indignação diante de sua atitude, Enrique o acusou de ser um homem grosseiro e de ter insultado o comandante Trinidad.

Eles se separaram com os piores xingamentos. Concluímos que podíamos esperar o pior de Enrique. E o pior chegou mesmo. Os guardas receberam ordens para nos seviciar. Lucho levantou-se preocupado certa manhã:

— Não podemos ficar aqui. Temos de fugir. Se em 30 de dezembro as Farc ainda não tiverem aceitado a proposta de Uribe… vamos nos preparar para fugir.

No dia 30 de dezembro, as Farc continuaram em silêncio. Na tarde do dia 31, Simon Trinidad embarcou num avião para os Estados Unidos, acusado de tráfico de drogas. Longos anos de cativeiro nos esperavam. Tínhamos de preencher o dia e não pensar no futuro.

Com a angústia no peito, os casos de leishmaniose pioravam. A pequena espinha na testa de Lucho continuava lá. Decidimos consultar William, que era enfermeiro do Exército, o único cuja opinião era confiável. Seu diagnóstico não foi outro:

— Temos de começar o tratamento já, antes que a doença atinja o olho ou o cérebro.

Enrique se vingou, proibindo que Lucho recebesse os cuidados necessários. Sabíamos que a guerrilha tinha boas provisões de glucantima. Ela comprava as injeções no Brasil ou na Venezuela, porque na Colômbia, por causa da guerra contra as Farc, o medicamento não era vendido livremente. O Exército sabia que a guerrilha era o principal consumidor, porque operava nas zonas em que a doença era endêmica.

Encarregada dos cuidados, Gira era uma mulher séria e prudente, que, bem

396

diferentemente de Guillermo, não transformara a distribuição de remédios em mercado negro. Ela veio examinar Lucho e declarou:

— O tratamento vai ser longo. Pelo menos trinta injeções de glucantima, uma por dia. Começaremos amanhã.

No outro dia, Gira não apareceu, nem nos dias seguintes. Ela nos disse que não havia mais glucantima, enquanto a víamos aplicar, diariamente, nos outros prisioneiros. Eu acompanhava, com preocupação, a úlcera se alastrar, e rezava. Na noite em que Tito (o guarda que nos ensinara a tecer o colchão de folha de palmeira) estava de sentinela, ele veio falar conosco:

— É o *cucho** que não quer autorizar seu tratamento. Temos várias caixas de glucantima e estamos esperando mais. Diga a Gira que você sabe que há injeções na farmácia, ela será obrigada a falar na aula.

Seguimos o conselho de Tito. Gira ficou toda confusa diante de nossa insistência:

— É um crime contra a humanidade — eu disse, melindrada.

— A noção de crime contra a humanidade é uma noção burguesa — retorquiu Gira, dando meia-volta.

* Comandante — no caso, Enrique.

60. Agora ou nunca

Janeiro de 2005

Comecei a preparar seriamente nossa fuga. Meu plano era simples. Deveríamos deixar o acampamento pelos *chontos* e reencontrar o rio. Lucho não estava à vontade com a ideia de nadar durante horas. Por isso, eu tinha feito umas boias com os *timbos* que tínhamos conseguido. Na realidade, eu havia recuperado as velhas latas de óleo que meus companheiros não queriam mais, porque eles conseguiram outras novas.

Eu também arranjara um facão. Tigre, um índio que tinha embirrado conosco porque não quisemos lhe dar o relógio de Lucho em troca de ervas que diziam curar a leishmaniose, o tinha esquecido quando estava construindo a *caleta* de Armando. Enrique ameaçou aplicar castigos extremos se o facão não fosse encontrado. Eu o tinha escondido nos *chontos*. Eles reviraram o acampamento de ponta-cabeça e eu fiquei muito aflita, sentindo que todas as suspeitas recaíam sobre mim.

Houve, no fim de janeiro, o anúncio inesperado de uma "balada". Enrique queria nos levar para tomar banho nas *cachiveras*, na direção da nascente do rio. O nível da água tinha subido, as *cachiveras* eram agora um lugar ideal para nadar. Os soldados estavam todos entusiasmados com a ideia. De minha parte, eu preparava um estratagema para nos afastarmos das *caletas* a fim de efetuar uma investigação minuciosa. A ordem foi peremptória: todos eram obrigados a ir. Os dias que precederam foram uma tortura para Lucho e para mim. Esperávamos ser descobertos a qualquer instante. Eu achava que ia ser o fim do mundo.

Meus companheiros iam felizes como crianças, Lucho e eu, desconfiados. No entanto, o exercício teve a sua utilidade. Observei os acidentes do terreno, a vegetação, as distâncias percorridas num determinado tempo, e integrei tudo ao meu plano.

Autorizaram-nos a pescar, fornecendo-nos o material necessário: anzóis na ponta de um fio de náilon. Observei como Tigre encontrava as iscas e como ele jogava a linha. Pus-me a aprender e consegui fazê-lo com certo sucesso.

— É sorte de iniciante — caçoou Tigre. Porém o mais importante era que conseguíssemos guardar alguns anzóis e alguns metros de fio, dizendo que nossa linha tinha quebrado.

Tigre tinha encontrado ovos de tartaruga ao explorar entre os rochedos. Engoliu dois ovos crus na minha frente, sem dar atenção a minhas exclamações de nojo. Eu o imitei. Os ovos tinham um forte cheiro de peixe e um gosto diferente, que não teria sido tão ruim se a textura da gema não fosse um pouco arenosa, difícil de engolir.

No caminho de volta, tomei a decisão de entregar o facão. A vegetação que acompanhava o rio era pouco densa, não teríamos de enfrentar paredes de lianas ou atravessar florestas de bambu como as que eu tinha visto. Na verdade, eu não podia mais continuar a viver numa paranoia que me deixava exausta. Para fugir, para ter sucesso em nossa fuga, precisaríamos de muito sangue-frio. A pequena incursão teve como efeito nos mostrar uma saída: era possível sobreviver. Então era bem mais prudente não sermos pegos por causa do facão de Tigre. Aproveitei o momento em que alguns homens estavam trabalhando atrás dos nossos *chontos*. Eles tinham como missão cortar o maior número de palhas de palmeira para fazer uma *maloka*.* Deixei o facão no lugar onde eles estavam. Ángel o encontrou e o levou para Enrique com um ar meio desconfiado, que dava a entender que ele não era nenhum idiota. Para meu grande alívio, o caso foi encerrado.

Tive a impressão de estar diante de um sinal do destino quando Gafas veio me pedir que lhe traduzisse as instruções em inglês de um GPS que ele acabara de

* Cabana indígena redonda, com teto de palha.

receber. Era um pequeno aparelho preto e amarelo com recepção via satélite, uma bússola eletrônica e um altímetro barométrico.

— Sim, claro, entendo inglês — respondi —, mas tenho de cuidar de Lucho, ele está muito angustiado por causa da leishmaniose, que vai piorar se ele não tomar glucantima.

No outro dia, Gira chegou com um sorriso de orelha a orelha. Ela acabara de receber uma nova provisão de remédios.

— É estranho — comentou Pinchao. — Não ouvi nenhum barulho de motor.

Fizemos que não ouvimos. Gira sabia desinfectar com álcool o local em que aplicaria a injeção de glucantima, um procedimento a que outros enfermeiros não davam muita importância. A picada era muito dolorosa, porque o medicamento tinha a consistência do óleo e provocava um ardor enorme.

A doença tinha progredido muito e Gira se sentia responsável. Ela optou por um tratamento de choque. Decidiu injetar uma parte do líquido diretamente sob a pele do furúnculo. O efeito foi imediato. Lucho perdeu os sentidos e, sobretudo, a memória.

Quando Enrique voltou para pedir a tradução das instruções do GPS, aceitei, na esperança de que ele desse a Lucho uma alimentação adequada. Eu sabia que os guerrilheiros iam todos os dias pescar. Eles tinham feito *potrillos*, espécie de canoa talhada num tronco de árvore, a balsa,* que parece com uma bétula por causa de sua casca e que tinha a particularidade de flutuar como cortiça, ideal para navegar no rio e chegar até as zonas mais profundas, lá onde a pesca era abundante. Havia toneladas de peixes. Mas Enrique não permitia que nós os comêssemos.

Lucho se recuperou do desmaio, mas perdeu as lembranças da infância. Mais grave ainda foi perder a lembrança de nossos projetos. William dizia que fora um erro ter injetado o remédio na testa. Eu queria acreditar que, tratando seu diabetes, seria possível recuperá-lo totalmente, porque o mais importante era ele voltar a ser ele mesmo, como antes.

Enrique nos mandou algum peixe e eu me pus a trabalhar em seu GPS Garmin. Passei a manhã toda com o aparelho nas mãos e anotei a informação que trazia. Havia, especialmente, um lugar que tinha sido registrado com o nome de Maloka, com as seguintes referências: N 1 59 32 24 W 70 12 53 39. *Maloka* talvez fosse o nome que Enrique dera ao acampamento. Eu estava surpresa de que tivessem colocado em minhas mãos aquela informação, mas certamente eles

---

* *Ochroma lagopus.*

pensavam que eu não conhecia nada daquilo, o que era verdade, a não ser pelo fato de que eu tinha guardado na memória as bases das lições de cartografia que aprendera na escola.

Segura de meu achado, fui falar com Bermeo. Concordamos que seria preciso encontrar um jeito de pôr a mão num mapa com a indicação dos paralelos e dos meridianos. Esta informação secreta seria essencial para nós. Ele achava que tinha visto numa pequena agenda de Pinchao um minúsculo mapa da Colômbia, com a indicação das latitudes e longitudes. Lembrei-me, então, de que eu mesma tinha um jogo de mapas-múndi na agenda que trazia comigo no dia de meu sequestro.

Eu a tinha guardado para ver a série de reuniões programadas nos dias, semanas e meses seguintes, e que não se concretizaram. Aquela mesma agenda se tornou um instrumento essencial para aliviar meu tédio. Eu tinha me dado como tarefa aprender todas as capitais de todos os países do mundo, sua extensão e o número de habitantes. Eu brincava com Lucho para passar o tempo:

— Qual é a capital da Suazilândia?

— Fácil: banana! — ele me respondia, caçoando de nossas técnicas bobas de memorização.

Eu tinha, então, um mapa da América Latina, com uma pequena Colômbia, na qual apareciam evidentemente a linha equatorial, algumas paralelas e meridianos indicados de forma incompleta. O mapa de Pinchao era muito menor, porém bem mais quadriculado. Tinha também, na margem, uma minúscula régua que tínhamos reproduzido numa carteira de cigarros para calcular melhor. Bastava dividir a distância entre duas linhas paralelas para saber onde se encontrava o paralelo procurado. Um pouco mais acima do Equador, tínhamos uma boa posição da coordenada N1°59 norte. Os meridianos apareciam da direita para a esquerda, a partir do 65, que atravessava a Venezuela e o Brasil, o 70 caía em cheio sobre a Colômbia e o 75, a oeste de Bogotá. W70°12 nos colocava alguns milímetros à esquerda do 70º meridiano. Estávamos, pois, provavelmente no Guaviara.

Passei horas absorta no pequeno mapa de Pinchao. Se nossos cálculos estivessem corretos, devíamos estar num pequeno ângulo do departamento de Guaviara, que acompanhava o curso do rio Inirida, na fronteira da província de Guainía. Esse rio pertencia à bacia do Orenoco. Se estávamos num dos seus afluentes, a corrente devia nos transportar até a Venezuela. Eu sonhava. Com minha pequena régua improvisada, eu media a distância entre esse ponto imaginário que chamávamos Maloka e Puerto Inirida, a capital de Guainía, aonde devíamos chegar obrigatoriamente. Havia um pouco mais de trezentos quilômetros em linha reta, mas o rio seguia um curso sinuoso que podia triplicar facilmente a distância real a percorrer. Pensando bem, Puerto Inirida não era o fim de nosso périplo. Bastava-nos encontrar um ser humano em nosso caminho que não pertencesse à guerrilha e que aceitasse nos guiar por uma espécie de labirinto.

Tive a sensação de ser a dona do mundo. Eu sabia onde nos encontrávamos e isso mudava tudo. Eu estava consciente de que deveríamos nos preparar para nos manter durante muito tempo naquela selva. As distâncias eram enormes. Eles tinham escolhido bem seu esconderijo. Não havia nada de certo a menos de cem quilômetros em torno, de um lado ao outro da mais intrincada das selvas. A cidade mais próxima era Mitú, no sul, a exatamente cem quilômetros, mas não havia ligação possível por via navegável. Caminhar pela floresta, sem bússola, me parecia uma loucura maior do que a que eu vislumbrava. Era possível uma tal expedição com um homem doente? A resposta era que eu não partiria sem ele. Teria de aprender a viver do que encontrássemos e correr o risco. Isso era bem melhor do que esperar ser morto por nossos sequestradores.

O companheiro de Gira foi um dia cavar novos *chontos*. Era um índio enorme, de olhar profundo. Eu esperava trocar algumas palavras com ele. Ele me disse, sem rodeios:

— As Farc não gostam de vocês. Vocês são aqueles que combatemos. Não sairão daqui antes de vinte anos. Temos tudo o que é necessário para mantê-los aqui o tempo que quisermos.

Eu me lembrei, então, de Orlando falando de um de nossos companheiros de cativeiro: "Vejam, ele se comporta como uma barata! Botam ele para fora, mas ele volta". Eu me vi querendo fazer amizade com o índio, igual a uma barata. "Nada mais estimulante para tomar a decisão de fugir", pensei.

O peixe fez milagres em Lucho. Duas semanas depois, suas lembranças voltaram. Durante seus dias de distanciamento, eu tinha a impressão de falar com um estranho. Quando voltou a seu estado normal, e eu pude lhe confiar quanto seu estado me tinha feito sofrer, ele se divertiu me fazendo ficar com medo, fingindo novos buracos na memória que me deixavam em pânico. Ele caía então na risada, me abraçando, penalizado, mas feliz por ver o quanto eu gostava dele.

Tudo estava pronto. Tínhamos mesmo decidido fugir, suspendendo o tratamento de glucantima que parecia interminável, porque Lucho não ficava bom nunca. Podíamos melhorar um pouco mais nossas provisões, mas contávamos nos alimentar da natureza, para partir com o menor peso possível. Ficamos só esperando o momento propício: uma terrível tempestade às seis e meia da tarde. Esperávamos por ela todo anoitecer. Curiosamente, naquela floresta tropical, onde chovia todos os dias, o ano de 2005 foi de uma seca nunca vista. A espera foi longa demais.

61. A fuga

Para passar o tempo, decidimos retomar nossas aulas de francês. Só Jhon Pinchao, um jovem que tinha sido feito refém assim que foi recrutado pela polícia, decidiu se juntar a nós. Ele parecia convencido de que nascera azarado e, conforme dizia, o encadeamento dos fatos que o tinham levado até a Maloka era a prova de que sua vida inteira estava destinada ao fracasso. Ele era invadido pelo sentimento de injustiça que advinha daí e o fazia se contrapor ao mundo inteiro. Eu gostava muito dele. Era inteligente e generoso, e eu tinha prazer em bater papo com ele, mesmo que na maior parte do tempo eu o deixasse irritado, dizendo: "Veja só! É impossível discutir com você!".

Ele nascera no bairro mais pobre de Bogotá. Seu pai era pedreiro e a mãe trabalhava no que encontrasse. Tivera uma infância miserável, trancado com as irmãs num quarto alugado num cortiço. Como a mãe não podia tomar conta deles, deixava-os trancados o dia inteiro. A irmã mais velha, de cinco anos, preparava para os outros o almoço num fogareiro que a mãe deixava no chão. Ele nunca esquecera a fome e o frio.

Ele adorava o pai e reverenciava a mãe. Como fruto de um trabalho intenso e de uma coragem sem limites, seus pais tinham conseguido construir com suas próprias mãos uma casinha e dar a eles uma educação adequada. Pinchao concluíra o ensino médio e tinha entrado para a polícia por não ter podido continuar os estudos.

Desde o começo das aulas, eu tinha observado que Pinchao aprendia muito rápido. Ele fazia todo tipo de pergunta e tinha uma grande sede de conhecimento que eu tentava saciar como podia. Ele ficava todo feliz quando, depois de ter me espremido como um limão durante todo o dia, eu me dava por vencida e lhe confessava que não sabia a resposta.

Ele confiava em mim e me pedira para ser incluído no que ele chamava "meu mundo". Queria que eu lhe contasse como eram os outros países por onde eu andara e nos quais vivera. Eu o levava a passear comigo em minhas lembranças, nas diferentes estações que ele não conhecia. Eu lhe dizia que preferia o outono com seu esplendor barroco, embora fosse tão curto, que a primavera nos jardins de Luxemburgo era um conto de fadas, e eu descrevia a neve, e as delícias de deslizar nela, e ele achava que eu estava inventando tudo só para agradá-lo.

Depois de algumas aulas de francês, mergulhávamos numa outra matéria de estudos. Pinchao queria aprender tudo sobre regras de etiqueta. Quando ele fez sua pergunta, eu achei logo que não era a pessoa indicada para cumprir essa tarefa.

— Decididamente, meu caro Pinchao, você não está com sorte! Se minha irmã estivesse aqui, ela lhe daria o melhor treinamento possível. Eu não sou boa em etiqueta. Mas posso lhe mostrar o que aprendi com minha mãe.

Ele estava muito entusiasmado com o projeto:

— Eu acho que entraria em pânico se um dia tivesse de me sentar diante de uma mesa com um monte de talheres e copos enfileirados à minha frente. Sempre tive vergonha de perguntar.

Aproveitamos a chegada de umas tábuas para construir uma mesa, dizendo que precisávamos de uma para nossas aulas de francês.

Pedi a Tito para cortar para mim, com o facão, pedaços de madeira para simular garfos e facas, e brincarmos de jantar. Lucho, que levava muito a sério nossos cursos de etiqueta, adorava me repreender a cada duas palavras:

— Os garfos à esquerda, a faca à direita.

— Sim, mas à direita você também pode colocar a colher de sopa ou a pinça para *escargots*.

— Espere, o que é uma pinça de *escargots*?

— Não ligue, ele só quer te assustar.

— Mas como fazer para adivinhar o que devo fazer? — insistia Pinchao, assustado.

— Não precisa adivinhar nada! Os couverts são colocados na ordem em que vão ser usados.

— E se você tiver dúvida, olhe seu vizinho — intervinha Lucho mais uma vez.

— É um ótimo conselho. Por outro lado, devemos sempre esperar que o dono da casa dê o exemplo. Não se deve fazer nada antes dele.

— Porque poderia lhe acontecer o que aconteceu com aquele chefe de Estado africano, e nem sei mesmo se ele era africano, convidado da rainha da Inglaterra. Eles tinham colocado a lavanda na mesa e o homem pensou que era para beber. E bebeu. A rainha, para evitar que ele ficasse envergonhado, bebeu a lavanda também.

— O que é a lavanda?

Passávamos a tarde inteira a falar da forma como arrumar a mesa, servir o vinho, servir-se, comer, e entrávamos no mundo da civilidade, dos prazeres refinados.

Eu dissera para mim mesma que, a partir do dia em que estivesse de volta, prestaria atenção aos detalhes, teria sempre flores em minha casa, e perfume, e não me proibiria mais os doces, os sorvetes. Compreendia que a vida tinha me dado acesso a muita coisa boa que eu tinha abandonado com displicência. Tomei nota em algum lugar para não esquecer, porque achava que a insuportável forma fútil de viver poderia me fazer esquecer o que eu tinha vivido, pensado e sentido no cativeiro, uma vez que estaria longe dali. Mas, como tudo que registrei no papel, queimei, para evitar que caísse nas mãos das Farc. Eu estava pensando em tudo isso, sentada em minha *caleta*, a preparar as aulas de francês para o dia seguinte, quando, de repente, ouvimos um rugido profundo, doloroso, assustador, que crescia e que nos obrigou a levantar a vista. Vi um tremular de folhas do lado dos *chontos*, depois vi Tigre numa desabalada carreira, abandonando seu posto de vigilância, atravessando nosso espaço como uma flecha.

A maior árvore da floresta tinha escolhido aquele instante para morrer. Caiu como um gigante. Nossa surpresa foi igual à daquelas jovens árvores que ela arrastava em sua queda e que se partiam com um barulho assustador, para cair definitivamente sobre nós, levantando dez metros de poeira. Papagaios voaram, atordoados. Meus cabelos foram varridos para trás sob a onda de choque, e meu rosto recebeu uma lufada de pó que cobriu todas as barracas e as árvores próximas. O céu se abriu de um lado a outro, mostrando nuvens amarelas esgarçadas, que se estendiam no infinito de um crepúsculo incendiado. Todos tinham corrido para se proteger. Foi tudo muito rápido.

— Eu poderia ter morrido — eu disse, aparvalhada, imaginando que aquele gigante tinha caído a dois centímetros do meu pé. Mas era muito belo.

Fiquei feliz com a ideia de que aquela abertura providencial me permitiria olhar as estrelas.

— Esqueça! — disse Lucho —, você vai ver como eles vão mudar de acampamento.

Alguns dias depois, Mauricio deu o sinal: mais uma mudança.

O lugar onde nos instalaram era recuado em relação ao rio. Havia um *caño* à esquerda de nosso acantonamento, como na Maloka. Esse acampamento era muito mais amplo e se bifurcava antes de se aproximar do rio. O braço mais importante servia a parte da guerrilha. Mauricio já nos esperava no novo sítio.

Muito rapidamente, cada um retomou seus hábitos. Nós nos ocupamos em instalar nossas antenas de alumínio nas árvores para nos conectar com o mundo. Não perdi mais nenhuma das mensagens de mamãe. Depois da extradição de Trinidad, ela se encarregou da tarefa de entrar em contato com todas as personalidades que poderiam ter acesso ao presidente Uribe. Ela agora queria convencer a esposa do presidente. Mamãe falava tudo isso abertamente no rádio, como se estivéssemos apenas eu e ela, uma diante da outra.

— Não sei mais o que inventar — ela me dizia. — Me sinto terrivelmente só. Seu drama não toca as pessoas, tenho a impressão de que todas as portas estão se fechando. Minhas amigas não querem mais me receber. Me acusam de deprimi-las com minhas lágrimas. E é verdade, minha querida, eu só falo de você, porque você é a única coisa que me interessa, e que todo o resto me parece superficial e banal, como se eu pudesse perder meu tempo me divertindo, enquanto sei que você está sofrendo.

Eu chorava em silêncio, repetindo-lhe bem baixinho:

— Fique tranquila, mamãezinha, eu vou lhe fazer uma surpresa. Em alguns dias, chegarei a algum lugar, a um povoado, à beira de um rio. Procurarei uma igreja, porque a guerrilha estará me procurando por tudo quanto é canto, e terei medo. Mas verei de longe o campanário e encontrarei o padre. Ele terá um telefone e eu discarei o seu número. É o único que não esqueci: *Dos, doce, ventitres, zero tres.** Ouvirei o telefone tocar uma, duas, três vezes. Você está sempre fazendo alguma coisa. Você o tirará do gancho. Escutarei o som de sua voz e a deixarei ressoar alguns instantes no vazio, para ter o tempo de, em seguida, render graças a

---

* Dois, doze, vinte e três, zero três.

Deus. Direi "Mamãe" e você responderá "Astrica?", porque nossas vozes se parecem e só poderia ser ela. Eu lhe direi, então: "Não, mamita, sou eu, Ingrid".

Meu Deus! Quantas vezes imaginei essa cena.

Mamãe preparava um apelo com o apoio de todas as ONGS do mundo, para pedir ao presidente Uribe para nomear um negociador para "o acordo humanitário". Ela contava com o apoio do antigo presidente Lopez, que do alto de seus noventa anos continuava a influir sobre o destino da Colômbia.

Durante meus anos de política, eu me mantivera distante do presidente Lopez. Ele encarnava para mim a velha classe política. Alguns dias antes de meu sequestro, eu tinha recebido um convite para ir vê-lo. Cheguei cedo, num sábado de manhã, com o único de meus agentes de segurança em quem eu tinha total confiança. Tomei um susto ao tocar a campainha de sua porta porque ela se abriu na hora, e era ele, em pessoa, que me esperava.

Era um homem muito alto, um belo homem apesar da idade avançada, com olhos de um azul-água que mudava de acordo com o humor. Estava vestido com elegância, com uma blusa de caxemira de gola rulê, um blazer azul-marinho e calça de flanela cinza impecavelmente passada. Ele me pediu para acompanhá-lo até a biblioteca, onde se sentou numa grande poltrona, de costas para a janela. Lembro de não ter aberto a boca durante as duas horas que durou nosso encontro. Ele me conquistara. Quando me despedi, fui obrigada a constatar que ele tinha derrubado todos os meus preconceitos.

Ele se deslocara até Neiva, uma cidade sufocante como o caldeirão do diabo, para participar da manifestação organizada em nosso favor. Mostrara as fotos dos reféns durante o trajeto, acompanhado de sua mulher, que fora submetida ao mesmo suplício. Mamãe estava lá, com todas as famílias dos outros reféns. A intolerância chegava ao paroxismo. Muitos, na Colômbia, achavam que pedir nossa libertação significava apoiar as exigências da guerrilha e um ato de traição à pátria.

O presidente Lopez morreu enquanto eu estava ainda amarrada a uma árvore. Antes de morrer, ele conseguira convencer que a luta para a libertação dos reféns era uma causa "politicamente correta". Foi a primeira voz que ouvi, junto com a de minha mãe, narrando o sucesso da manifestação, quando nos tiraram do *bongo*.

O novo acampamento tinha sido pensado de forma estranha. Estávamos isolados das acomodações que os guerrilheiros construíam para eles e tínhamos apenas dois guardas na extremidade de nosso acantonamento. Esbocei um plano que me pareceu perfeito. O tratamento de Lucho, felizmente, havia terminado. Ele tomara ao todo 163 injeções de glucantima em seis meses, cinco vezes mais que a dose normal. Os efeitos colaterais o tinham feito sofrer muito, sobretudo as dores de dente e dos ossos. Mas a lesão na testa tinha sumido. Restava apenas uma leve escoriação na pele, que ficaria para sempre como sinal de sua longa luta contra a leishmaniose.

Vivíamos à espera daquela tempestade providencial, às seis e quinze da noite, que nos permitiria fugir. Todas as noites, dormíamos decepcionados por não ter ainda partido, mas secretamente aliviados de poder dormir um dia a mais no seco.

Certa manhã, Mono Liso e um grupo de mais cinco guerrilheiros começaram a trabalhar cedo, com enormes pedaços de madeira que eles tinham cortado para transformar em mourões. Eles cercaram nosso acampamento, fincando-os a cada cinco metros. Ao mesmo tempo, nos levaram para um lugar onde ficamos presos. Pensei que fosse morrer. Eles não tiveram tempo de terminar os trabalhos no mesmo dia. O alambrado e os fios de arame farpado seriam instalados no dia seguinte.

— É nossa última chance, Lucho. Se quisermos partir, tem de ser esta noite.

17 de julho de 2005

No dia seguinte, era o aniversário de minha irmã. Preparei os "minicruzeiros" e os coloquei num canto de minha *caleta*, sob o mosquiteiro. Mono Liso passou naquele instante e nossos olhares se cruzaram. Apesar do filó preto do mosquiteiro, ele me olhou e eu compreendi que ele adivinhara tudo. Fui para a fila com minha tigela para minha última refeição quente, dizendo para mim mesma que estava delirando, que ele não podia ter lido meus pensamentos e que tudo iria correr bem. Confirmei que Lucho também estava pronto e lhe pedi para esperar que eu fosse pegá-lo. Eu estava confiante. Grossas nuvens negras se aglomeravam no céu, o cheiro de tempestade já se fazia anunciar. De fato, grossos pingos de chuva começaram a cair. Fiz meu sinal da cruz dentro de minha *caleta* e pedi à Virgem Maria para me proteger, porque eu já estava tremendo. Tive a impressão de que ela não me escutara quando vi Mono Liso se aproximar. Não era a hora de mudança da guarda. Meu coração apertou. O rapaz tinha atravessado uma passarela de madeira sobre pilotis que a guerrilha terminara fazia pouco, para ligar seu acampamento ao nosso. A passarela dava a volta em todo o acantonamento e passava a exatamente três metros na frente da minha barraca. A chuva já caía pesada. Eram seis da tarde em ponto. Mono Liso parou na minha frente e se sentou na passarela, os pés balançando, de costas para mim, indiferente à tempestade.

A culpa era minha, estava nervosa demais, eu tinha me denunciado. No outro dia, eles nos trancariam numa prisão de arame farpado e eu ficaria vinte anos naquela selva. Eu tremia, as mãos úmidas, aterrorizada até a náusea. Comecei a chorar.

As horas passavam e Mono Liso continuava sentado, montando guarda à minha frente, sem se mover. Houve duas trocas de guarda e ele continuou ali. Por volta de onze e meia, "el Abuelo", um outro guerilheiro mais velho, o substituiu. A chuva não parava. Mono Liso se foi, molhado até os ossos. O novo sentinela foi se sentar debaixo de uma barraca improvisada, ali onde eles colocavam as panelas na hora de servir. Ele estava numa diagonal e controlava todos os ângulos da *caleta*. Ele me olhava sem me ver, perdido em seus pensamentos.

Eu me dirigia a Maria, porque achava que seria bem mais difícil chegar a Deus. Rezei durante muito tempo com a força do desespero. "Minha Nossa Senhora, eu lhe suplico, a senhora também é mãe, conhece o vazio que queima minhas entranhas. Preciso ver meus filhos. Hoje é ainda possível, amanhã acabou. Sei que a senhora me escuta. Eu queria lhe pedir alguma coisa de mais espiritual, que me ajude a ser melhor, mais paciente, mais humilde. Eu lhe peço tudo isso também. Eu lhe suplico, venha me buscar."

Mamãe me contava que, num sábado, louca de dor, ela tinha se revoltado contra Maria. Naquele mesmo dia anunciaram que a guerrilha tinha entregado a ela uma segunda prova de que eu estava viva.

Eu não acreditava mais em coincidências. Desde meu sequestro, naquele espaço de vida fora do tempo, eu tinha tido a possibilidade de revisar os acontecimentos de minha vida com a distância e a serenidade próprias aos que têm tempo sobrando. Eu concluíra que a coincidência não passava de uma forma de confessar a ignorância do que virá. Eu precisava ser paciente, esperar, para que a razão de ser das coisas se aclarasse. Com o tempo, os acontecimentos se sucediam numa certa lógica e desfaziam o caos. A coincidência deixava, então, de existir.

Eu tinha falado com ela, assim como uma louca, durante horas, utilizando a chantagem afetiva mais rasteira para vencer sua indiferença, triunfando sobre ela, enraivecendo-a, e me jogando a seus pés mais uma vez. Maria, aquela a quem me dirigia, não era uma dessas imagens populares. Também não era um ser sobrenatural. Era uma mulher que tinha vivido milhares de anos antes de mim, mas que, por uma graça excepcional, podia me ajudar. Frustrada e cansada de minha prece, eu caíra num sono sem sonhos. Meu espírito vagava, mas não deixava de estar desperto. Eu achava que estava sempre atenta. Senti, então, que me tocavam no ombro. Depois, como não reagi, me sacudiram. Foi quando entendi que tinha dormido profundamente, porque a volta à realidade foi penosa e dolorida, e voltei de súbito, perdida no tempo, sentada, os olhos arregalados, o coração acelerado. "Obrigada", eu disse por educação. Nada de divino, apenas aquela sensação de uma presença.

Não tive tempo de me fazer mais perguntas. "El Abuelo" tinha se levantado e olhava firme para mim. Prendi a respiração porque eu acabava de entender que ele estava entediado e resolvera sair dali. Fiquei imóvel, apostando no fato de que a penumbra não lhe permitia ver que eu estava sentada. Ele ficou imóvel por alguns segundos, como um animal selvagem. Afastou-se, dando a volta na passarela, depois retornou. "Maria, por favor!" Ele inspecionou de novo a escuridão, respirou tranquilizado, e fez um atalho pelo mato para voltar ao seu acantonamento.

Eu estava cheia de gratidão. Sem esperar, saí de meu mosquiteiro engatinhando e repetindo em voz baixa: "Obrigada, obrigada". Os dois outros guardas estavam atrás da linha das barracas e das redes onde dormiam meus companheiros. Eles poderiam ter visto meus pés se olhassem por baixo, mas estavam enrolados em seus plásticos pretos, tremendo de frio e de tédio. Era uma e cinquenta da manhã. Tínhamos apenas duas horas e meia para deixar o acampamento. Era o suficiente para nos perdermos na selva e nos livrarmos deles.

Fui tateando para as barracas dos militares. Peguei o primeiro par de botas que encontrei no caminho e, aventurando-me mais perto dos guardas, peguei o segundo. Eu sabia que havia sido dada a ordem de nos vigiarem de forma cerrada, a mim e Lucho. A primeira coisa que a guarda faria seria verificar se nossas botas estavam diante de nossos enxergões. Eles veriam as botas dos militares que eu acabava de colocar e ficariam tranquilos.

Depois me dirigi à *caleta* de Lucho para acordá-lo.

— Lucho, Lucho, vamos.

— Hein, como, o que é?

Ele dormia profundamente.

— Lucho, vamos embora, rápido!

— O quê? Você está louca, não vamos fugir agora!

— Não tem nenhum guarda! É agora ou nunca.

— Ah! Você quer que eles nos matem?

— Escute, faz seis meses que você me fala dessa fuga…

— …

— Está tudo pronto. Tenho até as botas dos militares, eles não vão entender nada.

Lucho acabava de ser projetado diante de seu destino e também diante de mim. Ele transformou seu terror em raiva:

— Você quer se mandar, está bem! Vão atirar na gente. Mas, de qualquer maneira, talvez seja melhor do que morrer aqui!

Lucho fez um movimento brusco, e as caçarolas, tigelas, copos e colheres que ele havia empilhado cuidadosamente ao pé de uma estaca desabaram com um barulho assustador.

— Não se mexa — eu disse, para segurá-lo em seu ímpeto suicida.

Ficamos agachados atrás do enxergão, protegidos pelo mosquiteiro. Um feixe luminoso passou sobre nossas cabeças, depois se afastou. Os guardas riam. Eles deviam ter achado que era um rato que tinha nos feito uma visita.

— Está bem, eu vou! Estou pronto, eu vou! — disse Lucho, pegando suas duas latas de óleo, sua mochilinha, seu boné e as luvas que eu tinha feito para aquela ocasião. Ele se afastou a passos largos.

Eu ia fazer a mesma coisa, mas me dei conta de que havia perdido uma luva. Em pânico, voltei tateando para perto dos militares. "Que idiota! Tenho de partir já!", pensei. Lucho já estava atravessando a passarela e caminhava furioso, em frente, pisando todas as plantas por onde passava. As folhas rangiam terrivelmente e sibilavam ao roçar a calça de poliéster que ele usava. Eu me voltei. Era impossível que os guardas não tivessem ouvido a barulheira que estávamos fazendo. Mas, atrás de mim, reinava uma calma absoluta. Olhei o relógio. Em três minutos aconteceria a troca da guarda. Já estariam certamente a caminho. Eu precisava pular a passarela e correr para atravessar o terreno arroteado diante de nós, para ter o tempo de me esconder na mata.

Lucho já estava lá. Eu tinha medo de que ele se esquecesse do que tínhamos combinado. Dobraríamos à esquerda no *caño* e nadaríamos até a outra margem. Se ele fosse em frente, cairia nos braços de Gafas. Fiz o sinal da cruz e me joguei correndo, na certeza de que os guardas não poderiam me ver. Cheguei esbaforida atrás dos arbustos, bem a tempo de pegar a mão de Lucho e puxá-lo para o chão. Agachados um contra o outro, nos pusemos a observar o que se passava através dos galhos. A troca da guarda acabava de ser feita, eles tinham dirigido o feixe de luz primeiro para nossas botas e mosquiteiros, depois para nós, varrendo o terreno vazio em todos os sentidos.

— Eles nos viram!

— Não, não nos viram.

— Vamos, não vamos esperar que venham atrás de nós.

Eu tinha feito uma capa para minhas latas de óleo e as levava presas ao pescoço e à cintura. Elas me impediam de caminhar direito. Eu ia ter de pular uma porção de galhos e arbustos jogados ali depois da limpeza de nosso acampamento. Estava toda atrapalhada com meus pertences. Lucho pegou minha mão, suas latas na outra, e partiu direto para o *caño*. As latas de plástico pareciam explodir quando batiam nas árvores caídas, as plantas estalavam dolorosamente sob nosso peso.

Chegamos à margem do rio. Antes de escorregar no talude, olhei para trás. Ninguém. Os faróis ainda varriam para o lado das barracas. Um passo a mais, tropecei em Lucho e fui cair lá embaixo, na praia de areia fina, aonde íamos todo dia fazer nossa toalete. Quase não chovia mais. O barulho que fazíamos não seria encoberto pela chuva. Sem pensar um segundo a mais, nos jogamos na água como animais em pânico. Tentei controlar meus movimentos, mas fui arrastada muito depressa pela corrente.

— Temos de atravessar rápido, rápido!

Lucho parecia ir à deriva para o outro braço do afluente, aquele que servia o acantonamento de Enrique. Eu nadava com um braço só, segurando Lucho pelas alças de sua mochila. Não conseguíamos mais controlar a direção de nossos movimentos, estávamos tomados pelo medo e procurávamos, pelo menos, não nos afogar.

A corrente nos ajudou. Fomos arrastados para a esquerda, no outro braço do afluente, para uma curva em que a velocidade da água aumentava. Perdi de vista as barracas da guerrilha e, por um instante, tive a sensação de que era possível. Nós nos afastamos nos perdendo nas mornas águas da Amazônia. O *caño* se fechava sobre si mesmo, cada vez mais estreito, cerrado, escuro, silencioso, como se estivéssemos num túnel.

— Temos de sair do *caño*, temos de sair da água — eu não parava de repetir para Lucho.

Ancoramos cuidadosamente num leito de folhas grossas, abrindo uma passagem entre as silvas e os fetos.

"Tudo deu certo. Nenhuma pista", pensei.

Eu sabia instintivamente que direção tomar.

— É por aqui — eu disse a Lucho, que hesitava.

Penetramos numa vegetação cada vez mais densa e alta. Descobrimos, para além de uma parede de arbustos novos de silvas afiadas, uma clareira de musgo. Joguei-me ali na esperança de diminuir a resistência da vegetação para andar mais depressa, mas caí num enorme fosso que o musgo cobria como uma malha sobre uma armadilha. O fosso era profundo, o musgo chegava até o pescoço e eu não tinha a menor noção do que ele escondia. Imaginei que havia ali todos os tipos de monstros esperando uma presa como eu, para abocanhá-la. Tomada pelo pânico, tentei sair, mas meus movimentos eram desajeitados e inúteis. Lucho se deixou cair no mesmo fosso e me tranquilizou.

— Não se apavore, não é nada. Vá em frente, a gente vai sair daqui.

Um pouco mais adiante, os galhos de uma árvore serviram para que nos agarrássemos e pulássemos fora. Eu queria correr. Sentia que os guardas estavam no nosso encalço e achava que eles iam sair de dentro do mato e cair sobre nós.

De repente, a vegetação mudou. Deixávamos os arbustos de silvas e espinhos para penetrar no mangrove. Vi o espelho d'água brilhar através das raízes das grandes árvores. Uma praia de areia cinza era uma espécie de antecâmara para o espraiamento do rio. Um último renque de árvores invadidas pela inundação e, mais adiante, a imensa superfície prateada que parecia estar à nossa espera.

— Chegamos! — eu disse a Lucho, sem saber se me sentia aliviada ou, ao contrário, aterrorizada, diante da próxima prova que nos esperava.

Eu estava hipnotizada. Aquela água que corria rapidamente diante de nós: era a liberdade.

Mais uma vez, olhei para trás. Nenhum movimento, nenhum barulho, salvo o do meu coração, que batia ruidosamente em meu peito.

Nós nos aventuramos com cuidado na água até a altura do peito. Puxamos nossas cordas. Fiz conscienciosamente os gestos que eu conhecia de cor por causa dos exercícios cotidianos que aprendera durante os longos meses de espera. Cada nó tinha uma razão de ser. Precisávamos estar bem amarrados um ao outro. Lucho mal conseguia se manter equilibrado à flor da água.

— Não se preocupe, uma vez que estivermos nadando você vai se equilibrar.

Estávamos prontos. Demos a mão um para o outro a fim de ir em frente, até que não sentimos mais o chão. Ficamos flutuando, pedalando suavemente até o último renque de árvores. Diante de nós, o rio se abria grandioso sob a abóbada celeste. A lua imensa clareava como um sol de prata. Eu tive consciência de que uma forte corrente ia nos aspirar. Não dava mais para retroceder.

— Cuidado, pode ser que haja uma corredeira — eu disse a Lucho.

Num segundo, uma vez vencida a barreira vegetal, fomos empurrados, sem mais nem menos, para o meio do rio. A margem sumiu de nossos olhos em grande velocidade. Eu vi o embarcadouro da guerrilha se distanciar e fui invadida por uma sensação de plenitude tão grande quanto o horizonte que acabávamos de encontrar.

* * *

O rio dava uma boa volta, o embarcadouro desapareceu de vez. Não havia mais nada atrás de nós, estávamos sozinhos, a natureza tinha conspirado a nosso favor, a serviço de nossa fuga. Eu me sentia protegida.

— Estamos livres! — eu gritava com toda a força de meus pulmões.

— Estamos livres! — berrava Lucho rindo, olhando as estrelas.

62. A liberdade

18 de julho de 2005

Conseguimos. Lucho não lutava mais, ele se deixava arrastar tranquilo e confiante, como eu. O medo de nos afogarmos tinha passado. A corrente era muito forte, mas não havia remoinhos, o rio corria rápido para a frente. De cada lado, uma centena de metros nos separava das margens.

— Como vamos fazer para chegar lá? — perguntou Lucho.

— A correnteza é forte, vai levar algum tempo. Vamos nadar bem devagar para chegar à outra margem. Se nos procurarem, investigarão primeiro o lado onde estão. Não podem imaginar que atravessamos tudo isso.

Começamos a dar braçadas num ritmo lento mas firme, para não nos cansarmos. Precisávamos manter o corpo aquecido e ir pouco a pouco para nossa direita, para nos livrarmos do efeito de sucção que nos impelia para o meio do rio. Lucho estava um pouco atrás de mim, estávamos ligados pela corda, o que me dava segurança, porque eu podia avançar sem precisar olhar para trás, por saber que ele estava ali.

Eu sabia que nossa maior dificuldade dentro d'água seria a hipotermia. Sempre fui sensível a ela. Lembrava-me de mamãe me tirando da piscina quando eu era criança, enrolada numa toalha, me esfregando com força o corpo, enquanto eu tremia descontroladamente, chateada por ter sido tirada de minhas brincadeiras. "Você está com os lábios roxos", ela me dizia, como para se desculpar.

Eu adorava a água. Salvo quando começava a bater o queixo. Fazia tudo para esquecer isso, mas sabia, então, que eu tinha perdido o jogo e teria de sair. Ao mergulhar, mesmo nas águas tropicais, eu achava que devia usar uma roupa grossa porque gostava de ficar no fundo do mar por muito tempo. Eu não pensava nas anacondas porque achava que, na água, elas ficariam perto das margens, à espera de sua presa. Eu imaginava que os *guios* deviam ter provisões de alimentos mais fáceis do que nós.

Eu estava mais preocupada era com as piranhas. Eu as vira em ação e não tinha conseguido distinguir entre o mito e a realidade. Havia acontecido várias vezes de tomar banho num *caño* menstruada. Cercada de homens, minha única preocupação era que eles não notassem.

No cativeiro, sempre sofri com a atitude displicente com a qual os imperativos femininos eram tratados pela guerrilha. A provisão de cigarros e sua distribuição eram bem mais garantidas que a de absorventes. O guarda que tinha sido designado para entregar minha cota tinha prazer em gritar bem alto, sob o olhar divertido de meus companheiros: "Não vá gastar à toa, eles devem durar quatro meses!". Eles nunca duravam o tempo que me pediam, evidentemente. Muito menos se havia caminhada, porque meus companheiros me pediam para usá-los como palmilhas, quando as bolhas estouravam em seus pés. Quando preparei nossa fuga, a ideia de nadar naquela situação tinha me levado a fazer uma proteção pessoal, mas estava certa de que não funcionaria.

Ali, naquelas águas turvas, eu dava braçadas tanto para ir em frente quanto para afastar todo animal que pudesse ser atraído por nossa presença.

Impelidos pela força de nossa euforia, nadamos durante três horas. A claridade daquele espaço conquistado pela lua se transformou com a aproximação do dia. O céu se cobriu de novo com seu manto de veludo negro, a escuridão caiu sobre nós, e com ela o frio que precede o amanhecer.

Eu batia o queixo já fazia um bom tempo, mas sem me dar conta. Quando quis falar com Lucho foi que notei que mal conseguia articular as palavras.

— Você está com os lábios roxos — ele disse, preocupado.

Tínhamos de sair da água.

Aproximamo-nos da margem, ou melhor, da folhagem que acompanhava o rio. O nível das águas tinha subido tanto que as árvores que o acompanhavam estavam completamente cobertas. Só aparecia a parte mais alta. A margem tinha recuado bastante e, para alcançá-la, precisávamos nos enfiar por aquelas galharias.

Hesitei. Dava medo adentrar aquela natureza secreta. Que haveria sob aquelas folhas silenciosas que só a força da correnteza já assustava? Seria ali que a anaconda nos esperava, enrolada no galho mais alto daquela árvore semissubmersa? Quanto tempo precisaríamos nadar mata adentro para, enfim, pisarmos terra firme?

Eu me conformei em não escolher o lugar mais propício, porque não havia nenhum.

— Vamos por aqui, Lucho — eu disse, passando a cabeça sob os primeiros galhos sobre os quais era possível caminhar.

O sobosque estava escuro, mas dava para delinear seus contornos. O olho se ajustava. Eu avançava lentamente, deixando Lucho me alcançar para pegar seu braço.

— Tudo bem?

— Sim, tudo bem.

Os sons chegavam filtrados. O rugir do rio tinha dado lugar ao silêncio das águas paradas. Um pássaro fez um voo rasante na água e nos jogamos um pouco de lado. Meus gestos tinham perdido instintivamente a amplitude, eu antecipava um mau encontro. No entanto, nada do que eu via era diferente do que eu tinha visto mil vezes. Nadávamos entre os galhos das árvores como o *bongo* que penetrava e abria um caminho até a margem. Um leve marulho era sinal de que estávamos próximos da beira.

— Veja ali! — cochichou Lucho no meu ouvido.

Segui o olhar dele. À minha esquerda, um leito de folhas e, mais adiante, as raízes de uma ceiba majestosa. Meus pés acabavam de entrar em contato com o chão. Saí da água, cheia de emoção, tremendo, feliz de estar em pé em terra firme. Eu estava cansada, precisava encontrar um lugar para cair. Lucho saiu escalando a leve encosta ao mesmo tempo que eu, e me puxou entre as raízes da árvore.

— Temos de nos esconder, eles podem surgir a qualquer momento.

Lucho abriu o plástico preto que guardava entre seus pertences e pegou minha mochila.

— Me dê suas roupas, uma por uma, precisamos secá-las.

Fiz o que ele pediu. Fui, na mesma hora, atacada pelas *jejenes*, umas mosquinhas bem miudinhas, muito vorazes, que se deslocavam em nuvens compactas e me obrigavam a executar uma dança primitiva, para mantê-las a distância.

Eram quase seis da manhã. A floresta ali onde estávamos era tão densa que a luz do dia demorava a penetrá-la. Tínhamos decidido esperar, porque não enxergávamos o que estava à nossa volta. "Meu Deus, hoje é o aniversário de minha irmã!", pensei, feliz com minha descoberta. No mesmo instante, a luz do sol atravessou o sobosque e se espalhou como pólvora.

Não estávamos num bom lugar. Ali, ao pé das raízes da ceiba, a "árvore da vida", era o único local seco, no meio de um pântano. A alguns metros, algo parecido com uma casa de marimbondos no galho de uma árvore me trouxe à lembrança os momentos difíceis em que fomos perseguidos por um enxame de vespões.

— Temos de ir bem mais para lá — disse Lucho. — Além disso, quando chover, tudo será recoberto com as águas paradas.

Alguém deve ter escutado lá em cima, porque começou a chover na mesma hora. Afastamo-nos da colmeia com cuidado, penetrando na floresta. Começou a chover forte. Ficamos de pé com nossas tralhas, usando os plásticos como guarda-chuva, muito cansados para pensar em alguma coisa. Quando, finalmente, a chuva nos deu uma trégua, joguei meu plástico no chão e desabei. Acordei sobressaltada. Homens gritavam por perto. Lucho estava agachado, em alerta.

— São eles — murmurou, os olhos arregalados.

Estávamos numa clareira, bem à vista, com muito poucas árvores para nos escondermos. Era o único lugar seco em meio às águas. Tínhamos de nos abaixar atrás de alguma coisa, se ainda desse tempo. Olhei à volta em busca de um esconderijo. O melhor era nos deitarmos e nos cobrirmos de folhas. Lucho e eu pensamos a mesma coisa, no mesmo instante. Achei que o barulho que fazíamos para pegar as folhas era tão alto quanto os gritos deles.

As vozes se aproximavam. Escutávamos claramente a conversa. Eram Ángel e Tigre, com um terceiro, Oswald. Eles riam. Fiquei arrepiada. Era uma caça ao homem. Eles nos tinham visto, certamente.

Lucho estava imóvel ao meu lado, camuflado sob a coberta de folhas mortas. Se não fosse tanto medo, eu teria soltado uma risada. E chorado também. Eu não queria dar a eles o prazer de nos capturar.

Os guerrilheiros continuavam rindo. Onde estavam? Do lado do rio, à nossa esquerda. Mas, ali, a vegetação se tornava muito densa. Depois, um ruído de motor, algumas vozes, o eco metalizado de homens que embarcam num bongo, o clique dos fuzis, mais uma vez o motor, que agora se afastava, e a volta do silêncio das árvores. Fechei os olhos.

A noite caiu muito rápido. Eu estava surpresa de estar bem com minhas roupas molhadas. O calor de meu corpo não tinha me fugido. Sentia os dedos doloridos, mas tinha conseguido manter minhas unhas limpas, e a cutícula, que algumas vezes me fazia sofrer, não tinha sido afetada. Peguei meus cabelos e fiz uma trança bem firme para durar o maior tempo possível. Tínhamos decidido que comeríamos sempre alguma coisa antes de pegar o rio e, para aquele primeiro

dia, estávamos autorizados a comer um biscoito cada um e um pedaço de *panela*.*
Eles retomariam a caçada ao amanhecer, bem no momento em que deixaríamos
o rio para nos escondermos entre as árvores. Devíamos partir às duas da manhã
para viajar três horas antes de o dia nascer. Queríamos chegar a algum lugar com
os primeiros raios do sol, porque temíamos nos enfiar na vegetação como cegos.
Estávamos de acordo quanto a tudo isso, agachados entre as raízes de nossa velha
árvore, esperando que a chuva parasse para que pudéssemos nos encolher sobre
nossos plásticos para dormir ainda um pouco.

A chuva não parou. Mas dormimos assim mesmo, um grudado no outro,
incapazes de lutar por muito tempo contra o sono.

Fui acordada com um barulho ensurdecedor. Depois, silêncio. De novo, alguma coisa se torcia no pântano e tocava a água com violência. Eu via apenas o
escuro. Lucho procurou a lanterna e, abrindo uma exceção, acendeu-a por um
segundo.

— É um *cachirri*** — exclamei, aterrorizada.

— Não, é um *guio* — replicou Lucho. — Está levando sua presa para afogá-la.

Provavelmente ele tinha razão. Lembrei-me do *guio* que tinha estrangulado o
galo no acampamento de Andrés. Da casinha de madeira eu escutara o "pluf" que
ele fizera ao cair dentro do rio, arrastando sua presa para o fundo. Era o mesmo
barulho.

Ficamos em silêncio. Em alguns minutos, teríamos de entrar naquelas mesmas águas escuras. Já eram duas da madrugada.

Aguardamos. Instalou-se uma paz assustadora.

— Vamos, temos de ir — declarou Lucho, amarrando as cordas em suas botas.

Entramos no rio, apreensivos. Eu me batia nas árvores quando caminhava.
De novo, a corrente nos aspirou bruscamente, nos puxando de debaixo da cúpula
da vegetação para nos jogar a céu aberto, no meio do rio. A corrente estava mais
veloz que a do dia anterior, e lá fomos nós, rodopiando, sem nenhum controle.

— Vamos nos afogar! — gritou Lucho.

— Não, não vamos, não. É normal, choveu a noite toda. Não faça resistência.

Tive a impressão de estar despencando, tal a velocidade com que nos desloca-
vamos. O rio se tornara sinuoso e tinha se estreitado. As margens eram mais altas
e, às vezes, a linha das árvores se interrompia para dar lugar a uma escarpa, como

---

* Um torrão de açúcar mascavo.
** Grande jacaré da Amazônia.

se a margem tivesse sido devorada. A terra vermelha, desnudada, se abria como uma ferida no meio das trevas encrespadas da vegetação.

Quando senti meus primeiros arrepios, e a necessidade de deixar o rio se tornou premente, a corrente se tornou menos agressiva e nos permitiu nadar para a margem oposta, do lado em que a vegetação nos parecia menos densa. Ainda não tínhamos alcançado a outra margem quando amanheceu. Apavorada, apressei o ritmo. Éramos presa fácil para toda a equipe que estava à nossa procura.

Aliviados, penetramos mais para dentro da floresta, protegidos pela penumbra.

No alto, o terreno estava bem seco e as folhas mortas estalavam sob nossos pés.

Deixei-me cair em cima de um plástico batendo o queixo e dormi profundamente.

Abri os olhos me perguntando onde estava. Não havia guardas. Nem barracas, nem redes. Pássaros de todas as cores faziam a maior algazarra num galho acima de meus olhos. Quando consegui, através de um dédalo de lembranças esparsas, voltar à realidade, fui tomada por uma felicidade de tempos imemoriais. Decidi ficar ali, quieta.

Lucho tinha sumido. Esperei tranquila. Ele tinha ido inspecionar o local.

— Você acha que há transporte de civis nesse rio? — ele me perguntou ao retornar.

— Tenho certeza. Lembre-se da barca que passou por nós quando acabávamos justamente de deixar o acampamento da Maloka!

— E se tentássemos parar uma?

— Nem pense nisso! Temos uma chance em duas de cair nas mãos dos guerrilheiros.

Eu conhecia os perigos de nossa fuga. Mas o que eu mais temia era que perdêssemos a coragem. Depois da pressão de adrenalina no momento da fuga, vinha o relaxamento da vigilância quando a gente se sentia fora de perigo. Era nessas horas de relaxamento que brotavam as ideias sinistras, e podíamos perder a perspectiva do sacrifício já feito. A fome, o frio, o cansaço, se tornavam mais fortes que a própria liberdade, porque a tendo reencontrado, ela se desvalorizava diante de nossas urgências.

— Vamos comer, vamos nos dar esse prazer.

— Nossas provisões dão para quantos dias?

— Veremos. Mas temos nossos anzóis. Não se preocupe, cada dia aqui nos aproxima de nossas famílias!

O sol apareceu. Nossas roupas tinham secado e isso contribuiu para nos dar mais força. Passamos a tarde a imaginar o que deveríamos fazer se a guerrilha se aproximasse.

Partimos mais cedo, na esperança de fazer um trajeto mais longo. Alimentávamos a ilusão de encontrar em nosso percurso sinais da presença humana.

— Se encontrássemos uma barca, poderíamos viajar a noite toda a seco — disse Lucho.

Tínhamos escolhido um terreno que nos parecera propício, porque a margem, visível através das folhagens, se estendia numa praia de uns trinta metros. Chegamos lá ao amanhecer e a tínhamos escolhido porque uma das árvores que estava dentro d'água tinha galhos que cresciam na horizontal, o que nos permitiria, pensávamos nós, fazer serviços de espionagem para vigiar o rio.

O sol do dia anterior nos tinha revigorado, e o dia se anunciava também quente. Decidimos pescar para reforçarmos o moral. Teríamos pela frente, talvez, semanas, senão meses.

Enquanto Lucho procurava o melhor dos galhos para fazer um caniço, me concentrei em procurar iscas. Eu tinha visto um tronco cuja metade apodrecia dentro da água. Com um chute, como eu havia visto os guerrilheiros fazerem, o abri. Dentro, uma colônia de minhocas esverdeadas se mexia. Mais adiante, aves-do-paraíso cresciam em abundância. Com uma de suas folhas, fiz um cone que enchi com as infelizes minhocas. Amarrei o fio de náilon e o anzol no caniço de Lucho e coloquei conscientemente a isca sempre viva, antes de jogá-lo na água. Lucho me olhou ao mesmo tempo com nojo e fascinado, como se o meu ritual me tornasse detentora de um poder oculto.

Mal a isca caiu na água, puxei um belo *caribe* (nome mais tranquilizador para designar as piranhas). Procurei um forcado que coloquei ao meu lado e nele enfiei minha pesca, certa de que, depois daquela dádiva, a sorte continuaria do meu lado. Sem que esperássemos, aquela pesca tinha sido milagrosa. Lucho dava gargalhadas. Tínhamos três forcados com peixe em pouco tempo. Todas as nossas angústias tinham desaparecido. Poderíamos comer todos os dias até encontrar uma saída.

Déramos para falar muito alto e nem notávamos. Só ouvimos o barulho de um motor quando ele passou na nossa frente. Era um barco, muito carregado, que navegava bem na superfície da água, levando uma dezena de pessoas, todas espremidas umas contra as outras, mulheres, uma com um bebê, homens, jovens, todos vestidos como civis, com roupas multicoloridas. Meu coração deu um pulo. Gritei por ajuda quando o barco já tinha passado, compreendendo que eles não podiam mais nos ver, e muito menos nos ouvir. Eles tinham estado tão perto de nós por alguns segundos. Nós os vimos passar diante de nossos olhos, retendo todos os detalhes daquela aparição, dominados primeiro pelo medo e pela surpresa, depois por ver escapar de vez a ocasião de sair dali.

Lucho me olhou com a expressão de um cachorro abatido. Seus olhos se encheram de lágrimas.

— Era para vigiarmos o rio — ele me disse, com amargura.

— Era, precisamos estar mais atentos.

— Eram civis — disse ele.

— É, eram civis.

Perdi a vontade de pescar. Puxei o fio e o anzol para guardá-los.

— Vamos acender o fogo e tentar assar os peixes — eu disse, para esquecer nosso desapontamento.

O céu tinha mudado. Nuvens se amontoavam sobre nossas cabeças. Choveria cedo ou tarde. Precisávamos correr.

Lucho pegou alguns galhos. Tínhamos um isqueiro.

— Você sabe fazer fogo? — ele me perguntou.

— Não, mas acho que não é nada complicado. Temos de achar uma *bizcocho*,* essa árvore que eles usam na *rancha*.

Passamos duas horas tentando. Eu me lembrava de ter ouvido os guardas dizerem que era preciso descascar a madeira quando ela estivesse úmida. Tínhamos tesouras e, apesar de todos os nossos esforços, foi impossível descascar mais do que um galho. Eu me senti ridícula com meu isqueiro e toda aquela madeira em volta, incapaz de acender a menor chama. Estávamos numa corrida contra o tempo, mas preferíamos não falar disso. A doença de Lucho não demoraria a se manifestar de uma forma ou de outra. Eu observava todos os sinais que a antecediam. Até então, eu não tinha visto nada de alarmante nele, a não ser a expressão de tristeza depois que o barco passou, porque, às vezes, antes de uma de suas crises, ele caía num estado parecido de aflição. Nesses casos, sua lentidão não tinha nenhuma causa específica. Ela aparecia como um sintoma dos descontroles de seu metabolismo,

* Árvore cuja madeira queima mesmo estando molhada.

enquanto o abatimento que eu acabava de observar tinha uma causa evidente. Eu me perguntei, então, se a decepção que o habitava não seria suficiente para desencadear sua doença, e essa ideia me torturou mais do que a fome ou o cansaço.

— Bom, escute, isso não é um problema. Se não conseguirmos fazer fogo, comemos os peixes crus.

— Agora essa, nunca! — gritou Lucho. — Melhor morrer de fome.

Sua reação me fez rir. Ele partiu correndo como se achasse que eu ia persegui--lo e forçá-lo a comer os *caribes* crus com seus dentinhos afiados e seus olhos parados e brilhantes.

Peguei a tesoura e cortei a carne dos *caribes* em filezinhos bem finos numa folha de ave-do-paraíso e os arrumei cuidadosamente. Tive todo o cuidado ao jogar os restos na água, porque na mesma hora aparecia um cardume de peixes vorazes.

Lucho voltou desconfiado, mas já menos tenso, observando o meu trabalho.

— Hum! Está delicioso — eu disse com a boca cheia, sem encará-lo. — Você nem sabe, é o melhor sushi que já comi na vida!

Sobre a folha não havia mais peixes mortos. Apenas lâminas finamente cortadas de carne fresca. Aquela visão tranquilizou Lucho, que, levado pela fome, comeu uma, depois outra, e mais outra.

— Vou vomitar — ele terminou me dizendo.

Eu estava mais tranquila. Sabia que, da próxima vez, comeríamos aquilo sem dificuldade.

Era nossa primeira refeição desde nossa fuga do acampamento. O efeito psicológico tinha sido rápido. Preparamo-nos imediatamente para nossa próxima etapa, pegando todos os nossos pertences, fazendo a lista de nossos tesouros e do resto de nossas provisões. O dia tinha um saldo favorável para nós. Economizáramos dois biscoitos e nos sentíamos em forma.

Lucho tinha cortado palhas de palmeira que entrançou ao pé de uma árvore, estendeu os plásticos e arrumou nossas mochilas e nossas latas em cima. Íamo-nos deitar quando a tempestade caiu sobre nós sem aviso. Mal tivemos tempo de carregar nossas coisas e nos cobrirmos com os plásticos que estavam no chão, vendo, com resignação, como nossos esforços para nos mantermos secos eram desfeitos por um vento lateral impiedoso. Vencidos pela borrasca, sentamos sobre os restos de um tronco podre, esperando que a chuva passasse. Eram três da manhã quando a tempestade amainou. Estávamos esgotados.

— Não podemos pegar o rio nesse estado, seria perigoso. Vamos tentar dormir um pouco, partiremos amanhã caminhando.

* * *

Algumas horas de sono tinham sido reparadoras. Lucho partiu na frente, com passo firme.

Caímos numa trilha que contornava a margem do rio e que devia ter sido aberta anos antes. Os arbustos que tinham sido cortados de um lado e de outro do caminho já estavam secos. Imaginei que, ali nas redondezas, devia ter havido um campo de guerrilha e isso me preocupou, porque se tinha certeza de que ele fora definitivamente desativado. Caminhávamos como autômatos e, a cada passo, eu achava que estávamos nos arriscando demais. Mesmo assim avançamos, porque a vontade de chegar a algum lugar nos impedia de pensar.

No caminho, reconheci uma árvore que Tigre um dia tinha me mostrado. Diziam os índios que, ao passar por ela, tínhamos de dar meia-volta e amaldiçoá-la três vezes seguidas, para que a árvore não nos amaldiçoasse. Lucho e eu, evidentemente, não respeitamos o ritual, sentindo que não se aplicava a nós.

Fizemos uma parada no fim do dia numa minúscula praia de areia fina. Joguei meus anzóis e peguei peixes suficientes para uma refeição decente. Lucho comeu peixe cru com dificuldade, mas terminou admitindo que não era tão ruim.

A luz apareceu, sua claridade foi suficiente para nos permitir reagir quando um formigueiro nos atacou.

Naquela noite, uma outra praga nos esperava: a *manta blanca*. Ela nos cobriu com a sua brancura e se espalhou sob nossas roupas, chegando à nossa pele, para nos aplicar picadas dolorosas, das quais não conseguimos nos livrar. A *manta blanca* era uma nuvem compacta de mosquinhas microscópicas cor de pérola, de asas transparentes. Era difícil acreditar que aquelas coisinhas tão frágeis, voando desajeitadamente, podiam nos infligir tanta dor. Eu tentava matá-las, mas elas eram insensíveis à minha ação, porque de tão diáfanas não dava para esmagá-las contra a pele. Tivemos de sair às pressas e pegar o caminho do rio, antes da hora. Mergulhamos com alívio, coçando nossos rostos com as unhas, para tentar nos livrar das últimas mosquinhas que nos perseguiam.

De novo, a corrente nos aspirou para o meio do rio, desta vez, a tempo! Atrás de Lucho, os olhos redondos de um jacaré apareceram à superfície. Será que ele achou que éramos uma presa grande demais para ele? Ou ele não queria se afastar da margem? Eu o vi balançar a cauda e dar meia-volta. Lucho não estava bem, tentando acomodar suas latas para encontrar um equilíbrio que ele perdia a todo instante nos remoinhos da correnteza. Mas eu tomei a decisão de partir da próxima vez munida de um pedaço de pau.

Durante horas, a corrente nos deixou sem rumo. Era difícil não rodopiarmos um sobre o outro, e a corda que nos ligava se enrolava caprichosamente, como se fosse nos enforcar. Depois de uma curva, o rio tornava-se mais largo, alagando as terras de tal forma que nos assustou. Grandes árvores pareciam ter sido plantadas no meio das águas, e eu temia que uma manobra malfeita nos mandasse direto contra elas com a rapidez da correnteza.

Fiz o que pude para nos desviarmos para uma das margens, mas a corrente e o peso de Lucho pareciam puxar em sentido contrário. Ganhávamos sempre mais velocidade, cada vez com menos controle.

— Está ouvindo? — perguntou Lucho quase gritando.

— Não, o quê?

— Deve haver quedas em alguma parte, acho que estou ouvindo um barulho de cachoeiras!

Ele tinha razão, um novo barulho se sobrepunha ao ronco do rio, ao qual já nos tínhamos acostumado. Se a aceleração que eu sentia era por causa da existência de *cachiveras*, teríamos de procurar a margem o mais depressa possível. Lucho também tinha compreendido isso. Pusemo-nos a nadar com toda força, em sentido contrário.

Um tronco de árvore, levado também pela corrente, se aproximou perigosamente. Seus galhos, esbranquiçados pelo sol, saíam da água como ferros pontudos. A árvore rolava e girava com fúria, cada segundo mais perto de nós. Se nossa corda se prendesse em suas ramagens, o rolar do tronco seria suficiente para nos arrastar e nos afogar. Precisávamos nos esforçar muito para isso não acontecer. O que fizemos com sucesso, antes de nos chocarmos contra uma árvore no meio do rio. Lucho foi parar em um lado da árvore e eu do outro, segura pela corda, agarrada ao tronco.

— Não se preocupe, não é nada. Deixe comigo, vou até aí.

Consegui alcançar Lucho por meio da corda. De forma inexplicável, ela tinha dado voltas e nós em um dos galhos imersos da árvore. Não dava nem para pensar em nos soltarmos para recuperá-la. A corrente era muito forte. Precisei mergulhar para desatar cada um dos nós, indo do mais próximo ao mais distante.

Quando nos libertamos, já havia amanhecido fazia um bom tempo. Por sorte, nenhuma embarcação da guerrilha tinha passado. Voltamos ao abrigo para nos esconder de novo. Foi quando me dei conta de que tinha deixado meu anzol na praia das formigas.

63. A escolha

Foi um duro golpe. Não tínhamos muitos anzóis. O que me restava era muito parecido com o que eu perdi, um outro um pouco maior, e uma meia dúzia de anzóis rudimentares que Orlando tinha feito na prisão de Sombra.

Hesitei em falar com Lucho e só o fiz quando me senti suficientemente calma para anunciar o fato com naturalidade. Acrescentei que tínhamos outros de reserva.

Tínhamos chegado a uma praia estreita, escondida pelo mangrove que dava acesso a um terreno mais elevado. Nós logo o escalamos, prevendo que, se caísse uma tempestade, a praiazinha desapareceria completamente com a subida da água.

O terreno em relevo ia dar numa clareira em cujo centro havia um monte de árvores derrubadas, como para abrir uma janela na floresta cerrada. Penetrava ali um sol impiedoso. Aqueles raios que caíam certeiros como um laser eram para nós uma bênção. Decidi lavar nossas roupas, esfregando-as com areia para tirar o cheiro de mofo, e estendê-las ao sol cruel do meio-dia. A felicidade de usar roupas secas e limpas me fez esquecer o infortúnio da perda do meu anzol. Como para nos disciplinarmos, sacrificamos um dia de pesca e nos contentamos com o açúcar que tinham distribuído no acampamento um pouco antes de nossa partida.

Fizemos planos a tarde inteira, deitados em nossos plásticos, olhando o céu sem nuvens. Rezamos juntos, com meu terço. Pela primeira vez, nos lembramos ao mesmo tempo do risco de um coma diabético:

— Se isso me acontecer, você vai ter de ir embora sozinha. Você vai conseguir sair dessa, e se tiver sorte, volta para me buscar.

Pensei antes de responder. Imaginei o momento em que teria minha liberdade numa mão e a vida de Lucho na outra.

— Ouça: nós fugimos juntos. Sairemos juntos ou não.

Ditas assim, minhas palavras se transformaram num pacto. Seu eco ficou suspenso no ar, sob a abóbada celeste, que parecia ter se enfeitado com uma porção de diamantes para acompanhar as constelações de nossos pensamentos. A liberdade, essa joia cobiçada, pela qual estávamos dispostos a arriscar nossas vidas, perderia todo o seu brilho se fôssemos depois viver cheios de culpas.

Claro que, sem liberdade, a consciência de nós mesmos se degradava ao ponto de não sabermos mais quem éramos. Mas ali, deitada, admirando a exibição grandiosa das constelações, eu experimentava uma lucidez que vem com a liberdade duramente conquistada.

A imagem que o cativeiro dava de mim mesma tinha trazido à luz todos os meus fracassos. As inseguranças que eu não tinha resolvido durante meus anos de adolescência e as que tinham surgido de minhas incapacidades de adulta tinham ressurgido como hidras, das quais eu não podia mais fugir.

Eu as tinha combatido no começo, mais por ociosidade que por disciplina, obrigada a viver num tempo sempre recomeçado, onde a irritação de me redescobrir em minhas pequenezas imutáveis me levava a tentar de novo uma transformação impossível.

Naquela noite, sob um céu estrelado que me levava para anos distantes de uma felicidade perdida, para um tempo em que eu contava as estrelas cadentes, acreditando que elas me anunciavam a plêiade de graças que preencheriam minha vida, compreendi que uma delas acabava de cair naquele instante e que ela permitira o meu reencontro com o melhor de mim mesma.

Ganhamos o rio sob uma chuva de estrelas. O rio tinha diminuído sua força, e a vazão mais lenta de suas águas nos fez pensar que as *cachiveras* eram pequenas ou tinham acabado. De cada lado da margem, as ribanceiras ruíam completamente, deixando a nu as raízes das árvores que conseguiam se manter de pé, agarradas a uma parede escarlate que só estava esperando a próxima enchente para também desabar.

Tínhamos avançado sem dificuldade, deixando-nos levar pela água escura e morna. Ao longe, um casal de *chiens d'eau** brincava perto da margem, com suas

---

* Lontras gigantes da Amazônia.

caudas de sereia entrelaçadas nos jogos de amor. Virei-me para Lucho para mostrá-las. Ele se deixava levar pela correnteza, a boca entreaberta e os olhos vidrados. Tínhamos de sair dali imediatamente.

Eu o puxei com a corda para junto de mim, procurando nervosamente em meus bolsos o frasco em que tinha colocado o açúcar para as emergências. Ele engoliu uma quantidade que lhe coloquei sobre a língua. Um momento depois, começou a saborear.

Paramos entre as raízes de uma árvore morta. Tínhamos de escalar a parede de argila carmesim para alcançar a margem. Lucho se sentou no tronco, os pés dentro d'água, enquanto eu abria um caminho para nós dois. Uma vez lá em cima, me dediquei aos preparativos da pesca e deixei Lucho descansando.

Dali onde estávamos a vista era magnífica. Era possível ver de longe todo o movimento no rio. Eu tinha descido para me instalar sobre o tronco, pescar, quando vi Lucho, sempre lá em cima, se sentar atrás de um arbusto, olhando a imensidão do rio. Ele estava com o rosto abatido dos dias ruins. Ele precisava comer, mas o peixe não dava sinal de aparecer. Caminhei sobre o tronco, na esperança de lançar o anzol num lugar mais profundo, ali onde os peixes deviam morder a isca. Naquele momento, Lucho me chamou, e ouvi um motor se aproximar, subindo o rio. Calculei que teria tempo de me esconder. Quando estava voltando, o fio de náilon sofreu um repuxo. O anzol tinha se prendido nos galhos de um tronco dentro da água. Não podíamos nos dar ao luxo de perder mais um. Paciência, joguei-me na água e mergulhei. Escutei o barulho do motor se aproximando. Continuei em minha obsessão de recuperar o anzol firmemente preso em alguns galhos entrelaçados. Puxei desesperada e peguei o fio com menos um quarto de sua extensão. Faltava o anzol. Voltei à superfície quase sufocada para ver passar um homem em pé, ao lado do motor, numa embarcação cheia de caixas de cerveja. Ele não tinha me visto.

Lucho não estava mais lá. Subi, angustiada, e o encontrei caído, no segundo estágio que precedia suas crises de hipoglicemia. Tirei de minha mochila todas as nossas provisões de açúcar e dei a ele suplicando para que não perdesse a consciência.

— Lucho, Lucho, está me ouvindo?

— Estou, não se preocupe, vai passar.

Eu o olhei pela primeira vez desde nossa fuga com os olhos da memória. Ele tinha emagrecido muito. Os traços de seu rosto estavam bem marcados e o brilho dos olhos tinha sumido. Eu o tomei nos braços:

— Sim, vai passar.

Minha decisão estava tomada.

— Lucho, vamos ficar aqui. É um lugar bom, porque poderemos ver de longe as barcas que passam.

Ele me olhou com uma imensa tristeza. Tinha compreendido. O sol estava no zênite. Colocamos nossas roupas para secar e rezamos juntos, olhando o rio majestoso que serpenteava a nossos pés.

Durante todos aqueles dias de fuga, tínhamos lembrado com frequência a possibilidade de acenar para as embarcações que cruzavam o rio. Tínhamos concluído que era, de longe, a opção mais perigosa. A guerrilha dominava a região e controlava os rios. Era provável que os que nos recolhessem fossem milicianos a soldo das Farc.

Abandonamos a opção de continuar descendo o rio. Lucho precisava se alimentar. Nossas chances de conseguir isso dependiam, mais do que tudo, de nossa capacidade de encontrar alimentos. Eu só tinha um anzol e acabávamos de perder nossas reservas.

Pusemo-nos, então, a esperar, sentados à beira do talude, os pés balançando. Eu não queria exteriorizar minhas angústias, porque sentia que Lucho lutava com as dele.

— Acho que tenho de voltar para recuperar o anzol que esquecemos no acampamento das formigas.

Lucho emitiu um suspiro de assentimento e de incredulidade.

Um ruído de motor nos chamou a atenção. Levantei-me para ver melhor. De nossa esquerda vinha um barco cheio de camponeses, subindo o rio. Usavam chapéu de palha e bonés.

Lucho me olhou, estava assustado.

— Vamos nos esconder, não sei, não estou certa de que sejam camponeses.

— São camponeses! — gritou Lucho.

— Não tenho certeza! — gritei de volta.

— Eu acho que são. E, de qualquer maneira, não tenho escolha. Vou morrer aqui.

O mundo parou de girar. Num átimo, eu me via debaixo de um céu, sem muitas saídas. Eu tinha de fazer uma escolha.

Em alguns segundos o barco parou na nossa frente. Subia o rio, perto da outra margem. Não teríamos senão um instante para nos levantar e nos fazer ver. Depois disso, o barco passaria e desapareceríamos de seu campo de visão.

Lucho se agarrou a mim. Eu lhe dei a mão. Levantamo-nos juntos, gritando com toda a força de nossos pulmões, agitando os braços energicamente.

O barco parou do outro lado do rio, manobrou rapidamente, virou a proa para o nosso lado e veio em nossa direção.

— Eles nos viram! — exclamou Lucho, louco de alegria.

— Sim, eles nos viram — repeti, descobrindo com horror que os primeiros rostos sob os bonés brancos eram os de Ángel, Tigre e Oswald.

64. O fim do sonho

Eles se aproximavam de nós como uma cobra de sua presa, cortando a água, o olhar congelado, saboreando o terror que nos causavam. Todos eles tinham uma tez roxo-escuro que eu nunca percebera e olheiras sob os olhos inflamados que acentuavam seu ar maléfico.

— Meu Deus — disse eu, imóvel, fazendo o sinal da cruz. Fiquei toda tensa. A visão daqueles homens me obrigou a cerrar os dentes. Só me restava assumir e encará-los. Voltei-me para Lucho: — Não se preocupe — murmurei. — Vai dar tudo certo.

Eu poderia me sentir culpada. Poderia acusar o céu de não nos ter protegido. Mas nada disso encontrava lugar em meu espírito. Toda a minha atenção recaía sobre aqueles homens e seu ódio. Eu tinha diante de mim a encarnação do Mal. Mamãe me dizia: "As pessoas deixam transparecer no rosto o que lhes vai na alma". Havia naquela embarcação, sob a máscara dos traços que me eram familiares, olhos furiosos de ira e soberba, como se possuídos pelo diabo.

— O golpe dos bonés brancos deu certo — silvou Oswald, com toda a sua maldade, para que eu o escutasse. Pôs no ombro seu fuzil Galil, para que eu pudesse vê-lo.

— Vocês demoraram muito a chegar! — eu disse, para disfarçar o nervosismo.

— Entreguem-se! Peguem suas coisas e subam! — gritou Erminson, um velho guerrilheiro que tentava galgar a hierarquia. Acrescentou, entredentes: — Andem logo, se não quiserem que eu vá puxar vocês pelos cabelos. — E riu. Ele me olhou com o canto do olho para observar minha reação. Eu não esperava aquilo dele, que sempre dera prova de uma grande gentileza. Como um coração como o dele podia ter se transformado tanto?

Lucho foi pegar suas coisas. Eu teria preferido que ele as esquecesse. Com nossos *timbos* e nossas mochilas, eles saberiam que tínhamos descido o rio a nado, e não queria lhes dar nenhuma informação.

Quando pus o pé no barco, procurando me equilibrar com dificuldade diante dos olhos de nossos sequestradores, me lembrei da advertência da vidente de anos antes. Sentei-me na proa com uma vontade louca de me jogar na água e desistir da vida. Lucho, ao meu lado, estava desesperado, a cabeça entre as mãos. Eu me peguei falando:

— Maria, me ajude a entender.

Na volta, não reconheci o rio que tínhamos descido. Às minhas costas, os rapazes soltavam piadas, e seus risos me feriam. Tive a sensação de que o caminho de volta tinha sido muito curto, mergulhada em meus pensamentos a imaginar o que nos esperava.

— Eles vão nos matar — disse Lucho, esgotado.

— Não teremos essa sorte, infelizmente.

Começou a chover. Nós nos curvamos sob um plástico. Ali, ao abrigo de seus olhares, Lucho e eu chegamos a um acordo. Não devíamos falar nada.

No atracadouro, Enrique esperava, imóvel, seu AK-47 nas mãos. Ele nos observou descer com seus olhinhos fixos, os lábios contraídos. Deu meia-volta e se afastou. Na passarela de madeira, recebi a primeira coronhada entre as omoplatas, e fui cair mais adiante. Recusei-me a acelerar o passo. A prisão apareceu no meio das árvores. A nova cerca de arame farpado tinha mais de três metros. Meus companheiros pareciam estar vivendo ali. "Como num zoológico", pensei, vendo que um deles examinava a cabeça de um outro à cata de piolhos. Uma porta de galinheiro se abriu diante de mim no instante em que um segundo golpe me jogou no meio da prisão.

Pinchao veio me abraçar correndo:

— Eu achava que você já estava em Bogotá! Eu contava as horas desde que vocês tinham partido. Eu estava tão contente que vocês tivessem conseguido não nos fazer mais companhia!

Depois, num tom de reprovação, acrescentou:

— Alguns entre nós estão felizes por vocês terem sido recapturados.

Fiz que não tinha escutado. Eu tinha fracassado, e isso doía muito. Cada um de nós era para o outro um espelho muito próximo e muito imediato, algo difícil de suportar. Não era por ter consciência disso que eu ia gostar menos deles. A frustração de ser prisioneiro era ainda mais terrível quando outros conseguiam realizar o feito com que todos sonhavam. Eu sentia uma ternura imensa por aqueles rapazes que acumulavam anos de cativeiro e que ficavam aliviados aos nos ver de volta, como se aquilo pudesse diminuir seu sofrimento. Eles queriam nos contar o que tinha acontecido desde a noite de nossa fuga, e suas palavras nos ajudavam a aceitar nossa derrota.

A porta da prisão se abriu com uma lufada de vento. Por ela entrou um pelotão de homens uniformizados. Eles se lançaram sobre Lucho, colocaram em seu pescoço uma grossa corrente com um pesado cadeado que ficou pendendo em seu peito.

— Marulanda! — gritou um deles.

O sargento se levantou, com um olhar desconfiado. Passaram a outra ponta da corrente de Lucho no pescoço dele. Os dois se olharam com resignação.

Os homens, como se fossem um só, se voltaram todos para mim e se aproximaram devagar, como para me cercar.

Eu recuava, na esperança de dar tempo para eles pensarem. Alcancei bem depressa a grade e o arame farpado. Os homens caíram sobre mim, me torcendo os braços enquanto algumas mãos puxavam meus cabelos para trás e passavam a corrente em meu pescoço. Eu lutava como uma fera. Em vão, porque sabia, de antemão, que estava perdida. Mas eu não estava ali, naquele lugar e naquela hora. Eu estava num outro momento, em outro lugar, com homens que me tinham feito mal e que se pareciam com eles, e eu lutava com eles, por tudo e por nada. O tempo deixara de ser linear, parou, com um sistema de vasos comunicantes. O passado voltava para ser revivido como uma projeção do que podia acontecer.

A corrente era pesada e esquentava. Eu me lembrava muito bem de como estava vulnerável. E de novo, como depois de minha fuga solitária anos antes perto dos pântanos, tive a revelação de uma força de natureza diferente. A de sofrer. Numa luta que não podia ser senão moral e que estava ligada à ideia daquilo que eu entendia como honra. Uma força invisível, enraizada num valor fútil e obstrutor, mas que mudava tudo, visto que ela me preservava. Nós nos encarávamos. Eles estavam inflados em sua soberba. Eu estava envolta em minha dignidade. Eles me acorrentaram a William, o enfermeiro militar. Eu me voltei para ele e lhe pedi desculpas.

— Sou eu que peço... Não gosto de ver você assim — ele me respondeu.

Bermeo também se aproximou. Ele estava incomodado. A cena a que assistira o deixara arrasado:

— Não resista mais. Eles só querem isso, ter uma chance de humilhar você. Quando recobrei a calma, entendi que ele tinha razão.

Gira, a enfermeira, empurrou a porta da prisão. Ela acabava de fazer uma ronda dos doentes para anunciar que não tinha mais remédios.

— São as represálias — murmurou Pinchao, quase imperceptivelmente, às minhas costas. — Eles vão começar a nos tratar com mais rigor.

Ela passou perto de mim me observando com olhos de reprovação.

— Veja, olhe bem para mim — eu lhe disse. — Nunca esqueça da imagem que você está vendo. Como mulher, você devia ter vergonha de participar disso.

Ela empalideceu. Eu via que ela tremia de raiva. Mas continuou sua ronda, não disse uma palavra e saiu.

Era melhor eu ficar calada. A humildade começa por segurar a língua. Eu tinha muito a aprender. Se Deus não queria que eu fosse libertada, eu tinha de aceitar que não estava preparada para a liberdade. Eu sentia uma dor cruel quando olhava meu Lucho. Tinham-nos proibido qualquer aproximação e, pior, tinham dado ordens para serem rigorosos conosco se nos falássemos. Eu o via sentado, acorrentado ao gordo Marulanda, olhando para os pés e me olhando, alternadamente. Eu tinha de fazer esforços sobre-humanos para segurar minhas lágrimas.

O presidente Uribe tinha feito uma proposta que a guerrilha recusara. Tratava-se de libertar cinquenta guerrilheiros que estavam nas prisões colombianas, em troca da libertação de alguns reféns. As Farc, por sua vez, tinham condicionado toda negociação à retirada prévia das tropas dos departamentos de Florida e de Pradera, nas faldas dos Andes, ali onde a cadeia se abre para deixar passar o rio del Cauca. O governo tinha dado a impressão de aceitar, depois tinha voltado atrás, acusando as Farc de manipular a opinião pública com propostas que, na verdade, não visavam senão as vantagens militares táticas. Os analistas políticos diziam, a uma só voz, que a guerrilha procurava encontrar uma passagem para desbloquear tropas encurraladas pelo avanço do Exército colombiano.

Eu não tinha mais vontade de ouvir os comentários sobre a proposta do governo que faziam as manchetes dos programas de opinião. O país estava dividido em dois. Todos os que sustentavam a criação de uma zona de segurança para dialogar com o governo eram imediatamente suspeitos de colaborar com a guerrilha.

Não se tratava de buscar o fim de nossa tragédia. Para o governo, como para os militares, tratava-se de uma questão de estar em evidência. Nossas vidas não passavam de cortiças que boiavam em oceanos desencadeados pelo ódio.

Eu estava louca para ouvir novamente as mensagens de minha mãe. Queria que ela me contasse sobre seu cotidiano, o que comia, como se vestia, com quem convivia. Não queria ouvir as costumeiras lamentações e ladainhas, já vazias de sentido de tanto serem incessantemente repetidas para nossos familiares.

Sentei-me desconfortavelmente nas tábuas que restavam. A ordem era levar todas. Eles temiam que, depois dos esforços empreendidos em nossa busca, os militares não ficassem sabendo que estávamos ali.

A guerrilha tinha confiscado uma grande parte de meus pertences. Eu, no entanto, tinha conseguido preservar as cartas de mamãe, a foto de meus filhos e o recorte do jornal que noticiava a morte do papa. Eu chorava sem derramar lágrimas.

— Pense em outra coisa — disse William, sem olhar para mim.

— Não consigo.

— Por que você está se coçando?

— ...

William tinha se levantado para ver mais de perto.

— Você está coberta de carrapatos. Depois do banho, você tem de ver isso.

Não houve banho, nem naquela noite, nem nas seguintes. Enrique nos embarcou num *bongo* três vezes menor que os anteriores. Éramos dez prisioneiros amontoados num espaço de quatro metros quadrados, ao lado do motor, com uma lata de gasolina no meio. Era impossível sentar sem tocarmos a cabeça e as pernas uns dos outros. Enrique deu ordem para que nos colocassem as correntes de forma que cada um ficasse, ao mesmo tempo, preso ao outro e ao barco. Se o barco afundasse, afundaríamos com ele. Enrique jogou sobre nós uma lona pesada, que não nos deixava respirar direito e ainda retinha os gases que vinham do escapamento do motor. O ar se tornou irrespirável. Ele nos obrigou a ficar assim dia e noite. Fazíamos nossas necessidades no rio, nos segurando na lona, diante de todo mundo. Parecíamos vermes a nos contorcer uns sobre os outros numa caixa de fósforos. Gafas era experiente nisso. Ele não precisava levantar a voz nem puxar o chicote. Era um carrasco de luvas.

Aquele ar rarefeito, viciado, que fazia a garganta arder e nos fazia tossir na cara uns dos outros, aquele calor que se acumulava debaixo da lona, aquele sol assassino, aquele suor de nossos corpos que cozinhavam em fogo lento, aquelas exalações que nos levavam à agonia, tudo aquilo, claro, era o preço coletivo a pagar por nossa fuga.

Nenhum dos meus companheiros jamais nos dirigiu uma censura.

65. Punir

Fim de julho de 2005

Eu não estava dormindo. Como dormir com aquela corrente no pescoço que se esticava dolorosamente cada vez que William se mexia? As pernas de meus companheiros se enroscavam em volta de mim, havia um pé nas minhas costelas, outro pé preso atrás da nuca, amassada pela pressão dos corpos que não achavam espaço, me obrigando a me encolher para evitar qualquer contato inconveniente.

Ergui cautelosamente uma ponta da lona. Já era dia claro. Pus o nariz para fora a fim de encher os pulmões de ar fresco. O pé do guarda prendeu meus dedos, punindo minha ousadia. Ele em seguida tratou de repor a lona. Eu estava morrendo de sede e com uma vontade louca de urinar. Pedi autorização para me aliviar. Enrique berrou lá da ponta:

— Fala para a *cucha* urinar numa vasilha.

— Não tem espaço — respondeu o guarda.

— Ela que encontre espaço! — retorquiu Gafas.

— Ela diz que não consegue fazer na frente dos homens.

— Fala para ela que ela não tem nada que os homens já não tenham visto! — ele riu, escarnecendo.

Ruborizei no escuro. Senti uma mão buscando pela minha. Era Lucho. Seu gesto fez ruir minha barragem interna. Pela primeira vez desde nossa captura, desatei a chorar. O que mais eu ainda teria de aguentar, meu Deus, até ter o direito de voltar para casa? Enrique mandou tirar a lona por alguns segundos: os rostos dos meus companheiros estavam deformados, secos, cadavéricos. Olhamos em volta, pescoços esticados e amassados, angustiados, sem saber o que pensar, piscando os olhos, cegados pelo sol do meio-dia. Por um breve instante, tínhamos vislumbrado a extensão do nosso desamparo. Chegáramos à encruzilhada de quatro rios imensos. Uma avalanche de água cortando, em forma de cruz, a mata infinda, e nós, um pontinho a chacoalhar perigosamente nos violentos turbilhões daquela colisão de correntes.

Certa manhã, por um capricho de Enrique, o *bongo* se deteve pesadamente. Os guardas desembarcaram. Nós, não. Lucho mudou de lugar para ficar perto de mim:

— Vai melhorar, você vai ver — disse eu.

— Não se iluda, só vai ficar pior!

Três dias depois, finalmente, nos mandaram descer no meio do nada.

— Se chover — disse Armando —, vamos ficar encharcados.

Choveu. Meus companheiros estavam ao abrigo dentro das barracas. Enrique me acorrentou a uma árvore, afastada do grupo. Fiquei horas debaixo da tempestade. Os guardas se negaram a me passar os plásticos que meus companheiros mandavam para mim.

Encharcada, trêmula, fui novamente acorrentada a William. Ele pediu licença para ir aos *chontos*. Tiraram-lhe a corrente. Quando ele voltou, pedi permissão para ir também. Pipiolo, um homenzinho barrigudo, mãos rechonchudas, do grupo de Jeiner e de Pata Grande, fitou-me enquanto, devagar, recolocava o cadeado no pescoço de William. Manteve um silêncio obstinado. E se afastou.

William me observou, constrangido. Chamou o guarda:

— Guarda! Você não ouviu? Ela precisa ir ao banheiro!

— E daí? Você não tem nada com isso. Está querendo arranjar problema? — retorquiu o guarda, mal-humorado.

Ele queria agradar a Enrique. Isso também significava o fim do reinado de Pata Grande. Pegou um raminho e o usou para palitar os dentes enquanto me encarava.

— Pipiolo, eu preciso ir aos *chontos* — repeti, em voz monocórdica.

— Está querendo cagar? Pois faça aqui mesmo, na minha frente, agachada aos meus pés. Os *chontos* não são para você! — berrou.

Oswald e Ángel passavam por ali carregando toras de madeira nos ombros. Caíram na gargalhada e desfecharam-lhe um tapa na omoplata, à guisa de felicitações. Pipiolo fingiu se segurar no fuzil (um Galil 5.56 mm), encantado por ter uma plateia.

Eu ia ter de esperar a troca da guarda.

William se pôs a conversar comigo. Como se nada houvesse. Queria que eu fingisse ignorar Pipiolo, e eu lhe era grata por isso. Pipiolo se aproximou. Parou na minha frente:

— Cale a boca, entendeu? Agora quem está se divertindo sou eu. Enquanto eu estiver aqui, você não abre a boca.

Enrique deixou Pipiolo o dia inteiro em seu posto. Não houve troca de guarda até a noite.

A tropa trabalhou a toda pressa numa obra que observávamos através das árvores. Em um dia, foi construída a prisão: grades, arame farpado, oito *caletas* estreitamente enfileiradas, e duas mais afastadas nas extremidades. Colada numa delas, montaram uma latrina fechada por uma divisória de palmas. Do outro lado, uma árvore. No centro, um reservatório de água. Em volta das *caletas*, um charco de lama.

Coube-me a *caleta* que ficava entre a latrina e a árvore, à qual me acorrentaram. Podia me mover o suficiente para ir da minha rede até a latrina, mas me estrangulava ao tentar alcançar o tanque de água. Lucho estava do outro lado do reservatório, acorrentado também. Tiraram nossas botas, obrigando-nos a andar descalços.

Minha proximidade da latrina era uma punição refinada. Eu vivia em meio aos permanentes eflúvios dos nossos corpos doentes. A náusea não me dava trégua, obrigada que era a ser a importuna testemunha do alívio corporal de todos os meus companheiros.

Fiz do meu mosquiteiro uma bolha. Nela me refugiava do ataque da *jejen*, da *pajarilla*, da *mosca-marrana*,* e do contato com os homens. Passava 24 horas por dia aninhada em meu casulo, encolhida em minha rede num silêncio compulsivo que eu já não procurava romper, um silêncio sem fim.

Liguei finalmente o rádio, passei um pente fino em todas as estações de ondas curtas. Topei um dia com um pastor que transmitia desde a Costa Oeste dos Estados Unidos. Ele pregava a Bíblia como quem ensina filosofia. Ignorei-o várias vezes, desdenhosa, achando que fosse mais um desses que consideram Deus uma vaca leiteira. Certo dia, me arrisquei a escutar. Ele analisava um trecho da Bíblia, que dissecou baseando-se com erudição nas versões grega e latina do texto. Cada palavra adquiriu um sentido mais profundo e preciso, e tive a impressão de que

---

* Insetos voadores ávidos por sangue humano.

ele lapidava um diamante na minha frente. Tratava-se dos primeiros parágrafos de uma carta de São Paulo aos coríntios. "Basta-te a minha graça, pois é na fraqueza que minha força manifesta todo o seu poder [...] pois quando sou fraco, então é que sou forte." A carta devia ser lida como um poema, sem prevenção. Achei que era universal e que qualquer pessoa buscando um sentido para o sofrimento poderia se apropriar dela.

Entrei em hibernação. Já não havia mais, para mim, dia ou noite, sol ou chuva. Os sons, os cheiros, os insetos, a fome e a sede, tudo deixou de existir. Eu lia, escutava, meditava, passava em revista cada episódio de minha vida à luz de minhas novas reflexões. Minha relação com Deus se transformou. Não precisava mais de intermediários para ter acesso a Ele, nem de rituais. Ao ler Seu livro eu via um olhar, uma voz, um dedo que apontava, que incitava. Dei-me o tempo de refletir sobre o que me incomodava e enxerguei, nas misérias humanas, o espelho que me devolvia o meu próprio reflexo.

Este Deus me pareceu simpático. Ele falava. Pesava as palavras. Tinha senso de humor. Qual o Pequeno Príncipe ao seduzir sua rosa, ele prestava atenção.

Certa noite, enquanto escutava a retransmissão noturna de uma de suas conferências, ouvi me chamarem. Estava escuro, era impossível enxergar qualquer coisa. Apurei o ouvido, a voz ficou mais próxima.

— O que foi? — gritei, assustada, temendo que fosse um alerta para fugir.

— Xi! Fique calma. — Reconheci a voz de menino de Mono Liso.

— O que você quer? — perguntei, desconfiada.

Ele passou a mão através da grade e tentava me tocar enquanto dizia obscenidades que soavam ridículas na sua voz de moleque de calças curtas.

— Guaaaarda! — berrei.

— O quê? — respondeu uma voz irritada do outro lado da prisão.

— Chame o *relevante*!*

— Sou eu! O que você quer?

— Estou tendo um problema com Mono Liso!

— Amanhã a gente resolve — ele interrompeu.

— Ele tem que aprender a ter respeito! — gritou alguém dentro do recinto.

— A gente ouviu tudo. Esse cara é um escroto. Um canalha!

— Calem a boca! — retrucou o guarda.

O *relevante* fez uma varredura com a lanterna. O facho de luz mostrou Mono Liso, que se afastara da grade e fingia estar limpando seu AK-47.

* Superior encarregado dos turnos de guarda.

No dia seguinte, depois do café da manhã, Enrique mandou Mono Liso com as chaves do meu cadeado. Ele apareceu todo cheio de si.

— Vem cá! — gritou para mim, com a empáfia de uma autoridade recém--adquirida.

Abriu o cadeado e me apertou ainda mais a corrente na garganta. Eu mal conseguia engolir. Satisfeito com seu trabalho, saiu estufando o peito. Lá fora, passou instruções inúteis aos que estavam de plantão de guarda. Fazia questão que soubéssemos que ele acabava de ser promovido a *relevante*.

Voltei para minha rede e abri minha Bíblia. Não levantei mais.

Passados alguns dias, Enrique resolveu visitar a prisão. Reuniu os prisioneiros militares e deu uma de amigável. Fingiu tomar nota dos pedidos de cada um. Por fim, quando lhe pareceu que tudo transcorrera da melhor forma possível, e que não havia ninguém protestando, perguntou se tinham alguma solicitação em especial. Pinchao levantou o dedo:

— Eu tenho, comandante.

— Fale, meu rapaz, estou ouvindo — encorajou-o Gafas, com voz melíflua.

— Queria lhe pedir — Pinchao fez uma pausa para pigarrear —, queria lhe pedir para tirar as correntes dos meus companheiros. Já são quase seis meses que eles estão acorrentados e...

Gafas o interrompeu.

— Eles vão ficar acorrentados até serem libertados! — ele retorquiu, com ódio excessivo.

Controlando-se, levantou-se sorrindo e disse:

— Imagino que seja só isso, não? Muito bem. Boa noite, *muchachos*!

No dia seguinte, por volta das seis horas da manhã, passaram uns aviões em voo rasante sobre o acampamento. Minutos depois, explosões em série ecoaram a cerca de vinte quilômetros dali.

— Bombardeio!

— Bombardeio!

Meus companheiros não sabiam dizer outra coisa.

A primeira coisa que guardei no meu *equipo* foi minha Bíblia. Angustiada, arrumei meus pertences; só fazia questão de guardar comigo o que me falava de meus filhos. Eles acabavam de completar vinte e dezessete anos. Eu tinha perdido toda a adolescência deles. Será que ainda se lembravam do meu rosto? Minhas mãos tremiam. Precisava jogar todo o resto fora: potes reciclados, roupas remendadas, minha roupa de baixo masculina. O contato permanente com a lama, os bi-

440

chos, micoses plantares — meus pés estavam de dar medo. Minhas pernas tinham definhado, eu perdera a maior parte de minha massa muscular.

Quando o guarda veio anunciar nossa partida iminente, eu estava pronta para andar.

66. A retirada

Novembro de 2005

Enquanto caminhávamos em fila indiana, em silêncio, curvados, eu rezava, meu terço na mão. Ninguém tinha nos dito nada, mas eu imaginava que devíamos estar na mesma área que nossos antigos companheiros, Orlando, Gloria, Jorge, Consuelo e Clara com seu Emmanuel. Eu rezava para que o bombardeio não tivesse cruzado com nenhum deles em sua trajetória.

Atravessávamos uma mata cambiante, em que cada passo constituía um risco. Os que iam na frente andavam com o rosto deformado pelos espinhos e ataques de marimbondos.

— Olha os chineses — diziam os outros, escarnecendo.

Eu caminhava com um boné, o rosto coberto por um véu de mosquiteiro, e luvas que confeccionara usando uniformes de camuflagem velhos. "Sou uma astronauta", pensei, sentindo-me como uma extraterrestre aterrissando num planeta hostil.

Eu estava alheia, perdida em minhas orações, concentrada no esforço, e não vi a montanha se aproximar. Olhei para o alto, a parede de vegetação sumia dentro das nuvens. A subida era muito árdua e eu não conseguia manter o ritmo. Meus companheiros iam longe na frente, absortos no desafio, excitados pela prova física: quem andaria mais rápido, quem carregaria mais coisas, quem menos se queixaria. Nós, os reféns, não éramos indiferentes à emulação. Cada vez que tínhamos que atravessar um curso d'água, equilibrados num tronco de árvore, repetia para mim mesma: "Não vou conseguir". Mas, uma vez diante do tronco e com todos esperando por mim, respirava fundo evitando olhar para o abismo e repetia a mim mesma que cair estava fora de questão. Se Lucho tinha passado antes, eu me beliscava: "Eu também posso". Se ele vinha atrás, eu pensava: "Se eu passar, ele também passa".

— Não vou conseguir — disse para mim mesma, baixinho.

Ángel se impacientou.

— Depressa — gritou, me empurrando.

— Me dê seu *equipo* — disse, atrás de mim, uma voz que se queria resignada.

Era Efren, um negro alto e musculoso que nunca falava. Acabava de nos alcançar a passos céleres. Devia estar fechando a marcha. Éramos os últimos do grupo, ele não queria ficar para trás por minha causa.

Pegou meu *equipo*, acomodou-o atrás do pescoço sobre sua própria mochila.

— Vamos lá — disse ele, com um sorriso.

Olhei para o alto uma última vez e comecei minha escalada, me agarrando a tudo que aparecia ao alcance da mão. Três horas mais tarde, depois de atravessar cachoeiras, paredes rochosas e uma surpreendente esplanada de pedras empilhadas em forma de pirâmide, qual ruínas de um antigo templo inca, cheguei ao topo.

Sentados, alinhados no declive, meus companheiros comiam arroz. Também Lucho estava recostado numa árvore, faces emagrecidas de cansaço, incapaz de um gesto para levar o alimento à boca. Fui até ele. Ángel se aborreceu.

— Volte aqui! Você vai sentar onde eu mandar.

Enrique deu ordem para retomar a marcha. Sequer tivéramos tempo de descansar um pouco. Efren vinha atrás, exausto, protestando contra a decisão de Enrique. Pegou meu *equipo* para me devolver. Foi chamado lá na frente e voltou com o rabo entre as pernas. Enrique não tinha gostado da reclamação: como castigo, ele continuou carregando meu *equipo*. Ángel também protestava. Estava cheio de andar se arrastando atrás de mim e perder a oportunidade de comer. Foi substituído por Katerina, a moça negra que cuidara de mim quando deixei Sombra. Fiz o possível para não deixar transparecer minha alegria.

— Não vamos deixar que eles tomem muita dianteira — disse ela, meio autoritária, meio cúmplice.

Atravessamos um planalto elevado e desértico cujo solo de ardósia esquentava ao sol do meio-dia. O horizonte aberto descortinava a extensão da mata. Uma linha verde atravessava o céu azul nos 360 graus do nosso campo de visão. À esquerda, um rio imenso se estirava preguiçosamente fazendo circunvoluções de tinta nanquim. "Deve ser o rio Negro", pensei.

No fim do planalto, penetramos num claustro de árvores secas e rugosas, sem folhagem nem sombra, que cresciam ali amontoadas, uma sobre a outra, barrando a passagem de qualquer ser vivo. Arrancaram meu chapéu com seus galhos afilados, me prenderam pelas alças da mochila e transpassaram minha bota com um galho cortante, rente ao chão, estendido para uma rasteira.

— Minhas meias vão ficar molhadas — resmunguei. Foi uma descida vertiginosa, por uma vertente disposta em patamares, que descíamos aos saltos, correndo o risco de perder um degrau e rolar até embaixo em queda livre. No final da descida, um patamar de água pluvial, represada por um acúmulo de musgo e arbustos me forçou a pular de raiz em raiz para não molhar minhas botas furadas. No dia seguinte, o terreno era plano e seco. Uma larga estrada de terra surgida de lugar nenhum veio ao nosso encontro.

— Achamos a saída — disse Katerina.

Tínhamos caminhado bem, não ficáramos para trás.

— Vamos parar aqui — propôs ela. — Estou cansada.

Larguei minha mochila no chão.

— O que você gosta de comer? — ela perguntou enquanto acendia um cigarro.

— Gosto de macarrão — respondi.

Katerina fez um muxoxo.

— O meu macarrão costuma ser muito bom. Mas aqui, sem nada, fica difícil. Você gosta de pizza?

— Adoro pizza.

— Quando eu era pequena, minha mãe me mandou morar com a minha tia, na Venezuela. Essa tia trabalhava para uma senhora rica que gostava muito de mim. Ela me levava para comer pizza com os filhos dela.

— Eles tinham a sua idade?

— Não, eram mais velhos. O garoto dizia que quando crescesse ia se casar comigo. Eu bem que queria me casar com ele.

— Por que não ficou lá?

— Minha mãe quis que eu voltasse para junto dela. Estava morando em Calamar, com o novo marido. Eu não queria voltar. E, quando voltei, houve problemas. A gente não tinha dinheiro e eu não podia mais ir embora.

— Você era feliz em Calamar?

444

— Não, eu queria voltar a morar com a minha tia, naquela casa bonita. Tinha uma piscina. A gente comia hambúrguer. Aqui, ninguém sabe o que é isso.

— Você estudou em Calamar?

— No começo eu ia à escola. Era uma boa aluna. Gostava muito de desenhar e tinha uma letra bonita. Depois, a gente precisou de dinheiro, eu tive que trabalhar.

— Trabalhar no quê?

Katerina hesitou um momento antes de responder:

— Num bar.

Não fiz nenhum comentário. A grande maioria das mulheres tinha trabalhado num bar e eu sabia o que isso significava.

— Foi por isso que eu me alistei. Aqui, pelo menos, se a gente tem um companheiro, não precisa lavar a roupa dele. Homens e mulheres são iguais.

Eu escutava, pensando que não era bem assim. Em compensação, era verdade que as mulheres trabalhavam igual aos homens. Eu gravara a imagem de Katerina, de regata e calças de camuflagem, machado na mão, rodando os braços para trás numa formidável torção do quadril para desfechar um golpe preciso na base de uma bela árvore, que ela abateu sem dificuldades. A visão daquela Vênus negra exibindo uma agilidade física que valorizava cada músculo de seu corpo fizera meus companheiros prender a respiração. Como uma moça como ela conseguia ficar num lugar daqueles?

— Eu queria ser miss — ela me confessou. — Ou modelo — acrescentou, sonhadora.

Essas palavras dela me transtornaram. Ela carregava seu AK-47 como outras pessoas carregam um livro e um lápis.

A marcha continuou, cada vez mais difícil.

— A gente não chega lá antes do Ano-Novo — afirmou o companheiro de Gira. Eu não quis acreditar, achei que ele falava assim para que apressássemos o passo. Eu não achava que pudesse andar mais rápido. Aquele esforço cego, na ignorância do nosso destino, me consumia.

Certo dia em que a marcha havia sido penosa, com *cansa perros* se sucedendo como pérolas enfiadas por mão invisível, desabou uma tempestade. A ordem foi uma só: avançar, e Ángel sentiu o maior prazer em proibir que eu vestisse um agasalho. Eu avançava pingando água.

Topei com Lucho no meio de uma subida, recostado numa árvore, olhar perdido.

— Não aguento mais, não aguento mais — ele me disse, olhando para o céu que desabava sobre nós.

Aproximei-me para lhe dar um abraço, segurar sua mão.

— Continue andando! — Ángel berrou. — Nada de enrolar com essas histórias. A gente conhece muito bem o joguinho de vocês dois para atrasar a marcha.

Não lhe dei ouvidos. Estava cansada dos seus insultos, seus surtos e suas ameaças. Parei, joguei minha mochila longe e peguei o açúcar que eu sempre guardava comigo.

— Olhe, Lucho, tome isso aqui, vamos seguir juntos, devagarinho.

Ángel engatilhou seu M-16 e me enfiou o cano nas costelas.

— Deixe para lá — disse-lhe uma voz que eu reconheci. — Já chegamos, a tropa está descansando a uns cinquenta metros daqui.

Efren pegou a mochila de Lucho e lhe disse:

— Vamos, meu senhor, só mais um esforço.

Pegou o plástico preto que Lucho guardava na lateral de seu *equipo* e lhe entregou. Lucho se enrolou no plástico, pendurado no meu braço, repetindo "Não aguento mais, Ingrid, não aguento mais". Ele não tinha como ver que eu chorava junto com ele, pois com a tromba-d'água escorria chuva no meu rosto. "Chega, meu Deus!", gritei no silêncio do meu coração, revoltada.

Quando cheguei ao topo, estava prestes a desfalecer. Tinha esquecido de encher a garrafinha plástica que me fazia as vezes de cantil. Já Ángel bebia da sua, a água lhe escorrendo pelo pescoço.

— Estou com sede — eu disse, a boca pastosa.

— Não tem água para você, sua velha idiota — berrou ele.

Ele me encarou com olhos frios de réptil. Levou o cantil à boca e bebeu demoradamente, olhando para mim. Depois, virou-o, caíram duas gotas. Atarraxou a tampa. Enrique fazia sua ronda, andando com um olhar feroz ao longo de toda a coluna. Passou diante de mim. Permaneci em silêncio.

— Preparem a água — gritou, ao chegar ao fim da coluna.

Um som de panelas animou o silêncio da montanha. Dois homens, que carregavam com dificuldade um caldeirão cheio de água, pararam a poucos passos dali. Despejaram lá dentro dois pacotes de açúcar e envelopes de um pó sabor morango. Mexeram com um galho que acabavam de quebrar.

— Quem quer água? Aproximem-se! — exclamou um deles, qual vendedor ambulante.

Todos se jogaram sobre o caldeirão.

— Você, não! — berrou Ángel, com um mau humor insuportável.

Agachei-me, encolhida, a cabeça entre os joelhos.

— Minha sede está menor que ainda há pouco. Logo, logo, já não vou sentir sede alguma.

A água que sobrou no caldeirão foi jogada no chão. Retomamos a marcha. Efren apareceu correndo.

— Lucho mandou isso aqui para você! — e jogou uma garrafa cheia de água vermelha, que veio cair aos meus pés.

67. Os ovos

No dia 17 de dezembro de 2005, a marcha se deteve às dez horas da manhã. Acabávamos de transpor dois lindos cursos d'água revestidos de pedrinhas brilhantes. Correu o boato de que iríamos montar acampamento no alto de um morro que se erguia a poucos metros dali.

"Chegamos antes do Natal", pensei, aliviada.

O acampamento foi instalado em poucas horas. Coube-me uma árvore na extremidade do acampamento, e outra coube a Lucho, na outra ponta. Em seguida nos acorrentaram. Recebi autorização de construir barras paralelas para fazer ginástica. "Eles querem que eu fique em forma para caminhar melhor", pensei. Abriram o cadeado que me prendia à arvore, mas fiquei com a corrente inteira, que eu enrolava no pescoço para subir nas barras. Dei umas piruetas, diante do olhar divertido dos meus guardas. "Vou cair, a corrente vai ficar presa na barra, vou morrer estrangulada", fiquei pensando.

Eu tinha uma hora para fazer meus exercícios e ir tomar banho.

— Você precisa fortalecer a musculatura dos braços — disse-me um jovem que substituíra Gira como enfermeiro. Só a muito custo eu conseguia fazer algumas flexões de braço, e em vão tentara erguer o peso do meu corpo suspenso numa das barras fixas. "Vou tentar todo dia, vou acabar conseguindo", prometi a mim mesma.

Meus companheiros me observavam, desolados. Arteaga foi o primeiro a quebrar o silêncio que haviam me imposto. Falou sem olhar para mim, sem parar de trabalhar no boné que estava costurando enquanto me instruía sobre que tipo de exercícios eu deveria fazer, e quantos, diante dos guardas. Não houve comentários nem reprimendas. Um a um, meus companheiros voltaram a falar comigo, cada vez mais abertamente, com exceção de Lucho.

Certa tarde, ao retornar do banho, vi que Lucho estava passando mal. Tinha um ar miserável e seu olhar dos dias difíceis. Precisava de açúcar. Peguei rapidamente algum nas minhas coisas, as mãos trêmulas pelo sentimento de urgência. Dei a Lucho minha reserva de açúcar e fiquei algum tempo com ele para me certificar de que estava se sentindo melhor. Atrás de mim, Ángel puxou brutalmente a corrente que pendia em meu pescoço.

— Quem você pensa que é? — ele berrou. — Ou você é estúpida, deficiente mental, ou está achando a gente com cara de bobo! Não deu para entender que você está proibida de falar com quem quer que seja? Esse seu cérebro de mula velha não funciona? Vou dar um jeito nele com uma bala no meio dos seus olhos, você vai ver só!

Escutei sem piscar, enquanto fervia por dentro. Ele me arrastou feito um cachorro até a minha árvore e me acorrentou, curtindo cada minuto do espetáculo que estava dando.

Eu sabia que tinha feito bem em me controlar e ficar quieta. Mas a raiva que eu sentia de Ángel me desviava das minhas boas intenções. Estava meio aborrecida comigo mesma. Durante a noite, reconstituí a cena e fiquei imaginando todas as respostas possíveis, inclusive uma bofetada, e me deliciava imaginando a desfeita de um Ángel que eu recolocava em seu devido lugar. Sabia, porém, que tinha feito bem em ficar quieta, apesar de as ofensas que ele me infligira queimarem feito ferro em brasa.

Ángel fez questão de não deixar que eu o perdoasse. Perseguiu-me com seu ódio e dividiu-o com aqueles que, como Pipiolo ou Tigre, tinham prazer em me atormentar. Aquelas pequenas infâmias todas os deliciavam. Sabiam que eu esperava a bebida da manhã com impaciência, pois, por causa de meu fígado, evitava o café preto ao acordar. Só se dignavam me servir por último e, quando eu estendia minha tigela, mal e mal a enchiam, ou então jogavam o resto fora na minha frente, olhando para mim.

Eles sabiam que eu adorava a hora do banho. Eu era a última a fazê-lo, mas era quem eles mais apressavam para sair. Proibiam que eu me agachasse no riacho para me lavar. Eu tinha de ficar de pé, pois, segundo eles, eu sujava a água. Meus companheiros tinham colocado uma cortina de plástico para que eu ficasse mais à vontade no banho. Todos podiam utilizá-la, menos eu.

Certa manhã, quando estava me lavando, percebi um movimento vindo da direção da mata. Continuei a me lavar, observando algo que se mexia atrás de uma árvore. Descobri Mono Liso, de calça arriada, se masturbando.

Não chamei o guarda. Não fiz nada. Só apanhei minhas roupas e voltei para a minha *caleta*. Quando o guarda veio prender minha corrente em volta da árvore, pedi-lhe que chamasse Enrique. Enrique não veio. Mas o Anão, seu novo imediato, atendeu ao meu pedido.

O Anão era um sujeito curioso. Primeiro, porque tinha dois metros de altura, e também porque parecia um intelectual perdido no meio do mato. Não conseguia definir se ele me era antipático ou não. Achava-o fraco e hipócrita, mas podia ser que fosse disciplinado e prudente.

— Quero deixar claro que, se as Farc não são capazes de educar esse moleque, eu mesma vou tratar disso.

— Da próxima vez que isso acontecer, me avise — respondeu o Anão.

— Não vai haver próxima vez. Se isso se repetir, dou uma surra nele de ficar com vergonha pelo resto da vida.

No dia seguinte, não soltaram a minha corrente para que eu me exercitasse nas barras fora da *caleta*. Fiquei reduzida a fazer flexões de braço embaixo da minha rede.

Foi de lá que avistei a galinha. Ela acabava de pular em cima da *caleta* de Lucho e se acomodar sobre o mosquiteiro que ele deixava dobrado ao pé da cama durante o dia. Devia ser um ninho agradável. Ela ficou ali horas, imóvel, sem que ninguém percebesse, um olho fechado, ereta, como se fingisse dormir. Era malhada de cinza, com uma linda crista vermelho sangue, e muito consciente da forte impressão que era capaz de causar. "É uma vaidosa", pensei, ao observá-la. Ela se levantou, indignada, arrulhando, cacarejou com vontade sacudindo sua bola de penas e foi embora sem mais delongas.

Todo dia, no mesmo horário, a galinha de Lucho vinha visitá-lo. Deixava para ele um ovo, escondido da guerrilha. No crepúsculo, observávamos os guardas.

— Ela estava no acampamento à tarde.

— Deve ter deixado o ovo por aqui, no meio das árvores.

O ovo já estava na nossa barriga. Chegava até mim por vias tortuosas, para que eu o cozinhasse. Eu desenvolvera uma técnica para esquentar minha tigela queimando o cabo plástico das lâminas descartáveis que apareciam no acampamento. Guardava todos eles. Um só era suficiente para cozinhar um ovo, que Lucho distribuía alternadamente entre os companheiros.

Quando chovia, eu cozinhava em série: a chuva disfarçava a fumaça, os odores e os sons. Comíamos todos os ovos da nossa reserva.

Lucho acabava de descobrir mais um entre as dobras do mosquiteiro. Fez amplos acenos para avisar a mim e a Pinchao. Ficamos supercontentes, pois era o Dia das Mães e assim teríamos como comemorar.

Não podíamos imaginar que a data seria marcada de um modo bem diferente. Eles não fizeram ruído algum: quando percebemos, já estavam em cima de nós.

68. Monster

Maio de 2006

O Anão apareceu em seguida, ofegante:

— Peguem os *equipos* do jeito que estão, não levem mais nada, estamos indo embora.

Os helicópteros davam voltas sobre as nossas cabeças, suas pás varriam o ar com um ruído cataclísmico. William, o enfermeiro, partiu imediatamente. Estava sempre pronto. Os outros todos tentávamos enfiar, no último minuto, algo precioso em nossa bagagem.

Não quis me apressar. Papai sempre dizia: "Se você estiver com pressa, vista-se devagar". E a morte? Não me preocupava com isso. Uma bala, rápida, simples, por que não? Mas não acreditava nisso. Sabia que não era esse o meu destino. Um guarda latiu, feroz, às minhas costas. Ergui o rosto. Todos tinham ido embora. Estava dentro do meu submarino, com todas as escotilhas fechadas. No meu mundo, eu fazia o que queria.

O guarda me empurrou, pegou meu *equipo* ainda aberto e saiu correndo. Acima de mim, um dos helicópteros estava parado. Um homem, sentado à porta, os pés balançando, perscrutava o solo. Eu enxergava o seu rosto. Ele usava óculos grandes de operador, e apontava o cano da arma para onde seu olhar pousava. Eu queria que ele me visse. Como podia não me ver? Eu estava ali, bem embaixo dele! Talvez fosse por causa de minhas calças de camuflagem.

Ele iria me confundir com uma guerrilheira e atirar. Eu lhe faria entender que era uma prisioneira. Mostraria minhas correntes. Tarde demais, talvez, e deixariam meu corpo estendido em meio a uma poça de sangue, as patrulhas militares o encontrariam mais tarde.

— *Vieja hijue'madre, quiere que la maten?**

Era Ángel. Estava verde, inclinado atrás de uma árvore carregando meu *equipo*. O sopro do helicóptero o obrigava a franzir os olhos, abaixar a cabeça de lado, como se estivesse com dor.

Uma rajada fez a mata estremecer. Sobressaltei-me. Corri direto para a frente, peguei ao passar o mosquiteiro de Lucho (o ovo ainda estava ali) e fui parar ao lado da árvore, me abrigando junto de Ángel.

A metralha não parava, bem do nosso lado, mas não sobre nós. No acampamento, vozes histéricas cortavam o ronco do aço. Vi duas garotas e um garoto atravessando nosso campo de visão, curvados sob seus *equipos*, correrem a descoberto por uma fração de segundo e então desaparecerem na vegetação. Ángel sorriu, vitorioso.

O helicóptero parou de dar voltas. Ángel não queria se mover. Um pouco adiante, protegidos pelas árvores, outros guerrilheiros aguardavam como nós.

— Vamos! — disse eu, querendo sair dali.

— Não, estão atirando em tudo que se mexe. Eu aviso quando for para correr.

Eu estava com o ovo na mão. Enfiei-o no bolso do casaco e tentei enrolar o mosquiteiro para guardá-lo no *equipo*.

— Não é hora para isso — rosnou Ángel.

— Você rói as unhas, eu guardo as minhas coisas, cada qual com a sua mania! — retruquei, irritada.

Ele me lançou um olhar surpreso, e então sorriu. Fazia tempo que eu não o via com aquela expressão. Pegou meu *equipo* e o passou com destreza por cima da cabeça para prendê-lo contra a nuca sobre o seu próprio *equipo*. Pegou minha mão e olhou dentro dos meus olhos.

— No três, a gente sai correndo, e você só para quando eu parar, sacou?

— Saquei.

Mais helicópteros se aproximavam. O nosso tomou altitude e engatou uma curva. Vi que a sola das botas do soldado foram ficando menores. Ángel pôs-se a correr, com o diabo na cola e eu junto. Quarenta e cinco minutos depois, está-

---

* Sua velha filha da puta, quer que eles te matem?

vamos novamente abrindo caminho na selva e alcançamos o restante do grupo. Mostrei o ovo para Lucho.

— Que boba, você — disse ele, encantado. O mais importante era o ovo. A ideia de que o Exército pudesse nos resgatar parecia-nos um sonho impossível.

A mata se enfeitara de rosa e malva. Isso acontecia duas vezes ao ano com a floração das orquídeas. Elas viviam enredadas nos troncos das árvores e acordavam todas ao mesmo tempo, num festival de cores que só durava uns poucos dias. Eu as colhia ao passar a fim de colocá-las no cabelo, atrás das orelhas, prendê-las nas tranças, e meus companheiros me ofereciam algumas, comovidos por reviverem alguns gestos de galanteria.

O *bongo* nos esperava em determinados lugares e nos deixava em outros. Caminhávamos dias a fio e o encontrávamos mais adiante. Enrique sempre nos amontoava na traseira, junto ao reservatório de combustível, mas estávamos demasiado exaustos com a marcha para reparar.

Atrás de um matagal, a água cinza-azulada do rio parecia imóvel. Aos poucos, a luz foi virando. As árvores se destacaram, como que desenhadas com tinta preta sobre um fundo rosa-avermelhado. Um grito pré-histórico rasgou o espaço. Ergui os olhos. Dois *guacamayas* irrompiam no céu, deixando um rastro de festa e poeira dourada. "Vou desenhá-los para Méla e Loli", pensei. O céu se apagou. Quando o *bongo* chegou, só restavam as estrelas.

Era um antigo acampamento das Farc. Nosso alojamento foi erguido à parte, num declive que ia dar num córrego estreito e fundo. O córrego fazia uma curva em ângulo reto bem à nossa frente, formando um poço de água azul sobre um fundo de areia fina.

Enrique teve a grandeza de permitir que cada um se banhasse na hora que lhe conviesse. Minha *caleta* era a primeira de uma fileira que subia o morro. Eu tinha uma vista total sobre o poço. Minha felicidade era completa. A água chegava gelada e cristalina. De manhãzinha, ficava coberta de vapor, como as águas termais. Decidi ir até lá logo após o café da manhã, já que ninguém parecia querer disputar aquele horário e eu queria me demorar. A corrente era forte, e um tronco de árvore preso na curva era o apoio ideal para ficar nadando no lugar.

No segundo dia, Tigre estava de guarda e seu olhar feroz não me deu trégua durante todos os meus exercícios. "Ele vai perturbar a minha vida", pensei. No dia seguinte, Oswald o substituiu naquele horário.

— Saia daí — gritou ele.

454

— Enrique disse que a gente podia ficar o tempo que quisesse no banho.

— Saia daí.

Quando o Anão passou, fazendo sua ronda, pedi autorização para nadar no poço.

— Vou perguntar ao comandante — ele respondeu, bem farquiano.

Nas Farc, nenhuma folha era arrancada de uma árvore sem autorização do chefe. Essa centralização do poder tornava pesado o curso das coisas. Mas servia para dificultar a vida dos outros quando conveniente. Se um guarda queria negar alguma coisa, dizia que ia perguntar ao chefe. A resposta do Anão equivalia a uma negativa. Fiquei surpresa, portanto, quando ele voltou no dia seguinte declarando:

— Pode ficar na água e nadar, mas tome cuidado com as raias.

Tigre e Oswald trocaram o fuzil de ombro. Quando estavam de guarda na hora do meu banho, ficavam repetindo à exaustão: "Cuidado com as raias!", só para me perturbar.

Eu pegara o hábito de estender, em volta de minha rede, uns lençóis que conseguira com meus companheiros a fim de poder trocar de roupa sem que ficassem me olhando.

Monster chegou certa tarde, apresentando-se aos prisioneiros com ar afável. Fiquei surpresa com seu nome, achei de início que fosse uma brincadeira, controlando-me a tempo ao lembrar que eles não falavam inglês e que "Monster" não devia soar, para ele, como soava para mim. Ele me fez algumas perguntas, querendo se mostrar atencioso, e quando ele se foi, pensei comigo mesma: "Mais um Enrique".

Naquela mesma noite, Oswald, que estava de guarda, me interpelou, descabelado, apontando para os lençóis que me davam um pouco de privacidade:

— Tire essa merda toda daí.

Era, para mim, um duro golpe. Eu precisava realmente me proteger dos olhares dos outros.

Oswald, exasperado, arrancou ele mesmo minha instalação. Pedi para falar com Monster, na esperança de que ele ainda não tivesse sido contaminado. Foi pior. Ele quis se valorizar perante a tropa.

Daquele dia em diante, Monster sentiu-se legitimado para me detestar! Sua resposta a qualquer pedido meu era invariavelmente negativa. Eu aceitava a lição: "Essas coisas fortalecem o caráter".

Eu havia suplicado, antes da chegada de Monster, que construíssem um biombo de folhagem na frente dos *chontos*. Ficavam justo ao lado das *caletas*, e eu podia ver todos os meus companheiros se acocorando. De minha parte, encolhida atrás de uma árvore grande, escondida por suas raízes, cavava um buraco com o salto da bota e me aliviava rezando para que os guardas não resolvessem me obrigar a usar o buraco na frente de todo o mundo. Certa noite, ao retornar, prendi o pé numa raiz sobre a qual eu costumava passar. Ao cair, cravei o joelho num pedaço de pau. Percebi o que acontecera antes mesmo de sentir. Levantei-me com cautela, a ponta do pau estava banhada de sangue e, em meu joelho, um buraco, qual uma boca, se abria e fechava espasmodicamente. "Isso não está nada bom", diagnostiquei de imediato.

Negaram-me, evidentemente, qualquer medicamento. Decidi então não sair mais da minha *caleta* até que a ferida se fechasse, rezando para que não houvesse nenhum raide até meu joelho cicatrizar. Calculei que isso levaria uns dois dias. Levou duas semanas de imobilidade completa.

Lucho, preocupado, procurou conseguir um pouco de álcool à sua volta. Um de nossos companheiros sempre tinha uma reserva, e também um tubo de creme anti-inflamatório, que acabou por vir parar milagrosamente nas minhas mãos. Ele também obteve a permissão de Monster para me levar todo dia um galão de água do riacho a fim de que eu pudesse me lavar, o que nos deu oportunidade de trocar algumas palavras durante o dia, privilégio que me parecia suficiente para suprir toda a felicidade a que eu poderia aspirar.

Contei rapidamente a Lucho a história que andava me mantendo em suspense. Tito aparecera uma noite, antes do incidente do joelho, sacudindo minha rede na intenção de conversar secretamente comigo. Julgando que ele queria repetir o assédio de Mono Liso, eu o rejeitara, ofendida. Ele se assustara e voltara para o seu posto de guarda, não sem me dizer, antes de sair:

— Posso tirar você daqui, mas tem que ser logo!

Eu não lhe dera atenção. Sabia que a guerrilha costumava aprontar armadilhas e imaginei que fora mandado por Enrique para sondar minhas intenções. Mas não tornei a ver Tito depois que, certo dia, ele saiu como batedor junto com uma moça e outro sujeito. Quem veio me ver foi o Efren. Trouxe um caderno novinho e lápis de cor. Queria que eu desenhasse para ele o sistema solar.

— Quero aprender — disse.

Vasculhei minha memória para conseguir situar Vênus e Netuno, preenchendo o papel com um universo que eu criava a meu bel-prazer, cheio de bolas de fogo e cometas gigantes. Ele adorou e pediu mais, voltava todo dia para buscar o caderno e novos desenhos. Tinha sede de aprender, e eu precisava me ocupar. Inventava subterfúgios para seduzi-lo com assuntos que eu dominava, e ele mordia a isca, contentíssimo de voltar no dia seguinte. Foi assim que descobri, no vaivém de uma conversa espontânea, que Tito fugira com dois de seus colegas. Tinham sido pegos, e fuzilados. O rosto de Tito, com seu olho torto, passou a assombrar meus pesadelos. Lamentei não ter acreditado nele.

A corrente que eu carregava 24 horas por dia ficou ainda mais pesada. O meu consolo era que Lucho já não usava a sua durante o dia.

Saí do banho e me sequei rapidamente: acabava de chegar a marmita matinal. Comíamos pouco, e essa era a única refeição que acalmava minha fome. Apressei-me, esquecendo dos bons modos, pensando em como fazer para pegar a *arepa* maior. À minha frente estava Marulanda. Vibrei: ele pegaria a torta pequena, e a minha, graúda, vinha depois. Tigre estava servindo, me viu chegar, olhou para as tortas e compreendeu o motivo de minha alegria. Pegou a pilha e virou-a. Marulanda ficou com a torta graúda, e eu, com a pequena.

Eu estava envergonhada por ter me prestado àquele cálculo tão mesquinho. Tantos anos lutando contra meus mais primitivos instintos, sem nenhum resultado. Jurei nunca mais olhar para o tamanho da comida e pegar simplesmente a parte que me cabia.

No dia seguinte, porém, quando abriram meu cadeado para que eu fosse receber a primeira ração do dia, e apesar de minha resolução de me comportar como uma dama, meu demônio se agitou ao cheiro da torta e, horrorizada, me peguei com os olhos grudados na pilha de *cancharinas*, pronta para defender minha vez com unhas e dentes.

Tomei a decisão de ser a última a me aproximar da marmita: era preciso apelar para meios extremos. Infelizmente, quando chegava a marmita, um outro "eu" prevalecia e me possuía com a força bestial de um malefício. "Isso não é normal", eu pensava depois, "meu ego está fazendo das suas." De nada adiantava: dia após dia eu era reprovada no teste.

69. O coração de Lucho

Foi numa dessas manhãs, na fila para a marmita matinal, que vi chegarem nossos três companheiros americanos pela trilha que nos ligava ao acampamento da guerrilha. Contra toda expectativa, me senti feliz ao revê-los.

Marc, Tom e Keith chegaram sorridentes. Esqueci das *cancharinas*, das marmitas e dos guardas, e corri para acolhê-los desejando-lhes as boas-vindas. Tom me abraçou afetuosamente e começou a falar em inglês, sabendo que eu iria gostar de retomar nossas aulas de inglês.

Monster vinha atrás deles, com a satisfação do vencedor. Lançou-me de passagem um olhar feroz ao me ouvir conversando com Tom.

No dia seguinte ele anunciou, num tom satisfeito:

— Os prisioneiros podem conversar entre si. Menos com a Ingrid.

Mas todo mundo já havia esquecido essa regra quando, um dia, uma pobre raia se perdeu dentro do poço. Eu a avistei enquanto tomava banho, era uma raia listrada, igual as que eu tinha visto, algumas vezes, nos aquários chineses.

Armando deu o alerta e o guarda cortou a cauda da raia com o facão. Ela então foi exibida, não por sua pele maravilhosamente jaspeada, mas porque os guerrilheiros comiam seus órgãos genitais, dotados de propriedades afrodisíacas. Os prisioneiros se aproximaram a fim de examinar o pobre espécime, cuja visão os deixou impressionados pela semelhança com os órgãos genitais do homem.

Naquele dia, Enrique aceitou partilhar com os prisioneiros as delícias do cinema em DVD.

Alguns companheiros vistos com bons olhos pela guerrilha haviam sugerido que isso poderia ser terapêutico para as depressões que se sucediam entre os prisioneiros. De fato, costumávamos acordar, à noite, com seus gritos. Minha *caleta* era vizinha da de Pinchao, e era cada vez mais frequente ele gritar enquanto dormia. Eu o acordava do seu sonho chamando-o pelo nome com voz de general, e ele emergia, envergonhado e encharcado de suor.

— O diabo estava atrás de mim — ele me confessava, sempre impressionado ao extremo.

Eu não queria reconhecer que estávamos todos tão perturbados quanto ele. Também acontecia comigo, com mais e mais frequência. Pinchao, na primeira vez, me acordou com conhecimento de causa.

— Estavam me estrangulando — eu disse, apavorada.

— É assim mesmo — ele sussurrou para me tranquilizar. — A gente não se acostuma, vai ficando cada vez pior.

Até então, Enrique nunca quisera ceder à fraqueza de distrair seus "detentos", segundo o eufemismo que ele gostava de usar. Talvez tenha mudado de ideia para impressionar os americanos. Talvez se sentisse responsável por nossa saúde mental. Não importa. A guerrilha gostava dos filmes de Jackie Chan e Jean-Claude van Damme. Mas os que eles conheciam de cor eram os de Vicente Fernandez, seu ídolo mexicano. Eu os observava enquanto assistia aos filmes, intrigada ao constatar que eles sempre se identificavam com os "mocinhos" da história, e que seus olhos se enchiam de lágrimas quando assistiam às cenas de amor água com açúcar.

Deixamos certa tarde o acampamento das raias, sem pressa e sem vontade, e mais uma vez nos embrenhamos na *manigua*. Às vezes, acontecia de eu ficar na frente durante a marcha, pois Enrique, sabendo que eu andava mais devagar, me fazia partir mais cedo. Alguns companheiros não demoravam a me alcançar, prontos a me pisotearem para passar na frente. Eu me perguntava por que homens adultos se apressavam para ficar na frente numa fila de prisioneiros.

Final de outubro-dezembro de 2006

O novo acampamento tinha a particularidade de possuir dois locais para banho: um no próprio rio — o que era raro, pois eles procuravam nos afastar das vias de circulação — e outro atrás de uma pequena torrente de águas turbulentas.

Quando descíamos até o rio, eu nadava contra a corrente e conseguia subir alguns metros. Alguns companheiros seguiam meu exemplo e o banho se tornara uma espécie de competição esportiva. Os guardas implicaram somente comigo. Eu então nadava em círculos, ou no lugar, convencida de que meu corpo se beneficiava do mesmo modo.

Quando, por motivos que não nos revelavam, vinha a ordem de tomarmos banho lá atrás, tínhamos de passar junto a uma cancha de vôlei que eles tinham ajeitado com areia do rio, e ladear o acampamento deles. Ao passar, eu avistava em suas *caletas* mamões, laranjas e limões que me davam água na boca.

Pedi a Enrique permissão para festejar o aniversário dos meus filhos. Pelo segundo ano consecutivo, ele negou. Tentei imaginar a transformação do rosto deles. Mélanie acabava de completar 21 anos, e Lorenzo, dezoito. Minha mãe dizia que ele tinha mudado de voz. Eu nunca tinha ouvido sua voz.

A insipidez da vida, o tédio, o tempo sempre recomeçando idêntico a si mesmo, tinham o efeito de um sedativo. Observava as moças ensaiando uma dança de final de ano na cancha de vôlei. Katerina era a mais jeitosa. Dançava *cumbia** como uma deusa. Aquelas atividades simples me enchiam de tristeza. A necessidade de fugir continuava nos mobilizando. Armando se animava ao me explicar em detalhes a fuga que estava sempre planejando para o dia seguinte. Chegava a afirmar que já fugira uma vez.

De minha parte, a ideia de uma nova fuga me dava comichões. Minha situação estava sensivelmente melhor. Já podia conversar com Lucho uma hora por dia durante o almoço, e com os demais sem nenhuma restrição, sendo rigorosamente proibido para mim o emprego do inglês. Quando terminava minha hora com Lucho, Pinchao vinha se sentar do meu lado. Tornara-se corriqueiro marcarmos encontros entre prisioneiros. Havia uma espécie de vaidade em avisar que não queríamos ser incomodados. De tanto viver juntos, 24 horas por dia, sem praticamente nada para fazer, tínhamos criado o hábito de erguer paredes imaginárias. Pinchao veio ter comigo para a nossa conversa diária.

— Quando eu crescer — eu dizia, brincando —, vou construir no Madalena uma cidade em que os *desplazados*** terão boas casas, as melhores escolas para os seus filhos, e vou fazer de Ciudad Bolivar uma Montmartre cheia de turistas, bons restaurantes, e um local de peregrinação à Virgem da Liberdade.

---

* Dança colombiana, praticada originalmente pelos escravos do Alto Madalena (na cidade de Monpox). Inspira as canções africanas que utilizam instrumentos indígenas e espanhóis.
** Pessoas deslocadas em função da guerra entre os paramilitares e a guerrilha.

— Você quer realmente ser presidente da Colômbia?

— Quero — eu respondia, só para implicar com ele.

Ele um dia me perguntou:

— Você não tem medo?

— Por que a pergunta?

— Ontem, só para testar, tentei sair da *caleta* sem pedir autorização para o guarda. Estava tão escuro que eu não enxergava nem minha própria mão.

— E aí?

— Fiquei com muito medo. Eu sou um covarde. Um zero à esquerda. Nunca conseguiria fugir, como você fez.

Escutei a mim mesma dizendo, baixinho:

— Todas as vezes que saí de um acampamento, pensei que fosse morrer de medo. O medo é normal. Para alguns, o medo é um freio, e para outros, um estímulo. O importante é não se deixar dominar por ele. Quando você decide fugir, é uma decisão fria, racional. O planejamento é fundamental, pois durante a ação, sob o efeito do medo, você não pode pensar, tem que agir. E você age por etapas. Tenho que dar três passos para frente, um, dois e três. Agora vou me abaixar e passar por baixo do galho grande. Depois, vou virar à direita. E agora, começo a correr. Os movimentos que você faz têm de absorver toda a sua concentração. Você sente o medo, você o aceita, mas empurra para o lado.

Poucos dias antes do Natal, tivemos de partir novamente. Curiosamente, a marcha durou menos de meia hora. Um acampamento provisório foi erguido às pressas, sem *caletas*, sem redes, todos deitados sobre sacos plásticos colocados no chão. Em meio à improvisação, os guardas relaxaram a atenção e pude me sentar junto de Lucho.

— Acho que Pinchao está querendo fugir — confidenciei.

— Ele não vai longe, não sabe nadar.

— Em três, teríamos mais chances de conseguir.

Lucho olhou para mim, com um brilho novo no olhar. Então, como que se negando a se entusiasmar, disse num tom carrancudo:

— Temos que pensar!

Eu não tinha me dado conta, durante a nossa conversa, de que ele estava pouco à vontade, mudando de posição, preocupado, como que achando difícil se achar no próprio corpo.

— Ai! Estou com cãibra — disse, contendo o fôlego.

Estava com o braço esticado, pensei que tinha se machucado.

— Não é aí. É no meio do peito. Dói muito, é como uma pressão muito forte, bem no meio.

Ele passara de branco para cinzento. Eu já vira isso antes. Primeiro no meu pai, e, de forma diferente, mas também muito agudo, em Jorge.

— Deite-se e não se mexa. Vou buscar William.

— Não, espere, não é nada. Não faça alarde.

Soltei meu braço que ele estava segurando e o tranquilizei.

— Volto num instante.

William sempre desconfiava. Já tinha acontecido de ele acorrer à cabeceira de um doente e deparar com uma bela encenação para tentar conseguir mais comida.

— Se eu me torno cúmplice, por amizade, no dia em que a gente realmente precisar de remédios, eles vão negar — ele me explicara, quando fomos acorrentados juntos.

— Você sabe que eu não viria chamá-lo se não fosse sério — disse eu.

O diagnóstico de William foi imediato.

— Ele está tendo um infarto, precisamos de aspirina imediatamente.

A reação de Oswald foi gélida.

— Precisamos de aspirina, é urgente. O Lucho acaba de ter um infarto.

— Não tem ninguém aqui, o pessoal todo está trabalhando na obra.

— E o enfermeiro?

— Não tem ninguém. No que me diz respeito, o velho pode bater as botas.

Dei um salto atrás, horrorizada. Tom acompanhara a cena. Quando me aproximei, Lucho abriu o punho cerrado para me mostrar seu tesouro: Tom lhe passara a reserva de aspirina que ele guardava desde a prisão de Sombra.

Mesmo depois que chegou o enfermeiro, não conseguimos aspirina para Lucho. Como que se desculpando, o velho Erminson me confessou:

— Tivemos que preparar uma terra para plantar coca. Enrique vai vender a coca, pois estamos sem dinheiro e o Plano Patriota acabou com nossos fornecedores. Por isso é que está faltando de tudo e que estamos todos ocupados.

De fato, desde que chegáramos ali, os homens vinham se queixando do trabalho penoso que lhes impunham. Tínhamos sido invadidos pela fumaça azulada e áspera das queimadas, e reparamos que os turnos da guarda estavam reduzidos a dois por dia. Estavam todos muito ocupados.

Dois dias antes do Natal, porém, voltamos ao acampamento do rio, bem a tempo de instalar as antenas e nos preparar para ouvir o programa dedicado a nossas famílias. A noite de sábado, 23 de dezembro de 2006, foi estranha. Envolta na minha rede e na minha solidão, ouvi a voz frágil de minha mãe e a voz mágica de meus filhos. Méla falava num tom comportado e maternal que me cortava o coração:

— Escuto sua voz no meu coração e repito a mim mesma todas as suas palavras. Mãe, lembro de tudo que você me dizia. Preciso que você volte.

Também chorei ao ouvir a voz de Lorenzo. Era a voz dele, a voz do meu garotinho. Mas estava mudada, acrescida de outra voz. A voz de meu pai, com seus acentos graves e quentes como veludo. Ao escutá-lo, eu via meu filho e via meu pai. Mais que meu pai, porém, eu via suas mãos, suas mãos grandes de dedos quadrados, secas e lisas. Era uma felicidade tão grande poder rever tudo aquilo, e machucava tanto. Também ouvi Sébastien. Ele gravara sua mensagem em espanhol, o que o deixava ainda mais próximo de mim.

Eu me sentia abençoada no inferno. Não conseguia ouvir mais nada. Emoção demais para o meu coração. "Será que eu disse para o Sébastien o quanto o amo? Meu Deus, ele não sabe! Ele não sabe que o lilás é minha cor preferida por causa daquela canga horrorosa que ele me deu de presente e que eu me neguei a usar." "Eu vou esperar", repeti para mim mesma, decidida. "Vou sair viva daqui para poder ser uma mãe melhor."

Apesar da hora, os guardas já estavam bêbados. Armando jurou que levaria seu plano adiante naquele mesmo dia e eu quis acreditar. A noite estava clara, e os guardas, ainda mais bêbados. Era uma noite perfeita, mas Armando não fugiu. Pinchao acercou-se na manhã do dia seguinte.

— Armando não foi, ele nunca vai ser capaz.

— E você, seria capaz? — perguntei.

— Eu não sei nadar.

— Eu te ensino.

— Meu Deus! Este é o meu sonho, porque quero ensinar o meu filho a nadar. Não quero que ele sinta vergonha como eu.

— A gente começa amanhã.

Pinchao me retribuiu. Resolveu ser meu treinador e elaborou para mim um esquema rígido de exercícios que ele fazia junto comigo. O mais difícil, para mim, era a tração na barra fixa. Não conseguia erguer o peso do meu corpo um milímetro sequer. No começo, Pinchao segurava as minhas pernas. Mas, passadas poucas semanas, meu corpo começou a subir e meus olhos chegaram acima da barra. Eu estava exultante. Consegui fazer seis elevações seguidas na barra.

Uma manhã, enquanto fazíamos uma série de flexões de braço, longe dos ouvidos dos guardas, eu lhe perguntei sem rodeios.

— Conte comigo — ele disse de chofre. — Com você e Lucho, eu vou até o fim do mundo.

Pusemos imediatamente mãos à obra. Precisávamos juntar provisões.

— Vamos trocar nossos cigarros por chocolate amargo e *farinha* — sugeri.

Eu acabava de descobrir este alimento, que tinham nos fornecido durante a marcha. Era farinha de mandioca, granulosa e seca. Misturada com água, seu volume triplicava e saciava a fome. Vinha do Brasil, o que me levava a crer que devíamos estar longe, no sudeste da Amazônia.

Pinchao se abasteceu facilmente em fio de náilon e anzóis: ele seguidamente ajudava os pescadores do acampamento, que gostavam dele. Eu cuidei de confeccionar os "minicruzeiros", de conseguir umas boias e recolher todos os cigarros do grupo, com a vantagem de que Lucho, depois do infarto, deixara de fumar. Fazia a troca com Massimo, um velho negro da costa do Pacífico, homem de bom coração, que gostava de Lucho porque a família dele votara nele a vida inteira.

Quando se espalhou o boato de que os soldados se aproximavam, soubemos que logo teríamos de transferir o acampamento. Nós nos reunimos às pressas para ver como íamos repartir nossas reservas de alimentos: quatro quilos de chocolate e farinha. Transportá-los se afigurava um suplício.

Lucho não podia se comprometer a carregar mais peso do que já carregava. A minha capacidade de carga era próxima de zero.

— Azar, vamos ter que jogar fora o resto todo. A gente refaz novas provisões no próximo acampamento — declarei, firme.

— Não, nem pensar. Se for preciso, eu carrego tudo — decidiu Pinchao.

Enrique deu ordem para iniciarmos mais uma marcha. Durante dias, atravessamos um labirinto de cipós enredados de tal maneira que a abertura praticada a facão pelo batedor fechava-se sobre si mesma, sendo impossível localizar a passagem. Tínhamos de formar uma corrente humana para manter a abertura, o que exigia uma concentração constante por parte de todos, sem possibilidade de descanso. Depois disso, tivemos de descer e tornar a subir cerca de vinte vezes uma parede de uns cinquenta metros de altura que ladeava o rio, pois em alguns pontos era o único jeito de passar.

Pinchao andava feito formiga, furioso por estar tão carregado, e eu rezava para que ele não me derrubasse as barras de chocolate na cabeça. Ele chegou com os pés em sangue e as alças de seu *equipo* cravadas nos ombros.

— Não aguento mais — ele berrou, furioso, jogando a mochila longe. Nisso, o guarda anunciou que um *bongo* passaria para nos pegar ao cair da tarde. Só então Pinchao aceitou ficar com nossas preciosas provisões.

Atracamos num lugar sinistro. Charcos de águas amarronzadas conviviam com um rio carregado de sedimentos. As árvores se jogavam na água como que perseguidas por um musgo verde e fétido. O sol mal e mal passava através da copa tropical.

70. A fuga de Pinchao

29 de abril de 2007

Eu havia dito a Lucho:

— Não gosto deste lugar, ele dá azar.

Ficamos todos doentes. Ao entardecer, enfiada na minha rede, me senti arrastada por uma força centrífuga que me aspirava por inteiro e me fazia tremer dos pés ao pescoço, como um foguete prestes a decolar. Estava com malária. Todos tínhamos sucumbido. Eu sabia que era horrível. Já vira meus companheiros sacudidos por convulsões, a pele enrugada sobre os ossos.

Mas o que o corpo incubava e que eu esperava para depois das convulsões era ainda pior. Uma febre superaguda repuxava os ligamentos como se fossem cordas, em meio a uma estridência do corpo só comparável à tortura de uma broca de dentista sobre um nervo exposto. Num estado segundo, depois de, em meio ao suplício, ter de esperar que o guarda desse o alerta, que alguém encontrasse as chaves e outro alguém viesse abrir meu cadeado, tive de me levantar, agonizante, e correr para os *chontos*, derrubada por uma diarreia torrencial.

Depois disso, me surpreendeu o fato de ainda estar viva. O enfermeiro resolveu duvidar de que eu estivesse realmente com paludismo. Só se dispôs a me dar remédios no terceiro dia, depois de três crises idênticas à primeira, e quando senti já estar morta.

Chegou qual um feiticeiro, trazendo caixas de diferentes remédios. Durante dois dias, eu precisava tomar dois comprimidos enormes que tinham cheiro de cloro, depois tomar umas pilulazinhas pretas, três no terceiro dia, duas no quarto, três de novo e, por fim, apenas uma para completar o tratamento.

Aquilo me pareceu loucura. Mas eu não tinha a menor intenção de desobedecer às suas ordens. Só o que eu queria era que ele me desse ibuprofeno. Era o único medicamento capaz de fazer sumir a pressão dolorida acima dos olhos, que me atravessava os sínus, me impedindo de ver ou pensar claramente.

A convalescença foi demorada. Meu primeiro gesto de ressuscitada foi lavar minha rede, minhas roupas, e o lençol com que me cobrira. Eu instalara uma corda no único lugar em que o sol parecia penetrar. Cheguei do banho com minha trouxa encharcada, pesada demais para mim, resolvida a me livrar dela o quanto antes. Ángel me espreitava de seu posto de guarda. No momento em que depositei a roupa na corda, ele correu para cima de mim.

— Tire isso daí. Você não tem o direito de estender a roupa aqui.

— ...

— Tire isso daí, já falei! Não pode ultrapassar o perímetro do acampamento.

— Que perímetro? Não estou vendo nenhum perímetro, todo mundo colocou cordas do lado das *caletas*, por que eu não posso?

— Porque eu falei.

Olhei para a corda, me perguntando como me virar com aquela roupa toda no colo. Uma voz rabugenta se fez ouvir:

— Sempre criando problema! Prenda-a na corrente!

Era Monster, chegando no momento certo.

Massimo estava de guarda do outro lado do acampamento e tinha visto tudo. Apareceu depois de terminar o seu turno. Trazia escondido na manga um tablete de chocolate que estava me devendo.

— Não gosto que tratem você desse jeito, me dá pena. Mas eu também me sinto um prisioneiro aqui.

— Vá embora comigo! — eu disse, pensando em Tito.

— Não, é muito difícil, eu ia acabar sendo morto.

— Aqui também você vai acabar sendo morto. Pense nisso, existe uma boa recompensa. Você nunca vai ver tanto dinheiro junto em toda a sua vida. E eu vou ajudá-lo a sair do país, você pode ir comigo para a França. A França é um país muito bonito.

— É perigoso, muito perigoso.

Ele olhava ao redor, nervoso.

— Pense nisso, Massimo, e me dê uma resposta em breve.

À noite, já estava em minha rede, acorrentada, quando Massimo se aproximou no escuro:

— Sou eu, não fale nada — ele sussurrou. — Vamos embora juntos. Isso é um pacto, aperte a minha mão.

— São mais dois além de mim.

— Três é gente demais!

— É pegar ou largar.

— Eu pego dois; três, não.

— Três, nós somos três.

— Vamos precisar de um barco e de um GPS, deixe eu ver isso.

— Conto com você, Massimo.

— Confie, confie — ele sussurrou ao apertar minha mão.

Com um guia, estaria ganha a parada. Eu não via a hora de amanhecer para poder contar a novidade.

— A gente tem que tomar muito cuidado. Ele pode nos trair. Temos que pedir garantias — avisou Lucho. Pinchao permaneceu calado.

— Partir em três, é difícil. Mas em quatro é impossível — ele disse por fim.

— Veremos. Por enquanto, o mais importante é você aprender a nadar.

Ele se dedicou. Durante o banho, eu o segurava pela barriga para ele ter a sensação de flutuar, e mostrava como segurar a respiração debaixo da água. Depois, Armando assumiu. Uma manhã, ele me chamou, vermelho de alegria:

— Olhe!

Naquele dia, Pinchao tinha aprendido a nadar e Monster deu ordem para que tirassem minhas correntes durante o dia. Eu recobrara a coragem, fugir era novamente possível.

A sorte continuou nos sorrindo. Pinchao aceitara fazer um desenho no caderno de um dos guardas. Ao folheá-lo, encontrara, copiadas com letra de criança, indicações precisas para a construção de uma bússola. Era fácil. Bastava imantar uma agulha e colocá-la na superfície da água. A agulha tinha que girar para se alinhar no eixo norte-sul. O restante podia ser deduzido pela posição do sol.

— Temos que tentar.

Acomodamo-nos na minha barraca, a pretexto de confeccionar uma jaqueta, projeto que eu vinha acalentando desde algum tempo a fim de poder fugir vestindo algo mais leve e mais adequado à selva. A costura era uma atividade comum. Ninguém veria nisso nada de anormal.

Enchemos um frasco vazio de desodorante com água, e imantamos nossa agulha grudando-a nos alto-falantes da *panela* de Pinchao. A agulha flutuou na superfície do líquido, virou e apontou para o norte. Pinchao me deu um beijo.

— É a nossa chave para sair daqui! — disse ele.

No dia seguinte, ele voltou, ainda sob o pretexto de dar uma de alfaiate. Eu pretendia descosturar duas calças idênticas, sendo uma de Lucho e outra da cota que eu recebera. Queria aproveitar o tecido e a linha para fazer minha jaqueta. Para a recuperação da linha, usávamos uma técnica desenvolvida por Pinchao e que demandava uma paciência infinita. Enquanto nos concentrávamos na tarefa, Pinchao me disse:

— Quebrei a minha corrente. Não dá para notar. Posso ir embora agora mesmo, temos todo o necessário.

Eu precisava descobrir um sistema para que Lucho e eu soltássemos nossas correntes durante a noite. A ideia era os elos da corrente não ficarem muito apertados no pescoço — sendo preciso usar fio de náilon para apertá-los um no outro. Ao cortar os fios, a corrente se esticaria e assim poderíamos passar a cabeça. Teríamos que contar com alguma sorte para que o guarda que fechava o cadeado à noite não percebesse.

— Vou fazer o teste — prometeu Lucho.

Naquela noite, quando me levantei para urinar, o guarda de vigia no posto contíguo à minha *caleta* me insultou:

— Vou acabar com essa sua vontade de levantar à noite. Vou lhe enfiar uma bala na boceta!

Eu já tivera muitas vezes de enfrentar a vulgaridade deles. Experimentara todas as táticas para colocá-los em seu devido lugar, mas qualquer reação de minha parte só fazia atiçar as impertinências. Era bobagem, eu tinha mais era que desprezá-los. Em vez disso, ficava magoada.

— Quem estava de guarda aqui do lado ontem à noite? — perguntei para o guerrilheiro que fez a ronda pela manhã para abrir os cadeados.

— Eu.

Olhei para ele, incrédula. Jairo era um homem jovem, sempre sorridente, sempre educado.

— Sabe quem gritou obscenidades para mim ontem à noite?

Ele encheu os pulmões, empinou o quadril como que me desafiando e, todo prosa, respondeu:

— Fui eu, sim!

Não houve a menor reflexão de minha parte. Agarrei-o pelo pescoço e o empurrei, cuspindo-lhe no rosto:

— Seu tarado, você se acha muito valente de arma na mão? Eu vou te ensinar a se comportar feito homem. Estou avisando, se fizer isso de novo, eu te mato.

Ele tremia. Minha raiva sumiu tão depressa como tinha surgido. Eu agora me segurava para não rir. Empurrei-o mais uma vez:

— Sai daqui, vai.

Ele fez questão de deixar a corrente no meu pescoço, por vingança. Azar. Eu estava satisfeita. Eu já tinha avisado várias vezes. Eles nunca se atreviam a se dirigir aos homens com aquela sem-vergonhice, arriscados que estavam a levar um soco. Mas davam uma de valentão comigo, já que a reação de uma mulher sempre pode ser ridicularizada. Minha reação tinha sido imprudente. Eu podia ter acabado com um olho roxo. Tinha tido sorte, Jairo era um garoto baixinho e com uma cabecinha estreita.

Assim que ele sumiu de vista, comecei a calcular todas as represálias que se seguiriam. Esperava por elas sem emoção. Nada do que eles fizessem poderia me afetar. Com tantos maus-tratos, já tinham conseguido me deixar insensível.

Estava comendo o lanche da manhã recostada numa árvore quando Pinchao se acercou. Ostentava um sorriso vitorioso, que queria ser notado. Estendeu-me a mão de longe, cerimonioso, e disse:

— *Chinita, estoy muy orgulloso de ti.**

Ele já estava a par, e eu estava louca para saber o que tinha para me dizer.

— Use essas correntes com orgulho, pois elas são sua mais gloriosa medalha. Nenhum de nós teria ousado fazer o que você fez. Você acaba de nos fazer justiça.

Segurei sua mão, comovida com suas palavras.

Ele acrescentou num sussurro:

— Está chegando um carregamento de botas. Faça um furo nas suas para eles lhe darem umas novas. Com as botas velhas, a gente pode fazer botinas para a nossa partida, é só dizer que a gente precisa de botinas para malhar. Vou avisar Lucho.

Com efeito, Monster apareceu para conferir o estado das nossas botas e perguntou o número de cada um.

— Para você não tem nada — me disse.

Quando Massimo entrou no alojamento, pedi licença para ir aos *chontos*. Ele veio com as chaves para abrir o cadeado.

---

* Garota, estou muito orgulhoso de você.

— E aí, Massimo?

— Vamos embora hoje à noite.

— Ok. Consiga umas botas para mim.

— Vou trazer. Se perguntarem, diga que são suas botas velhas.

Não podíamos deixar que nos vissem tendo conversas prolongadas. Dentro das Farc, todo mundo dedurava qualquer coisa. O sistema de vigilância deles era baseado na delação.

Massimo estava com medo. Efren relatara que andávamos conversando e que achava estranha a nossa atitude. Massimo foi chamado diante de Enrique. Declarou que conversávamos sobre o Pacífico, região que eu conhecia muito bem, e Enrique engoliu a história. Mas Massimo sentia que era objeto de uma estreita vigilância e se sentia cada vez menos animado para partir.

Ele apareceu à noite perto da minha *caleta*, estalando galhos secos com um barulho terrível. Estava com as botas. "É uma garantia", pensei enquanto o escutava.

— A situação está difícil. Todas as embarcações estão sendo trancadas com cadeado à noite. O GPS que o Enrique nos passa de vez em quando pifou...

— Esse cara não é sério — disse Pinchao. — Temos que ir agora, antes que ele dê o alerta.

— Não posso ir agora — retrucou Lucho. — Sinto que meu coração está fraco, acho que não aguentaria correr na mata com esses caras atrás de nós. Se o Massimo for junto, é diferente, ele sabe sobreviver, aí a gente consegue.

Quando Pinchao veio ter comigo na noite seguinte, 28 de abril de 2007, com o novelo de linha impecavelmente enrolado e o tecido das calças pronto para ser cortado, fui tomada de inexplicável tristeza:

— Muito obrigada, Pinchao, você fez um belo trabalho.

— Não, eu é que agradeço, você me deu algo para fazer, me ajudou a passar o tempo.

Olhou dentro dos meus olhos, como sempre fazia quando ia confessar alguma coisa.

— Se eu fosse embora hoje, agora, eu iria pela trilha do *bañadero*,* pegaria o barco que está amarrado no laguinho e sairia pelo rio, não é?

— Se você fosse embora hoje, o que você não faria era justamente pegar o barco que está amarrado no laguinho, porque eles puseram um guarda de sentinela lá, de propósito. Você teria de sair da *caleta* e cruzar o caminho dos guardas.

* Lavadouro.

— Eles vão me ver.

— Vão, a não ser que você cruze na hora da troca da guarda. O *relevante* vai acompanhar a rendição, posto por posto, para indicar o lugar de cada guarda. Mas o primeiro posto, que fica bem na frente da sua *caleta* e que ele próprio vai ocupar, fica vago nos dois minutos que ele leva para fazer a ronda.

— E depois?

— Depois, você entra direto na *manigua*. Não entre demais, ou vai dar no acampamento deles. Uns dez metros, digamos, para cobrir o barulho dos seus passos. Se estiver chovendo, vire rapidamente à esquerda para se afastar do nosso alojamento, e à esquerda de novo, contornando o acampamento até chegar ao rio, para lá dos barcos e do laguinho.

— ...

— Depois você usa as boias e se deixa levar pela corrente até onde der, até começar a dar câimbra. Lembre-se de nadar, de fazer uns movimentos, isso ajuda.

— E se me der câimbra?

— Você vai estar com as boias, relaxe, espere passar. E aproxime-se da margem para sair.

— Aí eu saio e vou reto em frente.

— É, e presta atenção onde põe os pés. Tente sair do rio num lugar em que haja folhas no chão, ou na *mangrove*. A sua ideia fixa é não deixar rastro.

— Certo.

— Torça a sua roupa, acione a bússola e siga rumo ao norte-norte.

— ...

— A cada 45 minutos você dá uma parada e avalia a situação. E aproveita para chamar lá no alto, pedindo para Ele te dar uma mãozinha.

— Eu não acredito em Deus.

— Não faz mal. Ele não é suscetível. Pode chamar igual. Se Ele não responder, chame a Virgem Maria, ela sempre está disponível.

Ele sorria.

— Pinchillo,* eu não gosto deste lugar. Ele me causa arrepios. Acho até que é amaldiçoado.

Ele não respondeu. Já estava tenso para a ação, feito a corda de um arco.

Durante os mais de três anos que tínhamos passado juntos, nunca houvera entre nós nenhuma demonstração de afeto. Lá, isso não existia. Provavelmente

---

* Tenho inúmeros apelidos para Pinchao.

porque, sendo a única mulher em meio a tantos homens, barreiras exageradas tinham se erguido entre mim e meus companheiros.

Mas ali, diante daquele garoto que eu aprendera a conhecer e gostar, compreendendo que estávamos nos despedindo, ciente de que para ele não haveria segunda chance, porque era membro das forças armadas e, se capturado, seria fuzilado, me senti muito triste. Estendi os braços para lhe dar um abraço, sabendo que meu gesto iria chamar a atenção. Percebi o olhar de Marulanda nos observando e me contive:

— Que Deus acompanhe cada um de seus passos.

Pinchao escapuliu, ainda mais emocionado, mais tenso, mais preocupado.

Súbito, houve uma confusão, alguns guardas latiram, a tensão no acampamento estava mais uma vez no ápice. "Ele não vai partir", pensei, quando, já aninhada no meu casulo noturno, a lanterna de Monster me ofuscou.

A tempestade desabou pouco antes das oito horas da noite. "Se ele for, esse é o momento ideal", pensei. "Mas ele não vai, está assustado demais." Caí num sono profundo, aliviada por não ter de enfrentar a fúria dos deuses com um tempo daqueles.

Já era tarde quando vieram tirar as correntes de meus companheiros. Quando saí de minha barraca, com a escova de dentes e a garrafa de água, estavam todos olhando para o *relevante* que saía blasfemando.

— O que foi? — perguntei a Marc, cuja barraca ficava em frente à minha.

— Pinchao não está aí — ele sussurrou sem olhar para mim.

— Meu Deus, isso é maravilhoso!

— É, mas agora a gente é que vai ter que aguentar.

— Se for pela liberdade de um dos nossos, por mim tudo bem.

71. A morte de Pinchao

29 de abril de 2007

Os comentários não tardaram. Todos especulavam sobre a maneira como Pinchao teria fugido e ninguém apostava muito em seu sucesso. "O tempo está bom, ele deve estar avançando", pensei, mais tranquila.

Correu o boato de que a guerrilha o encontrara. Um dos guardas deixou vazar a informação para um dos nossos em quem eles confiavam. "Só acredito vendo", disse a mim mesma. Mas foi dada a ordem de empacotar as coisas, estávamos indo embora. Soltaram-me da árvore, enrolei os metros de correntes no pescoço e arrumei meu equipamento sem pressa, rezando no silêncio de meus pensamentos: "Faça com que ele escape".

Fizeram-nos esperar a manhã toda, em pé em frente às estacas. Então veio a ordem de nos prepararmos para o banho, e tivemos de desempacotar tudo de novo. Fizemos uma fila indiana entre os guardas, que nos empurravam feito gado na pequena trilha que descia até os charcos.

Cruzamos com cinco homens de torso nu, que atravessaram o acampamento carregando pás nos ombros. Um deles era Massimo. Caminhava com energia, tomando o cuidado de não tirar os olhos do chão para não encontrar os meus.

Uma vez na água, de sabão na mão, Lucho sussurrou:

— Você viu?

— Os homens com as pás?

— É, eles vão abrir uma cova.

— Uma cova?

— É, para jogar o corpo do Pinchao.

— Não fale besteira!

— Ele foi executado, os guardas avisaram os nossos. Dizem que é culpa nossa.

— Como assim, culpa *nossa*?

— Dizem que nós o incitamos a fugir.

— Lucho!

— E dizem também que, se ele morreu, é culpa nossa!

— E o que você respondeu?

— Nada... E se por acaso ele estiver morto e a culpa for nossa?

— Lucho, querido, pode parar. O Pinchao foi embora porque quis. Ele é adulto e tomou a decisão dele, como você e eu fizemos. Não é hora para isso, você não tem culpa de nada, e eu estou muito orgulhosa do que ele fez!

— E se o matarem?

— Não é possível que tenham encontrado Pinchao.

— Mas encontraram. Não está vendo que a gente vai embora? Caramba!

A volta do banho foi fúnebre. Cruzamos com os mesmos guardas, que vinham voltando, encharcados de suor, com as pás sujas. "Cavaram uns buracos para enterrar o lixo", pensei, cada vez mais preocupada.

Depois de nos vestirmos, tivemos que ir para mais perto da margem, num campo de esportes que eles tinham ajeitado para eles. Os guardas não reagiram quando sentei junto de Lucho para conversar. As horas passaram numa espera dolorosa.

Houve um movimento de tropas atrás do que havia sido nosso acampamento. Eu podia ouvir as vozes que nos chegavam deformadas pelo eco da vegetação. Percebia um movimento de sombras atrás das fileiras de árvores.

— Eles trouxeram Pinchao — disse Armando. — Vão fazer ele passar maus bocados. Depois vamos todos embora, o *bongo* está pronto.

Virei-me. De fato, no lugar onde tínhamos tomado banho poucas horas antes, um *bongo* grande se erguia, qual um monstro de ferragem. Estremeci.

— Por que não trazem Pinchao até aqui? — quis saber Armando, cansado de esperar.

Olhei para os pedaços de céu atrás da abóbada vegetal acima de nós. O azul cedera lugar ao roxo e eu sentia, cada vez mais preocupada, o frescor do crepúsculo deslizando sobre nós. Lucho só respondia com resmungos quando alguém lhe dirigia a palavra.

De repente, recomeçou a agitação atrás do nosso alojamento. Sombras, vozes. Houve um estouro, que atravessou o calafetamento das folhagens. Um bando de pássaros pretos alçou voo em meio às árvores, subindo ao céu feito flecha e passando sobre nossas cabeças.

— Pássaros de mau agouro — disse eu, estremecendo.

Mais um disparo, mais um terceiro, e outro, e mais outro.

— Contei sete — sussurrei para Lucho.

— Acabam de executá-lo — disse ele, exaurido, os lábios secos e trêmulos.

Peguei na sua mão, apertando com força.

— Não, Lucho, não! Não é verdade!

Todos pensaram a mesma coisa. Enrique não apareceu. Nem Monster. Aproximou-se um guerrilheiro que tínhamos visto algumas vezes, de quem não sabíamos o nome. Eu o chamava de "El Tuerto", porque ele era caolho. Com voz forte a fim de nos intimidar, pisando firme, mãos nos quadris, ele escarneceu:

— Com isso, acaba a vontade que vocês têm de fugir, não é? — ele sentiu o peso de nossos olhares fixados nele. — Vim comunicar que aquele filho da puta está morto. Tentou atravessar os charcos a nado. Foi devorado por um *guio*. Quando vimos, já estava na goela do bicho, gritando por socorro igual a uma mulherzinha. Dei ordem para que deixassem ele se virar, foi arrastado pelo bicho até o fundo do poço. É o que se ganha dando uma de herói. Vocês estão avisados.

A história não fazia sentido. "Foram eles que mataram o Pinchao, foram eles!", pensei, horrorizada.

— Enquanto eu não vir o corpo dele, não vou acreditar — eu disse, quebrando o silêncio.

— Você não ouviu o que disse o comandante? Ele foi devorado por uma cobra. Onde é que a gente vai procurar o corpo? — berrou Armando, fora de si.

Essa interferência me aborreceu. Queria ver o que o comandante tinha para dizer. "O corpo está na cova que eles abriram há pouco, com sete balas na cabeça", pensei, apavorada.

— Peguem os *equipos* e venham comigo, em silêncio — ordenou o homem, dando um fim à discussão. — Ingrid, você embarca por último.

Eu escutava como se a voz dele viesse de um outro mundo. Sobre o rio, o céu parecia caiado de sangue.

Observei meus companheiros embarcarem no *bongo*. Alguns faziam piada.

No espaço reservado à guerrilha, as mulheres se penteavam, faziam lindas tranças umas nas outras. O comandante sem nome flertava no meio delas feito um sultão dentro de um harém. "Como eles conseguem continuar vivendo assim, despreocupados?"

Eu não queria olhar para aquele pôr do sol espetacular, nem para as moças bonitas, nem para o *bongo* singrando as águas calmas como veludo. A abóbada estrelada logo encobriu nosso universo e o meu silêncio. Eu me escondi atrás de Lucho e as lágrimas escorriam como se estivesse com um vazamento no coração. Mantinha as mãos sobre o rosto para poder enxugá-las antes que alguém percebesse que eu estava chorando. "Pinchao querido, espero que você não possa me ouvir, que ainda não esteja no céu."

Fazia vários dias que navegávamos naquele *bongo*. Eu não queria mais pensar. Colada em minha dor e à dor de Lucho, tentava não ouvir nada.

— Bem feito para ele — diziam ao nosso redor.

— Será que aquele dentuço, com aquele sorriso de coelho, achava que era melhor do que nós?

Meus companheiros falavam alto para dar a entender à guerrilha que não tinham nada a ver com aquilo. Eu os odiava por isso!

— Ele morreu porque quis, era só não dar ouvido aos maus conselhos! — dizia outro, entalado ao lado de Lucho.

Lucho se atormentava, e eu não ajudava em nada com meu choro.

O *bongo* se embrenhou na mata, rompendo a natureza feito um quebra-gelo; com sua roda de proa reforçada, ia abrindo caminho nas entranhas do inferno por canais ainda virgens. Abrigados sob a lona, o mundo desabava à nossa volta em meio ao avanço teimoso e lento do monstro de aço. "Ele deve estar apodrecendo direto na terra. Jogaram ele lá feito um pedaço de carne", torturava-me.

O Dia das Mães nos surpreendeu, naquele ano, mofando na barriga do *bongo*. Grudada no meu rádio, eu escutara, às quatro da manhã, a mensagem da mãe de Pinchao e a voz clara e comportada de suas irmãs. "Quem vai contar a elas? Como vão ficar sabendo?" Doía-me muito saber que ele estava morto e ouvir aquela mensagem para ele.

Por fim, demos uma parada na embocadura de um canal, numa prainha de areias finas. Desembarcamos, e nos esticamos dolorosamente depois da imobilidade das últimas semanas, em frente a uma casinha de madeira cercada por um pomar. Mandaram que fôssemos para os fundos, sob um teto de chapas de zinco sustentado por cerca de vinte travas em torno de um quadrado de chão batido. Cada qual se apossou rapidamente de uma trave para estender sua rede. Chegou um caldeirão de água com chocolate fervendo. Entramos todos na fila, cada qual perdido nos próprios pensamentos. Levantei-me, chacoalhada e dolorida, abrindo os olhos para a nova realidade.

— Companheiros! — exclamei, com uma voz que eu queria que fosse mais forte —, Pinchao está morto. Eu pediria que fizéssemos um minuto de silêncio em sua memória.

Lucho assentiu. O guarda que servia me apunhalou com o olhar. Concentrei-me em meu relógio. Aquele dentre nós que trabalhava para a guerrilha se acercou do guarda, roçando em mim ao passar, e falou com ele em alto e bom som. Outros fizeram o mesmo quando Enrique se aproximou. Cada qual achou um jeito de quebrar o silêncio, alguns com mais premeditação que outros. Lucho e Marc foram os únicos que se sentaram, recusando-se a abrir a boca. O minuto se estendeu uma eternidade. Quando, no meu relógio, constatei que terminara, dei por mim pensando: "Meu pobre Pinchillo, ainda bem que você não está aqui para ver isso".

Retomamos nossa carreira para lugar nenhum, fugindo de um inimigo invisível que resfolegava em nossas nucas. A marcha recomeçou, intercalada com deslocamentos de *bongo*. Os guardas se deram a obrigação de me perseguir com seu rancor.

— Foi ela que o ajudou a fugir — resmungavam pelas minhas costas a fim de justificar suas baixezas.

À noite, instalados em volta de nós, falavam alto para que pudéssemos ouvir:

— Ainda posso ver o Pinchao com aqueles buracos na cabeça e sangue por todo lado. Tenho certeza de que o fantasma dele está nos perseguindo — disse um deles.

— Lá onde ele está, já não pode nos fazer mal nenhum — escarneceu outro.

Certa noite, acabávamos de erguer acampamento num território infestado de *majiñas*.* Eu estava passando mal com as queimaduras que elas me causavam, entrincheirada em minha rede e sem condições de esticar o braço para pegar o rádio e ouvir o noticiário, quando escutei o rugido de Lucho:

— Ingrid, escute a Caracol!

Tive um sobressalto.

---

* Formigas microscópicas cuja defesa consiste em picar com ácido.

478

— O quê? O que foi? — gaguejei, tentando emergir do meu torpor.

— Ele conseguiu! Pinchao está livre, Pinchao está vivo!

— Calem a boca, seu bando de idiotas! — berrou um guarda. — Dou um tiro no primeiro que abrir a boca.

Tarde demais. Eu mesma gritava, sem conseguir me conter.

— Bravo, Pinchao, meu herói! Hurraaaaa!

Todos os rádios foram ligados ao mesmo tempo. A voz da jornalista anunciando a notícia brotava de todos os cantos.

— Após dezessete dias de marcha, o intendente de polícia Jhon Fran Pinchao reencontrou a liberdade e sua família. Ouçam suas primeiras declarações.

Então escutei a voz de Pinchao, repleta de luz naquela noite sem estrelas:

— Queria mandar uma mensagem para a Ingrid. Sei que ela está me ouvindo neste momento. Quero que ela saiba que devo a ela o maior de todos os presentes. Graças a ela, redescobri minha fé. Minha pequena Ingrid, a sua Virgem estava lá quando chamei por ela. E colocou um pelotão de polícia em meu caminho.

72. Meu amigo Marc

Maio de 2007

Desnudadas as suas mentiras, os comandantes se fizeram ainda mais agressivos. A raiva pela epopeia de Pinchao fez crescer o ódio que tinham de nós. Àquela execração se somavam todos os pequenos detalhes que me tornavam diferente aos seus olhos. Puseram-me o apelido de "garça" por estar magra e branca demais. Riam de mim, infligiam-me todas as mínimas humilhações que lhes passavam pela cabeça. Proibiam-me de sentar onde era esse o meu impulso, e me obrigavam a fazê-lo em lugares sujos ou molhados. Sempre me achavam afetada e ridícula por querer andar com o rosto e as unhas limpas.

Eu sempre tivera de mim a imagem de uma mulher segura, equilibrada. Depois de anos de cativeiro, essa imagem se esvanecera e eu já não sabia se era verdadeira. Durante a maior parte de minha vida, eu aprendera a viver entre dois mundos. Tinha crescido na França, descobrindo a mim mesma por contraste. Tentara compreender o meu país para explicá-lo aos meus amigos da escola. Ao voltar para a Colômbia, já adolescente, me sentira como uma árvore, com os galhos na Colômbia e as raízes na França. Não demorei a perceber que meu destino era viver buscando um equilíbrio entre esses dois mundos.

Quando estava na França, sonhava com *pandeyucas*, *ajiaco* e *arequipe*. Sentia saudades da minha família, das férias com os primos e da música. Quando retornava à Colômbia, a França inteira me fazia falta, a ordem, o ritmo das estações, os cheiros, a beleza, o barulho reconfortante dos cafés.

Depois de cair nas mãos das Farc, de perder minha liberdade, também perdi minha identidade. Meus carcereiros não me viam como colombiana. Eu não conhecia as músicas deles, não comia o que eles comiam, não falava como eles. Logo, eu era francesa. Essa ideia era suficiente para justificar sua acrimônia. Com ela, podiam disfarçar todos os ressentimentos acumulados a vida inteira.

— Você decerto vestia roupas de grife — inquiriu Ángel, pérfido.

Ou me odiar por causa do meu futuro.

— Você vai morar em outro país, você não é daqui! — me soltou com azedume Lili, a companheira de Enrique, comentando sobre o improvável dia em que eu recobraria a liberdade.

Tal ressentimento também estava presente nos meus companheiros de infortúnio. Em 2006, tínhamos acompanhado com paixão a Copa do Mundo de futebol. Ficávamos todos grudados nos nossos rádios, que sintonizávamos na mesma estação para escutar a transmissão em estéreo. A final entre França e Itália dividira o acampamento. A guerrilha imediatamente tomara o partido da Itália, já que eu representava a França. Meus companheiros fizeram o mesmo. Os que me queriam mal por eu ter o apoio da França manifestaram agressivamente sua aversão a cada gol. Os que se sentiam gratos à França festejaram, gritando e dançando, cada gol da França. Estávamos no acampamento das raias, eu estava presa pelo pescoço à minha árvore e quase me estrangulei quando Zidane foi expulso na final. Compreendi então que, quanto mais me acusavam de ser francesa, mais francesa eu me tornava.

A França havia me aberto os braços com uma generosidade de mãe. Já para a Colômbia eu era um incômodo. Teceram-se a meu respeito lendas de todo tipo para justificar a necessidade de me esquecerem. "Foi culpa dela, ela provocou", dizia uma voz no rádio. "Ela se apaixonou por um dos chefes das Farc." "Ela teve um filho da guerrilha." "Ela não quer voltar, está vivendo com eles."

Espalhavam aquela maledicência para que a França parasse de se preocupar conosco. Isso me deixava muito triste, pois percebia que, com as dúvidas que assim se criavam, aqueles que lutavam abnegadamente por nossa libertação também iriam começar a duvidar. Quanto a mim, sentia-me tão francesa quanto colombiana. Mas sem o amor da Colômbia já não sabia quem eu era, nem por que havia lutado, nem por que estava em cativeiro.

Atracamos às três horas da manhã do meio do nada, irrompendo através da *mangrove* para chegar à terra. Estávamos em plena estação das chuvas. Esperamos a ordem para descer e armar nossas barracas antes do temporal que desabava todo dia ao amanhecer.

Toda a tropa já tinha desembarcado quando Monster veio avisar que íamos dormir no *bongo*. A lona já tinha sido levada para cobrir a *rancha*. Eu os tinha ouvido tomar esta decisão.

— E com que vamos nos cobrir? — perguntei, ciente de que não havia como armar as barracas no *bongo*.

— Não vai chover esta noite — Monster silvou, dando-nos as costas.

Lucho e eu começamos a arrumar nossas coisas, imaginando que poderíamos instalar nossas redes lado a lado. Monster, como que lendo nossos pensamentos, deu meia-volta e retornou sobre seus passos. Apontou o dedo para nós, dizendo:

— Vocês dois aí! Sabem que estão proibidos de conversar. Lucho, ponha sua rede na popa. Ingrid, venha comigo. A sua, você vai colocar na proa, entre Tom e Marc.

E foi embora dando uma risadinha, mais uma vez demonstrando o ódio que sentia por mim.

Depois que me proibiram de falar com meus companheiros americanos, senti que eles faziam de tudo para me evitar, para atraírem o mínimo de problemas possível. Eu me sentia como uma pestilenta.

Monster percebera a situação. Colocou-me onde eu seria menos bem recebida. As redes eram enfileiradas de estibordo a bombordo, por meio dos ganchos que serviam para prender a lona. Marc e eu fomos os últimos a pendurar nossas redes. Sobravam apenas dois ganchos. Tínhamos, portanto, de instalar as duas redes no mesmo gancho. A expectativa daquela negociação me preocupava. Sabia que qualquer partilha era difícil entre os prisioneiros. Eu provavelmente parecia estar perplexa, não querendo pendurar minha rede e colocar meu companheiro diante do fato consumado.

Marc se adiantou:

— A gente pode pendurar as duas redes no mesmo gancho — sugeriu, gentil.

Fiquei surpresa. A cortesia se tornara um produto raro.

Pendurei minha rede, esticando ao máximo para que, uma vez deitada, o peso de meu corpo não me fizesse encostar no chão do *bongo*. "Se chover, isso vai virar um lago. Aliás, é certo que vai chover", pensei, pegando o meu plástico mais grosso para pendurá-lo em cima da rede, à guisa de telhado. O plástico era suficientemente amplo para sobrar dos lados, mas pequeno demais para me cobrir da cabeça aos pés. Eu ia ficar ensopada. Deitei então na rede, o plástico sobre a cabeça e os pés descobertos, e soçobrei, suspirando, num sono melecado e profundo.

482

Uma terrível tempestade tropical desabou como se os deuses estivessem contra nós. Esperei, apreensiva, a água molhar minhas meias, minhas pernas, e me encharcar por inteiro dentro da rede. Passados alguns minutos, porém, não sentia nada. Mexi os dedos dos pés, vai que estivesse com as pernas dormentes, mas deparei apenas com o calor do meu corpo debaixo do plástico. "O plástico deve ter escorregado para os pés. A água vai vir pelo pescoço", deduzi, estendendo uma mão cautelosa, tateando para verificar a borda do plástico. Mas tudo estava no lugar. "Devo ter encolhido", concluí afinal e, aliviada, voltei a dormir.

Já era dia claro e a tempestade continuava. Arrisquei-me a levantar uma ponta do meu telhado preto para avaliar a situação, e vi um Tom ainda adormecido banhando numa autêntica piscina. Estava sem plástico e sua rede estava cheia de água. A tempestade cedeu lugar a uma chuva fina, e o *bongo* se agitou. Todos queriam sair do abrigo improvisado para esticar as pernas. Foi então que descobri o que se passara: Marc tivera a ideia de dividir seu plástico comigo, cobrindo os meus pés.

Fiquei ali, com a minha rede recolhida às pressas, coberta pelo plástico, em pé, esperando o fim da chuva. Tinha a garganta apertada. Entre reféns, isso não era comum. Fazia muito tempo que ninguém tinha um gesto assim comigo.

"Foi sem querer. Ele não se deu conta de que estava tapando os meus pés", pensei, descrente. Quando Marc finalmente saiu de sua rede, aproximei-me.

— Sim, de outro modo você teria se encharcado — ele respondeu, quase se desculpando.

Tinha um sorriso doce que eu não conhecia. Senti-me bem.

Quando chegou a refeição matinal e tivemos de fazer fila para ganhar a bebida, me esgueirei entre os prisioneiros para dar duas palavrinhas com Lucho e tranquilizá-lo. Ele também tinha conseguido dormir direito e recobrara sua fisionomia serena. O reaparecimento de Pinchao fora um alívio imenso para ele. Nossos companheiros vinham falar com ele, tentando fazê-lo esquecer as observações desagradáveis com que tanto o tinham magoado. Lucho não guardava nenhum rancor.

Voltei para o meu canto, na proa, e tratei de arrumar minha mochila. Era um procedimento penoso, mas indispensável, já que a chuva tinha molhado todo o seu conteúdo. Tirei meus rolos de roupa, um por um, sequei os plásticos e enrolei tudo de novo, prendendo as pontas com elásticos para manter a embalagem estanque. Era o método Farc para enfrentar os inconvenientes de uma vida em meio a um nível de umidade de oitenta por cento. Marc resolveu fazer o mesmo.

Uma vez concluída a tarefa, limpei zelosamente a tábua em que se encontravam meus pertences e guardei minha escova de dentes e tigela para a refeição seguinte. Por fim, peguei um pano para limpar minhas botas até ficarem brilhando.

Marc me observava sorrindo. Então, como querendo partilhar um segredo, sussurrou:

— Você se comporta como uma mulher.

A observação me surpreendeu. Mas, curiosamente, me envaideceu. Comportar-se como uma mulher não era um elogio nas Farc. Na verdade, embora fizesse cinco anos que eu me vestia como um homem, tudo em mim se conjugava no feminino, era a minha essência, minha natureza, minha identidade. Virei de costas para ele, peguei a escova de dentes e a tigela e me afastei para disfarçar minha perturbação, a pretexto de escovar os dentes. Quando voltei, ele se acercou, preocupado:

— Se eu disse alguma coisa que...

— Não, pelo contrário. Fiquei feliz.

Os guardas me acompanhavam com os olhos e me deixavam conversar, como se tivessem ordens para não intervir.

Fazia mais de dois anos que eu estava proibida de me dirigir aos meus companheiros. O que eu fazia às escondidas de vez em quando, por força da solidão. Com Pinchao, tínhamos conseguido burlar a vigilância dos guerrilheiros, pois muitas vezes nossas *caletas* eram vizinhas e podíamos fingir estar cuidando de nossas coisas enquanto falávamos baixinho. A partida de Pinchao redobrara meu isolamento, com a reação do grupo diante de sua fuga e a impossibilidade de falar com Lucho.

Quando eu e Marc começamos a conversar de verdade, levados pelo ócio e pelo tédio, numa espera sem objetivo na proa daquele *bongo*, percebi quão cruel era a penalidade que me impusera a guerrilha e quanto o meu silêncio compulsório vinha me pesando.

Curiosamente, retomamos discussões inconcluídas que tivéramos na prisão de Sombra, como se o tempo transcorrido desde então não tivesse existido.

"O tempo no cativeiro é circular", pensei.

Contudo, era muito claro, tanto para Marc como para mim, que o tempo tinha mesmo passado. Retomávamos os mesmos argumentos que nos opunham, anos antes, em temas tão polêmicos como o aborto ou a legalização das drogas, e conseguíamos encontrar pontes e pontos de aproximação onde antes só havia irritação e intolerância. Depois de horas de discussão, nos surpreendia o fato de não nos separarmos cheios de despeito e amargura como no passado.

Compreendendo que o *bongo* não sairia dali tão cedo, combinamos realizar alguma atividade juntos. Marc chamava isso de "projeto". A ideia era obter autorização para cobrir o *bongo* em vista das tempestades noturnas. Ouvi-o fazer a solicitação num espanhol que melhorava a cada dia, e assisti, surpresa, à aceitação de sua ideia.

Enrique mandou Oswald supervisionar "o projeto". Ele cortou barras e forquilhas que foram colocadas a intervalos regulares para que o imenso plástico da *rancha* e do *economato*, que no momento não estava sendo usado, pudesse cobrir o *bongo* por inteiro. Minha contribuição foi mínima, mas festejamos a realização do projeto como se tivesse sido uma obra conjunta.

Quando o *bongo* voltou a singrar o rio e chegamos ao nosso destino, senti uma profunda tristeza. O novo acampamento foi montado num terreno propositadamente estreitíssimo. Eram duas fileiras de barracas frente a frente, espremidas uma junto da outra, separadas por uma trilha. Essa trilha dava, de um lado, numa pequena angra à margem do rio, onde seria construído o lavadouro, e, do outro, no local onde iam ser construídos os *chontos*.

Enrique dividiu pessoalmente o espaço, atribuindo-me dois metros quadrados para montar minha barraca, justo num lugar onde ficava a saída do formigueiro de uma enorme colônia de *congas*.* As *congas* eram bem visíveis, andando em fila indiana sobre suas patas escuras, compridas como pernas de pau. As menores deviam ter uns três centímetros de comprimento, e não foi difícil imaginar a dor que seu ferrão venenoso seria capaz de me infligir. Eu já tinha sido picada, e meu braço ficara quatro vezes maior, dolorido, por 48 horas. Supliquei para que me deixassem montar minha barraca em outro lugar, mas Gafas se manteve inflexível.

As estacas da minha rede foram fincadas de um lado e de outro do formigueiro, e minha rede, suspensa exatamente acima dele. Procurei Massimo para que me ajudasse, mas ele estava mudado desde a fuga de Pinchao. Sentira muito medo e era atualmente incapaz de cogitar qualquer tentativa de fuga. Para evitar problemas, andava fugindo de mim. Mesmo assim, ao assistir ao incessante balé das *congas* sobre a minha rede, aceitou interceder para que me mandassem um caldeirão de água fervente a fim de matá-las. Também talhou um pauzinho, durante seu turno de guarda, para que eu pudesse espetar uma por uma:

— Cuidado, se atacarem em bando, podem ser mortais.

Matei sem trégua todas as *congas* que se aproximavam, num combate que

---

* Formigas gigantescas e venenosas.

parecia perdido de antemão. Olhava para os meus companheiros cheia de inveja. Acabaram de se instalar, e cada qual relaxava, retomando sua vida; Arteaga e William costuravam, Armando tecia, Marulanda se entediava na sua rede, Lucho escutava o rádio e Marc se ocupava com seu último projeto, o conserto de sua mochila.

"Gostaria de falar com ele", pensei, cercada por um cemitério de *congas*, cujo cheiro fétido se grudava em minhas narinas. Qual Gulliver às voltas com os habitantes de Lilliput, não podia me permitir um minuto sequer de descuido, enquanto esperava pelo caldeirão de água fervente que Enrique prometera para matar as *congas*.

Marc passou em frente da minha *caleta* para ir aos *chontos* e olhou para mim, espantado.

— Estou com milhões de *congas* na minha *caleta* — expliquei.

Ele riu, achando que era exagero. Na volta, ao ver que eu continuava absorta em meu combate às *congas*, ele se deteve:

— O que você está fazendo?

Saí da barraca, e então vi seus olhos se arregalarem de pavor.

— Por favor, não se mexa — disse ele, articulando bem cada palavra e fitando alguma coisa no meu ombro.

Aproximou-se devagar, dedo apontado. Apavorada, acompanhei seu olhar e virei a cabeça o suficiente para ver uma *conga* enorme, de couraça reluzente, patas peludas e tenazes erguidas, a poucos milímetros do meu rosto. Tive ímpetos de sair correndo, mas me contive a tempo, percebendo que o mais sensato ainda seria esperar que Marc conseguisse armar seu piparote para me livrar do monstro. O que ele fez sem se afobar, apesar de meu trepidar nervoso e meus gemidos. O contato com o animal produziu um som cavo, o bicho foi lançado como um projétil e se espatifou na casca de uma árvore gigantesca com um ruído de noz.

Acompanhei a operação com o rabo do olho, me arriscando a um torcicolo, e pulei de alegria. Marc, curvado, chorava de rir.

— Você tinha que ver a sua cara! Queria ter tirado uma foto! Parecia uma menininha.

Depois me deu um beijo e disse, orgulhoso:

— Ainda bem que eu estava aqui.

Quando Enrique finalmente mandou o caldeirão de água fervente, já tínhamos matado tantas formigas que a água arrastou mais cadáveres do que sobreviventes. Para Marc e mim, nossa amizade foi selada com aquela vitória sobre as *congas*.

486

73. O ultimato

Saí de minha rede, certa noite de breu, para aliviar o corpo, feliz de poder ir lá fora sem medo de ser picada por uma daquelas criaturas infernais, quando o som de um sopro passou, me deixando arrepiada. Fiquei paralisada em meio à escuridão, sentindo que alguma coisa tinha atravessado a minha barraca, vindo parar pesadamente a dois milímetros do meu nariz. O guarda se negou a me aclarar com a lanterna, de modo que achei melhor voltar para o abrigo do mosquiteiro do que me aventurar perto daquela coisa dando sacudidas no meu alojamento.

Ao amanhecer, quando me levantei, percebi que a barraca estava em pedaços. Caíra, da palmeira vizinha, uma semente do tamanho de uma cabeça humana, envolta numa folha grossa cuja extremidade se estendia numa ponta afiada. Desprendera-se do tronco numa queda livre de vinte metros e viera se enterrar profundamente no solo, bem do meu lado. Em sua trajetória, abrira o meu teto de par em par. "Se eu desse mais um passo...", pensei, sem que esse pensamento me consolasse por ver minha barraca destruída. "Vou levar horas para consertá-la", resignei-me.

Tive de pedir agulha emprestada para um, linha para outro e, quando finalmente estava com tudo pronto, começou a chover. Marc se aproximou. Queria ajudar. Aceitei, surpresa. Entre prisioneiros, qualquer pedido de ajuda era acolhido com mau humor e desprezo. Todos queriam mostrar que não precisavam de ninguém. Eu, em compensação, estava sempre precisando de ajuda, e Lucho

— que sempre me ajudava — não tinha o direito de chegar perto de mim. Se eu não pedia ajuda, era para evitar conflitos. Já estava devendo linha e agulha. Era o quanto bastava.

O auxílio de Marc se revelou muito oportuno. Seus conselhos aceleraram a conclusão do trabalho. Passamos quase duas horas juntos, absortos na tarefa, rindo de tudo e de nada. Lamentei quando ele se foi, observando-o se afastar. Lucho sempre me lembrava que não devíamos nos apegar a nada. No dia seguinte, Marc voltou. Queria que eu lhe desse uma lona impermeável e o ajudasse a colar uns pedaços nos buracos que as *arrieras* tinham feito em sua barraca.

Asrilla, um negro alto e musculoso, acabava de assumir o comando do acampamento. Dividia com Monster a responsabilidade do nosso alojamento, revezando-se com ele. Teve a excelente ideia de tirar minhas correntes durante o dia e trouxe um pote grande de cola para que Marc pudesse consertar sua barraca. Ele voltou à tarde e deparou conosco com os dedos cheios de cola, feito crianças. Reparei na forma com que olhava para nós. "Estou feliz demais e dá para perceber", pensei, preocupada.

Marc continuava rindo, enquanto passava cola nos quadradinhos de lona que recortáramos com cuidado. "Isso é ridículo", pensei, para espantar minha apreensão, "estou ficando paranoica."

No dia seguinte, vi Marc acomodado no chão com todas as peças de seu rádio dispostas à sua frente. Hesitei, mas, concluindo que não havia mal nenhum, resolvi me aproximar e oferecer ajuda. A conexão da antena com os circuitos eletrônicos do rádio estava danificada. Eu tinha acompanhado os consertos efetuados por meus companheiros em casos similares. Ofereci-me como voluntária para arrumar o rádio.

Consegui rapidamente restabelecer a conexão, sob o olhar de admiração de Marc. Fiquei corada de satisfação. Era a primeira vez que eu conseguia consertar alguma coisa sozinha. No dia seguinte, Marc veio me buscar para que eu o ajudasse a cortar seus plásticos. Queria poder enrolá-los dentro das botas na próxima marcha.

Estávamos sentados em silêncio para conseguir a proeza de recortar o plástico em ângulo reto. Fazia calor e o menor movimento nos fazia transpirar. Marc moveu a mão na direção da minha orelha e apanhou alguma coisa no espaço. Ele ficou tão surpreso com seu gesto quanto eu. Desculpou-se, embaraçado, explicando, com certa timidez, que tentara espantar um mosquito que vinha me rodeando havia um bocado de tempo. Seu embaraço me pareceu encantador e essa ideia também me perturbou. Levantei-me rapidamente e voltei para a minha barraca. Teria de achar uma desculpa para voltar e passar um tempo com ele. Aquela amizade que crescia entre nós me surpreendeu. Fazia anos que nossas vidas se cruzavam sem que nos ocorresse reservar um tempo para conversar. Tinha a impressão de que havíamos feito de tudo para evitar um ao outro. Ora, eu agora era obrigada a reconhecer que me levantava todo dia sorrindo, aguardando o momento de falar com ele com uma impaciência de criança. "Talvez eu esteja ficando invasiva", pensei. Então me contive, e durante alguns dias tive o cuidado de não me aproximar.

Ele apareceu na semana seguinte, oferecendo-se para instalar a antena do meu rádio. Eu tinha tentado fazer isso sozinha, já que Oswald e Ángel, que eram tidos como os bambambãs de lançamento de antenas, se recusaram a me ajudar.

Eu conseguia lançar a antena a, no máximo, cinco metros de altura, provocando as risadas de todo o mundo. Marc fez girar a pilha num estilingue. A pilha subiu aos píncaros e minha antena se tornou a mais alta de todas.

— Foi um golpe de sorte — ele confessou.

Meu rádio rejuvenesceu. Eu escutava minha mãe perfeitamente bem. Tinha a impressão de estar do seu lado enquanto ela falava. Mais uma vez, ela mencionou uma viagem para angariar apoio.

— Não gosto de sair da Colômbia. Tenho medo de você ser libertada e eu não estar aqui para te receber.

Só por isso eu já gostava dela.

Pela manhã, aproveitando a fila para a refeição matutina, Lucho e eu ríamos sobre isso.

— Você ouviu sua mãe? Como sempre, não quer viajar.

— E, como sempre, ela vai viajar — respondi, feliz da vida.

Era uma de nossas piadas preferidas. Depois, eu recebia as mensagens de minha mãe lá do outro lado do mundo, pois onde quer que estivesse ela dava um jeito de comparecer ao nosso encontro por rádio. Eu achava que o fato de estar com outras pessoas iria ajudá-la a suportar a espera, da mesma forma como ouvir sua voz revitalizada pela ação me ajudava na minha espera. Eu realmente apreciava a ajuda de Marc.

Certa manhã, Marc veio pedir minha Bíblia emprestada. Quando lhe entreguei, ele perguntou:

— Por que você não foi mais falar comigo?

A pergunta me pegou de surpresa. Respondi, tentando organizar meus pensamentos:

— Primeiro, porque não queria impor demais minha presença. Depois, porque tenho medo de começar a gostar e a guerrilha enxergar nisso mais uma forma de me pressionar.

Ele sorriu com muita doçura.

— Você não tem que pensar essas coisas. Se tiver um tempinho, gostaria de conversar um pouco hoje à tarde.

Ele se foi e eu fiquei pensando, divertida: "Tenho um encontro!". O tédio era um veneno que as Farc nos inoculavam para derrubar nossa vontade, e que eu temia acima de tudo. Sorri. Eu tinha passado de uma vida repleta de demasiadas datas, horários, urgências, para outra sem nada para fazer. No entanto, naquela selva distante do mundo, me agradava a ideia de um encontro.

— Um encontro com você hoje à tarde? Que boa ideia!

Eu tuteava* Marc naturalmente.

— Eu não sei tutear — me disse ele em seu espanhol capenga.

Ele parecia fascinado por aquela formulação inexistente em sua língua materna. Captava muito bem suas consequentes nuanças e familiaridade.

— *Quiero tutearte* — disse ele.

— *Ya lo estás haciendo* — respondi, rindo.

Abrimos a Bíblia. Ele pediu que eu lesse para ele uma de minhas passagens preferidas. Por fim, optei por um trecho em que Jesus perguntava a Pedro, de forma insistente, se este o amava. Eu conhecia a versão grega do texto. Mais uma vez, era uma questão de nuanças. Quando se dirige a Pedro, Jesus emprega o termo *agape*, indicando uma qualidade superior de amor, sem contrapartida, bastando-se a si mesmo pelo próprio ato de amar. Pedro responde utilizando a palavra *philia*, que significa um amor que espera retribuição, que busca reciprocidade. Na terceira vez que Jesus faz a pergunta, Pedro parece entender e responde empregando a palavra *agape*, que o compromete a um amor incondicional.

Pedro era o homem que, por três vezes, tinha traído Jesus. O Jesus que agora o questionava era o Cristo ressuscitado. Pedro, homem fraco e covarde, por força deste amor incondicional, se transformava no homem forte e corajoso que iria morrer crucificado devido ao legado de Jesus.

Fazia cinco anos que eu vivia em cativeiro, e, apesar das condições extremas que havia suportado, era muito difícil para mim transformar o meu caráter.

---

* Referência aos pronomes de tratamento em espanhol, *tú* ou *usted*, ou, em francês, *tu* ou *vous*, que indicam mais ou menos intimidade, e são empregados alternadamente ao longo do texto: os farquianos, por exemplo, em geral se dirigem a Ingrid por *vous* (*usted*). Optamos aqui pelo uso do *você* em todos os diálogos, já que no português do Brasil as nuanças de tratamento passam por diferentes regras e expressões. (N. T.)

Enveredamos numa discussão, sentados lado a lado no seu velho plástico preto. Eu nem percebia em que língua estávamos falando, provavelmente nas duas. Concentrada na discussão, houve um momento em que me detive, intrigada com o silêncio do acampamento. Percebi, muito constrangida, que nossos companheiros acompanhavam nossa conversa com o maior interesse.

— Está todo mundo ouvindo — eu disse em inglês, baixando a voz.

— Estamos felizes demais, isso chama a atenção — ele respondeu, sem me olhar.

Fiquei preocupada.

— Veja no que nos tornamos neste acampamento, a nossa dificuldade em nos unir frente a uma guerrilha que nos intimida e ameaça... Os apóstolos sentiram medo e somente João se fez presente ao pé da cruz. Mas, depois da ressurreição, o comportamento deles mudou. Saíram pelos quatro cantos do mundo e acabariam sendo mortos ao relatar o que tinham visto. Foram decapitados, crucificados, esfolados vivos, apedrejados por defender sua história. Cada um deles soube se superar, vencer o medo de morrer. Cada um deles escolheu aquilo que queria ser.

Aos poucos, íamos abrindo o coração para falar de coisas que sequer tínhamos coragem de confessar a nós mesmos. Fazia anos que ele não tinha notícias de ninguém, a não ser da mãe. Nas suas mensagens, não havia muita informação sobre sua família ou sobre a vida daqueles a quem ele amava.

— Tenho a impressão de ver o mundo pelo buraco de uma fechadura — ele me disse, expressando sua frustração. — Não sei sequer se a minha mulher ainda está me esperando.

Eu não tinha como não entender. Fazia muito tempo que a voz de meu marido desaparecera das ondas de rádio. Quando, ocasionalmente, ela se fazia ouvir, os comentários de meus companheiros eram ácidos. Em compensação, ninguém se atreveu a me fazer nenhum comentário quando uma jornalista do *Luciernaga*,* um dos programas que ouvíamos à noite, fizera uma observação, acrescentando: "Falo do marido de Ingrid ou, mais exatamente, ex-marido, já que tem sido visto, faz tempo, com outra mulher". Eu tentara virar a página, mas aquelas palavras tinham conseguido arranhar meu coração.

Certa manhã, enquanto eu esperava em minha rede que me soltassem as correntes, sobressaltei-me ao sentir que me sacudiam pelos pés. Era Marc, a caminho dos *chontos*.

---

* Pirilampo.

— *Hi Princess!* — ele sussurrou, inclinando-se sobre o mosquiteiro.

"Este vai ser um lindo dia", pensei.

Como nos dias anteriores, nos instalamos lado a lado sobre o plástico de Marc. Pipiolo estava de guarda, e seu olhar pousou sobre mim como o de uma águia sobre sua presa. Estremeci, sabia que ele estava aprontando algo ruim. Mal começamos a conversar e a voz de Monster nos atingiu feito um tiro de canhão:

— Ingrid!

Levantei-me de um salto e fui para a trilha central, tentando avistá-lo através das barracas que tapavam minha visão. Ele apareceu afinal, mãos nos quadris, pernas afastadas e olhar maldoso.

— Ingrid! — berrou novamente, e eu estava diante dele.

— Sim?

— Eu já disse que você está proibida de falar com os americanos. Se eu te pegar de novo se comunicando com eles, te acorrento na árvore!

Não havia espaço para lágrimas, palavras, olhares. Fechei-me, reduzindo ao mínimo meu contato com o exterior. Ouvi, proveniente de outro mundo, a voz de Marc. Mas já não o via.

74. As cartas

"Vai ser como sempre, ele vai querer evitar os problemas", pensei, ao me virar para sentar na raiz da árvore grande que atravessava a minha *caleta*. Eu precisava me ocupar: costurar, lavar, guardar, encher o espaço de movimento para me dar a impressão de estar viva. "Não pensei que fosse doer tanto", constatei, ao entrever o sorriso carniceiro de Pipiolo. Meu olhar cruzou com o de Lucho. Ele sorriu e fez um sinal para eu me acalmar. Ele estava comigo. Retribuí seu sorriso. É claro que não era a primeira vez que me perseguiam. Eu já estava acostumada a ser acorrentada ou solta de acordo com as variações do humor deles. Fazia tempo que esperava aquele golpe, desde que começara a conversar com Marc. Senti, de certa forma, um certo alívio. Não seria pior do que aquilo.

— Será que podemos falar em espanhol, como com os outros prisioneiros? — Marc perguntou a Monster, que estava parado em pé, com ar altivo, em frente à sua barraca.

— Não, a ordem é muito clara, você não pode falar com ela.

A caminho do banho, eu tratava de ser rápida. Tinha de tirar a roupa e vestir o short e a regata de poliéster enrolada na toalha. Era sempre a última e os guardas aproveitavam para me atormentar. Não tinha notado que Marc estava se demorando mais que eu. Seguimos em fila indiana pela trilha que levava ao lavadouro. Ele se aproximou por trás e sussurrou em inglês:

Gostava muito de conversar com você. Temos que continuar nos comunicando.

— Como?

Pensei depressa, rápido, rápido. Depois, não poderíamos falar mais.

— Me escreva uma carta — cochichei.

— Andem, vamos! — berrou um guarda atrás de nós.

No rio, enquanto eu ensaboava o cabelo com o pedaço de pasta azul que fazia as vezes de xampu, ele se posicionou de modo a que os guardas não pudessem nos ver. Compreendi que iria me escrever no dia seguinte. Tive de morder a língua até sangrar para não demonstrar minha alegria. Lucho me fitou, surpreso. Passei meu sabão para ele a fim de despistar os guardas.

— Estou melhor — consegui lhe dizer.

Não pensava em mais nada além daquela carta. Tinha certeza de que ele iria retomar nossa conversa no ponto exato em que Monster a interrompera. E, principalmente, me perguntava de que jeito ele ia conseguir me entregá-la. Da minha *caleta*, podia avistá-lo na dele. Assim que se vestiu, começou a escrever.

Escureceu rapidamente. "A carta vai ser breve", previ. A noite, por sua vez, me pareceu muito longa. Revivi mil vezes a mesma cena na minha cabeça: Monster, mãos nos quadris, ameaçador. Tornei a sentir medo.

Marc pôs a carta na minha mão na hora em que eu menos esperava. Estava voltando dos *chontos*, ao amanhecer, logo depois de o guarda me soltar. Marc era o terceiro da fila para ir aos *chontos*, a trilha era estreita, ele pegou minha mão e pôs o papel dentro dela. Continuei caminhando, mas minha mão ficou para trás. Pensei que todos tinham visto e que eu fosse desmaiar.

Ao voltar para a *caleta*, fiquei surpresa ao constatar que estava tudo normal, os guardas não tinham visto nada, nem meus companheiros.

Esperei que chegasse a refeição matinal para ler a carta. Apenas uma página e meia, com letra de menino aplicado. Estava escrita em inglês, com todo o protocolo e fórmulas de cortesia de praxe. Achei divertido. Tinha a impressão de ler a carta de um desconhecido. Ele dizia o quão sentido estava com a proibição que nos era imposta, e continuava fazendo perguntas educadas sobre minha vida.

"Vou escrever uma linda carta para ele", pensei. "Uma carta que ele vai querer reler muitas vezes."

Olhei para o meu estoque de papel disponível: não iria durar muito tempo. Escrevi a carta num jorro só, sem meias palavras, já de saída mandando para os ares o "caro Marc" obrigatório. Escrevi do mesmo jeito que falava com ele. "*Hi Princess*", ele respondeu em sua segunda carta, voltando a ser ele mesmo.

Criamos uma linguagem secreta, que se constituía de sinais com a mão que ele descrevia nas cartas e ilustrava pessoalmente ao ver que eu terminara de ler sua mensagem. Enviei, por minha vez, alguns sinais de minha própria lavra, e logo já dispúnhamos de um segundo meio de comunicação, eficiente para nos alertarmos mutuamente se um guarda estava olhando ou se íamos depositar uma mensagem na nossa "caixa postal".

Combinamos colocar nossos pedaços de papel ao pé do cepo de uma árvore recentemente cortada na área dos *chontos*. Era um bom lugar, já que podíamos passar por ali sozinhos sem despertar suspeitas. Costurei uns saquinhos de lona preta, nos quais enfiávamos nossas missivas para preservá-las da chuva e evitar que a brancura do papel chamasse a atenção.

Os guardas devem ter percebido alguma coisa, pois uma manhã, quando acabava de juntar minha carta do dia, eles me seguiram e deram uma busca no local. Decidimos então alternar a caixa postal com outros sistemas mais acessíveis, embora tão arriscados quanto. Marc ficava ao meu lado no ajuntamento do almoço e introduzia o papel na minha mão, ou, às vezes, eu é que fazia sinal para ele ir ao lavatório, onde tinha ido encher minha garrafa de água, para pegar minha correspondência.

Estava bastante preocupada. Eu tinha reparado nas reações complexas que surgiam à nossa volta. A alegria que sentíramos em ficar juntos dera margem à inveja. Houve até quem pedisse que eu fosse apartada do grupo. Massimo me alertou: um de nossos companheiros fizera essa solicitação. Eu chegava a ter pesadelos. Não comentei com Marc, pois não queria atrair o azar. Mas sofria cada vez mais com isso, temendo que o fio tênue que me prendia à vida pudesse ser rompido.

Escrever-nos tinha se tornado a única coisa importante do dia. Eu guardava cada carta que ele escrevia e a relia enquanto esperava a seguinte. Aos poucos, foi se criando entre nós uma estranha intimidade. Era mais fácil se expor por escrito. O olhar do outro me perturbava ao revelar meus sentimentos e, não raro, o que eu pretendia partilhar acabava ficando num silêncio que me era impossível vencer. Em compensação, ao escrever descobria uma distância que me libertava. Eu poderia não mandar o que havia escrito, pensava, e essa possibilidade me tornava ousada. No entanto, depois que os segredos de minha mente vinham à luz, parecia-me que eram muito simples e que não havia mal nenhum em partilhá-los. Marc me surpreendia, pois era muito mais seguro para lidar com aquela situação e sua sinceridade me encantava. Havia muita elegância em suas palavras e o ser que ele me revelava nunca me decepcionava. Minha impressão era que sua última carta era sempre a melhor, até ler a seguinte. Quanto mais apreciava sua amizade, mais eu me preocupava. "Eles vão nos separar", pensava, imaginando a alegria de Enrique ao descobrir quão importante Marc se tornara para mim.

Houve uma revista astuciosamente organizada por Enrique. Fizeram-nos acreditar que íamos deixar o acampamento para mais uma marcha. As cartas de Marc tinham se tornado meu maior tesouro e eu as guardara no bolso da jaqueta antes de fechar o *equipo*. Eles nos fizeram andar uma centena de metros até um local que utilizavam como serraria. Lá, pediram que esvaziássemos nossas mochilas. Marc estava bem do meu lado, lívido. Será que tinha conseguido esconder as cartas?

Ele me lançou um olhar insistente, então se virou, avisou que ia mijar e foi para trás de uma árvore grande. Voltou com os olhos cravados nos sapatos, exceto por um breve instante em que me brindou com um sorriso confiante, ligeiro como uma piscadela e que fui a única a perceber.

Deixei passar alguns minutos e o imitei. Uma vez atrás da árvore, escondi as cartas na minha roupa de baixo e, ao retornar, guardei meus pertences no *equipo* após a revista. Notei que o velho pote de talco, em que eu cuidadosamente enrolara meus mais preciosos documentos a fim de protegê-los da umidade, tinha sumido. Dentro daquele pote estavam a carta de minha mãe, as fotos dos meus filhos, os desenhos dos meus sobrinhos e as ideias e projetos em que, durante três anos, eu tinha trabalhado com Lucho.

— Vai ter que pedir para Enrique — disse-me Pipiolo, saboreando cada palavra.

Aquele foi um golpe baixo. A carta de minha mãe era minha tábua de salvação. Eu as relia em cada crise depressiva. Raramente olhava para as fotos de meus filhos, pois me causavam uma dor física insuportável. Mas me tranquilizava o fato de saber que estavam ao alcance da mão. Quanto ao programa, era importante para mim. Representava centenas de horas de trabalho e discussão. Contudo, o fato de não terem achado as cartas de Marc me enchia de indiscutível bem-estar. Tampouco encontraram meu diário, que eu tivera o cuidado de queimar fazia tempos.

Quando achamos que a revista tinha acabado, mais quatro guardas se apresentaram. Tinham sido destacados para uma revista "personalizada". Enquanto pediam aos homens que se despissem, Zamaidy pediu que eu a acompanhasse.

Zamaidy se postou à minha frente, desculpando-se previamente por ter de continuar. Deu com meus bolsos cheios de tecido cortado em quadrados.

— O que é isso? — perguntou, intrigada.

— Faz tempo que acabaram meus absorventes higiênicos. Pedi mais, mas Enrique aparentemente deu ordem para não fornecerem mais.

— Vou lhe mandar alguns — ela resmungou.

Com isso, suspendeu a revista e me mandou voltar para junto do grupo. Suspirei aliviada, nem queria imaginar no que teria de ter inventado para explicar o que ela possivelmente iria encontrar.

Marc esperava minha volta, angustiado. Retribuí seu sorriso. Compreendeu que eu acabava de passar com sucesso pela revista. Lucho, violando todas as proibições, perguntou-me se estava tudo bem. Contei-lhe do confisco, por parte de Enrique, do meu pote de talco.

— Você tem que ter isso de volta! — ele reclamou.

Era uma missão que me parecia impossível. Depois do medo que nos causara a blitz de Enrique, redobramos o cuidado e nossa correspondência se tornou mais intensa. Contávamos tudo um ao outro, nossa vida, nossos relacionamentos, nossos filhos. E nosso sentimento de culpa, como se ao descrevê-lo pudéssemos consertar todas as nossas falhas.

Condenados ao distanciamento, nos tornávamos inseparáveis. Quando, certa manhã, Marc se aproximou enquanto eu estava na primeira fila dos *chontos*, e disse que tinha de falar comigo de qualquer jeito, fui tomada por um pavor irracional. "Ele vai dizer que a gente não deve se escrever mais!" Foi cruel a espera até que só restássemos os dois na fila.

O que ele falou me deixou gelada. Queria que pedíssemos a Enrique para anular a restrição imposta por Monster. Nisso, o olhar abrasador de Pipiolo me fez voltar a cabeça. Ele tinha visto Marc falar comigo, tinha visto o efeito que isso tinha me causado. Tínhamos infringido a ordem. Ele teria o maior prazer em nos fazer pagar por isso.

Mais tarde, comecei a escrever uma longa carta para Marc. Expliquei meu medo de que Enrique tentasse nos separar, e relatei os comentários de Massimo: alguns de nossos companheiros estavam de complô contra nós.

Estava me preparando para minha toalete matutina quando fui vítima de agressão por parte de um dos homens. Era um sujeito tomado por obsessões, com o qual eu já tinha tido problemas, e que Enrique colocara do meu lado como castigo suplementar. Lucho, que ia passando para ir aos *chontos*, carregando seu galão de urina da noite anterior, viu e compreendeu de imediato. Aquelas agressões já tinham sido reportadas a Enrique pelos guardas, mas ele retrucara: "Os prisioneiros estão todos sujeitos ao mesmo regime, ela que se defenda sozinha". Lucho sabia disso. Largou seu galão de urina e se jogou em cima do homem. O outro lhe desfechou um soco no estômago e Lucho, enfurecido, pôs-se a bater nele, no chão, sem trégua. Os guardas riam, encantados com o espetáculo. Eu estava horrorizada. Isso poderia lhes dar um pretexto para me apartar.

Mas ninguém apareceu. Nem Enrique, nem Monster, nem Asprilla. Tranquilizei-me pensando que Enrique iria aplicar sua lei e o assunto seria encerrado. A carta de Marc, naquele dia, foi mais carinhosa que de costume. Ele não queria que eu sofresse com o acontecido.

Quando, ao amanhecer, escutei a mensagem de minha mãe no rádio, estava tremendo. O comportamento de meu agressor me deixara transtornada. Por mais que dissesse a mim mesma que ele era um perturbado e que sua atitude era fruto de dez anos de cativeiro, sua proximidade me era desconfortável. Tinha horror ao jeito como ele me espiava, segurando um espelho enquanto me observava, de costas para mim.

Minha mãe estava com sua voz terna e serena dos dias felizes. Estava ligando de Londres, satisfeita com os trâmites no sentido de angariar apoio à causa da nossa libertação:

— Aguente firme, o que quer que aconteça, aguente firme. Olhe para o céu e paire acima da maldade que possa estar te cercando. Você vai sair muito em breve para uma vida nova.

De modo que eu olhava para o céu. Estava um dia bonito, aquela manhã de sol só poderia me trazer coisas boas.

Mas o destino decidiu diferente. O rádio informou que onze dos doze deputados da Assembleia Regional de Valle del Cauca, reféns das Farc como nós, haviam sido massacrados. Eu acabava de ouvir a mensagem que a irmã de uma das vítimas lhe enviara, sendo que ele já estava morto enquanto ela lutava por ele em Londres. Isso me revoltou. Eu escutava todo dia as mensagens destinadas a eles, em especial ao amanhecer daquele 18 de junho de 2007. Suas famílias decerto tinham acabado de saber da notícia, como todos nós. Devido às mensagens diárias no rádio, a notícia me afetava como se fosse um membro de minha própria família. Busquei o olhar de Marc em sua *caleta* e o encontrei, desnorteado por uma dor idêntica à minha.

Quando Asprilla me mandou empacotar minhas coisas, porque estava indo embora, eu já me sentia arrasada. Marc pediu licença para vir me ajudar. Insinuadas entre os gestos mecânicos que já fizéramos milhares de vezes, as demonstrações de afeto se revelavam difíceis. Tínhamos nos habituado a ficar próximos através de nossas cartas, já não sabíamos como nos comportar na proximidade um do outro.

— Me mande a sua Bíblia, eu a devolvo com as minhas cartas — ele disse, enquanto desmontava a barraca.

Alguns guardas tratavam de abrir um espaço junto ao lavadouro. Era ali que iam me instalar.

— Pelo menos vamos continuar nos vendo. Prometa que vai me escrever todo dia.

— Vou lhe escrever todo dia, sim — assegurei, curvada de dor. Eu acabava de ser fulminada e começava a me dar conta disso.

Antes que os guardas viessem me buscar, ele me passou disfarçadamente o saquinho preto. Quando teria tido tempo de me escrever? Também ele estava com os olhos marejados.

A voz de Oswald se fez ouvir:

— Vamos lá, se mexam!

Eu estava impossibilitada de me mexer.

75. A separação

Do lugar para onde estava indo, poderia avistá-los de longe. Agarrei-me a essa ideia, agradecendo aos céus por não ter me imposto um fardo mais pesado. O silêncio caíra sobre mim como uma lápide, tudo soava vazio. A dor que me dilacerava o ventre me obrigava a pensar na necessidade de respirar, inalar, e depois expirar com um esforço tremendo. "O diabo vive nesta selva."

Eu tinha organizado meus pertences sobre uma tábua velha que eles resolveram me fornecer. Não devia nada a eles, e também não queria pedir nada. Enclausurei-me. Ninguém ia ver que eu estava sofrendo. Algumas mulheres foram destacadas para me ajudar em minha instalação. Não falei nada. Acomodei-me sobre um tronco apodrecido a fim de contemplar a extensão do meu infortúnio.

Minha rede tornou-se meu refúgio. Só queria ficar nela o dia inteiro, com o rádio grudado no ouvido, remoendo a minha solidão. No sábado à noite, quando *Las Voces del Secuestro* transmitiram "Dans la jungle", a música de Renaud, tive a esperança de que fosse um sinal do destino. Renaud era o mais amado dos compositores franceses contemporâneos. Escutá-lo pronunciar meu nome, dizendo que me esperava, me deu uma sede repentina de céu azul. Fui nadar no açude sem que ninguém se atrevesse a me interromper. Avistei Lucho e Marc de longe, em meio às árvores.

Asprilla apareceu, todo sorrisos.

— Vão ser só umas poucas semanas, depois você volta para o acampamento — ele explicou, sem que eu tivesse perguntado nada.

Marc deambulou entre as barracas e acabou descobrindo um ponto em que eu podia vê-lo sem ser vista. Por meio de sinais, me deu a entender que ia até os *chontos* e, de lá, me jogaria um papel.

Segui suas instruções. Com alguma sorte, sua missiva poderia chegar até mim. O papel acabou indo parar fora do espaço em que eu estava confinada. Meu guarda estava de costas, dando mostras de uma inabitual civilidade. Embrenhei-me no mato a fim de pegar a mensagem. Era uma carta repleta de palavras encavaladas num espaço demasiado estreito.

Li a carta deitada na rede, abrigada pelo mosquiteiro. Era tão triste e, ao mesmo tempo, tão engraçada! Eu o avistava, de pé, à espreita, esperando que eu acabasse de ler para ver no meu rosto o efeito de suas palavras.

A rotina de trocar mensagens daquela forma se instalou dentro da espera, até que a companheira de Oswald, que estava de guarda, nos flagrou e imediatamente reportou o caso a Asprilla. Tivemos de mudar o sistema. Marc pediu permissão a Asprilla para partilharmos a Bíblia, e ele concordou. Tornou-se nossa nova caixa postal. Asprilla vinha pegar a Bíblia de manhã e a trazia de volta à noitinha. Escrevíamos a lápis nas margens dos Evangelhos e indicávamos onde o outro devia escrever a resposta. Caso ocorresse a Asprilla folhear as páginas, só encontraria umas palavras nas margens, às vezes em espanhol, outras vezes em francês, ou até em inglês, fruto de cinco anos de reflexões aplicadamente anotadas.

Este contato cotidiano fez nascer em Asprilla o desejo de se abrir um pouco com Marc. Comunicou-lhe que Enrique pretendia nos dividir em dois grupos e que ficaríamos ambos no mesmo grupo de Lucho. Essa notícia me encheu de esperanças.

Pedi autorização para falar com Lucho e Marc. Asprilla me aconselhou a ter paciência e esperar, não queria que Enrique recusasse e resolvesse prolongar meu isolamento. Chegou um carregamento de correntes. Eram muito mais grossas e pesadas que as de Pinchao. Fui a primeira a estrear um imenso cadeado em volta do pescoço, e outro, tão imenso quanto, que prendia minha pesada corrente à árvore. Fui testemunha da angústia de meus companheiros americanos, quando perceberam que, pela primeira vez, também seriam acorrentados. Ver aquela corrente enorme reluzindo em volta do pescoço de Marc me deixou muito mal.

A carta daquele dia foi agitada. Ele explicava como arrebentar a fechadura do cadeado enferrujando-a com sal, ou como abrir o loquete interno com uma pinça ou cortador de unhas. Dizia que tínhamos de ficar perto um do outro a fim de podermos fugir no caso de uma operação militar. Lá estávamos nós, desnudados frente ao medo da morte, mas já não queríamos enfrentá-la um sem o outro.

Quando amanheceu e falou-se em preparar a partida do acampamento, empacotei apressadamente meus pertences, ansiosa por ficar novamente próxima de Marc e Lucho. O dia estava esplêndido, o que era incomum durante a estação das chuvas. Fiquei pronta antes de todo mundo. Mas não havia pressa. Sentada no meu tronco apodrecido, presa pelo pescoço, vi as horas desfilarem devagar enquanto os sons do acampamento da guerrilha indicavam seu desmantelamento completo, lento e organizado. Um ruído de ferragem oca batendo surdamente na margem nos avisou da chegada do *bongo*. "Não vai ser uma marcha", concluí, aliviada.

A tarde já ia avançada quando apareceu Lili, a companheira de Enrique. Surpreendi-me com sua gentileza. Na expectativa de uma reunião com meu grupo, eu baixei a guarda.

Ela se pôs a falar sobre vários assuntos, fazendo simpáticos comentários sobre Lucho. Depois, falou sobre os demais prisioneiros e me perguntou sobre Marc. Alguma coisa no seu tom de voz me alertou, mas eu não conseguia identificar o perigo. Pensei antes de responder que, de fato, tínhamos nos tornado amigos. Não se passou nem um segundo e ela se foi, sem sequer se despedir. Fechei os olhos com a terrível sensação de ter caído numa armadilha.

Então avistei o velho Erminson. Ele se acercou de mim com a frieza de um carrasco e experimentou as chaves de um pesado molho que segurava com afetação na outra mão, até encontrar aquela que abriu meu cadeado. Tirou a chave do aro e brandiu-a, vitorioso, berrando para Asprilla e Enrique que estava tudo pronto.

Os guardas deram a ordem de colocarmos as mochilas nas costas. Depois, dividiram meus companheiros em dois grupos. O de Lucho e Marc foi chamado a embarcar na frente, sem mim. "Não, não pode ser verdade! Meu Deus, faça com que não seja verdade!", rezei com todas as forças. Lucho se deteve para me abraçar, enfurecendo os guardas. Marc vinha por último, pegou minha mão e a apertou com força. Eu o vi se afastar com seu *equipo* lotado de objetos inúteis, e refleti que nossa vida não tinha valor algum.

Quando o segundo grupo se pôs em marcha, recebi a ordem de acompanhá-lo. Massimo estava próximo ao *bongo* e segurou meu braço para me ajudar a embarcar. Procurei por eles com os olhos. Estavam sentados no porão, suas cabeças mal sobressaíam no convés onde eu estava passando. Enrique mandara erguer uma divisória feita do amontoamento de nossos *equipos*, e eu precisava me instalar do outro lado, com o segundo grupo. Fiquei na expectativa de escutar, a qualquer momento, a voz de Monster ou Asprilla dando permissão para que eu me sentasse junto dos meus. Só ouvi a voz de Enrique, fria e cruel, me tratando como a um cachorro:

— Xô! Lá no fundo, do outro lado, anda!

Zamaidy estava de guarda, fuzil nas mãos, me observando enquanto eu entrava naquele buraco onde meus companheiros já disputavam os melhores lugares. Ela manteve um silêncio obstinado em meio aos gritos e algazarra da tropa que embarcava. O motor enfumaçou o ar com um cuspe azulado e nauseabundo, e o ronco da máquina tomou conta de tudo. Estávamos mais uma vez sobre a pista lisa das águas do grande rio. Uma lua imensa se erguia no céu feito o olho de algum ciclope.

Eu já não tinha mais dúvidas. A sorte me perseguia, levando numa avalanche tudo o que me era caro. Não restava muito tempo, logo seríamos definitivamente apartados. Marc se aproximou da divisória de mochilas que nos separava. Também me aproximei e passei a mão por cima dela, na esperança de encontrar com a dele. Zamaidy olhou para mim:

— Vocês têm algumas horas — disse, posicionando-se de modo a nos ocultar. Foi a primeira e última vez que nos demos as mãos. Os outros já estavam dormindo e o barulho do motor cobria nossas palavras.

— Me fale sobre a casa dos seus sonhos — pedi.

— A minha é uma casa antiga, dessas que existem na Nova Inglaterra. Tem uma chaminé em cada ponta e uma escada de madeira que range quando a gente sobe. É rodeada de árvores e jardins. No quintal, estão duas vacas. Uma se chama Ciclo, e a outra, Tímica.

Sorri. Ele brincou com as sílabas da primeira palavra em espanhol que eu acrescentara ao vocabulário dele.

— Mas esta casa não vai ser minha enquanto eu não puder compartilhá-la com a pessoa que eu amo.

— Nunca tinha visto uma noite tão linda e tão triste — disse eu.

— Eles podem nos separar, mas não podem nos impedir de pensar um no outro — ele replicou. — Um dia a gente vai ser livre e ter outra noite como esta, com esta mesma lua maravilhosa. Vai ser uma noite linda e não será mais triste.

O *bongo* atracou pesadamente. O ar ficou denso de repente. Eles receberam a ordem de desembarcar. Lucho se aproximou:

— Não se preocupe, eu vou cuidar dele e ele vai cuidar de mim — disse, olhando para Marc. — E você, prometa que vai aguentar!

Nós nos abraçamos. Eu estava arrasada. Marc segurou meu rosto entre as mãos:

— Até breve — disse, e me deu um beijo no rosto.

76. Afagando a morte

31 de agosto de 2007

Fiquei ali sufocada, paralisada no vazio, alheia ao tumulto ao meu redor. Os guerrilheiros subiam e desciam *equipos* e sacos de mantimentos. Eu esperava, de pé, que o *bongo* se afastasse. Precisava ver a distância tomar forma. Mas a movimentação toda deu lugar a uma calmaria ainda mais desesperadora e compreendi, tardiamente, que nosso grupo passaria a noite no porão. Ia chover, com certeza. Olhei para os semblantes fechados de meus companheiros. Estavam dispondo seus pertences de modo a demarcar seus espaços. O homem que me agredira se agitou no seu canto. "Enrique escolheu muito bem", pensei. Na diagonal, no ponto mais distante, sobrava uma faixa de território desocupado. William me observava. Esboçou um sorriso e fez um sinal para mim. Acocorei-me, encolhida, no espaço vazio.

"Tenho que dormir. Tenho que dormir", fiquei dizendo a mim mesma, hora após hora, até o amanhecer. "Não vou conseguir passar outra noite igual a esta."

— *Doctora* — alguém chamou, perto de mim.

Doctora? Quem me chamava assim? Ninguém, desde muitos anos antes, pois Enrique proibira. Eu era "Ingrid", a velha, a *cucha*, a garça. Mas não *doctora*.

— Pssiu, *doctora!*

Virei-me. Era Massimo.

— *Doctora*, diga para ele, ele está aí, fale com ele! Ele pode passá-la para o outro grupo!

De fato, lá estava Enrique, na proa. Fui andando, apesar dos pesares, rente à balaustrada. Ele já tinha me visto. Seu corpo inteiro se enrijeceu, feito a aranha ao sentir sua presa se debatendo na teia. "Meu Deus, vou me ajoelhar diante deste monstro", pensei horrorizada. Ele sabia. Fingiu estar falando com uma guerrilheira, duro, incisivo, humilhante com a garota. Fez-me esperar, de propósito, e não se dignou a olhar para mim durante longos minutos. Tão longos que, no *bongo*, tudo ficou imóvel, como se estivessem todos segurando a respiração para não perder uma palavra do que ia ser dito.

— Enrique?

Ele não se virou.

— Enrique?

— O que foi?

— Tenho um pedido a lhe fazer.

— Não há nada que eu possa fazer por você.

— Tem, sim. Quero lhe pedir para mudar de grupo.

— Impossível.

— Para você tudo é possível. Você é o chefe, é você quem decide.

— Não posso.

— Aqui, você é um deus. Tem todos os poderes.

Enrique encheu o peito e seu olhar pairou sobre o mundo dos humanos. Lá do alto, satisfeito consigo mesmo, deixou cair:

— Quem decide é o Secretariado. Recebi uma lista precisa, o seu nome está no grupo do comandante Chíqui.

Ele apontou para um homenzinho rechonchudo, de pele porcina e barba arrepiada.

— Peço humildemente que tenha um pouco de compaixão por nós.

Ele respirou amplamente, certo de que o mundo lhe pertencia.

— Enrique, eu lhe suplico — repeti. — É a minha família, uma família que se construiu nesta selva, neste cativeiro, neste inferno. Não se esqueça de que o mundo dá voltas. Trate a gente como gostaria de ser tratado se um dia acontecer de você virar prisioneiro.

— Eu nunca serei prisioneiro — retorquiu duramente. — Eu me mato antes de me deixar prender. E nunca me rebaixaria a pedir o que quer que fosse ao meu inimigo.

— Pois eu me rebaixo. A minha dignidade não passa por aí. Não me envergonho de suplicar, mesmo que me custe muitíssimo. Mas, veja bem, a força do amor sempre prevalece.

Enrique me fitou maldosamente, olhos estreitados, sondando em mim os abismos de sua própria perfídia. Então percebeu que estava sendo ouvido e, como quem joga as luvas sobre um móvel qualquer, declarou com desprezo:

— Vou levar sua solicitação aos chefes. É só o que posso fazer.

Deu-me as costas e afagou a cabeça da guerrilheira responsável pela guarda. Saltou na terra com um som seco, como de uma guilhotina se abatendo num pescoço.

O *bongo* se pôs em marcha e o barulho do motor sacudiu a casca oca do meu corpo. Os canais foram ficando cada vez mais estreitos. Oswald e Pipiolo, munidos de um cortador, investiam contra as árvores imensas que tinham crescido na horizontal, bloqueando a passagem. Estava tudo virado do avesso.

Duas horas depois, El Chíqui, equilibrado em pé na proa, fez sinal para acostarem.

Consolacion, uma índia com uma comprida trança preta, roçou meu ombro com a mão. Estremeci e abri os olhos. Fui atrás dela, com minha pesada mochila nas costas. À minha frente, uma subida íngreme, que me pus a escalar como fazem as mulas, os olhos grudados no chão. Esbarrei num de meus companheiros que havia parado, e então compreendi que era para descarregar.

Desabei junto a uma árvore meio afastada dos outros e soçobrei no limbo. Alguém me sacudiu. A comida acabava de chegar. A ideia de me alimentar me repugnava. Senti que não seria fácil me mexer.

Não havia mais nenhuma árvore para prender minha corrente. Tiveram de colocar uma estaca grossa. "Agora, a estaca é que está presa em mim", pensei. Pipiolo apareceu, feliz da vida, trazendo o molho de chaves. Falou com o rosto colado no meu, lançando perdigotos. Tinha um cheiro asqueroso, não pude evitar um gesto. Ele se vingou. Abriu o cadeado e diminuiu em vários elos a corrente em volta do meu pescoço. Eu fiquei com dificuldade para deglutir.

"Ele quer que eu suplique", pensei, evitando seu olhar. Ele se foi. "Não pedir nada, não desejar nada." Os dias não passavam de uma sucessão de refeições. Eu me obrigava a me levantar e estender minha tigela, mais para evitar comentários. Mas a panela cheia de arroz e macarrão molenga, inchado de água, me provocava uma náusea crônica que vinha em ondas, sempre com o cheiro da marmita, mas também com o ruído da troca de guarda ou do cadeado se fechando, apertado demais, depois de uma ida aos *chontos*.

Alguém me deu um caderno escolar novinho, com uma imagem pirateada da Branca de Neve. Eu continuava escrevendo para Marc, mas já não tinha graça. Era sofrido, aliás, já que não havia resposta. Eu relia as cartas dele, que estavam sempre no meu bolso, para ouvir sua voz. Aqueles eram os únicos momentos que eu antecipava com alívio e adiava ao máximo, até antes de escurecer, já que depois disso restava apenas um infinito vazio de horas sombrias.

"Estou hibernando", justificava para mim mesma a minha inapetência.

Comecei a boiar dentro das calças. Antes, costumava ajustar as calças na cintura. Agora, usava os cintos que tinha tecido para as crianças. "Senão, vão acabar apodrecendo", ponderei.

Certa manhã, o ar apavorado de um companheiro que estava na fila com sua tigela me assustou. Virei-me, preparada para ver um monstro atrás de mim. Mas era a mim que ele mirava fixamente.

Eu só tinha um pedaço de espelho quebrado que não usava mais. Só podia me ver por partes: um olho, o nariz, parte da bochecha, o pescoço. Eu estava verde, olheiras roxas do tamanho de uns óculos, a pele seca.

Tinha cavado junto à estaca, com um pauzinho, um buraco onde enterrava as mechas de cabelo que juntava diariamente. Meu pente vinha invariavelmente carregado com uma grenha poeirenta que eu escondia para evitar que o vento a levasse para os meus vizinhos. "Eles vão se queixar. Vão dizer que sou suja." Eu não era. Com toda a minha força de vontade, vestia os shorts úmidos e fedidos chamados de "roupa de banho", em estado de decomposição porque nunca secavam de fato. Estavam permanentemente cobertos por uma baba transparente. Além disso, para ir ao lavadouro tínhamos de descer — e subir de volta — uma ladeira íngreme, carregando o galão para trazer água e as roupas que eu lavava incansavelmente.

"Virei um gato", constatava atônita, recordando a frase feliz da minha avó, contando que ninguém a avisara das transformações da puberdade e que, assustada com as mudanças de seu corpo, concluíra que era vítima de um feitiço e estava se metamorfoseando em felino.

Minha mutação era menos espetacular. Chegara ao ponto de odiar o contato com a água. Entrava no último minuto, contraída, e saía trêmula, azul, cabelos doloridos como se uma mão invisível os estivesse puxando. Botas cheias de água, pernas e braços arrepiados, subia sem fôlego, esperando cair dura a cada próximo passo.

Refugiei-me durante meses em minha rede. O acampamento de Chíqui foi construído na primeira semana de agosto de 2007. "Mélanie vai fazer 22 anos." Esta frase continha todo o horror do mundo. Fui aos *chontos* e vomitei sangue.

Eu bebia pouco e não comia nada. Excretava continuamente uma água esverdeada que me dilacerava o corpo, vomitava sangue, mais por cansaço do que por violência, e minha pele estava coberta de pústulas que coçavam e que eu arrancava.

Levantava-me toda manhã para escovar os dentes. Era só o que eu fazia durante o dia. Voltava para minha rede e ligava o rádio junto ao ouvido, mas ouvia sem escutar, perdida no labirinto de pensamentos ilógicos composto de recordações, imagens, um *patchwork* de reflexões com que eu preenchia minha eternidade de tédio. Nada me tirava da minha introspecção, a não ser a voz de minha mãe e a música do artista colombiano Juanes cantando "Sueños" — Sonhos — que eu tanto partilhava.

Pipiolo apareceu certa noite, olhos fixos e voz melosa. Abriu meu cadeado e soltou alguns elos da corrente em meu pescoço. Queria que eu agradecesse:

— Vai se sentir melhor assim, recuperar o apetite.

Que idiota, fazia tempos que aquela corrente já não me incomodava.

Estava ficando cada vez mais difícil efetuar os gestos simples da vida. Um dia, não me deu vontade de tomar banho e me deixei ficar prostrada na cama. "Vou morrer, como o capitão Guevara.* Todo o mundo morre no Ano-Novo, assim fecha um ciclo perfeito", pensei, sem nenhuma emoção.

Massimo vinha me ver de vez em quando.

— Nada — dizia, sabendo que eu continuava esperando uma resposta dos chefes. Toda vez, me dava a mesma câimbra.

"Vou escrever uma carta para Marulanda", decidi. A perspectiva de encetar uma ação a fim de voltar para junto de meus amigos me trouxe, por alguns dias, uma animação próxima do delírio.

— Se você entregar uma carta endereçada ao Secretariado, o Gafas vai ter que encaminhar, sob pena de alguma sanção — Massimo me explicou. — Entregue a carta ao Asprilla, ou ao Chíqui, para que haja testemunhas. Eles terão de repassar para o Enrique e ela vai acabar chegando a Marulanda.

Asprilla era responsável pelo outro grupo, e apareceu para nos dar um alô. Não disfarçou o espanto quando me viu.

— Os seus amigos estão muito bem — afirmou. — Estão comendo bem, fazem exercícios todo dia.

---

* O capitão Julián Guevara adoeceu em dezembro de 2006. Como as Farc se negassem a tratá-lo, veio a morrer pouco tempo depois. Estava num acampamento não muito distante do nosso, que se encontrava igualmente sob o comando de Enrique.

Quase senti raiva deles. Peguei a carta que trazia guardada no bolso e lhe entreguei. Ele abriu o papel dobrado em quatro, deu uma olhada e tornou a dobrá-lo. Tive então a impressão de que não sabia decifrá-lo.

— Posso ler para você — sugeri, de modo a descartar qualquer suspeita.

Ele deu de ombros, dizendo:

— Se está pedindo para mudar de grupo, esqueça. Enrique é inflexível neste ponto.

Não ouvi mais nada. Tive a impressão de que minha vida acabava ali. Tive uma nova erupção de pústulas, os vômitos recomeçaram e senti que estava perdendo o contato com a realidade. Eu não queria mais sair de minha rede.

Obrigaram-me a ir tomar banho. Ao retornar, descobri que todos os meus pertences tinham sido vasculhados. Tinham confiscado o caderno com as mensagens que eu continuava escrevendo, em inglês, para um Marc que não passava de um nome, um eco, uma ideia, talvez até uma mania — será que ele existia de fato na vida real? Eu temia que tais constatações conseguissem penetrar no meu universo secreto. Mergulhei ainda mais profundamente na minha prostração.

Ligava o rádio todo dia, pela manhã, num gesto mecânico que exauria, já ao amanhecer, toda a minha energia. O rádio estava sempre me pregando peças, parando de funcionar justo quando minha mãe começava a transmitir seu recado. Eu me preparava desde as quatro da manhã para a mensagem das cinco horas e, quando, por milagre, o rádio funcionava, eu ficava imóvel, prendendo a respiração, hipnotizada pelas inflexões doces e carinhosas da voz de minha mãe. Quando a voz sumia, eu me dava conta de que já não lembrava o que ela dissera.

Certa tarde, William veio me ver. Ele pedira autorização e soltaram sua corrente por alguns minutos. Era um tratamento privilegiado, que a guerrilha só concedia a ele porque fazia as vezes de médico do acampamento.

— Como você está? — ele perguntou num tom anódino.

Estava para responder com uma frase formal quando me senti submergida por uma avalanche de lágrimas. Fiquei tentando encaixar uma palavra entre um soluço e outro para dizer que estava tudo bem. Aquilo durou mais de quinze minutos.

Quando finalmente consegui me controlar, William se atreveu a me perguntar se tinha escutado a mensagem da minha mãe. Então o rio de lágrimas se tornou inesgotável, só consegui fazer que não com a cabeça e ele foi-se embora, impotente.

No dia seguinte, ao amanhecer, dois guerrilheiros vieram buscar todos os meus pertences para me levar para outro lugar. Chíqui dera ordens para que construíssem para mim uma *caleta* isolada, afastada dos demais prisioneiros. Em sinal de deferência, me comunicaram que só haveria mulheres me vigiando. Consolacion, a índia de trança preta, é que estava de guarda.

— Vamos cuidar de você — disse ela, como quem anuncia uma boa notícia.

Depositaram ali uma caixa de papelão cheia de kits de perfusão intravenosa. Peluche, recém-promovida a enfermeira, se aproximou toda trêmula com a ordem de se iniciar treinando no meu braço. Uma vez, duas, três, na parte interna do cotovelo, a agulha atravessou a veia, negando-se a se posicionar corretamente.

— Vamos ter que tentar no outro braço. — Uma vez, duas, três, na quarta ela resolveu procurar uma veia no pulso.

Monster passou por ali para constatar o estrago e foi embora contentíssimo.

— Isso é para você aprender — escarneceu, ao nos dar as costas.

— Chame Willie — supliquei afinal.

Consolacion saiu correndo, pedindo que eu esperasse. Deve ter sido muito persuasiva, pois voltou meia hora depois, acompanhada por William e Monster. William examinou meus braços com um franzir de sobrancelhas que deixou o grupo todo incomodado.

— Eu me recuso a dar outra picada. Ela está fazendo uma flebite. Temos que esperar até amanhã. — Então, votando-se para mim, disse com doçura: — Coragem. Vou cuidar de você.

Perdi os sentidos. Quando abri os olhos, já estava escuro. Consolacion não estava mais ali. Em seu lugar, Katerina, com seu AK-47 a tiracolo, me observava com curiosidade.

— Você tem muita sorte! — disse, com admiração. — William decidiu que não ia cuidar de mais ninguém enquanto você não fosse tratada como se deve.

Ao amanhecer, a índia estava de volta. Pôs mãos à obra, cortando e descascando lenha. Não me passou pela cabeça perguntar o que estava fazendo.

— Vou fabricar uma mesa e um banco, para você poder se sentar e escrever.

Eu a detestava. Eles não tinham devolvido meu caderno e lá estava ela me provocando com um privilégio que eu já não queria. Consolacion deve ter percebido o véu sombrio que encobria meu olhar, pois anunciou:

— Não se preocupe, vai se sentir melhor, vamos preparar uma bela sopa de peixe para você. — A gentileza dela era um fardo para mim. Tudo o que eu queria era que me deixassem em paz. A mesa já estava pronta quando chegou a marmita. Uma piranha graúda boiava dentro dela. A mulher depositou respeitosamente a marmita à minha frente, como se se tratasse de um ritual sagrado. Ouvi, vindo das barracas vizinhas, os berros do guarda chamando os prisioneiros para a sopa. Suspirei, absorta na contemplação do animal. "Não consegui convencer Lucho a comer os olhos", pensei.

Lembrei de um jantar de diplomatas, quando o pai de meus filhos estava servindo em Quito. A esposa do oficial anfitrião tinha preparado um peixe magnífico que reinava no centro da mesa. Ela era de Vienciana. Nunca a esqueci, com seus cabelos negros perfeitamente arrumados num coque reluzente e seu sarongue de seda estampado. Ela explicou graciosamente que, no Laos, a iguaria mais apreciada eram os olhos de peixe. Enquanto falava, extraiu com um gesto requintado o olho viscoso do animal e o levou à boca. "Eu deveria experimentar", pensei, já no cativeiro, num dia em que a fome era grande. "É igual a caviar!", concluí. Lucho me observava e ria, absolutamente enojado. Tom fora o único a me imitar. E, como eu, achara uma delícia.

Quando a voz de Willie me arrancou do meu torpor, ele já estava manipulando meu braço à procura da veia.

— Você ouviu as mensagens de sua filha e sua mãe hoje de manhã?

— Acho que ouvi.

— O que elas disseram? — ele inquiriu, como quem me tomasse a lição.

— Acho que falaram em alguma viagem?

— Nada disso. Elas lhe comunicaram a morte de Pom, sua cadela. Mélanie estava tristíssima.

Sim, lembrei. *La Carrilera* começara com uma música maravilhosa de Yuri Buenaventura, dedicada aos reféns. Minha impressão era que ele cantava a minha história, o que mexeu profundamente comigo. Em seguida ouvi minha mãe. Ela havia me dito que Pom farejava por tudo procurando o meu cheiro. Que enfiava o focinho nas minhas roupas e andava de quarto em quarto a conferir tudo que era cantinho. "A minha Pom se foi antes de mim, para preparar a minha chegada", pensei comigo mesma. Eu também estava pronta para partir. Havia, naquilo tudo, uma certa ordem que me agradava. Depois, afastei-me do mundo, com o braço conectado à sonda cujo gotejar me enchia de um frio mortal.

Voltei a mim em meio a fortes convulsões. Queria arrancar a perfusão, sentindo instintivamente que aquilo estava me matando. O guarda me impediu, apavorado, e começou a gritar pedindo ajuda. Primeiro chegou Monster, correndo. Tentou me segurar dentro da rede e então, sentindo que meu corpo fugia em disparada, saiu em pânico pela trilha pela qual viera.

William chegou e imediatamente tirou a sonda. Eu os ouvira discutir asperamente. As convulsões cessaram. Ele me enrolou num cobertor e eu dormi sonhando que era uma luva velha.

A perfusão estabilizou afinal o meu estado. William veio me ver muitas vezes. Fazia massagens nas minhas costas, falava nos meus filhos, "eles estão te esperando, precisam de você", e me dava caldo de peixe de colher, "uma colher para a sua mãe, uma para a sua filha, uma para o Lorenzo, uma para a Pom...". Parava por aí, sabendo que eu recusaria o resto, e voltava mais tarde para tentar a sorte. Eu lhe agradeci. Ele ficou bravo.

— Não tem por que me agradecer. Esses monstros deixaram eu cuidar de você porque precisam de uma prova de sobrevivência.

77. Terceira prova de sobrevivência

Outubro de 2007

Essa notícia me abalou. Em meio a uma espiral depressiva, eu relia as cartas de Marc. No mais, passava o tempo declamando para mim mesma poemas que sempre guardei na memória: "*Je suis le Ténébreux, le veuf, l'inconsolé...*".* Mastigava as palavras como se fossem o melhor dos alimentos. "*Porque después de todo he comprendido, que lo que el árbol tiene de florido, vive de lo que tiene sepultado.*"**

Eu via meu pai, de pé, um dedo erguido, declamando os versos com os quais me vestia para a vida. Em minhas palavras, era a sua voz que eu ouvia. Voltei ainda mais longe em minhas lembranças. Eu o vi junto de mim, murmurando em meu ouvido: "Não há silêncio que não termine". Eu repetia com ele, espantando meus medos com a encantação vitoriosa de Pablo Neruda sobre a morte.

Este mergulho no passado me trouxe um vigor inesperado. Não foram as perfusões que me curaram. Foram as palavras! Eu reencontrava a mim mesma, no meu jardim secreto, e o mundo que eu vislumbrava pela escotilha de minha indiferença me parecia menos insano.

---

* "Sou o Tenebroso, o viúvo, o inconsolado...", verso inicial do poema "El desdichado" (in *Les Chimères*, 1854), do poeta francês Gérard de Nerval (1808-55). (N. T.)
** Composição do poeta argentino Francisco Luis Bernárdez: "Porque depois de tudo compreendi/ que aquilo que a árvore tem de florido/ vive daquilo que guarda sepultado".

Quando Enrique apareceu, numa manhã do final de outubro, eu já estava sentada no meu banco. Ao vê-lo, a náusea voltou a se agarrar, feito um gato, na minha garganta.

— Trago uma boa notícia! — ele gritou, de longe.

Queria ser cega e surda. Ele se acercou, se fazendo de traquinas, se escondendo atrás de uma árvore e me fazendo sinais. Consolacion o olhava divertida, soltando gritinhos ante as gracinhas do chefe.

— Meu Deus, me perdoe, mas eu odeio este homem — murmurei, fitando a ponta de minhas botas impecavelmente limpas.

Ele continuou a bancar o engraçadinho, sentindo-se mais e mais ridículo. Teve de render-se à obviedade de que não conseguiria nada de mim, e acabou se postando à minha frente, desconcertado.

— Trago uma boa notícia — repetiu, não querendo se desdizer. — Você vai poder mandar uma mensagem para sua família — prosseguiu, sondando minha reação.

— Não tenho mensagem nenhuma para mandar — respondi com firmeza.

Eu tinha tido tempo para pensar bem. A única coisa que me interessava era escrever uma carta para a minha mãe, uma carta só para ela, uma espécie de testamento. Não queria participar do circo em que as Farc tentavam me envolver.

Tinham chegado aos meus ouvidos, é claro, os esforços realizados pelo presidente Hugo Chávez para nos libertar. Ele estava tentando vender às Farc a ideia de que nossa libertação poderia lhes trazer vantagens no âmbito político. Uribe também o ouvira. Ele era o único que podia falar com as Farc, decerto porque Marulanda via nele um possível aliado depois de Chávez ter proclamado que era, também ele, um revolucionário. Chávez tinha também a vantagem de ser amigo de Uribe.

De início, Uribe apostara no fracasso de Chávez e lhe dera rédeas soltas para tratar com as Farc. Julguei que Uribe, como eu, estivesse convencido de que as Farc jamais cederiam. Queriam, a um só tempo, nos colocar na vitrine e ficar com a mercadoria. Uribe provavelmente queria mostrar ao mundo que a organização não buscava a paz e não tinha, portanto, nenhum interesse em nos soltar.

Chávez, porém, foi rápido. Já tinha se reunido com os delegados das Farc, recebera uma carta de Marulanda e até anunciara que o Secretariado ia lhe entregar provas de sobrevivência que ele pretendia repassar ao presidente Sarkozy quando de sua viagem à França, prevista para o final de novembro. Eu não acreditava na possibilidade de um final feliz para nós, aquilo não passava de uma encenação destinada a promover as Farc.

Não queria tomar parte naquela horrível maquinação. Minha família já sofria demais. Meus filhos tinham crescido em meio à angústia e chegado à idade adulta acorrentados, como eu, à incerteza. Eu fizera as pazes com Deus. Sentia que encontrava uma espécie de paz em meu sofrimento ao aceitar o que acontecia comigo. Eu odiava Enrique mas, de algum modo, sabia que poderia deixar de odiá-lo. Quando Enrique me encarou dizendo "você sabe que posso, de qualquer forma, conseguir esta prova de sobrevivência", tive a sensação imediata de que ele já perdera a parada. Senti pena dele. Claro que ele conseguiria a prova, mas para mim era indiferente. Nisso residia a minha força. Ele não tinha mais poder sobre mim porque eu já aceitava a possibilidade de morrer. A vida inteira eu julgara ser eterna. Minha eternidade acabava ali, naquele buraco imundo, e a presença daquela morte próxima me enchia de uma quietude que me deleitava. Não precisava mais de nada, não desejava nada. Estava com a alma desnudada: não tinha mais medo de Enrique.

Tendo perdido toda a minha liberdade e, com ela, tudo o que era importante para mim; afastada à força de meus filhos, de minha mãe, de minha vida e de meus sonhos; o pescoço acorrentado a uma árvore, sem poder me mexer, levantar, sentar, sem o direito de falar ou calar, comer e beber, ou mesmo satisfazer livremente as mais elementares necessidades de meu corpo; naquele estado de mais infame humilhação, eu ainda conservava a mais preciosa liberdade, que ninguém jamais poderia me tirar: a liberdade de decidir quem *eu queria ser*.

Ali, naquele momento, muito naturalmente, decidi que deixaria de ser uma vítima. Eu tinha a liberdade de optar entre odiar Enrique ou dissolver aquele ódio na força de ser quem eu queria ser. Arriscava-me a morrer, sem dúvida, mas eu já estava além. Eu era uma sobrevivente.

Quando Enrique se foi, estava satisfeito, e eu também. Eu ia escrever uma carta para a minha mãe. Encerrei-me num isolamento. Sabia que só teria aquele dia para escrever. Dispus as folhas de papel, que Consolacion se apressara em trazer, sobre a mesinha que iria me servir de escrivaninha. Queria que minhas palavras fizessem minha mãe viajar até onde eu estava, que ela me sentisse e me respirasse. Queria dizer, pois ela não sabia, que podia ouvir suas mensagens. E queria que meus filhos falassem comigo. Queria, enfim, prepará-los, como eu estava preparada. Queria devolver-lhes a liberdade e lhes dar asas para a vida.

Dispunha de pouco tempo para retomar uma comunicação interrompida havia seis anos. Só tinha direito ao essencial. Mas sabia que eles me sentiriam em cada palavra, em todos os nossos códigos afetivos, que poderiam sentir o cheiro de minha pele no traçado da minha escrita, e o som de minha voz no ritmo de minhas frases.

Foi um monólogo ininterrupto de oito horas. Os guardas não se atreveram a me incomodar, e a tigela permaneceu o dia inteiro vazia ao meu lado. Minha mão me transportara por milhares de palavras com uma rapidez fulgurante, acompanhando meu pensamento a milhares de quilômetros.

Quando Enrique apareceu para buscar a carta, eu não tinha concluído minha longa lista de abraços a enviar. Ele saiu praguejando, exasperado, mas eu obtive mais uma hora para me despedir. Foi dilacerante. Eu acabava de passar o dia com os meus e não queria mais deixá-los.

Ele voltou no momento em que eu assinava, e pegou a carta com uma cobiça impaciente que me deixou constrangida. Sentia-me nua naquelas folhas que ele enfiava no bolso. Arrependi-me de não ter confeccionado um envelope.

— Você está em muito boa forma — disse ele.

Estava zombando. Eu não o escutava mais, estava cansada, queria ir para baixo do meu mosquiteiro.

— Espere, não acabou. Preciso filmar você.

— Não quero que você me filme — disse, surpresa e exausta. — O combinado foi eu escrever uma carta, mais nada.

— Os comandantes aceitam a carta, mas eles também querem imagens.

Pegou sua câmera digital e apontou-a para mim. O botão vermelho acendeu e tornou a apagar.

— Vamos, diga alguma coisa. Dê um alô para sua mãe.

O botão vermelho acendeu de vez. Aquela prova de sobrevivência era mais uma violação. A carta jamais chegaria às mãos de minha mãe. Enrijeci-me no meu banco. "Senhor, sabes que esta prova de vida será contra a minha vontade. Seja feita a tua vontade", supliquei em silêncio, contendo as lágrimas. Não, eu não queria que meus filhos me vissem daquele jeito.

Antes de sair, Enrique deixou o meu caderno — o que eles tinham confiscado na última revista — em cima da mesa. Não tive energias para me alegrar.

Fiquei surpresa quando, três semanas depois, o rádio anunciou que Chávez não entregara a Sarkozy as provas de sobrevivência. Estaria Mono Jojoy fazendo uma jogada, para ver fracassar uma mediação na qual eu própria, sem querer, começava a acreditar? Sarkozy transformara o caso dos reféns colombianos num desafio mundial. Desde sua eleição, trabalhara incansavelmente para que as negociações com as Farc avançassem. Se Marulanda tinha anunciado provas de sobrevivência, se elas tinham sido colhidas a tempo, por que Chávez não as obtivera? Será que existia alguma guerra latente dentro das Farc, entre uma ala militarista e uma facção mais política? Eu e Willie conversamos sobre o assunto. Eu sabia que era a tática dele para me obrigar a me envolver nas coisas do mundo. Ele vinha dando mostras de impecável persistência, acompanhando, hora a hora, minha recuperação. Obtivera da guerrilha que me mandassem cápsulas fortificantes e se instalara junto de mim para garantir que eu as tomasse na hora das refeições.

Mas nós falávamos principalmente de meus filhos e minha mãe. Todo dia ele perguntava se eu tinha ouvido as mensagens, e eu lhe agradecia por repeti-las para mim, pois era um prazer conversar sobre eles.

— E você, por que não recebe nenhuma mensagem?

— É difícil para a minha mãe, ela está sempre trabalhando.

Ele se fechava feito ostra, evitando qualquer assunto pessoal. Um dia, porém, veio sentar-se do meu lado com a intenção de falar sobre o seu mundo perdido.

Eu quis saber mais sobre o pai dele. Ele não quis falar a respeito. Como que para se justificar, disse afinal:

— Me dói demais falar sobre isso. Acho que ainda sinto raiva por ele ter ido embora, mas é cada vez menos. Queria muito dar um abraço nele, dizer que o amo.

No dia seguinte, no programa de rádio, a mãe dele mandou uma mensagem. Tive um sobressalto quando a anunciaram, sabendo da alegria que ele sentiria ao ouvi-la, e prestei atenção.

Era a voz de uma mulher muito triste, carregando nos ombros um fardo demasiado pesado.

— Filho — disse ela —, o seu pai morreu. Reze por ele.

Willie apareceu, como fazia todo dia. Permanecemos muito tempo lado a lado em silêncio. Não havia nada a dizer. Eu nem me atrevia a olhar para ele, de medo que sentisse vergonha de suas lágrimas. Disse por fim, baixinho:

— Fale-me sobre ele.

Deixamos o acampamento pouco tempo depois. Eu não conseguia carregar minha mochila. Meus pertences foram repartidos entre os guerrilheiros. Eu sabia que não teria nem a metade deles de volta. Pouco me importava. Eu tinha a minha Bíblia e as cartas comigo.

Foi quando o rádio anunciou que o Exército tinha se apoderado de vídeos que alguns milicianos guardavam escondidos num bairro da zona sul de Bogotá. Eram as provas de sobrevivência que Chávez jamais recebera. A mediação de Chávez acabava de ser suspensa depois de uma confrontação virulenta entre ele e Uribe. Minha mãe chorava no rádio. Sabia que havia uma carta que eu tinha escrito para ela, que alguns excertos foram publicados na imprensa, mas que as autoridades se negavam a lhe entregar. Também tinham sido apreendidas as imagens gravadas por Enrique.

Soube que Lucho e Marc tinham tido a mesma atitude que eu, negando-se a falar diante da câmera de Enrique. Marc também escrevera uma carta a Marulanda, que foi encontrada junto com a prova de sobrevivência. Nela, pedia para ficarmos juntos. Sem saber, tínhamos lutado da mesma maneira. Senti um apaziguamento muito grande. Estávamos ligados por aquele gesto de protesto, unidos contra todas as forças que procuravam destruir nossa amizade.

Algo aconteceu com a descoberta daquelas provas de sobrevivência que vinham revelar nosso estado físico e mental. Pela primeira vez depois de tantos anos, algo mudou nos corações. As demonstrações de compaixão e solidariedade se multiplicavam por toda parte.

O presidente Sarkozy enviou uma dura mensagem televisiva a Manuel Marulanda: "[...] uma mulher em perigo de morte precisa ser salva [...]. O senhor tem uma grande responsabilidade, e peço-lhe que a assuma", declarou. "É o fim do pesadelo", pensei. Fui dormir feliz, como se a infelicidade já não pudesse mais me atingir. As palavras dos outros tinham me curado. No dia seguinte, pela primeira vez depois de seis meses, senti fome.

Era dia 8 de dezembro, dia da Virgem Maria. Senti uma necessidade premente de ouvir a música lá de fora. Estava novamente com sede de viver. Tive o prazer de escutar, por acaso, uma reprise das melhores músicas do Led Zeppelin, e chorei de gratidão. "Stairway to heaven" era o meu hino à vida. Ouvi-la me fez lembrar que eu tinha sido criada para ser feliz. Entre os que me eram próximos, quem quisesse me agradar me dava um disco do Led Zeppelin de presente. Eu tinha todos. Tinham sido o meu tesouro no tempo em que se ouvia música em discos de vinil.

Sabia que, entre os fãs, era malvisto gostar de "Stairway to heaven". Tinha se tornado demasiado popular. Os entendidos não podiam partilhar os gostos das massas. Mas nunca reneguei meus primeiros amores. Desde os catorze anos, tinha certeza de que aquela música havia sido composta para mim. Quando tornei a ouvi-la naquela selva impenetrável, chorei ao redescobrir a promessa que desde muito ela me trazia:

And a new day will dawn
for those who stand long.
*And the forest will echo with laughter.**

---

* Um novo dia há de raiar/ para aqueles que esperam há muito tempo./ E as florestas vão ressoar com risos.

78. A libertação de Lucho

Nosso novo acampamento era provisório. Chíqui já avisara que teríamos de marchar no Ano-Novo. Pela manhã, houve uma movimentação no acampamento, mas visivelmente não se tratava de mais uma partida: as barracas dos guerrilheiros não tinham sido desmontadas.

Por volta das onze horas, apareceram as mulheres. Vinham com pratos de papelão cheios de arroz com galinha, lindamente enfeitado com maionese e molho de tomate. Não tinha visto nada parecido desde o início de meu cativeiro. Em seguida depositaram, no centro de uma mesa fabricada no dia anterior, um enorme peixe assado em folhas de bananeira. Contemplei, totalmente desconcertada, aquela exibição de iguarias.

As guerrilheiras me chamaram e se acercaram com sacos cheios de presentes. Meus companheiros soltaram gritos de alegria ante aquele Natal inesperado. Uma preocupação imensa tomou conta de mim. Percorri instintivamente os arredores com o olhar, sabendo que as guerrilheiras estavam prestes a me abraçar e que aquilo certamente tinha um preço. Então o avistei, camuflado no meio do mato. Mais uma vez, foi traído pelo botão vermelho. Enrique estava de pé, filmando à nossa revelia com sua pequena câmera digital. Dei meia-volta e fui me refugiar debaixo do meu mosquiteiro, negando-me a abrir o pacote que as mulheres, resignadas, acabaram deixando a um canto de minha *caleta*.

Liguei o rádio, furiosa, para fugir da vergonhosa encenação preparada por

Enrique. Estava certa de que aquelas novas tomadas de Enrique tinham por único objetivo melhorar a imagem das Farc, muito abalada pela descoberta de nossas provas de sobrevivência. Estava neste ponto de minhas reflexões quando a voz do jornalista me trouxe bruscamente de volta ao momento presente: as Farc haviam anunciado a libertação de três reféns. Consuelo, Clara e Emmanuel iam ser libertados. Pulei da rede e corri até os meus companheiros. A notícia foi recebida entre abraços e sorrisos. Armando se aproximou, fanfarrão: "Os próximos seremos nós!". Fui tomada por uma onda de bem-estar. "É o começo do fim", pensei, imaginando a felicidade de Clara e Consuelo. Entre prisioneiros, sempre existiu a tese de que se um de nós saísse, ou outros também sairiam.

Pinchao tinha aberto o caminho. Seu êxito ressoara em cada um de nós como um sinal. Nossa vez não iria tardar. No dia seguinte, partimos rio abaixo. Foi erguido um acampamento improvisado, com as barracas armadas em cachos de uva, indicando o começo da marcha. Guerrilheiros que há muito tempo eu não via passaram por nós carregando um pau grande no ombro.

— Veja — disse William —, são os guardas do outro grupo. Eles devem estar bem próximos.

O Natal chegou em meio à esperança de cruzar com eles. O dia havia sido quente. Enquanto voltávamos do banho, subindo uma ladeira íngreme e nos segurando nas raízes das árvores, uma tempestade diluviana sacudiu a floresta e nos atingiu antes de conseguirmos chegar às *caletas*. O vento furioso tinha arrancado tudo e a chuva, açoitando de viés, deixara tudo encharcado. Quase me esqueci do meu aniversário. Passei a noite imaginando o que meus filhos estariam fazendo. Ouvi a mensagem deles, ao lado do pai, me desejando um feliz aniversário.

Estava em paz por saber que estavam juntos. Sabia que tinham lido minha carta e sentia que algo fundamental acontecera. Eles tinham ouvido a minha voz interior. Havia, nas palavras deles, leveza e esperança. As feridas começavam a cicatrizar.

Sentia também que as asas de Sébastien, Mélanie e Lorenzo cresciam na certeza de meu amor por eles. Tanto Astrid como minha mãe eram firmes como a rocha, e me passavam coragem pela tenacidade de sua fé. Astrid repetia: "Como dizia Pap, armas com discrição, ao passo dos vencedores", e sabia que com isso fazia maravilhas dentro de mim. E gostei de imaginar que se Fabrice estivesse ali comigo, carregaria minha mochila e me daria a mão sem nunca soltar.

No dia seguinte ao Natal de 2007, recomeçamos a andar. Eu não levava praticamente nada na mochila, e surpreendeu-me a fraqueza de minhas pernas. Meus músculos tinham se desmanchado e eu tremia a cada passo que dava.

Willie, desde o começo, permaneceu muito atento. Ajudou-me a desmontar a barraca, a fechar meu *equipo*. Abotoou meu casaco até o pescoço, puxou meu chapéu até as orelhas, enfiou minhas luvas e me pôs uma garrafa de água na mão.

— Beba o quanto puder — ordenou como médico.

Ele saiu com o grupo, depois de mim, mas foi o primeiro a chegar no local do novo acampamento.

Quando cheguei, estava tudo pronto me esperando. Ele tinha recuperado os pertences que uns e outros levavam para mim, montara minha barraca e instalara minha rede. Cheguei ao cair da tarde, muito cansada.

Dormi com um olho aberto, nervosa à ideia da marcha do dia seguinte, e comecei a arrumar minhas coisas antes de os guardas chamarem, para já não ter nada a fazer quando o rádio transmitisse minha mãe. Minha irmã estava lá. Eu gostava das mensagens de Astrid. Seu julgamento, como o de meu pai, era sempre perspicaz. "Já faz muitos anos que ela não tem Natal, nem Ano-Novo, nem aniversário", pensei, o coração apertado. Ela e minha mãe tinham pedido ao presidente Uribe que tornasse a aceitar a mediação de Chávez junto às Farc. Armando também ouviu a mensagem delas, assim como a da mãe dele, que ligava todo dia.

— Elas estão otimistas, os próximos seremos nós, você vai ver!

Eu o abracei, nostálgica. Não tinha tanta certeza.

A marcha foi suspensa no dia 31 de dezembro. O Ano-Novo era a única festa que as Farc se permitiam. Chegamos a um lugar maravilhoso, com uma torrente de água cristalina que serpenteava serenamente entre árvores imensas. Estávamos a um dia de distância do outro grupo. Meus companheiros encontraram pertences de Lucho, Marc e Berneo no espaço que íamos reutilizar para montar nossas redes e barracas. William estava contente, Monster lhe dera um bom lugar para a sua *caleta*, à beira do córrego. Fui ter com ele, hesitante. Sabia que ele não gostava muito dos rituais que nos ligavam ao mundo externo.

— William, queria te pedir um favor.

Ele ergueu os olhos, divertido.

— Estou sem tempo — respondeu brincando.

— É o seguinte: é o aniversário da minha mãe. Eu queria comemorar de alguma maneira. Pensei em cantar "Parabéns", mas acho que as ondas chegam até ela com mais força se cantarmos em vários. Na verdade, não tenho vontade de cantar sozinha.

— Você quer que eu dê uma de palhaço para te agradar? — ele exclamou sem entusiasmo. — Está bem, pode começar.

Cantamos, baixinho, e achamos muita graça, como duas crianças fazendo uma travessura. Ele então pegou um pacotinho de biscoitos que ele guardara do Natal de mentira de Enrique e brincamos de comidinha, fazendo de conta que cortávamos o bolo.

— Hoje é o último dia do ano — disse eu. — Vamos fazer uma lista das coisas boas que nos aconteceram este ano e agradecer aos céus.

Sorri. Na selva, eu já não rezava pelo que esperava receber do ano seguinte, e sim por aquilo que já recebera.

— Não. Eu não falo mais com Deus — disse Willie. — Estou bravo com ele, e ele comigo. Eu sou cristão, entende? Fui criado na maior disciplina e exigência moral. Não posso falar com ele sem estar em regra.

— Encare como uma questão de educação. Se alguém faz alguma coisa por você, você agradece.

Willie se fechou feito ostra. Eu acabava de invadir uma zona proibida. Retrocedi.

— Bem, a gente só faz a lista. Veja bem, a gente tem a liberdade do Pinchao, a libertação da Consuelo, da Clara, do Emmanuel.

— E a libertação dos deputados do Valle del Cauca — ele respondeu com amargura.

Eu sabia que ele mencionava a desgraça deles para não falar na sua própria. Então, como quem volta de longe, ele disse:

— Este é um lugar muito bonito. É uma sorte esperar pelo Ano-Novo aqui. Vamos chamar este lugar de "*Caño bonito*".

A marcha que se seguiu foi um calvário. Tivemos de escalar os flancos de uma alta montanha, dormindo várias noites em suas encostas, agarrados à terra como piolhos. Lavamo-nos numa torrente que caía lá do alto, quicando em pedras enormes polidas pela correnteza. A água era gelada, e o céu, sempre cinzento. Tive vertigem ao olhar para baixo. "Se escorregar, eu morro."

Depois, atravessamos um planalto que eu reconheci: as rochas de granito, o chão de ardósia, o mato de arbustos espinhosos e as pirâmides de pedra negra. Meus companheiros acabavam de passar por ali, pisando o mesmo chão, os mesmos lugares, e eu olhava o solo na esperança de que tivessem deixado um sinal para mim.

Ao chegar ao pé da montanha, próximo a um grande rio, a caravana que formávamos estacou de repente. Um dos guerrilheiros tinha tropeçado num estranho instrumento, fincado no chão bem no meio da trilha por onde estávamos passando.

A haste metálica era a parte visível de um sistema sofisticado, enterrado a um metro de profundidade. Aparentemente, havia uma pilha conectada a um painel solar situado em algum ponto no meio das árvores, uma câmera e uma antena. O conjunto estava dentro de uma caixa metálica que a guerrilha, num primeiro momento, julgou ser uma bomba.

Enrique mandou desenterrar tudo com a maior cautela, e enfileirar cuidadosamente o material sobre um plástico imenso. Os elementos apresentavam inscrições em inglês. Ele julgou necessário mandar chamar um tradutor para decifrá-las.

Quem sabe o tradutor fosse Marc! Ao ir até o rio buscar água, seria possível avistá-lo. Foi Keith, porém, o encarregado da missão. Passou horas, com Enrique, revisando todos os aparelhos. A informação chegou quase instantaneamente até nós. Tratava-se de um material americano usado pelo Exército colombiano. A câmera servia para enviar imagens via satélite. O sistema era dotado de um sensor que ligava a câmera ao detectar vibrações no solo. Se algum animal ou pessoa andasse naquela trilha, era acionada a tomada de imagens. De modo que alguém, nos Estados Unidos ou na Colômbia, tinha nos visto, em tempo real, passando por ali.

Minha alegria foi imensa. Não porque o Exército colombiano talvez nos tivesse localizado, mas porque meus amigos estavam a apenas poucos metros dali e talvez pudéssemos ficar juntos novamente.

Meus camaradas, os soldados colombianos, estavam, quanto a eles, furiosos. Percebi que parlamentavam, cochichando de costas para os guardas, visivelmente exasperados.

— O que foi? — perguntei a Armando.

— Isso é traição. Essa informação não podia ter chegado ao inimigo — disse ele num tom militar, o cenho franzido.

Mandaram-nos descer até o rio. Na outra margem, a uns duzentos metros de distância, avistamos os companheiros do outro grupo tomando banho. Acenei para eles. Não responderam. Talvez não tivessem me visto. A margem era desimpedida daquele lado, mas não do nosso. Ou talvez um guarda mais difícil estivesse vigiando.

No início da tarde, chegamos a um antigo acampamento das Farc debaixo de uma chuva torrencial, como náufragos. Enrique, o magnânimo, mandou abrir uns engradados de cerveja deixados no acampamento abandonado. Enquanto esperava que dessem a ordem de montar as barracas, liguei o rádio. A transmissão estava péssima, mas me grudei no aparelho com a esperança de acompanhar os detalhes da libertação de Clara. Meus camaradas fizeram o mesmo. A transmissão foi longa, e bem depois que terminamos de instalar o acampamento, ainda pudemos ouvir as declarações de um Chávez satisfeito.

"Haverá outras libertações", ele anunciou.

"Mas ainda não será a minha", suspirei, enquanto escutava um comunicado de imprensa em que Sarkozy elogiava as grandes mobilizações, na França e na América do Sul, e pedia perseverança.

Para onde estávamos indo? Para lugar nenhum, provavelmente. Minha impressão era de que tínhamos passado semanas andando em círculos. Caminhávamos feito almas penadas naquela selva indomável, sempre prestes a morrer de fome.

Chegamos, depois de um mês, a um acampamento já existente. Não o reconheci de imediato, pois entramos pelos fundos. Foi só quando vi a *cancha* de vôlei que entendi que estávamos de volta ao acampamento em que passáramos o Natal do ano anterior, onde Katerina tinha dançado *cumbia*.

Estava tudo apodrecido. Minha *caleta* estava tomada de formigas e cupins. Achei um frasco que eu tinha deixado para trás e um grampo de cabelo que tinha perdido. Deram ordem para montarmos as barracas enfileiradas no campo de vôlei.

Armando me chamou aos gritos.

— Veja, seus amigos estão aí.

De fato, atrás de uma fileira de arbustos, a cinquenta metros de nós, o grupo de Lucho e Marc também tinha erguido acampamento. Lucho estava de pé, fazendo sinais para nós. Não vi Marc.

Quando veio a ordem de nos prepararmos para o banho, fiquei pronta em seguida. Para ir até o rio, teríamos de passar bem perto das barracas deles. Estava emocionadíssima à simples ideia de conseguir cumprimentá-los. Marc e Lucho esperavam por nós na entrada da trilha, braços cruzados, lábios cerrados. Passei na frente deles, com meu traje de banho mais remendado que antes. Minha alegria deu lugar ao constrangimento. Vi nos olhos deles o horror de me ver no estado em que me encontrava, com o qual eu não me preocupara, mesmo porque não tinha espelho. Logo fiquei sem jeito ao ser observada daquela maneira, até porque eles, por sua vez, pareciam estar em melhor forma, mais musculosos, e aquilo curiosamente me doeu.

Vim andando sem pressa na volta do banho. Não estavam mais lá. Vi o guarda deles tratando de distribuir a refeição da noite. Era sábado, voltei para a minha *caleta*, me organizando mentalmente para escutar as mensagens a partir da meia-noite. Verifiquei que o alarme do meu relógio estava ligado e me acomodei para passar a noite.

Já tinha escutado as mensagens da minha família quando o rádio interrompeu a programação para anunciar uma notícia importantíssima de última hora:

"As Farc anunciam para breve a libertação de três reféns."

Dei um salto, grudada no rádio, segurando a respiração, acabavam de proferir o nome de Lucho.

Consegui conter um grito que me ficou atravessado na garganta. Ajoelhei-me, corrente no pescoço, agradecendo aos céus entre dois soluços. Minha cabeça girava com o impacto da emoção. "Meu Deus, será que escutei direito?" O silêncio à minha volta me desconcertou: "Quem sabe escutei errado?". Todos os meus companheiros deviam ter ouvido a mesma coisa. Não houve, porém, nenhum movimento, nenhum ruído, nenhuma voz, nenhuma emoção. Esperei, tremendo de impaciência, que repetissem a notícia. Lucho, Gloria e Orlando iam de fato ser libertados.

Pulei para fora da barraca aos primeiros clarões da aurora. Ainda presa à corrente, busquei com os olhos o lugar onde tinha avistado Lucho no dia anterior. Ele estava ali, me esperando.

— Lucho, você está livre — gritei quando o vi.

Pulei, me arriscando a arrancar o pescoço fora, para melhor enxergá-lo:

— Lucho, você está livre — gritei, chorando, indiferente às repreensões dos guardas e aos murmúrios de meus companheiros, irritados com uma felicidade que não podiam partilhar.

Lucho fez que não com o dedo, a mão diante da boca, chorando.

— É sim, é sim! — retruquei, teimosa, com amplos movimentos de cabeça.

O quê? Seria possível que ele não estivesse sabendo? Gritei com mais força:

— Você não ouviu o rádio ontem à noite? — berrei, acompanhando minhas palavras com gestos passíveis de ilustrar minha pergunta.

Ele fez que sim com a cabeça, rindo e chorando ao mesmo tempo.

Os guardas estavam fora de si. Pipiolo me insultou e Oswald saiu em disparada na direção da cabana dos comandantes. Asprilla chegou correndo, disse alguma coisa a Lucho enquanto lhe dava uns tapinhas nas costas e veio até mim: "Calma, Ingrid. Não se preocupe, a gente vai deixar ele se despedir de você". Compreendi que iriam separar Lucho do grupo nas próximas horas. "Não vão deixar eu falar com ele", pensei.

Veio a ordem de transferirmos nossas barracas para o local de nosso antigo acampamento. De lá, eu não tinha como avistar Lucho. Mas, na pressa de nos proibir todo tipo de comunicação, eles desconheceram o fato de que os *chontos* usados pelo outro grupo ficavam a poucos passos de nossas barracas. Era constrangedor para eles, mas ninguém tinha reclamado. Marc foi o primeiro a perceber e se aproximar. Falamo-nos através de sinais e ele prometeu que iria buscar Lucho.

Lucho chegou, muito tenso. Conversamos sem transpor a distância de dez metros que nos separava, como se uma muralha se erguesse entre nós. Seguindo um impulso, virei-me para o guarda, o mesmo que eu agarrara no pescoço para revidar sua grosseria.

— Pode ir — disse ele. — Tem cinco minutos.

Corri para Lucho e nos abraçamos com força.

— Eu não vou sem você!

— Vai, sim, você tem que ir. Tem que contar ao mundo tudo que estamos passando.

— Não vou conseguir.

— Vai, sim. Você tem que conseguir.

E, tirando o cinto que estava usando, acrescentei:

— Quero que entregue isso para a Mélanie.

Apertamos as mãos em silêncio, o único luxo que podíamos nos permitir. Tinha tanta coisa para lhe dizer! Sentindo que o fim se aproximava, quis lhe arrancar uma última promessa.

— Pode pedir o que quiser.

— Lucho, me prometa que vai ser feliz. Não quero que estrague a alegria de sua libertação ficando triste por minha causa. Quero que você jure que vai abraçar a vida com tudo.

— O que eu juro é que, na minha vida nova, não vou deixar um segundo sequer de trabalhar pela sua volta!

A voz do guarda nos trouxe de volta à realidade. Jogamo-nos mais uma vez nos braços um do outro, e senti lágrimas me escorrendo pelo rosto, sem saber direito se eram minhas ou dele. Observei-o se afastar, curvado, passos pesados. No seu acampamento, começavam a desmontar as barracas. Eles foram evacuados naquele mesmo dia.

Não vimos mais os membros do outro grupo. Contudo, imaginava que não deviam estar muito longe. Em 27 de fevereiro, três semanas após nossa despedida, Luis Eladio aterrissou no aeroporto de Maiquetía, em terras venezuelanas, junto com Gloria, Jorge e Orlando. Sua libertação representou um incontestável êxito diplomático para o presidente Chávez.

Escutávamos a transmissão, acorrentados, encolhidos debaixo dos mosquiteiros, tentando imaginar o que não podíamos ver. Deviam ser umas seis horas da tarde, o céu do crepúsculo devia estar refrescando o ar pegajoso de Caracas. O canto das cigarras conseguia sobrepujar o barulho das turbinas do avião, que eu imaginava ser grande. Ou era em volta da minha *caleta* que cantavam as cigarras?

A voz de Lucho estava cheia de luz. Ele tinha se fortalecido nas semanas que antecederam sua libertação. Suas palavras estavam claras, e suas ideias, precisas. Que sentimentos estaria experimentando? Ele voltara para o mundo. Para ele, tudo aquilo que eu estava vivendo agora pertencia ao passado, como por um passe de mágica, um estalar de dedos. Esta noite, ele teria de apagar a luz apertando um botão, teria lençóis limpos numa cama de verdade, água quente ao abrir a torneira. Será que se deixaria tragar por aquele mundo novo, ao redescobrir os reflexos de uma vida inteira? Ou faria uma pausa ao acender a luz pensando nisso, iria deitar pensando nisso, escolher seu jantar lembrando disso? "Sim, na hora de jantar ele vai voltar para cá por alguns instantes."

Armando gritou do seu *cambuche*:

— Os próximos seremos nós!

A voz dele me doeu. Não, eu não. Eu não estaria na lista das libertações das Farc. Disso eu tinha certeza.

79. A discórdia

Março-abril de 2008

A marcha se estendeu sem objetivo. Passamos alguns dias dormindo num leito de granito à beira de um rio preguiçoso, assediados pelas moscas que espedaçavam os restos fétidos de peixes caídos entre as rochas com a descida das águas. Depois, nos transportaram para a outra margem.

— Eles vão trazer mantimentos — explicou Chíqui, apontando o queixo para Monster e mais dois rapazes que estavam indo embora com *equipos* vazios.

Ficamos esperando. Eles nos autorizaram a pescar com anzóis que recolhiam ao cair da tarde. Isso incrementou nossas rações.

Uma noite, Chíqui veio avisar para arrumarmos tudo, pois iríamos embora assim que o *bongo* atracasse. Fizemos uma breve travessia, um salto minúsculo, e passamos o resto da noite numa margem lamacenta. Pela manhã, recebemos a ordem de nos esconder no mato, proibição de falar, ligar o rádio e montar barraca. Ao meio-dia, vimos passar os companheiros do outro grupo, em fila indiana atrás de Enrique. No pescoço levavam, feito cachorros, uma coleira que um guarda andando atrás deles segurava, enquanto apontava o fuzil para eles.

Não conseguia me acostumar à visão de uma corrente no pescoço de um homem. Meus companheiros passaram rente, quase tropeçando em nós, não quiseram nos dirigir a palavra nem sequer olhar para nós. Marc passou, levantei-me para olhar para ele na esperança de que voltaria a cabeça. Ele não o fez.

Eu fingia não estar interessada.

Tivemos de segui-los. Também em silêncio, e também levados por uma coleira. Monster acabava de ser morto por uma patrulha do Exército. Um dos rapazes conseguira fugir e lançar o alerta. Estávamos cercados pelos militares.

A fuga foi extenuante. Para despistá-los, Enrique ordenou que andássemos *en cortina*, ou seja, não caminhávamos mais em fila indiana, um atrás do outro, e sim avançando lado a lado numa linha de frente de uma só fileira.

Cada qual tinha então que abrir seu próprio caminho em meio à vegetação, cuidando para não quebrar nenhum galho ou amassar as folhagens. Era uma luta corpo a corpo contra a natureza. Cada um de nós tinha um guarda segurando-lhe a coleira. O meu se irritava comigo porque eu tendia a passar por onde já passara o meu colega do lado, de modo que ia ficando para trás, quebrando a continuidade da linha de frente.

Verdade é que eu atrasava o avanço de todos, talvez porque, mesmo inconscientemente, esperasse que o Exército nos alcançasse. Enquanto atravessava as paredes de espinhos, passava sobre os brancos cadáveres das dezenas de árvores calcinadas que nos barravam o caminho, buscava uma passagem em meio aos cipós e raízes de uma vegetação hostil, eu fantasiava o surgimento, diante de mim, de um comando de soldados com o rosto pintado de verde.

Eles nos atacariam, meu guarda ferido soltaria a minha corrente e eu iria correndo me abrigar junto deles. Eu sonhava com a liberdade. Com isso, acabava tropeçando, indo na direção errada, enroscava braços e pernas nos cipós, e o guarda ameaçava me enfiar uma bala na cabeça porque eu estava fazendo de propósito e estávamos todos assustados.

Eu rezava todo dia para aparecer uma operação militar de resgate, mesmo que fosse grande o risco de morrer. Não era só pela certeza de, acontecesse o que acontecesse, ser poupada pelas balas ("se não tinha morrido até o momento, não iria morrer logo agora"). Era mais forte que eu. Era no fundo, antes de mais nada, uma necessidade de justiça. O direito de ser defendida. A aspiração essencial à reconquista da própria dignidade. Mas não havia muito que eu pudesse fazer.

Aquela marcha, em meio a uma luta tenaz contra os elementos, com a corrente no pescoço, era ainda mais penosa e humilhante pelo fato de me obrigar a investir engenho e vontade para fugir do que eu mais queria, recobrar minha liberdade. Censurava-me por cada passo que eu dava.

Mais uma vez, transpusemos os limites da mata e deambulamos em terrenos de *fincas* imensas recentemente queimadas pelas tropas antidroga. Algumas cabeças de gado nos olhavam passar, assustadas, enquanto enchíamos os bolsos de goiabas e tangerinas colhidas em árvores frondosas poupadas pelo fogo. Então tornávamos a sumir sob a copa espessa da selva.

Numa tarde do mês de abril, quando chegamos junto a um grande rio de águas tranquilas e eu não queria nada da vida além de um banho e algum descanso, Chíqui veio até mim e me fez sair da fileira em que nos faziam esperar.

— Recebemos um comunicado do *Secretariado*. Deram ordem para te mudar de grupo.

Dei de ombros, sem de fato acreditar no que ele dizia.

— Arrume suas coisas, vamos efetuar a troca imediatamente.

Minutos depois, eu estava no chão, tomada de angústia, enfiando do jeito que dava meus poucos pertences na mochila.

— Não se preocupe — dissera William, de pé atrás de mim —, vou ajudar você.

Seguindo El Chíqui, atravessamos um pequeno córrego com o leito coberto de pedrinhas cor-de-rosa e escalamos sua margem em abrupto aclive. Camuflado entre as árvores, a cem metros de nós, o outro acampamento, já erguido para a noite, fervilhava de atividade. Enrique estava de pé, braços cruzados, olhar assassino.

— Lá! — resmungou ele, apontando a direção com o queixo.

Segui com os olhos sua indicação e vi as barracas de meus companheiros amontoadas uma sobre a outra. Eu tremia de impaciência à ideia de rever Marc.

A barraca dele era a primeira do alojamento. Já tinha me visto e estava parado, ereto, diante de sua *caleta*. Não se movia. Tinha uma pesada corrente em volta do pescoço. Adiantei-me. A alegria que eu sentia ao revê-lo era diferente do que eu havia imaginado. Era uma alegria triste, uma felicidade cansada de tantas provações. "Ele está em boa forma", pensei, observando-o mais de perto, como que justificando meu ressentimento.

Abraçamo-nos contidamente, nossas mãos se apertaram por um instante e se soltaram em seguida, como que intimidadas por reviver uma proximidade que nunca tínhamos tido.

— Lembrei muito de você.

— Eu também.

— Tive medo.

— Eu também.

— Agora a gente vai poder conversar.

— É, acho que sim — respondi, sem ter certeza.

O guarda atrás de mim se impacientou.

— Queria as minhas cartas de volta.

— Se quiser... E você me devolve as minhas?

— Não.

— Por quê?

— Porque quero ficar com elas também.

O pedido dele me surpreendeu. As cartas estavam no meu bolso. Bastava devolvê-las. Mas não fiz isso. "Amanhã a gente vê", pensei, sentindo que havia muito trabalho pela frente até reconstruirmos as pontes.

Meus companheiros prosseguiram suas atividades sem cerimônias. Cada qual se ocupava no seu canto, tomando o cuidado de não perturbar o vizinho e não mexer com as suscetibilidades.

Nos dias seguintes, retomei cautelosamente as conversas com Marc. Sentia uma alegria imensa em passar novamente alguns momentos com ele, mas tinha disciplinado minhas emoções e me obrigava a usar com parcimônia a liberdade que tinha de falar com ele.

— Sabe que o Monster morreu? — perguntei-lhe um dia, julgando que ele já não estava mais ali para nos prejudicar.

— Sim, me disseram.

— E então?

— Nada. E você?

— Isso mexeu comigo. Eu vi quando ele saiu do acampamento com o *equipo* vazio. Estava indo ao encontro da morte. Ninguém sabe o dia nem a hora. Todos os que nos perseguiram acabaram mal. Você sabia que o Sombra foi capturado?

— Sim, escutei no rádio. O Rogelio também morreu, na Macarena.

— O Rogelio? O nosso recepcionista na prisão de Sombra?

— É. Foi morto numa emboscada. Ele tinha se tornado particularmente cruel com a gente. E o que é feito da Shirley, a guerrilheira bonitinha que fazia as vezes de enfermeira e dentista do Sombra?

— Faz tempo que eu não a vejo. Está no grupo dos militares, com Romero e Rodriguez. Eles fazem parte da caravana que está na nossa frente. Ela agora está com o Arnoldo, aquele que ficou no lugar do Rogelio na prisão de Sombra.

O nosso mundo era aquele. Nossa sociedade, nossas referências, nossos conhecidos comuns eram os homens e mulheres que nos mantinham prisioneiros.

Com Marc, tomamos a resolução de recomeçar a fazer ginástica juntos. Estávamos sempre mudando de acampamento, mas já não era uma marcha contínua. Ficávamos duas semanas à proximidade de um córrego, três semanas à margem do rio, uma semana atrás de uma plantação de coca. Em cada lugar, dávamos um jeito de montar umas barras paralelas e fabricar halteres com pesos. Nossa rotina de exercícios tinha um objetivo definido, o de preparar a nossa fuga.

— Temos que fugir na direção do rio. Depois, ir para onde estão os helicópteros — dizia Marc com obstinação.

— Os helicópteros estão o tempo todo mudando de direção. Não dá para prever onde eles vão estar. Temos que fazer o que fez o Pinchao. Ir para o norte.

— Mas isso é loucura! A gente não vai ter mantimentos para chegar a Bogotá!

— Mais loucura ainda é achar que a gente consegue alcançar a base dos helicópteros. Essa base não é fixa, eles estão um dia aqui, outro acolá.

— Tudo bem — Marc acabava concordando —, a gente vai até o rio em direção aos helicópteros, e depois segue para o norte.

Mas o nosso plano de fuga enfrentava cada vez mais dificuldades.

A história das cartas que ele me pedia estava virando um sério motivo de tensão entre nós. Eu tentava evitar o assunto, mas ele sempre voltava a ele. Aos poucos, fui me distanciando, limitando nossos momentos juntos aos exercícios físicos. Ficava triste com isso, mas não via como sair daquela confrontação absurda.

Certa tarde, depois de uma discussão mais acalorada que de costume, um dos guardas veio falar comigo.

— Qual é o seu problema com o Marc? — inquiriu.

Respondi com uma evasiva. William me passou um sermão.

— A autoridade aqui são eles — alertou-me. — Pode haver uma revista a qualquer momento.

Eu sabia que ele tinha razão. As cartas poderiam ir parar, de repente, nas mãos da guerrilha. Resolvi queimar as que estavam comigo, certa de que Marc não iria me devolver as minhas.

Durante uma das marchas breves que tomamos o hábito de fazer, consegui queimar uma parte sem ser vista.

Pelo menos foi o que pensei, pois uma guerrilheira tinha observado meus movimentos e alertado Enrique. Fui convocada. William me puxou à parte:

— Diga as coisas como elas são. Eles já sabem da história das cartas.

Enrique foi seco:

— Não quero ver problemas entre os prisioneiros. Devolva ao seu companheiro o que lhe pertence, eu vou dar um jeito de ele devolver o que é seu — disse ele de chofre.

Embora humilhada por aquela situação, a atitude de Enrique me tranquilizou. Ele não parecia estar particularmente interessado nas cartas. Senti que estava feliz da vida por poder dar uma de juiz entre Marc e mim. Era a sua vingança pessoal.

Marc também foi convocado. Estávamos num acampamento diferente, bem no meio de uma plantação de coca germinando, com árvores frutíferas no meio e, rente à plantação e em suas extremidades, altos mamoeiros solitários. Duas casas geminadas de madeira e um forno de argila completavam o conjunto.

Tinham nos instalado num matinho atrás da plantação. Enrique armara sua barraca logo atrás das casas de madeira, no quintal, antes da orla da mata. Marc ficou algum tempo discutindo com Enrique. Quando voltou, fui ter com ele. Marc estava com sua fisionomia dos dias ruins, me fez esperar, enquanto terminava de guardar suas coisas no meu *equipo*, antes de falar comigo. Essa história era realmente muito boba. Teria bastado uma palavra para que desabassem as muralhas que se erguiam entre nós. Seu olhar furioso me bloqueou. Entreguei o rolo de cartas, que ele pegou sem olhar. Hesitava em revelar que já não estavam todas ali, e fiquei ali plantada, pensando em como lhe dizer. Ele ergueu um olhar duro e me disse, equivocado quanto ao motivo da minha espera:

— Vou ficar com as suas também, sinto muito.

Por que ele queria ficar com elas a qualquer custo? Será que planejava usá-las mais tarde? A desconfiança tomou conta de mim.

No dia seguinte, depois da refeição matinal, Enrique mandou El Abuelo como mensageiro, com a ordem de pegarmos nossos *equipos* e irmos nos instalar numa das casinhas de madeira.

— Vão passar uns filmes para vocês — ele anunciou.

Ninguém acreditou, pois a ordem de levar nossas mochilas só podia estar ligada a alguma outra lógica.

O grupo foi dividido em dois. Marc, Tom e Keith foram para a segunda casinha e nós ficamos na casa contígua ao forno. El Abuelo pediu para Marc abrir a mochila e tirar todos os seus pertences. Inspecionou cada objeto cuidadosamente e demonstrou interesse pelo caderno de Marc, que lhe servia de diário. Ele me chamou.

— Isso aqui é seu? — perguntou, mostrando o caderno.

Fiquei parada dentro da casa, me recusando a transpor o espaço entre mim e eles. Um guarda se aproximou.

— Vamos, mexa-se! Não vê que o camarada está chamando — disse, irritado.

As casinhas eram construídas sobre pilotis a um metro do solo. Saltei para o chão e me aproximei.

— Isso não é meu — respondi.

Marc, por um momento, pareceu perturbado e então disse, para se recompor:

— Já posso guardar as minhas coisas?

Meus outros dois companheiros vociferavam e faziam gestos de exasperação, indignados por terem sido obrigados a ficar esperando com seus *equipos*. Já El Abuelo estava irritado com o comentário de Marc. Estava saindo, sua missão cumprida, mas mudou de ideia:

— Você! Abra seu *equipo*! — disse, furioso, a Keith.

Fez-se um silêncio mortal.

Escutei o guarda exclamar, asperamente:

— Isso é para ele aprender a bancar o Rambo!

Os outros guerrilheiros, que estavam próximos do forno fazendo a comida, caíram na risada. Massimo estava com eles. Veio para perto de mim, observando a cena.

— Ui! — ele exclamou, sacudindo a mão como se sentisse dor. — Esse aí tem uma língua ruim demais!

Aquela série de reações me deixou um gosto amargo. "Que estrago", pensei, fitando Marc enquanto ele guardava suas coisas. As cartas já não tinham importância. "A amizade dele era a única coisa a preservar."

80. O Sagrado Coração

Junho de 2008

Mergulhei numa imensa melancolia. O fato de não poder falar com Marc, já não por causa da guerrilha, mas de nossa própria teimosia, me fizera perder o interesse por tudo.

Antes de chegar ao acampamento das duas casinhas, ainda durante a marcha, Asprilla me trouxe um dicionário Larousse grande, o mesmo que eu tinha pedido a Mono Jojoy anos antes. Eu sabia que ele estava no acampamento havia muito tempo. Consolacion e Katerina tinham me avisado, no período em que eu estava no isolamento, convalescendo no grupo de Chíqui.

Na época, era Monster que o carregava. Ele às vezes deixava que eu o folheasse. Em troca, queria que eu lhe explicasse como fora a Segunda Guerra Mundial. As mulheres também aproveitavam, encantadas, e ficávamos olhando o dicionário enquanto elas faziam minhas tranças.

"Monster está morto, ninguém mais quer carregar", pensei. Achei que Marc fosse querer consultá-lo, mas ele se negou a mostrar qualquer interesse. Keith não raro o pedia emprestado, e combinamos que eu o deixaria fora do meu *equipo* enquanto estivesse fazendo ginástica para que ele pudesse usá-lo à vontade. Mas sua curiosidade não durou muito e, por fim, William era o único que passava horas consultando o dicionário.

Certa tarde, enquanto esperava que William terminasse de usá-lo e matava o tempo conferindo os programas de rádio em ondas curtas, a voz de um homem falando sobre as "promessas do Sagrado Coração" chamou minha atenção. Talvez porque, quando criança, eu ia com frequência à basílica do Sacré Cœur em Paris, ou talvez porque me tocasse a palavra "promessa", o fato é que parei de girar o botão da sintonia para ouvir.

O homem explicava que o mês de junho era o mês do "Sagrado Coração" de Jesus e listava as graças concedidas àqueles que o invocavam. Peguei rapidamente um lápis e anotei num pacote de cigarros as promessas que consegui gravar.

Duas delas pareciam expressar particularmente uma de minhas mais profundas esperanças: "Derramarei minhas bênçãos sobre todos os seus projetos", "Tocarei os corações mais duros". Meu projeto era simplesmente nossa liberdade, minha e de todos os meus companheiros. Aquele era um reflexo imediato. A transformação dos corações endurecidos era uma promessa feita sob medida. Muitas vezes, nas conversas com Pinchao, tínhamos empregado aquela expressão. Havia ao redor de nós demasiados corações duros, os corações duros dos nossos carcereiros, os corações duros dos que sustentavam que devíamos ser sacrificados à razão de Estado, e os corações duros dos indiferentes.

Sem pensar, me dirigi a Jesus: "Não peço que me liberte. Mas, se são verdadeiras as suas promessas, quero pedir-lhe uma coisa apenas: neste mês de junho que é o seu, faça com que eu saiba quantos meses ainda temos de cativeiro pela frente. Se fizer com que eu saiba isso, vou conseguir aguentar. Pois estarei vislumbrando o fim. Se fizer com que eu saiba, prometo que rezarei a você todas as sextas-feiras do resto da minha vida. Essa será a prova de minha devoção, pois saberei que você não me abandonou".

O mês de junho, no entanto, foi pobre em esperança. Escutei, é claro, o apelo dos partidos verdes e dos membros do parlamento europeu, que continuavam pedindo a libertação de todos que estavam na selva. Tinha havido manifestações de multidões no início do ano, não só na França e em toda a Europa como também, pela primeira vez, na Colômbia. Multiplicavam-se os comitês de apoio aos reféns e seus militantes agora se contavam aos milhares. Todos os presidentes da América Latina haviam se manifestado a favor de uma negociação com as Farc durante a posse de Cristina Kirchner, tendo ela aberto as portas para que nossas famílias pudessem solicitar ajuda aos seus pares.

Em junho, porém, nossa situação parecia mais entravada que nunca. A Operação Fênix, conduzida pelo Exército colombiano em 2 de março de 2008 no território equatoriano, visando a derrubar Raúl Reyes, o segundo comandante na hierarquia das Farc, resultara numa crise diplomática envolvendo Colômbia,

Equador e Venezuela, cuja gravidade não escapava a ninguém. Os contatos pela libertação dos novos reféns tinham sido totalmente suspensos.

A morte de Manuel Marulanda, chefe supremo das Farc, em 24 de março, apenas duas semanas depois da morte de Raúl Reyes, seu sucessor, parecia ter decapitado a organização e jogado para as calendas gregas o acordo humanitário e nossas chances de libertação.

"Não vai ter nada para você", dizia a mim mesma para não criar falsas ilusões. No dia 28 de junho, porém, recebi uma visita surpreendente.

Enrique se aproximou silenciosamente, pensando em como entrar na minha *caleta*, com a visível intenção de se sentar para conversar. Imaginei que mais uma desgraça fosse se abater sobre mim. Não gostava de encontrar com Enrique. Fiquei imóvel, músculos contraídos.

— Uma comissão europeia está vindo visitar vocês. Querem conversar com todos, verificar o estado de saúde dos reféns. Precisamos nos preparar. Vamos ter que nos deslocar. É possível que um ou vários de vocês sejam libertados.

Eu aprendera a não demonstrar minhas emoções. Meu coração saltou dentro do peito como um peixe pulando do aquário. Não queria que Enrique achasse que podia me enganar novamente. Ele adoraria ver minha decepção. Eu fingia não estar interessada.

— Dei ordens para que comprem roupas para vocês, e mochilas menores. Levem apenas o essencial, nada de barraca e mosquiteiro: a rede, mudas de roupa e só. Deixem os *equipos* aqui com o resto todo.

Ele passou por todas as *caletas*, falando com cada um no mesmo tom cansado e cuidadoso, decerto obedecendo a ordens recebidas. A iniciativa pessoal era um valor pouco estimulado no interior das Farc.

Quando Enrique saiu do alojamento, cada qual tinha uma versão do que havia sido dito. Os cochichos corriam de vento em popa. Na minha cabeça, havia um só pensamento: queria obter a resposta que eu esperava antes do fim de junho.

Pouco me importava a veracidade das informações que Enrique fizera circular. Se viesse uma comissão internacional, haveria a possibilidade de conversar com gente de fora e avaliar nossas chances de soltura. O rádio vinha tocando no assunto desde alguns dias.

Depois da Operação Fênix, as Farc tinham acusado os delegados europeus de terem comunicado ao Equador as coordenadas de Raúl Reyes. Agora o governo colombiano autorizava dois delegados europeus a viajarem até o coração da Amazônia para se encontrarem com Alfonso Cano, o novo chefe das Farc. Tratava-se de Noël Saez e Jean-Pierre Gontard. Os dois homens dedicavam a vida à causa de nossa libertação. Se conseguissem reconstruir canais de comunicação com as Farc, havia alguma chance de que houvesse uma negociação à vista.

No dia seguinte, Lili apareceu carregada no alojamento. Trazia calças novas, camisas xadrez para os homens, e uma jeans com uma camiseta azul-turquesa bem decotada para mim. Marc recusou as roupas novas, devolvendo-as a Lili. Tom vestiu a camisa xadrez nova imediatamente. Era óbvio que queriam nos envolver numa encenação. "Vou usar minha roupa velha", resolvi, refletindo sobre a atitude de Marc.

81. O embuste

Depois de tudo recolhido, fizeram-nos andar até as casinhas de madeira. Para nossa grande surpresa, descobrimos os reféns dos outros grupos já acomodados numa delas. Nossos companheiros, Armando e Arteaga à frente, conversavam com o caporal Jairo Duran, o tenente de polícia Javier Rodriguez, o caporal Buitrago, conhecido como *Buitraguito*, e o sargento Romero, que era sempre muito cortês. Ficaram felizes por revê-los. Durante as marchas, acontecera de ficarmos juntos horas a fio esperando o *bongo*. Tínhamos ficado amigos. Íamos de um para o outro, querendo saber tudo num minuto e partilhando nossas reações e sentimentos acerca do que nos esperava. Ninguém sabia de nada. Ninguém ousava perguntar ao outro se achava que haveria alguma libertação, pois ninguém ousava acreditar nisso.

Acerquei-me de Armando, gostava da sua companhia e do seu irredutível otimismo. Ele me abraçou, encantado:

— A próxima vai ser você!

Rimos, não mais que eu ele acreditava nisso.

— Olha só, o Arteaga arranjou uma namorada — disse ele, mudando de assunto.

Virei-me para olhar, era bonitinho. Miguel estava com um pequeno *cosumbo* domesticado no ombro e beijava seu focinho.

— Quem deu esse *cosumbo* para ele?

— Não é um *cosumbo*, é um quati! — declarou Armando, entendido.

— Espera aí, o que é um quati?

— É parecido com um *cosumbo*.

Rimos, a perspectiva de uma mudança na rotina nos dava asas.

— E aí, para onde estamos indo?

— Para lugar nenhum, vamos ficar no Camboja — ele falou, irônico.

Era a máxima preferida dele para indicar que tudo podia acontecer e que estávamos em muito maus lençóis, nas mãos de Pol Pot. Eu sempre achava graça. À primeira vista, talvez parecesse despropositada, mas era certeira — tratava-se da mesma selva, do mesmo extremismo e fanatismo mascarados pela retórica comunista, e do mesmo cruel sangue-frio.

— Ele come mais que leishmaniose! — disse ele, apontando para alguém atrás de si.

Eu já estava rindo, antes de saber a quem ele se referia. A um canto, afastado de todos, agachado com sua tigela, Enrique se empanturrava com os restos de arroz daquela manhã.

Foi dada a ordem da partida. Nossos *equipos* foram todos empilhados num quarto da casinha, cuja porta era trancada por um cadeado grande, cuja chave, por sua vez, foi parar no bolso de Enrique. "Nunca mais vamos ver nossos *equipos*", pensei, feliz por ter pego, no último minuto, os cintos que eu tecera para Méla e Lorenzo alguns anos antes, as únicas coisas que tinham sobrevivido às inumeras revistas. Enrique, indiferente ao tempo, limpava aplicadamente o seu novo AR-15 Bushmaster, que substituíra o seu AK-47. O *bongo* nos aguardava.

A travessia foi surpreendentemente breve. Cobriram nossas cabeças com uma lona grossa, mas consegui ver a margem oposta, salpicada de casinhas bonitas, pintadas de cores brilhantes.

"Onde será que estamos?", pensei, surpresa ao ver tantos civis.

Atracamos defronte uma residência imponente. Um lindo jardim, com palmeiras formando um leque no meio de um gramado impecável, precedia uma casa sobre pilotis que se estendia em três alas perfeitamente equilibradas. A parte central tinha todo o jeito de ser a área social. Uma mesa enorme, com uma quantidade de cadeiras de plástico, parecia perdida numa sala imensa que não se preenchia nem mesmo com a grande mesa de bilhar que havia do outro lado.

Levaram-nos imediatamente para a ala esquerda da casa. Em geral, nos instalavam nos galinheiros ou laboratórios, nunca nas casas. Veio a ordem de colocarmos os *equipos* no chão, nos fundos da casa, e pegar nossos trajes de banho. Em dois tempos, estávamos todos no rio.

— Você agora é uma autêntica soldada — disse-me Rodriguez, brincando.

Alguém pegou um frasco de xampu pela metade.

— Uau! — exclamamos todos em coro.

Aquele era um tesouro que em geral ninguém partilhava. Mas havia uma leveza no ar, e o frasco circulou. O cheiro que ele exalava me trouxe o desejo por uma outra vida, e mergulhei na água para enxaguar o cabelo me fazendo de sereia.

— Betancourt, para fora! — chamou Oswald, perverso.

Juntei meu pedaço de sabão e saí antes de todo mundo. Sorri ao pensar que um dia aquilo tudo iria acabar, e fui buscar meu *equipo* para trocar rapidamente de roupa antes de ser devorada pelos mosquitos.

Um dos guardas abriu a porta lateral da ala esquerda da casa.

— Guardem os *equipos* e peguem as correntes — disse ele num tom presunçoso.

Vi meus companheiros se amontoando para serem os primeiros a entrar. Olhei para o céu uma última vez. A noite estava clara. Nenhuma nuvem. Lá no alto, a primeira estrela começava a brilhar.

Meus companheiros se agitaram em torno de uma pilha de colchões rasgados que, tudo levava a crer, não seriam suficientes para todos. William conseguiu pegar dois colchões de casal e me mostrou o espaço que reservava para mim.

O guarda fez soar seu molho de chaves. Cada qual se acomodou a um canto, e o guarda passou de um em um para fechar os cadeados e prender as correntes nas vigas que sustentavam as camas. Quando ele se foi, peguei o meu radinho e, como toda noite, me pus a ouvir os programas colombianos. Sentia-me bem debaixo daquele teto, naquela cama, naquele colchão.

Acordei às três horas da manhã e peguei meu terço. Era quarta-feira.

Naquele dia, rezei com mais alegria, pois estava convencida de que meu pacto com Jesus havia sido selado. "Ele cumpriu sua palavra", repetia a mim mesma, mesmo não tendo a menor ideia do que me esperava.

A voz de minha mãe me alcançou ao amanhecer. "Preciso tomar o avião hoje à tarde," dizia, "mas não quero te deixar."

Sorri, lembrando de Lucho. "Amanhã ela vai me ligar de Roma", pensei. Mélanie também apareceu no rádio. Estava chamando de Londres. Sorri ao pensar que, se eu fosse libertada, não haveria ninguém para me esperar na chegada.

Fabrice falou em seguida. Graças à carta que eu escrevera para minha mãe, descobrira que eu escutava as mensagens pelo rádio. Ele então andava chamando de tudo quanto era lugar, e sempre acabava desligando pois sua voz traía demais sua emoção. Nesse dia, conseguiu me contar que estava junto com a mãe de Marc, e que Jo vinha lutando por ele feito uma leoa. Falou em francês, e ninguém além de mim poderia avisar Marc.

O guarda já estava passando para abrir os cadeados. Para minha surpresa, tirou as correntes de meus companheiros e guardou-as. "Não se iluda, ele vai deixar você aí", disse a mim mesma ao ver que se tratava de Oswald. No entanto, ele tirou minha corrente.

Um barulho de louça chamou minha atenção. Um guerrilheiro apareceu, trazendo um prato de porcelana cheio de sopa em cada mão. Estendeu-os para nós, fazendo uma ida e volta a cada dois minutos. Ficamos todos inclinados sobre nosso prato, em silêncio, concentrados em pescar os cubinhos de batata dentro do caldo.

Um agito de cumprimentos me fez voltar a cabeça. O comandante César fazia sua entrada, dirigindo-se com cortesia a cada um de meus companheiros, um por um, até chegar a mim.

Todos saíram, deixando-me sozinha com o chefe do front, tanto por cortesia como por desejo de aproveitar uma manhã de sol sem correntes e um bom café da manhã.

— Nós somos o exército do povo — disse César em tom de oratória.

"São iguaizinhos à antiga classe política colombiana", pensei. Ele fez uma declaração dentro dos conformes, explicando o motivo pelo qual mantinham "retidos" — um eufemismo para "reféns" — e como, se recorriam ao dinheiro da droga para se financiarem, era para não terem de recorrer aos sequestros econômicos.

Olhei para ele, impassível, sabendo que tudo o que estava me dizendo tinha um objetivo. O que ele temia? Queria que eu fosse sua testemunha? Queria que eu passasse algum recado? Garantir sua retaguarda? Quem iríamos encontrar? Os estrangeiros? Os chefes das Farc? Suspirei. Alguns anos antes eu teria enfrentado, teria tentado desmontar seus argumentos. Eu me sentia como um cachorro velho. Já não latia, nem sentada, nem de pé. Só observava.

Passada uma hora, César continuava com seu discurso. Olhei para a minha sopa fria sobre o colchão fervilhante de pulgas em que eu tinha dormido. Quando pareceu que ele tinha concluído, me arrisquei a perguntar o que devíamos esperar daquele dia.

— Uns helicópteros vão vir buscar vocês. Vamos provavelmente encontrar com o Alfonso Cano. Depois disso, não sei — confessou. — Vocês talvez sejam transferidos para outro acampamento.

Marc estava em pé na frente de seu beliche. Estava guardando a tigela na mochila. Só estava ele no quarto. Hesitei, e então me aproximei:

— Marc, queria que você soubesse que ouvi hoje de manhã, no rádio, que a sua mãe está em Londres. Está lá com a minha família, num fórum sobre a paz, ou Direitos Humanos, acho. Segundo o Fabrice, ela está lutando por você feito uma leoa.

Marc continuou fechando a mochila enquanto eu falava. Por fim, ergueu os olhos e vi neles tanta doçura que senti vergonha do tom severo com que lhe falara. Ele me agradeceu de maneira formal, e eu me afastei para não prolongar um face a face que podia se tornar desconfortável.

Ouvi o ronco dos helicópteros se aproximando. Meus companheiros todos já estavam com o nariz apontado para as nuvens, perscrutando o céu. Comecei instantaneamente a transpirar, com dolorosas câimbras no abdome. Meu corpo reagia como se se tratasse de um raide militar.

— Sou uma boba... Nem sei o que é isso, mas não posso me impedir — murmurei. Estava com a boca pastosa e ainda tremia quando o velho Erminson berrou para entrarmos na casa com as mochilas. Ele nos fez seguir em fila indiana até a sala de bilhar. Era uma revista. Mais uma.

Havia um guarda para cada prisioneiro. A revista foi muito rápida. Confiscaram tudo que fosse cortante, até os cortadores de unha. O meu estava em meu bolso, escapou da blitz. Ainda em fila indiana, nos levaram até o *bongo*. Cada qual seguido de perto por um guarda. O meu era uma mulher que eu via pela primeira vez. Estava muito nervosa e berrava comigo, enfiando-me a ponta do fuzil nas costelas.

— Devagar, devagar — eu disse, tentando acalmá-la.

Atravessamos o rio de *bongo*, e atracamos logo em frente, numa plantação de coca que se estendia atrás de uma casinha de madeira. No meio da plantação, um campo cercado parecia ser o local escolhido pela guerrilha para a aterrissagem de helicópteros. Dois helicópteros davam voltas no ar, lá no alto, sumiam entre as nuvens e reapareciam em seguida. Um deles iniciou a descida. Era todo branco, com uma franja vermelha sob a hélice. O barulho do motor foi ficando ensurdecedor e parecia seguir o ritmo de minhas palpitações. Quanto mais ele descia, mais as vibrações se propagavam dentro do meu corpo. Ele pousou, a porta se abriu. Enrique posicionara o grosso de sua tropa em cortina ao redor da cerca. Os guardas tinham um olhar ruim e seu nervosismo era tão visível quanto o ar quente que tremia junto ao chão. Nós, os prisioneiros, tínhamos instintivamente nos agrupado, colados ao arame farpado, para ficar o mais perto possível do helicóptero e evitar sermos ouvidos pelos guardas. Fiquei um pouco para trás, desconfiada.

Um grupo de homens saltou do helicóptero. Um deles, muito alto, de boné branco na cabeça, andava inclinado para o lado como temendo desequilibrar-se com o vento varrido pelas hélices. Correndo atrás dele vinha outro homem, magro, de barba loira, e uma mulher baixinha de jaleco branco trazendo uns formulários numa mão e uma caneta na outra. Um sujeito alto de olhos muito escuros e olhar penetrante andava meio de lado. Lembrou-me um árabe. Mais atrás, afastado e à esquerda do grupo, um homenzinho escuro, de câmera em punho, colete branco e camiseta do Che Guevara parecia concentrado em filmar toda a cena. Por fim, um jovem jornalista de lenço vermelho, brandindo um microfone, tentava visivelmente falar com os comandantes.

— Será que são os europeus? — perguntavam meus companheiros, me cutucando com o cotovelo.

Fazia um esforço para enxergar, incomodada pela reverberação da luz. Fazia um calor bestial.

— Não, não são os europeus.

O homem alto de boné branco se postou do outro lado do arame farpado, nos enchendo de perguntas bobas, com seu acólito pronto a tomar nota.

— Você está em boa saúde?

— Está com alguma doença contagiosa?

— Sente vertigem ao andar de avião?

— Sofre de claustrofobia?

Não se interessava por ninguém em particular, passando de um para o outro sem esperar pelas respostas.

Aproximei-me para examinar a identificação plastificada pendurada em seu pescoço: "Missão Humanitária Internacional", estava escrito, num logo sobre fundo azul-claro e uma pomba de asas abertas estilo sabonete Dove. "Isso é um embuste", pensei, horrorizada. Aqueles homens eram obviamente estrangeiros, quem sabe venezuelanos ou cubanos. O sotaque, pelo menos, era das Caraíbas.

"Não é nenhuma comissão internacional, não vai haver nenhuma libertação, vamos ser transferidos sabe Deus para onde. Ainda vamos estar presos daqui a dez anos", concluí.

O homem de boné branco deu ordem para descarregar do helicóptero uns engradados de refrigerantes e, magnânimo, os ofereceu a César.

— Isso é para a tropa, *Compañero* — consegui ler em seus lábios, antes que trocassem os tapinhas nas costas de praxe. Os guardas estavam postados a cada dois metros, formando círculos em volta de nós. Deviam ser perto de sessenta. Estavam orgulhosos, em posição de sentido, bebendo com os olhos tudo o que se passava. Enrique, não muito falante, retraído diante de um César satisfeitíssimo e cheio de si.

O homem de boné branco voltou para junto de nós. Com uma voz que ele queria autoritária, declarou:

— *Muchachos*! Temos que ser rápidos, não podemos ficar mais tempo em solo. Temos um compromisso com as Farc e vamos respeitá-lo. Todos devem subir no helicóptero com as mãos atadas. Ponham-se em fila. Trouxemos umas algemas, que estão com os guardas. Peço que colaborem para garantir o sucesso desta missão.

Inesperadamente, e pela primeira vez, houve uma revolução entre os prisioneiros. Ninguém queria subir nos helicópteros. Todos protestavam. Não podíamos aceitar daqueles desconhecidos o que vínhamos aceitando havia anos da guerrilha.

Os guardas apontaram as armas a fim de refrescar nossa memória. Alguns companheiros se deitaram no chão, desfechando pontapés em quem quer que se aproximasse. Foram brutalmente amarrados pelos guardas e intimados, sob os fuzis, a subir no aparelho. Outros tentaram expressar seus protestos diante da câmera, foram empurrados, amarrados e, por sua vez, obrigados a subir. O guarda que colocava as algemas era um garoto de humor violento. Atou-me as mãos fazendo tanta força que chegou a perder o equilíbrio. Eu não disse nada, estava arrasada com a ideia do que tínhamos pela frente.

A enfermeira quis me ajudar a carregar minha mochila. Recusei secamente. As cenas que eles filmavam sem parar deveriam mostrar ao mundo a imagem de uma guerrilha humana. Eu não queria me prestar ao jogo deles. Não abri a boca e subi no helicóptero como quem vai para o matadouro. Lá dentro, em cada lugar havia um agasalho branco. "Estamos indo para Paramo",* pensei, mordendo os lábios, "no território de Alfonso Cano",** concluí.

Estava sentada entre Armando e William, ao lado da porta, já que fomos os últimos a entrar. Tinha minha mochila entre as pernas e tentava dissimuladamente tirar as algemas para restabelecer meu fluxo sanguíneo. Foi fácil, eram correias parecidas com essas usadas para malas nos aeroportos.

— Ponha a algema de volta, isso é proibido — me alertou Armando, escandalizado.

— Estou me lixando — respondi, deprimida.

A porta se fechou. Enrique se sentou em seu lugar. O helicóptero tomou altitude. Pela janelinha atrás de mim, avistei os guerrilheiros, todos em posição de sentido, nos olhando partir. Foram rapidamente diminuindo de tamanho, até

---

* Região dos picos andinos, muito fria e úmida.
** O novo chefe das Farc, que substituíra Marulanda após a morte deste.

já não serem mais que um alinhamento de pontinhos pretos no meio do verde. "A gente podia neutralizá-los e tomar o controle do avião", pensei, olhando para a cabine.

A enfermeira se aproximou novamente e me ofereceu algo para beber. Não quis aceitar nada, ressentida com ela por se prestar a um jogo que só iria prolongar nosso cativeiro. Rejeitei-a com frieza, irritada com seu olhar amável.

Nisso, eu o vi. Num movimento rápido, Enrique caiu de seu assento. O árabe estava em cima dele. Meus companheiros davam-lhe pontapés. Não entendia o que estava acontecendo. Nem ousava acreditar. Meus pensamentos travaram. Nada parecia ser coerente.

O homem de boné branco se pôs de pé, o árabe ainda em cima do corpo de Enrique. Eu não enxergava nada além da luta ganha de antemão entre aqueles gigantes e aquele homem que eu detestava tanto. Vi o colosso jogar o boné branco para cima, gritando com toda a força:

— *Somos el Ejército de Colombia! Están libres!*

O barulho do motor enchia a minha cabeça de vibrações e me impedia de entender. As palavras levaram algum tempo para atravessar as camadas de incredulidade que durante tantos anos tinham se tecido como carapaça em volta do meu cérebro. Senti que elas me penetravam como as primeiras chuvas, atravessando as camadas de dor e desespero cristalizadas dentro de mim, me enchendo aos poucos de uma força que brotava como a lava de um vulcão em erupção.

Um longo, muito longo e doloroso urro brotou do mais profundo de mim, me enchendo a garganta como se eu vomitasse fogo até o céu, me obrigando a me abrir inteira como num parto. Quando terminei de esvaziar os pulmões, meus olhos se abriram para um outro mundo, e compreendi que acabava de ser catapultada para a vida. Uma serenidade densa e intensa se instalou em mim, feito um lago de águas profundas cuja superfície espelha a imagem dos picos nevoentos que o circundam.

Peguei meu terço, que eu usava como pulseira, e o levei aos lábios num indescritível impulso de gratidão. William se agarrava em mim, e eu nele, assustados que estávamos pela imensidão do tempo de liberdade que se abria diante de nós, como se estivéssemos para levantar voo, nossos pés à beira de uma falésia.

Virei a cabeça. Meu olhar cruzou com o de Marc pela primeira vez do outro lado da vida, no mundo dos vivos, e reencontrei, naquele exato momento, a fraternidade de alma que descobríramos quando acorrentados, que escrevêramos um para o outro. Marc sorriu para mim. "O que nos tornamos lá é o que somos aqui hoje", pensei, repleta de paz, com a serenidade de alma de que falam os textos dos sábios.

A meus pés, encolhido como um feto, pés e mãos atados, jazia Enrique. Não. Não gostei da nossa violência e dos pontapés que lhe demos. Aqueles não éramos nós. Peguei na mão de William que chorava ao meu lado.

— Acabou — disse, afagando-lhe a cabeça. — Estamos indo para casa.

82. O fim do silêncio

William pôs o braço em volta dos meus ombros. Só então me dei conta de que eu também estava chorando. Era meu corpo, que tinha explodido, se reequilibrando através das lágrimas, submergido por uma infinidade de sensações esparsas e desconectadas chocando-se umas nas outras. Andei mais alguns instantes, descalça sobre as tábuas de uma madeira preciosa que eles tinham cortado a serra no acampamento do horror, e que agora apodrecia no passado junto com os milhares de árvores derrubadas naqueles seis anos e meio de desperdício. Pensei no meu corpo que não recobrara suas funções de mulher desde minha pequena morte e que parecia parar de hibernar no momento mais inoportuno. Essa ideia me fez sorrir pela primeira vez na vida.

Meus companheiros pulavam em volta dos corpos estendidos de César e Enrique, arrebatados numa dança de guerra que clamava nossa vitória em altos brados. Armando cantava nos ouvidos de Enrique: "*La vida es una tombola, tombola, tombola...*".

"O helicóptero vai cair", falei, em meio a um pico de adrenalina, subitamente angustiada com as chacoalhadas que nossa euforia impunha ao aparelho. Tornei a sentar-me, tensa. Vai que a maldição continuasse a nos perseguir. Imaginei, sem querer, o acidente.

— Em quanto tempo vamos aterrissar? — berrei na esperança de me fazer ouvir.

Na cabine, alguém se virou com um sorriso imenso, mostrando os cinco dedos da mão.

"Meu Deus", pensei, "cinco minutos! Uma eternidade!"

O homem alto de chapéu branco parou na minha frente e me levantou do assento num abraço de urso que me tirou o fôlego. Apresentou-se:

— Major do Exército colombiano — disse, informando o nome. "Tem a estatura de um gladiador da Trácia", pensei na hora.

Ele grudou a boca em meu ouvido, com as mãos em concha:

— Faz mais de um mês que deixei minha família para assumir o comando desta missão. Não podia dizer nada para ninguém, era sigilo absoluto. Quando nos despedimos, minha mulher me beijou e disse: "Isso que você vai fazer é importante demais. Sei que você vai buscar a Ingrid. Minhas orações vão te acompanhar, sei que você vai conseguir e que vai voltar. Saiba que, o que quer que aconteça, eu sei que dividi minha vida com um herói". Ingrid, eu queria que você soubesse que todos os colombianos estivemos com você, todos os dias, carregando a sua dor como se fosse nossa própria cruz.

Eu chorava, suspensa em suas palavras, agarrada nele como se em seus braços todas as condenações à desgraça tivessem acabado.

Foi então que dei graças a Deus, não por minha libertação, mas por *aquela* libertação, repleta que estava do amor desinteressado daqueles homens e mulheres que eu não conhecia e que, com seu sacrifício, davam transcendência a tudo o que eu tinha vivido.

Invadiu-me uma imensa serenidade. Estava tudo em ordem. Olhei mais uma vez pela janela atrás do meu assento. O pequeno lugarejo de San Jose del Guaviare, em meio a um jardim de verdura, crescia sob os meus pés. "Ali está o oásis, a terra prometida", pensei. Seria possível?

A porta se abriu. Meus companheiros saltaram do helicóptero pulando por sobre os corpos dos dois homens derrotados. Enrique parecia estar inconsciente, estendido no chão de roupa de baixo. Senti uma imensa compaixão. Não havia nada para cobri-lo. Ele ia sentir frio. A mulher que fizera o papel de enfermeira durante a operação me segurou pelo braço: "Acabou", disse ela suavemente. Levantei-me e abracei-a com força. Ela me empurrou para a porta, e pulei no solo com minha mochila.

No final da pista, o avião presidencial esperava para nos levar até Bogotá. Um indivíduo de uniforme abriu os braços para mim. Era o general Mario Montoya, o homem responsável pela Operação Jaque. Sua alegria exuberante era contagiosa. Meus companheiros dançavam, acenando os lenços em volta dele.

No avião, ele nos colocou a par dos detalhes da operação e dos preparativos para garantir seu êxito. Os helicópteros tinham sido pintados de branco em plena selva, num acampamento secreto em que, durante um mês, a equipe ensaiara, na mais estrita disciplina, o plano da operação. Tinham conseguido interceptar a comunicação entre César e Enrique e o seu chefe, Mono Jojoy. Este pensava estar falando com seus subordinados, quando na verdade se tratava do Exército colombiano. César e Enrique, por sua vez, julgavam estar recebendo ordens de Jojoy, quando na verdade quem os instruía eram os homens de Montoya. Primeiro ordenaram que aproximassem os dois grupos, e em seguida, que nos juntassem num só grupo. Ao ver que as ordens eram executadas, se atreveram a exigir que nos embarcassem no helicóptero da falsa comissão internacional. Copiaram o procedimento criado para as libertações unilaterais do início do ano, e deu certo, porque a operação parecia se inscrever na lógica das ações anteriores. A morte de Marulanda e Raúl Reyes tornou crível a possibilidade de um encontro com o novo chefe, Alfonso Cano, o que aliás explicava o entusiasmo de Enrique e César à ideia de viajar no helicóptero. Como num grande quebra-cabeça, todas as peças foram se encaixando precisamente no lugar certo, na hora certa.

Eu escutava o general. Ele falava dos meus filhos e me dava notícias de minha mãe e minha irmã.

— Minha família já foi informada? — perguntei.

— Às treze horas em ponto, fizemos o anúncio para o mundo inteiro.

Então, sem pensar, pedi licença para ir ao banheiro. Ele se calou e me fitou com carinho:

— Você não precisa mais pedir licença — sussurrou. Levantou-se educadamente pedindo permissão para me conduzir até lá.

Troquei de roupa e refiz a trança que prendia meu cabelo, pensando que tinha um espelho de verdade na minha frente, uma porta de verdade, fechada, e ri à ideia de que nunca mais teria de pedir licença a ninguém para ir ao banheiro.

Íamos aterrissar dentro em pouco. Procurei entre meus camaradas e descobri Marc, na dianteira do aparelho, mergulhado no silêncio. Fiz um sinal para ele e fomos nos sentar a um canto onde havia vários assentos vagos.

— Marc, queria te dizer... Queria que você soubesse que as cartas que não te devolvi, é porque eu já tinha queimado...

— Isso não tem a menor importância — disse ele baixinho, para me fazer calar. Nossas mãos se uniram e ele cerrou os olhos para murmurar: — Estamos livres.

Quando abriu os olhos, surpreendi a mim mesma dizendo:

— Prometa que quando estiver na sua vida, não vai se esquecer de mim.

Ele me olhou como se acabasse de buscar no céu pontos de referência, e disse meneando a cabeça:

— Eu vou saber onde te encontrar.

O avião aterrissara, e o general Montoya estava recebendo o ministro da Defesa, que ainda se encontrava na entrada do aparelho. Fazia muitos anos que eu não via Juan Manuel Santos. Ele me abraçou afetuosamente dizendo:

— A Colômbia está em festa, e a França também. O presidente Sarkozy está enviando um avião. Seus filhos chegam amanhã. — Então, sem me dar tempo de reagir, pegou minha mão e me puxou para fora do avião. Na pista, uma centena de soldados gritava vivas para nos saudar. Desci a escada como que em sonhos, deixando-me abraçar por aqueles homens e mulheres de uniforme, como se precisasse de seus gestos, suas vozes, seus cheiros, para acreditar.

O ministro me passou um celular: "É a sua mãe", disse com orgulho. "Quando a gente acredita nelas, as palavras viram realidade", pensei. Eu tinha imaginado tantas vezes aquela cena. Tanto a desejara e tanto esperara por ela.

— Alô, mãe?

— Astrid, é você?

— Não, mãe, sou eu, a Ingrid.

A felicidade de minha mãe foi como eu tinha imaginado. Sua voz estava cheia de luz e suas palavras eram um prolongamento daquelas que eu escutara no rádio, no amanhecer daquele mesmo dia. Nós nunca tínhamos nos separado. Eu vivera aqueles seis anos e meio de cativeiro presa à vida pelo fio de sua voz.

Deixamos Tolemaida, uma base militar a poucos minutos da capital, onde fizéramos escala. Durante o trajeto para Bogotá, cerrei os olhos num exercício de meditação que me fez rever tudo o que eu tinha vivido desde a minha captura como numa projeção em alta velocidade. Vi minha família inteira, tal como a imaginara durante aqueles anos todos de separação. Sentia um medo indescritível, como se eu pudesse não reconhecê-los, ou que eles pudessem passar por mim sem me ver. Meu pai estava, para mim, quase mais vivo do que eles, ou melhor, estavam todos tão distantes de mim quanto ele. Eu precisava me dispor a enterrá-lo de fato, e isso ainda me doía. Iria precisar, eu sabia, da mão de minha irmã para cumprir meu luto, mas como me dispor a dá-lo por morto quando eu estava voltando à vida! O que me aguardava era um empreendimento titânico. Eu teria que me redescobrir em casa entre os meus, sabendo-me outra, já quase uma estrangeira para eles. Meu maior desafio era não perder a conexão com os meus filhos, refazer o contato com eles, recriar a confiança, nossa cumplicidade, recomeçar do zero e, ao mesmo tempo, me abastecer em nosso passado para restabelecer os códigos do nosso amor. Meu filho era uma criança quando fui capturada. Que lembranças teria guardado da mãe de sua infância? Haveria lugar para mim na sua vida adulta? E Mélanie, quem era Mélanie? Quem era essa jovem mulher determinada e sensata a exigir que eu aguentasse firme? Ficaria decepcionada com a mulher que eu havia me tornado? Será que ela seria capaz, será que eu seria capaz, de recriar a intimidade que nos unia de forma tão profunda antes de meu desaparecimento? Meu pai tinha razão. O mais importante, na vida, é a família.

Aquele mundo novo, que não significava mais nada para mim, só tinha sentido por eles e com eles. Durante os anos de agonia que eu acabava de deixar, eles tinham sido, sem trégua, meu sol, minha luz e minhas estrelas. Eu tinha escapado dia após dia do inferno, levada pela lembrança ardente de seus beijos infantis, e para que não me confiscassem a memória de nossa felicidade passada, eu a escondera nas estrelas, perto daquela constelação do Cisne que, brincando, eu dera de presente à minha filha quando ela nasceu. Destituída de tudo, concentrara minha energia na felicidade de escutar a voz de meu filho mudada em voz de homem e, como Penélope, fizera e desfizera minha obra na espera deste grande dia.

Mais algumas horas e encontraria todos eles, minha mãe, meus filhos, minha irmã. Ficariam tristes ao me ver consumida pelo cativeiro? Respirei, os olhos fechados. Sabia que estávamos todos mudados. Eu percebera isto ao olhar para Willie, Armando, Arteaga. Estavam todos diferentes, como que brilhando de dentro para fora. Eu também devia estar assim. Fiquei muito tempo de olhos fechados. Quando tornei a abri-los, sabia perfeitamente o que iria fazer e dizer na descida do avião. Não havia impaciência em mim, não havia medo nem exaltação. Em meu coração, tudo o que eu havia pensado durante os ciclos intermináveis de acampamentos e marchas, ao fio das estações, estava maduro para ser exposto. A porta se abriu.

Na pista, estava a minha mãe, intimidada por tamanha felicidade, trazendo no rosto, como se quisesse escondê-las de mim, as marcas de seus anos de sofrimento. Aquela sua nova fragilidade me agradou, pois me era familiar. Desci lentamente os degraus do avião para ter tempo de admirá-la, e de melhor amá-la. Nos abraçamos com a energia da vitória. Uma vitória que só nós entendíamos, pois era a vitória sobre o desespero, o esquecimento, a resignação, uma vitória exclusivamente sobre nós mesmas.

Meus companheiros também tinham descido do avião. Armando me pegou pela mão e me arrastou. Caminhamos nos segurando pelos ombros, felizes como crianças, andando nas nuvens. Foi então que senti, estremecendo, que tudo era novo, tudo era denso e leve ao mesmo tempo, e, naquela luz que surgia, tudo sumira, tudo fora levado embora, esvaziado, limpo. Eu acabava de nascer. Não havia mais nada dentro de mim além de amor.

Caí de joelhos diante do mundo, e agradeci antecipadamente aos céus por tudo o que ainda estava por vir.

Agradecimentos

A Susanna Lea,
que apoiou incansavelmente minha pena e meu espírito.

1ª EDIÇÃO [2010] 7 reimpressões

ESTA OBRA FOI COMPOSTA POR 2 ESTÚDIO GRÁFICO EM MINION E
IMPRESSA PELA GEOGRÁFICA EM OFSETE SOBRE PAPEL PÓLEN
SOFT DA SUZANO PAPEL E CELULOSE PARA A
EDITORA SCHWARCZ EM JUNHO DE 2017

A marca FSC é a garantia de que a madeira utilizada na fabricação do papel deste livro provém de florestas que foram gerenciadas de maneira ambientalmente correta, socialmente justa e economicamente viável, além de outras fontes de origem controlada.